Círculos Sagrados Para Mulheres Contemporâneas

Mirella Faur

Círculos Sagrados Para Mulheres Contemporâneas

Práticas, rituais e cerimônias para o
resgate da sabedoria ancestral e
a espiritualidade feminina

Editora
Pensamento
SÃO PAULO

Copyright © 2010 Mirella Faur.

Copyright © 2011 Editora Pensamento-Cultrix Ltda.

1ª edição 2011.

2ª edição 2021./ 1ª reimpressão 2022.

Todos os direitos reservados. Nenhuma parte deste livro pode ser reproduzida ou usada de qualquer forma ou por qualquer meio, eletrônico ou mecânico, inclusive fotocópias, gravações ou sistema de armazenamento em banco de dados, sem permissão por escrito, exceto nos casos de trechos curtos citados em resenhas críticas ou artigos de revistas.

A Editora Pensamento não se responsabiliza por eventuais mudanças ocorridas nos endereços convencionais ou eletrônicos citados neste livro.

Editor: Adilson Silva Ramachandra
Gerente editorial: Roseli de S. Ferraz
Preparação de originais: Denise de C. Rocha
Gerente de produção editorial: Indiara Faria Kayo
Editoração eletrônica: Join Bureau
Revisão: Adriane Gozzo

Dados Internacionais de Catalogação na Publicação (CIP)
(Câmara Brasileira do Livro, SP, Brasil)

Faur, Mirella
  Círculos sagrados para mulheres contemporâneas: práticas, rituais e cerimônias para o resgate da sabedoria ancestral e a espiritualidade feminina / Mirella Faur. – 2. ed. – São Paulo: Editora Pensamento Cultrix, 2021.

  Bibliografia
  ISBN 978-65-87236-96-4

  1. Deusas 2. Espiritualidade 3. Mulheres 4. Religião 5. Religião da Deusa 6. Vida espiritual I. Título.

21-64494 CDD-211

Índices para catálogo sistemático:

1. Círculo sagrado para mulheres: Religião 211
Maria Alice Ferreira – Bibliotecária – CRB-8/7964

Direitos reservados
EDITORA PENSAMENTO-CULTRIX LTDA.
Rua Dr. Mário Vicente, 368 – 04270-000 – São Paulo, SP
Fone: (11) 2066-9000
E-mail: atendimento@editorapensamento.com.br
http://www.editorapensamento.com.br
Foi feito o depósito legal.

SUMÁRIO

Dedicatória 11
Agradecimentos 13
Apresentação: A minha teia pessoal.. 15
Prefácio 23
Introdução. A espiritualidade feminina 29
    A tradição da Deusa.. 29
    Histórico 33
    O "declínio" da Deusa 38
    Dualismo 43
    O culto a Maria 45
    Movimentos feministas 47
    O retorno à Deusa... 48
    O despertar das mulheres para a Deusa 49
    A consciência de Gaia 53

Primeira Parte
O PODER MÁGICO DO CÍRCULO 55

I.I   Simbolismo, histórico, finalidades................................... 56
I.II Os círculos femininos e suas características 62
      Experiências pessoais com grupos e círculos 69
I.III Diretrizes básicas para formar, sustentar e preservar um
     círculo sagrado feminino 81
      A. A estrutura do círculo 83
         Sacralidade e Tempo-espaço sagrado 84
         Intenção e compromisso.. 85

  Igualdade 87
  Consciência do coração 91
  Tipos de liderança 92
  Responsabilidade 99
  Gratidão 101
B. Como criar seu próprio círculo 103
  Propósito 105
  Responsabilidade 106
  Admissão 106
  Local 109
  Frequência 110
  Liderança 111
  Rituais e cerimônias 111
C. Organização das reuniões 113
  Preparação do espaço 115
  Altar 116
  Recepção das participantes 121
  Harmonização 122
  Abertura da reunião 125
  A prática do círculo 126
  Fechamento ritualístico 127
  Confraternização 128
D. Realização de rituais 129
  Roteiro básico para rituais
   1. Intenção: Escolher o objetivo 131
   2. Transição: Criar tempo-espaço sagrado 133
   3. Conexão: O ritual propriamente dito 138
  Novos rituais 141
E. Confirmação do compromisso. Despedida Ritualística 146
  Dedicação e consagração 146
  Despedida 154
F. Trajetória de um círculo 156
  Evolução do círculo 156
  Estágios da trajetória de um círculo 158
  Problemas comuns 160
  Projeções 161
  Sombras 162
  Dificuldades interpessoais 164
  Conflitos 169

    G. Avaliação do círculo. reformulação. fechamento 172
        Avaliação 172
        Reformulação 175
        Fechamento 176
    H. Expansão do círculo e sua integração no cotidiano 178

Segunda Parte
ESTUDOS, PRÁTICAS E RITUAIS PARA A CURA E O FORTALECIMENTO DA ESSÊNCIA FEMININA 187

II.I Cerimônias de transição 188
    Vivências pessoais na Senda da Deusa 193
    A. **Jornada iniciática** 198
        Brigid, Brighid, Brigit, Brighde, Bhrid, Brigantia ou Bride 200
        Procissão e ritual para a Deusa Brigid 203
    B. **Ritual de dedicação no caminho da deusa** 210
    C. **Rituais para os graus iniciáticos** 213
        Ritual para o primeiro grau: iniciação 213
        Ritual para o segundo grau: confirmação 214
        Ritual para o terceiro grau: consagração 216
        Palavras finais sobre a iniciação 217

II.II Consciência lunar 219
    A. **Os mistérios do sangue** 226
        Honrar o ciclo menstrual 229
        O diário da Lua vermelha 230
        A doação do sangue à Terra. O "jarro vermelho" 233
        Fortalecimento e consagração do ventre 235
        Animais "lunares" de poder 241
        Conexão com a deusa regente da fase lunar, menstrual
           ou natal 242
        Altar lunar e sacola menstrual 245
        Escudos protetores 249
        Diário dos sonhos 250
        Práticas menstruais individuais para a cura 253
    B. **Ciclos, práticas e arquétipos lunares** 256
        Ciclos e fases lunares 257
        Mandalas das 13 lunações 260

　　　　　Eventos lunares especiais 264
　　　　　Práticas individuais e grupais nas fases lunares 266
　　　　　　　1. As influências da Lua nova, da Lua cheia e dos eclipses ... 266
　　　　　　　2. As influências da Lua minguante e da Lua negra 272
　　　　　　　3. Confecção do espelho negro. 276
　　　　　Mandamento da Deusa Escura da transformação 278
　　　C. **Conexão com as faces da deusa** 279
　　　　　Arquétipos e mitos 279
　　　　　Encontro com a Deusa 282
　　　　　Conexão com um arquétipo 298
　　　　　Simbologia da Deusa 305
II.III **Magia de gaia. curar-se para curar a terra** 324
　　　Ouvir a voz de Gaia 329
　　　Práticas para o alinhamento energético 331
　　　Encontro com Gaia 337
　　　Expansão dos sentidos e fusão com Gaia 332
　　　Conexão com as energias do céu e da terra 332
　　　Entrega do seu "lixo" a Gaia 333
　　　Alinhamento com as energias dos elementos 334
　　　Dedicação grupal a serviço de Gaia 335
　　　Ritual 335
　　　Harmonização com os elementos 336
　　　Reconhecimento e respeito à sacralidade do próprio corpo 338
　　　O xale sagrado 342

TERCEIRA PARTE
RODAS SAGRADAS 345
III.I **Roda sagrada da tradição ocidental** 347
　　　Diagramas das correspondências 350
　　　Atributos dos elementos 353
　　　Sugestões para rituais 357
III.II **Rodas xamânicas** 360
　　　1. **Roda xamânica padrão** 362
　　　　　Roda xamânica padrão com cinco pedras 363
　　　　　Roda xamânica padrão com nove pedras 368
　　　　"Flecha da oração" (*Prayer Allow*) 370

    2. Roda xamânica de cura (*Medicine Wheel*) 371
        Construção de uma roda xamânica de cura 373
        Correspondências e atributos da roda sagrada 374
        Diagrama da roda xamânica da cura 382

    3. Cerimônias da Roda Sagrada Xamânica 384
        Cerimônia de purificação 385
        Cerimônia de centramento 385
        Cerimônia para conexão com os atributos da Roda Sagrada 387
        Cerimônia do Fogo Sagrado 388
        Cerimônia para encontrar seu lugar na Roda 389
        Prática individual ou grupal 388
        Cerimônia de cura 390

III.III Roda do ano 392
    A Participação dos Homens 396
    Roda do Ano na Tradição da Deusa 397
    Direção Norte. O primeiro Portal de Poder 397
    Direção Nordeste. Início do Novo Ano Zodíaco 402
    Direção Leste. O segundo Portal de Poder 406
    O arquétipo de Afrodite 412
    Direção Sudeste 413
    Direção Sul. O terceiro Portal de Poder 417
    Ritual para a Mãe do Milho 419
    Ritual para Pacha Mama 421
    Noite de Hécate 427
    Ritual para Hécate 427
    Direção Sudoeste 435
    Direção Oeste. O quarto Portal de Poder 445
    Ritual para as Ancestrais 448
    Direção Noroeste 454
    Ritual adaptado para comemoração de Yule 458
    Diagrama da Roda do Ano na tradição europeia 464

III.IV Roda de prata 464
    Celebração anual dos plenilúnios 464
    Tradição Wicca diânica 466
    Calendários antigos 470
    Tradição xamânica 477
    Correspondências astrológicas 482

  a) Lunares 482
    Rituais para plenilúnios 483
  b) Solilunares 487
    Tradição da Deusa 488
  Experiência pessoal 489
  Algumas palavras sobre oferendas 494

III.V A mandala das treze matriarcas 495
  A lenda das Treze Matriarcas 496
  Como estabelecer a conexão com as Mães de Clãs 502
  Orientações para as celebrações das Mães de Clãs 506
  A Matriarca da primeira lunação 508
  A Matriarca da segunda lunação 509
  A Matriarca da terceira lunação 510
  A Matriarca da quarta lunação 512
  A Matriarca da quinta lunação 513
  A Matriarca da sexta lunação 514
  A Matriarca da sétima lunação 516
  A Matriarca da oitava lunação 517
  A Matriarca da nona lunação 519
  A Matriarca da décima lunação 520
  A Matriarca da décima primeira lunação 522
  A Matriarca da décima segunda lunação 523
  A Matriarca da décima terceira lunação 525
  As dádivas das Mães de Clãs 527

Palavras Finais 529
Glossário 533
Bibliografia 543
Índice Remissivo 549

DEDICATÓRIA

Dedico este livro à memória dos conselhos ancestrais das Matriarcas, cuja sabedoria guiava as decisões e ações das comunidades de outrora, e aos atuais círculos de mulheres, que resgatam o legado ancestral e se esforçam para construir um mundo melhor, de solidariedade, parceria, paz, harmonia e amor. Esses círculos respeitam e reverenciam os valores da espiritualidade feminina, honram todas as formas de vida e celebram os ciclos da Mãe Terra.

AGRADECIMENTOS

Agradeço à Deusa, Eterna Senhora da Luz velada e da Sombra revelada, cujo amor, orientação e sustentação me permitiram compreender e realizar meu compromisso e minha missão espiritual.

Agradeço a todas as mulheres cuja presença, energia, dedicação, amor e confiança tornaram possível a criação, em Brasília, do Círculo da Chácara Remanso e da Teia de Thea. Que as lembranças das noites mágicas dos encontros e das emoções compartilhadas nas vivências continuem vibrando em nossa memória e permitam a manifestação de sonhos, aspirações e visões em uma nova tessitura, forte, bela e multicolorida, reveladora das múltiplas facetas da sacralidade feminina!

APRESENTAÇÃO

A MINHA TEIA PESSOAL

O nome e a imagem da Teia de Thea apareceram em minha mente durante uma meditação realizada em meados de 2005. Naquela ocasião, eu estava me preparando para uma ampla e profunda mudança em minha jornada espiritual: finalizar meu trabalho com o público (rituais de plenilúnio, celebrações da Roda do Ano, jornadas xamânicas e ritos de passagem) e encerrar a condução dos grupos de estudo do círculo de mulheres da Chácara Remanso, em Brasília.

Durante os 22 anos em que estivemos na Chácara Remanso, meu marido e eu nos dedicamos – total e ininterruptamente – a diversos trabalhos e atividades espirituais, terapêuticas e de aconselhamento, bem como à assistência material e espiritual da comunidade. No entanto, com a aproximação do sétimo decênio de nossas vidas, percebemos a necessidade de diminuir o intenso e permanente ritmo de nossas atribuições e obrigações, e de criar o espaço e o tempo necessários para nos dedicarmos também à nossa vida física, emocional, mental e espiritual. Chegar a essa decisão – e à que dela decorreu, ou seja, sairmos de Brasília – demandou um longo e penoso processo interior, repleto de questionamentos, avaliações, conflitos e percepções, e uma contínua busca por aprovação e orientação espiritual para os nossos planos e medidas.

Para mim, a maior e mais dolorosa renúncia não era abrir mão de uma propriedade construída, plantada e cuidada por nós, afastada da cidade, com diversos templos, instalações e altares criados especificamente para nossas atividades espirituais. O que me fazia sofrer e relutar eram as incógnitas ligadas à continuidade das atividades do círculo feminino, dos rituais públicos e dos grupos de estudo.

Ao longo dos doze anos anteriores, havia se consolidado um trabalho de ampla repercussão e reconhecimento público, para o qual tinha sido criado um espaço físico e energético para que múltiplas faces da Deusa fossem cultuadas e as mulheres pudessem redescobrir e viver sua ancestral sacralidade, restabelecendo a conexão com os arquétipos, os ensinamentos e as energias da Deusa. No decorrer desses anos, foram realizados inúmeros rituais públicos, de divulgação dos princípios e valores da espiritualidade feminina e da ampla cosmologia das deusas de diferentes tradições e culturas. Ao mesmo tempo, com a coordenação dos grupos de estudo dos Mistérios femininos, propiciou-se a dedicação, a iniciação e a confirmação de dezenas de mulheres na senda da Deusa, por intermédio de diversas jornadas, fossem elas xamânicas ou centradas nos mitos, na simbologia ou nos arquétipos da Grande Mãe. Para que esse trabalho pudesse ser encerrado, eu precisava abrir mão não só desse legado que havia sido resgatado e ativado. Além de privar o círculo de mulheres da minha presença e da minha função como transmissora e catalisadora de conhecimentos e ensinamentos, eu também deveria renunciar a um verdadeiro templo da Deusa, único em Brasília, onde as mulheres podiam se reunir e se recolher em busca de sua sagrada comunhão com a Mãe Divina.

Por meses, debati-me mental e emocionalmente, questionando-me se tinha o direito de tomar essa decisão sem incorrer novamente em erros cometidos em outras vidas, quando, de uma forma ou de outra, havia renegado ou me afastado do caminho da Deusa. Percebia-me presa em um emaranhado de dúvidas, culpas e medos, uma verdadeira teia psíquica e energética que me tolhia e sufocava, sem encontrar uma solução ou mesmo enxergar uma saída.

Por ocasião da realização do último *workshop*, intitulado "A magia de Gaia: curar-se para curar a Terra", pude presenciar e auxiliar a revelação e a cura de profundas feridas da alma feminina. Ao mesmo tempo, percebi claramente que eu mesma não seguia aquele que era um de meus lemas preferidos: *walk your talk*, ou seja, "pratique aquilo que você ensina". Em razão de um acúmulo de atividades e atribuições, por mim mesma impostas para o perfeito funcionamento dessa complexa "engrenagem mística", eu havia chegado ao limite do esgotamento físico e psíquico. Como poderia contribuir para a cura e a transformação de outras mulheres, ou da própria Terra, se meu corpo pedia desesperadamente por menos estresse e mais autopreservação? Ao fim daquela jornada, caí exausta; estava tão esgotada, física e emocionalmente, que não conseguia me mexer. Estirada na terra, pedi à Mãe que me ajudasse, mesmo sem saber o que pedir ou esperar. Então, ouvi uma voz suave ao meu lado, que dizia: "Pare de se maltratar; está na hora de parar". Abri os olhos, surpresa, imaginando tratar-se de uma das mulheres do círculo. Mas não havia ninguém; as mulheres que ainda estavam na fazenda encontravam-se na cachoeira, onde me aguardavam. Fechei os olhos e ouvi novamente a mesma voz, repetindo as palavras. Não pude perceber se era o sussurro do vento, o murmúrio do córrego ou a própria voz de Gaia; apenas me dei conta de que era um aviso de que eu estava ultrapassando os limites do meu corpo, indo além daquilo que eu podia fazer ou suportar.

Sempre procurei cumprir sozinha os meus encargos e compromissos espirituais, cuidando dos detalhes com zelo e perfeccionismo. Com o início dos rituais públicos nos plenilúnios e Sabbats, temas até então pouco divulgados – como a Tradição da Deusa e a sacralidade feminina – começaram a ser abordados. Como se dá com todo trabalho inédito e pioneiro, tive que enfrentar dificuldades e resistências conceituais e energéticas, superadas com amparo em minha fé.

A partir de 1964, quando cheguei ao Brasil vinda de um país materialista e comunista no qual fui privada de qualquer conhecimento ou participação espiritual, percorri vários caminhos transcendentais, sempre sob a orientação de um mestre ou dirigente. Mas, para ingressar na senda da Deusa, a ajuda, a iniciação e a orientação foram apenas sobrenaturais, não humanas. Desde 1991 – quando, na sagrada colina de Tor, em Glastonbury, Inglaterra, foi-me revelada minha missão como sacerdotisa a serviço da Deusa – foi somente Ela, a Mãe e a Senhora, que me inspirou, conduziu e sustentou, dissipou meus medos, clareou minhas dúvidas, fortaleceu minha vontade e determinação.

Com o início dos rituais públicos, por timidez, convidei para a celebração da Lua cheia apenas mulheres conhecidas. Talvez pelo início tardio no caminho, o trabalho cresceu rapidamente, além do esperado. Sentia-me conduzida por uma força maior, sem saber nem para onde seguir, sentindo-me apenas parte de um fluxo de energia poderosa e amorosa que fazia as coisas acontecerem.

Por serem os rituais e os encontros dos grupos de estudo realizados em nossa casa, a Chácara Remanso, nada mais natural e conveniente que a mim coubessem o planejamento, os procedimentos ritualísticos e mesmo a infraestrutura logística. Hoje, ao olhar as pilhas de papéis com roteiros de rituais, jornadas e iniciações, surpreendo-me ao ver como tanto pôde ser produzido em tão pouco tempo. Esse trabalho árduo, tanto física quanto mentalmente, contribuiu muito para o estresse e a exaustão que eu enfrentava. É por isso que aconselho a liderança compartilhada, um dos tópicos deste livro, para que outras dirigentes de grupos e idealizadoras de círculos não precisem também passar por isso.

Esse conceito de responsabilidade conjunta veio a ser minha "tábua de salvação" e acabou por me permitir sair do impasse criado pela necessidade de encerrar meu trabalho com o círculo das mulheres. Em convalescença de uma cirurgia oftalmológica, sem poder fixar a visão no "exterior", procurei voltá-la para o "interior". Meditava imaginando-me na colina de Tor, em Glastonbury, mas dessa vez no lado oposto, onde se encontra um velho espinheiro-branco, única árvore existente nas encostas nuas da colina, consagrada à Senhora de Avalon.

Durante três dias, fiz a mesma meditação, sempre às 18h – horário de meu nascimento. No último dia, vi-me ajoelhada diante de uma grande pedra redonda, um verdadeiro ovo nascido da terra, considerado por muitos um portal de acesso ao mundo subterrâneo de Avalon. Lembrei-me de uma visão que tive naquele mesmo lugar, relacionada às "Nove Senhoras de Avalon", e pedi-lhes que me ajudassem e me mostrassem como poderia dar continuidade ao círculo de mulheres após nossa mudança de Brasília.

Na realidade, por mais que desejasse que a chácara pudesse ser adquirida pelo círculo, não havia como concretizar meu sonho. Havia também o desafio da liderança: por mais capacitadas que as mulheres mais antigas do círculo fossem no plano mental e espiritual, os encargos de suas vidas familiares e profissionais, bem como a necessidade de disponibilidade integral em termos de tempo/espaço/energia, não permitiriam a continuidade do trabalho desenvolvido. Apenas uma resposta sobrenatural poderia me oferecer uma solução prática conveniente para todos.

Depois de orar e me conectar com as Senhoras de Avalon, senti-me envolta pela lendária bruma e vi nela sendo plasmada, aos poucos, a imagem do globo terrestre coberto por uma teia diáfana e luminosa. A teia era formada de pequenos círculos espalhados sobre a superfície da Terra, interligados por fios coloridos. Ouvi e depois vi sobrepostas à teia, escritas em letras vermelhas, as palavras *Teia de Thea*. Como a palavra *Thea* estava escrita com os caracteres gregos ΘEA, pedi a Thea, deusa grega da luz e da visão, que me ajudasse a compreender o significado daquela imagem. Subitamente, uma das minúsculas rodas se destacou e começou a aumentar, dividindo-se então em três círculos concêntricos que, girando no sentido horário, foram aos poucos se transformando em figuras femininas. Inicialmente, reconheci os rostos das integrantes mais antigas do círculo de mulheres da Chácara Remanso. Tentei identificar outros rostos conhecidos, mas as imagens eram muito fugazes e rápidas e trocavam de lugar como um caleidoscópio vivo. Em meus ouvidos, ressoava incessantemente uma canção tradicional dos círculos de mulheres americanas, que dizia:

*"Somos um círculo dentro de um círculo,
sem começo e sem fim".*

Naquele instante, senti uma paz muito grande, pois percebi que a Teia de Thea era a solução apresentada pela Deusa para que as atividades centradas em seu culto e em suas tradições pudessem continuar, ainda que eu me afastasse ou que a chácara fosse vendida.

A partir dessa visão, dei início aos preparativos para minha "sucessão", centrando-me na estruturação interna da "Teia", para que houvesse a continuidade dos rituais públicos e dos grupos de estudo. Havia algum tempo eu já incentivava a atuação das integrantes dos grupos mais antigos para que dirigissem alguns rituais de modo a se sentirem seguras para criar um roteiro, preparar o ambiente, abordar arquétipos, contar mitos, conduzir práticas e meditações, abrir e fechar o círculo e cuidar da harmonia da egrégora. Por ocasião do estudo do livro *Elementos da Deusa*, de Caitlin Matthews, as integrantes de um dos grupos mais avançados começaram a criar, nas reuniões mensais, lindos rituais baseados nas sugestões do livro, acrescentando sua criatividade e inspiração e aprendendo a difícil arte da colaboração, interação e solidariedade amorosa no trabalho grupal. No começo do ano, o desempenho de uma das mulheres, a quem havia sido confiada a direção de um novo grupo de estudo, mostrou-me que a formação da Teia já estava sendo plasmada.

O ponto crucial dessa odisseia foi divulgar aos grupos nossa decisão de nos mudarmos de Brasília. Depois do choque inicial, as reações foram de muita tristeza e lamento, com inúmeras argumentações e reclamações para nos convencer a desistir. Levou um tempo para que fosse dissipada a atmosfera de luto, tanto pela perda (delas) quanto pelo abandono (meu). Assegurei-lhes de que o trabalho iria continuar, pois, embora coubesse a mim, de início, desbravar e intermediar a criação de uma consciência da espiritualidade e sacralidade feminina, eram as mulheres do círculo que iriam preservar e continuar a Tradição da Deusa em Brasília. Para mudar a egrégora energética criada pelos pensamentos e pelas emoções negativas, era necessária atitude e ação positiva. Por isso, com algumas integrantes dos grupos mais antigos (cujos rostos eu tinha "visto" no centro da Teia), foi dado início a um plano tático e estratégico, que incluiu a definição dos novos locais das celebrações públicas, dos encontros dos grupos de estudo e da agenda dos rituais para 2006, e a distribuição de minha "herança material", de modo que a Teia dispusesse de um acervo mínimo de objetos e materiais ritualísticos.

Mesmo com tudo aparentemente encaminhado e definido, eu continuava me sentindo presa a fios energéticos sutis – mas perceptíveis – provenientes dos apegos e pesares tanto dos grupos e de amigos quanto de outros, criados por mim mesma. Durante meses, empenhei-me nas práticas de renúncia e desapego que culminaram em um acontecimento que me obrigou a parar. Em decorrência dele, tive que ficar de "braços atados" por meses e deixar que os eventos seguissem seu curso, sem minha interferência. Em janeiro de 2006, depois de escorregar em um piso molhado, fraturei o cotovelo do braço direito. Depois do acidente, veio uma longa e dolorosa provação, com três cirurgias, imobilização e meses de reabilitação motora. Assim, nas cerimônias de iniciação de fevereiro de 2006, pela primeira vez desde que passaram a ser realizadas (em 1994), tive que distribuir as tarefas das saunas sagradas, das vivências e dos rituais. Ficar parada foi um grande desafio e aprendizado para mim, mas também um alívio, pois pude ver como tudo estava fluindo perfeitamente. No ritual da fogueira, enquanto assistia emocionada à homenagem feita pelo círculo, relembrei todas as outras fogueiras, as noites mágicas das Luas cheias, as vivências de transmutação da dor secular da alma feminina, os rituais profundos e tocantes, as comemorações alegres, os banhos de cachoeira, as oferendas na árvore de Hécate, as danças e as canções. Vi plasmada na minha frente toda uma teia de emoções vividas em conjunto, o riso e o choro compartilhado, os laços de amizade, irmandade, afeto e solidariedade criados e mantidos ao longo desses treze anos dedicados à Deusa e às mulheres. Enrolada em meu xale xamânico, protegida pela escuridão, iluminada apenas pela Lua e pelas chamas da fogueira, pude enfim dar vazão à dor trancada e mantida sob controle até então. Chorei, por um longo tempo, olhando as danças e canções das mulheres ao redor das chamas, triste por saber que não mais as veria, mas, ao mesmo tempo, feliz por confirmar os laços fortes por elas e entre elas criados. Agradeci à Deusa, com todo meu coração sofrido, por ter me dado a oportunidade de servi-la e viver momentos plenos e gratificantes como os que, com tanta beleza, alegria e amor, tinham permeado minha dedicação. Assumi o compromisso de aceitar novas oportunidades nas quais pudesse falar e agir em Seu nome, de outra maneira e por meios mais simples.

No dia seguinte, no fim dos rituais, após anunciar e consagrar as novas dirigentes dos grupos de estudo, pedi ao círculo que tecêssemos a Teia na realidade concreta, com um novelo de lã vermelha representando os laços de sangue que ligavam as mulheres entre si e com a Deusa. Criamos os três círculos concêntricos: um central, formado pelas mulheres que tinham maior disponibilidade, conhecimentos e vontade de assumir compromissos e atribuições fixas, e capazes, portanto, de arcar com as responsabilidades decorrentes dessa escolha; e outros dois, destinados a auxiliar e apoiar o central, em contribuições e participações ocasionais, à medida que fossem adquirindo maior experiência ritualística ou disponibilidade física. Passando o fio aleatoriamente entre elas, apenas seguindo a ordem dos círculos, a teia foi sendo tecida lentamente, cada mulher dizendo seu nome e sua intenção de contribuição. Em dado momento, o fio embaraçou – eu, que estava do lado de fora apenas observando, tive que desfazer os nós e acabei ficando com a extremidade. O simbolismo desse acontecimento foi evidente para todas e aceitei continuar ligada à Teia, a distância, no nível virtual, energético, emocional, intelectual e espiritual.

E assim surgiu a Teia de Thea (www.teiadethea.org), uma organização circular com missão e valores definidos, que continua com os grupos de estudo para a divulgação e as vivências da sacralidade feminina, bem como a realização de poderosos e belos rituais públicos nos plenilúnios e nas comemorações da Roda do Ano (no campus da Unipaz, em Brasília). Tenho certeza de que o legado da Deusa, iniciado na Chácara Remanso e preservado pela Teia de Thea, continuará vivo, pleno e brilhante, contribuindo para o fortalecimento, a divulgação e a ampliação do movimento da espiritualidade feminina brasileira.

De minha vivência e experiência com os círculos de mulheres em Brasília, de meu acervo de erros e acertos, aprendizados e desafios, alegrias e tristezas, realizações e decepções, vivências extáticas e trabalho físico, surgiu este livro, um fruto maduro cujas sementes podem se espalhar e ajudar na criação de novos círculos de mulheres. Acredito, com convicção, que a experiência vivida é a melhor mestra e a única que nos dá a certeza de poder ensinar e orientar, com base na prática, sem elucubrações teóricas.

Aquelas mulheres que ouviram e sentiram o chamado da Deusa em sua mente e em seu coração vão se tornar as responsáveis pela criação de novos círculos, auxiliando na sua estruturação e orientação. Dessa maneira, a Teia de Thea poderá se expandir cada vez mais e contribuirá, aos poucos, para que se forme a Grande Teia, que enfim cobrirá a Terra como pude perceber em minha visão. Concentrando a energia e a força do amor e do potencial curador, transmutador e regenerador da essência feminina em círculos sagrados, entrelaçados e empenhados para criar uma Teia Global, se formará uma abrangente e harmoniosa egrégora espiritual, visando à transformação do planeta em um mundo pacífico, com respeito pela totalidade da vida e parceria harmoniosa entre todos que nele habitam.

E cada mulher que fizer parte de um círculo sagrado, tornando-se responsável por tecer e nutrir um dos fios da tessitura, acrescentará suas vibrações luminosas de compaixão, amor e paz universal.

Que seja assim!

PREFÁCIO

Prefaciar o livro de Mirella Faur, *Círculos Sagrados para Mulheres Contemporâneas*, é uma imensa honra. Tenho o privilégio de conviver com essa mestra fantástica há mais de vinte anos, o que me possibilitou presenciar a construção deste livro, vivenciando-o por inteiro. O seu lançamento em 2011 foi muito celebrado por toda a nossa comunidade de mulheres, pois vislumbrávamos, na ocasião, uma grande oportunidade de expansão da espiritualidade feminina por todo o país. Hoje, uma década depois, nossa esperança se confirma e se renova ao ser brindada com essa preciosa edição comemorativa. Contemplá-la enche meu coração de emoção. Sinto o mesmo encantamento da jovem donzela que eu era ao me deparar com a beleza da Sacralidade Feminina pela primeira vez; o poder do amor de mãe que desperta a consciência criadora e responsável para cuidar de mim, das minhas relações e do mundo; assim como o mistério profundo da sabedoria antiga que pulsa em meu ser. Verdadeiramente, acredito que os capítulos que se seguem contêm chaves preciosas para desvelar essa força da Deusa Tríplice donzela-mãe-anciã que vive na natureza e, especialmente, em toda mulher.

Quero começar contando sobre uma noite absolutamente mágica, em meio à jornada iniciática que vivenciei no ano de 2006, na qual, apesar de termos enfrentado chuva durante o dia, as estrelas brilhavam no céu. A fogueira iluminava diferentes manifestações humanas da Deusa na Terra: lindas mulheres, sacerdotisas diversas com seus corpos, cabelos, olhos e vestidos coloridos. A alegria era genuína e compartilhada, mas mesclada com emoções ambivalentes. Bailávamos e cantávamos a beleza de sermos mulheres e nos sabermos sagradas, iluminadas por mitos e sabedorias antigas que nossa mestra nos apresentara com primor ao longo dos últimos anos. No entanto, nossa apreensão vinha da novidade de que era essa mesma mestra tão querida e dedicada que, naquele momento, nos propunha a mais desafiadora das tarefas: levar adiante o legado da sacralidade feminina como irmandade, enquanto ela se afastaria para um necessário e merecido descanso, após doze anos de intensa entrega. Naquele momento de transição, senti que apenas o amor verdadeiro, a confiança e a gratidão por tudo o que tinha sido vivenciado e aprendido até ali poderiam constituir a força para sustentar nossa roda rumo à nova configuração que Mirella nos convidava a tecer. Respeitando sua decisão, oferecemos para nossa *xamãe* – nome que veio ao meu coração para reverenciarmos simultaneamente o poder e o carinho que ela entregava ao nosso caminhar – muitas homenagens em forma de dança, música, poesia, gestos e abraços apertados naquele ritual com sabor de despedida. Na escuridão, não podíamos ver o azul daqueles olhos cor de céu, mas enxergávamos o reflexo prateado de suas lágrimas sob a luz do luar e as somávamos às nossas, reverenciando o mistério dos encontros sagrados.

O eterno movimento da Deusa de vida-morte-vida se fez presente mais uma vez, para confiarmos e fluirmos entre os casulos e as borboletas que Ela nos propõe como portais de crescimento. Não poderíamos imaginar naquele instante que o movimento de retiro e recolhimento de Mirella era, em verdade, recuo para avanço, arco para novas flechas que voariam mais longe, pausa no terreno para plantios que gerariam colheitas ainda mais abundantes.

O círculo sagrado de mulheres de Brasília que iria dar seguimento ao trabalho foi denominado *Teia de Thea*, e, para tecer sua estrutura, sacerdotisas que se entregaram a essa tarefa com muita dedicação foram convocadas a ler e a praticar o conteúdo deste livro antes mesmo de ser escrito como tal. Recebíamos dicas e instruções da Mirella por *e-mail* ou em reuniões quando vinha a Brasília, em conversas por telefone e principalmente no vasto material que ela nos deixou em sínteses, cadernos ou roteiros de rituais iniciáticos manuscritos com canetinhas em cartolinas coloridas – uma riqueza ímpar para todas aquelas que se irmanaram na transformadora aventura de aprenderem juntas em um Círculo Sagrado Feminino amparado por tanto conhecimento e experiência.

Cinco anos depois, nasceria este livro-vivo, de raízes tão profundas, ancoradas na solidez diversa da sabedoria ancestral da Deusa de Mil Nomes e nutridas por águas que fluem com a preciosidade irrevogável da experiência vivenciada por mulheres de carne, osso e espírito vibrante! Desde seu lançamento, seus galhos e ramos seguem em expansão por todo o Brasil, orientando pessoas que honram, celebram e vivenciam a força da sacralidade feminina. Esta obra frondosa e jardineira gerou, e promete gerar cada vez mais, frutos para nutrir as transformações ecológicas, sociais, culturais e espirituais que se fazem urgentes na contemporaneidade. Além disso, sua força também floresce em iniciativas criativas que trazem singeleza, sentido e beleza, como dançar com espontaneidade, entoar cantos que brotam do coração, fazer artesanatos plenos de significado ou simplesmente uivar para a lua... enfim, criar múltiplas ações para brindar a expressão humana sublime que podemos e merecemos manifestar!

As mulheres-sementes do colar que formamos naquele momento fértil seguem desabrochando de diferentes formas, ao lado de outras tantas que se somaram a essa ciranda sagrada por meio do legado registrado nesta obra ímpar em terras brasileiras. Como cantam as sacerdotisas de todos os tempos! O círculo se abre, mas não se quebra!

Celebrar dez anos de publicação deste livro, com esta bela edição especial, é coroar um processo que vem sendo cirandado por muitas mulheres buscadoras, há bastante tempo. Irmãs que se encontraram e se deram as mãos em círculos, unindo mentes, corações e ventres em perfeito amor e perfeita confiança, guiadas pela presença, pelo conhecimento e pela inspiração dessa mulher corajosa, determinada e brilhante chamada Mirella Faur. Como não fazer deste prefácio uma declaração de amor? Esse foi o maior desafio ao escrevê-lo. E a maior bênção é poder regá-lo com profunda gratidão!

Sei que aqui sou e serei a voz de várias mulheres, irmãs que amo profundamente e outras que jamais conhecerei. Represento também vários círculos sagrados femininos e, após o decorrer desses dez anos, círculos com distintas caracterizações que se inspiram em seu legado. Que eu possa, de minha parte, reverenciar o todo que formamos! Um todo cada vez mais vasto e diverso, enriquecido nesta última década também por irmãs trans; por homens que se curam ao beber da fonte amorosa da Grande Mãe; por pessoas livres e buscadoras além das terminologias que estamos desvelando na luta de reconhecer e respeitar nossa rica diversidade. Todos são convidados para essa comemoração na qual entregamos nosso agradecimento! Como psicóloga, Gestalt-terapeuta que sou, sei que o todo é maior do que a soma das partes; que o círculo é maior do que a soma de individualidades; pois, como nos conta a sabedoria dos grupos, as partes, juntas, conseguem fazer o que não podem fazer sozinhas. Entretanto, há partes do Todo que são revolucionárias, quebram padrões, iniciam novos movimentos e mudam o que foi para sempre.

Mirella Faur e seu trabalho pioneiro são exemplos dessas singularidades que tocam e transformam profundamente. Ao longo das páginas que se seguem, ela nos apresenta sua espantosa capacidade de síntese, integrando com maestria informações históricas, arqueológicas, astrológicas, arquetípicas e míticas, exemplificadas com vivências iniciáticas e ritualísticas, conectadas com a Lua e a Terra, os ciclos e as estações, a natureza dentro e fora – no corpo, nos processos grupais, nas inúmeras faces da Deusa! E o mais importante: seu conteúdo é temperado com o néctar do tempo vivido, a força da experiência concreta, o caminhar que transforma conhecimento em sabedoria. Confio que este livro toca a parte, o Todo e mais além.

Ser mulher contemporânea, movimento e mistério, cíclica, multifacetada consiste em uma complexidade que jamais será delimitada por conceito algum; simplesmente sabemos. Juntas, em círculos, expandimos o que sabemos com equanimidade, segurança, apoio e criatividade! O círculo desperta as pessoas para a força da união e pode constituir, simultaneamente, uma oportunidade de cura, transformação e ampliação de consciência individual, comunitária e global. Em um círculo somos mais fortes e, quando ele é sagrado, conseguimos amplificar a energia com o propósito de cocriar e alimentar o movimento urgente de construção de uma Cultura de Paz entre todos os seres e ecossistemas de nossa querida Mãe Terra. No entanto, uma nova realidade não vai se manifestar por meio de teorias e discussões que prescindam de corpos, emoções, travessias dos nossos conflitos mais profundos, individuais e coletivos. Caminhar do mito ao rito, da potência abstrata ao ato concreto, da ideia ao manifesto é necessário. Já somos partes do Todo e, portanto, somos o Todo. Mas estamos despertas para escolhermos a configuração desse Todo com consciência? O círculo é uma proposta naturalmente harmoniosa – todas as partes lado a lado, ninguém pode estar demasiado à frente ou atrás; o paradigma da competição precisa necessariamente se anular para que o círculo possa se estabelecer. Cada ser tem seu lugar de poder, e podemos entrelaçar as mãos para superarmos nossos desafios juntos.

E o centro do círculo? A forma e a força com que Mirella nos fala da Deusa, sua riqueza de símbolos e manifestações, faces míticas e caminhos é uma verdadeira convocação! A construção de uma Cultura de Paz que se abstenha do resgate da sacralidade feminina não é viável. Seria como buscar a inteireza negando metade do que se é. Entretanto, não se trata de um chamado para seguirmos nenhum tipo de dogma apriorístico. Como Mirella mesma nos diz nas páginas seguintes, a jornada da sacralidade feminina é sobre amor e fé.

A fé humana não é baseada em crenças, mas naquilo que possibilita o avanço rumo ao novo. Não possui garantias, mas constitui-se na entrega ao processo com confiança. Essa fé não é cega; pelo contrário, inspira-nos a ver mais longe e busca compreensão, honrando, assim, nossa liberdade de existir e coexistir. O centro do círculo será percebido de forma distinta por cada uma de suas partes, já que cada uma se encontra em um lugar diferente e possui o próprio ponto de vista.

Quando escutei o clamor da sacralidade feminina em meu ser, sintetizei minha esperança na seguinte canção: *Que eu saiba honrar o ventre de onde eu vim, o ventre onde eu estou e o ventre que há em mim!* (p. 229). Despertar para a sacralidade feminina é reconhecer seu poder criativo e criador; unir-se em círculo é potencializá-lo. Na atual conjuntura, com a crise pandêmica que desafia a humanidade em múltiplas esferas, temos de enfrentar as perguntas: O que estamos criando? O que estamos cocriando? O chamado para honrar o ventre cósmico, o ventre ecológico e o ventre humano se pauta em uma atitude ética como fundamento. Que reparar os danos causados seja simplesmente o começo! Que nossa criatividade não se restrinja a fornecer soluções quando podemos criar realidades que contemplem nossa dimensão divina! Que nossa capacidade de nutrir o novo não se limite a saciar necessidades básicas, quando podemos alimentar sonhos e talentos que signifiquem verdadeiros passos evolutivos!

Mirella nos brinda neste compêndio com práticas ritualísticas que nos proporcionam viver plenamente o tempo presente, "agradecendo por tudo o que a vida nos oferece" (p. 183). Esses momentos sagrados nos fazem relembrar que podemos exalar um perfume de milagre pelo ar; que a beleza numinosa é uma possibilidade humana; que nossa força espiritual é fonte de arte, ciência, paz, saúde e pode reencantar nossa vida, nossas relações e todo o mundo!

O amor nos conclama a cirandar com coragem e a transcender o medo do desconhecido, impulsionando-nos a avançar e nos irmanando em nossas jornadas. Podemos ousar, para além da satisfação, a alegria que transborda; para além do bem-estar, a plenitude; para além da esperança, o entusiasmo; para além da compreensão, a compaixão; para além do respeito, o amor e a confiança! O presente livro é um convite para essa ousadia: vivenciar a própria inteireza e o círculo, descobrindo que tudo está harmoniosamente interligado, e que nessa teia de conexões somos parte e Todo, ponto e ponte, humanas e divinas, todas nós, mulheres sagradas!

Adriana Fittipaldi, Plenilúnio de Virgem,
27 de fevereiro de 2021.

INTRODUÇÃO

A ESPIRITUALIDADE FEMININA

Todas nós viemos da Deusa
E a Ela retornaremos
Como gotas de chuva
Fluindo para o oceano.

– Canção de Zsuzsana Budapest

A TRADIÇÃO DA DEUSA

Um dos mais marcantes fenômenos do século XX foi o renascimento da religião da Deusa na cultura ocidental. Presente desde tempos imemoriais em todas as civilizações antigas, o princípio sagrado feminino personificado em múltiplas facetas e arquétipos da Grande Mãe foi eclipsado, depois renegado e aos poucos ocultado pelos conceitos e dogmas das religiões patriarcais. Existem atualmente várias religiões e caminhos espirituais tradicionais e modernos, mas eles são desprovidos de tradições sagradas para as mulheres, e alguns chegam até mesmo a promover e defender as "incontestáveis" autoridade e supremacia masculinas.

Apesar do seu ocultamento, a Tradição da Deusa não chegou a desaparecer totalmente; seguiu um ciclo de ascensão, florescimento e declínio devido às transformações sociais e culturais ocorridas nos últimos 4.000 anos. Seus registros, no entanto, permaneceram nas memórias ancestrais, no inconsciente coletivo, nos costumes populares e nos contos de fadas. Muitas das tradições pré-cristãs, dos rituais pagãos de comemoração da Roda do Ano e dos ritos de passagem da vida humana foram absorvidos pelo cristianismo, que edificou suas igrejas nas ruínas dos antigos templos das deusas greco-romanas, celtas e nórdicas. A sabedoria ancestral foi "codificada" e ocultada em mitos e lendas, práticas nativas, ensinamentos das escolas de mistérios, arcanos do Tarô, tradições populares e nas ditas "superstições".

A partir da década de 1960, houve um ressurgimento das antigas tradições e práticas espirituais e curativas. Milhares de mulheres e um número crescente de homens de diversos países da Europa, das Américas e da Oceania, educados nas religiões bíblicas (católica, protestante, ortodoxa) e judaica, privados do simbolismo sagrado feminino durante séculos de supremacia patriarcal, estão agora descobrindo e praticando rituais das antigas culturas matrifocais. Lentamente, mas de modo cada vez mais evidente e presente, a Grande Mãe está ressurgindo do seu ocaso milenar, despertando consciências e renovando as esperanças nas mudanças planetárias e na integração e harmonização da humanidade com a Natureza e o universo.

A espiritualidade feminina é um retorno do ser humano para a Deusa, o princípio criador feminino; é o crescente reconhecimento da Terra e da mulher como partes Dela, imbuídas da Sua sacralidade. A Deusa é representada em todo ato de criação, da Natureza ou da vida feminina, na eterna roda de nascimento, crescimento, florescimento, amadurecimento, declínio, morte e renascimento, na dança mutável das estações, nas fases da Lua, na trajetória anual do Sol. Seus ciclos são vividos pela mulher ao longo da sua vida, nas alegrias da infância, no despertar sexual da adolescência, no ato de dar à luz e amamentar, no recolhimento sábio da menopausa, na aceitação da morte e na fé na reencarnação. Eram as fases e os ciclos da Natureza e da mulher que eram celebrados nas comunidades e sociedades antigas como os pontos de mutação na Roda do Ano e da Vida.

A Deusa é a Grande Mãe, cósmica, celeste, telúrica e ctônica, que dá e tira a vida, eterna Criadora, mas também Ceifadora e Regeneradora, a Tecelã Divina, que entrelaça e conduz todas as forças da Terra e do Cosmos. Na sua extensa e variada tessitura, tudo está interligado e é interdependente, pois aquilo que afeta um dos fios se repercute vibratoriamente em toda a teia cósmica.

A Deusa é uma força imanente e permanente em tudo, onipresente e abrangente do Todo; diferente da figura celeste e longínqua do Deus, Ela impregna cada ato de criação e nutrição com Sua essência, por ser o Seu corpo a própria Terra.

O significado básico da Tradição da Deusa é o reconhecimento da energia divina feminina como uma força benevolente, criadora e criativa, de fortalecimento e sustentação das mulheres, as quais podem utilizá-la para proteger, mudar e melhorar sua vida, sem precisar do amparo de figuras salvadoras masculinas. Citando a escritora e teáloga[1] Carol Christ: "A real importância da Deusa é a anulação do poder dos símbolos patriarcais masculinos sobre a psique e a alma feminina". Ao longo de milênios, criados, fortalecidos e enraizados, os símbolos do Deus Pai tornaram-se argumentos e leis para inferiorizar, dominar, oprimir, explorar e até mesmo matar as mulheres.

Na Tradição da Deusa, a liberdade de escolha é um tema central, mas essa liberdade deve ser acompanhada da conscientização das responsabilidades que decorrem das ações e escolhas pessoais. A mulher consciente da sua essência sagrada vai agir e escolher aquilo de que precisa ou deseja guiada pela sua consciência, sem ter a ameaça do "pecado" ou do "castigo" como freio do seu comportamento. Ao se perceber uma representante da Deusa na Terra, ela se preocupa com o bem-estar alheio, pois sabe que a sua liberdade termina onde começa a do próximo, e que a lei universal de ação e reação é o único constrangimento espiritual, moral e ético que deve nortear seu comportamento. As leis da Deusa são as leis universais que respeitam, acima de tudo, a preservação de toda a vida e a harmonia do mundo natural. As mulheres que praticam os ensinamentos dessa tradição sabem da responsabilidade que têm de contribuir com o restabelecimento do equilíbrio, dentro e fora de si mesma, no nível pessoal e coletivo, no micro e no macro. Somente assim elas poderão ter paz interior, sabendo que no seu hábitat e no mundo em que vivem reinam a paz e a harmonia. A ênfase da espiritualidade feminina está na criatividade e na responsabilidade individual, na contribuição que cada mulher traz para o bem-estar de todos, sem privilégios de classe, raça,

---

[1] Tealogia é um termo criado pela escritora Noemi Goldberg, em 1971, partindo da palavra grega *Thea* (Deusa), como equivalente para o termo masculino teologia; portanto, tealogia é o estudo da Deusa.

idade ou escolaridade. Cada mulher é única na sua essência e traz dentro de si uma centelha da sagrada chama da Deusa.

A espiritualidade feminina é um caminho para a expansão da consciência, com enfoque multirracial, pancultural e internacional, que visa ao "empoderamento" (do inglês *empowerment*) das mulheres, fornecendo-lhes imagens sagradas femininas, rituais e símbolos adequados para preencher suas necessidades específicas, descritas a seguir.

Celebram-se os Mistérios do Sangue, ritualizam-se transições e mudanças, festejam-se conquistas e vitórias, em uma conexão permanente com a Fonte Criadora, em comunhão com a Natureza e em círculos de irmandade solidária e amorosa.

Proporcionam-se, assim, novas maneiras de aceitação e transformação dos desafios e das dificuldades, de comemoração de sucessos e realizações com rituais belos e tocantes, entremeados com danças, canções e poemas.

Resgata-se a sabedoria ancestral ao reverenciar o legado criado e mantido ao longo do tempo pelas mulheres da Antiguidade, apesar das perseguições religiosas e sociais e das condenações às fogueiras da Inquisição. Recuperam-se as antigas práticas de cura natural e as cerimônias e os cultos dos ancestrais.

Reafirmam-se as verdadeiras tradições sagradas femininas, preservadas em mitos, lendas, práticas nativas, e se criam novas formas de manifestação dos dons artísticos, artesanais, musicais e literários femininos, em uma permanente busca de cura, pessoal e coletiva, para assim contribuir com a cura e a regeneração planetária.

Comemoram-se as passagens e transformações da vida feminina, vistas não apenas pelo ângulo biológico, mas como parâmetros simbólicos de mudança em todos os níveis (psicológico, emocional, espiritual, além de físico) e como etapas na evolução da alma. Ao celebrar esses ritos de passagem, alcança-se uma unificação e harmonização de todos os aspectos do ser feminino, curando-se antigas feridas, perdas, dores, bem como alegrias, realizações e conquistas. A atitude de reconhecer e honrar essa integração permite a plena aceitação do poder feminino e o seu uso consciente para melhorar a vida, individual e coletiva.

Portanto, a espiritualidade feminina é também um caminho de resgate e afirmação dos valores sagrados da Terra, da Natureza e da mulher. O seu objetivo é promover qualidades maternais (como cuidar, proteger, amar) em uma estrutura não hierárquica, a reverência à Natureza, a interdependência entre todos os seres da criação, o respeito pela vida, a irmandade e a solidariedade entre as mulheres. Ela visa ao direcionamento da energia grupal em ações e atitudes ecológicas, educacionais e comunitárias que contribuam para a transformação de valores, hábitos e mentalidades atuais e restabeleçam o equilíbrio, a preservação e a pacificação da Terra.

HISTÓRICO

> *No início as pessoas oravam para a Criadora da Vida. No alvorecer da religião Deus era mulher.*
>
> – When God Was a Woman, Merlin Stone

As origens da religião da Deusa se perderam na noite dos tempos; anteriores a qualquer uma das religiões atuais eram os cultos da Grande Mãe, reverenciada por milhares de nomes e atributos. Em todas as civilizações antigas existiu um culto à Mãe Criadora e Mantenedora da Vida. Suas representantes humanas – as mulheres – eram honradas e respeitadas pelo seu dom milagroso de gerar a vida em seu ventre e nutri-la com o leite dos seios.

Os mais antigos mitos da Criação descrevem a organização do caos e a formação da vida como atos conscientes e amorosos de uma Deusa Mãe. Esculturas e imagens dos períodos Paleolítico e Neolítico representam o sagrado ato de geração e nutrição na forma de mulheres, cujo corpo guarda e revela os mistérios do ciclo de vida, morte e renascimento. Essas imagens expressam conceitos cósmicos considerados de natureza feminina e contidos em uma rica e variada simbologia. Esses conceitos constituíram a fundação sobre a qual se ergueram muitas culturas antigas.

Presentes em nossas memórias atávicas e na nossa imaginação mítica durante milênios, os registros soterrados e esquecidos de uma deusa primordial estão voltando à luz – do Sol e da nossa consciência –, por meio das descobertas arqueológicas e dos estudos antropológicos, sociológicos e históricos do século XX. A descoberta e o estudo de artefatos pré-históricos estão mudando a interpretação do processo evolutivo e religioso da humanidade, além de permitir o afloramento das nossas lembranças. Do ponto de vista simbólico, imagens das deusas emergindo das entranhas da terra anunciam o ressurgimento da Deusa e são um chamado para que nos lembremos do passado e efetuemos uma mudança no nosso modo de pensar. A "redescoberta da Deusa" provocou uma reflexão sobre a importância das deusas e das mulheres na origem e na evolução histórica, cultural e espiritual da humanidade. *Não foi a Deusa que se afastou de nós, fomos nós que a relegamos ao esquecimento, interrompendo seus cultos e negando sua existência.*

Como atestam milhares de estatuetas de mulheres grávidas, amamentando, segurando filhos no colo ou dando à luz, confeccionadas em pedra, argila ou osso e encontradas em vários lugares, desde a Sibéria até Creta, Malta e a atual Espanha, o poder misterioso feminino, que gera a vida em seu corpo, foi o cerne das primeiras experiências religiosas. Nas paredes de grutas, gravações do período Paleolítico (70 a 30 mil anos atrás) reproduzem cenas de vida (mulheres ou animais parindo) e morte (batalhas ou homens caçando). As ossadas, enterradas em posição fetal e tingidas com pigmento vermelho, mostram a crença no renascimento do ventre da Mãe Terra, representado pelas grutas e fendas na terra. Os povos paleolíticos consideravam as grutas como o útero da "mãe dos vivos e dos mortos", e nelas realizavam seus rituais de fertilidade (para propiciar a caça) e ritos de nascimento e morte.

Entre 10000 e 8000 a.C., terminou a última era glacial, e as condições climáticas se tornaram propícias para o desenvolvimento das sociedades e culturas neolíticas. Esse período, conhecido também como a Idade da Pedra Polida, é considerado o berço da agricultura, da criação e domesticação de animais e das artes manuais. Como as mulheres eram as responsáveis pela preparação dos alimentos durante o período anterior – da coleta (de raízes, sementes e frutos) – é fácil deduzir que foram elas que deram início à agricultura, ao lançar na terra as sementes dos frutos coletados. Os homens só assumiram um papel preponderante na produção agrícola muito mais tarde, com a introdução do arado manual (e depois puxado por animais) e o cultivo de áreas maiores. A revolução agrícola e a domesticação de animais proporcionaram bases estáveis para o assentamento humano e o desenvolvimento social e cultural das tribos, antes nômades.

Por meio do contato que as mulheres tinham com os seres sobrenaturais e a Deusa, elas também recebiam intuitivamente instruções para transformar as matérias brutas da Natureza em produtos úteis e mais elaborados. Foi assim que elas "descobriram" como preparar o pão a partir de sementes e grãos silvestres amassados com pedras e como tecer e fiar o linho e a lã dos animais para fazer vestimentas e artigos domésticos. Foram elas que utilizaram o barro, a água e o fogo para modelar potes e vasos, trançaram galhos e cipós, cobertos com argila e cozidos em fornos primitivos, para assim criar a arte da cerâmica, cada vez mais aperfeiçoada. Desse período datam os vasos com seios e olhos, as estatuetas de Mães da colheita e doadoras de fertilidade, bem como os mitos sobre as deusas da Terra, as Tecelãs senhoras do destino, as Guardiãs das florestas e dos animais, as Protetoras das casas e dos caminhos, as Condutoras dos espíritos (para encarnar ou desencarnar), as celebrações dos Mistérios femininos.

Segundo revelam os inúmeros símbolos, animais aliados e representações femininas descobertas e estudadas pela arqueóloga lituana Marija Gimbutas, durante os períodos Paleolítico e Neolítico, a Deusa era reverenciada como a Mãe Doadora, Ceifadora e Renovadora da Vida. Conforme atestam as escavações de James Melaart em Çatal Hüyuk e Hacilar, na Anatólia, as mulheres detinham um papel importante nas sociedades e na religião, tanto nos territórios que Marija Gimbutas chamou de "Europa Antiga" (no período entre 6500 e 3500 a.C.) como no Oriente Médio.

Em nenhum dos sítios europeus e asiáticos foram encontradas evidências de guerra, autoridade patriarcal ou divisão em castas, prevalecendo a simbologia e o culto da Deusa, a paz entre as comunidades e a presença ampla de mulheres nas sociedades. Escavações e estudos nesses lugares revelaram uma profusão de figuras, inscrições, estatuetas e objetos ligados ao culto de uma Deusa Mãe, bem como a existência de comunidades pacíficas e matrifocais (centradas no culto da Mãe, divina e humana). Apesar de serem classificadas como "primitivas", as civilizações do Oriente Médio e do sul da Europa mostravam elevado nível de vida e refinamento artístico, comprovado pelos objetos de uso religioso ou doméstico encontrados nos cultos milenares das divindades femininas. Sítios arqueológicos de 7000 anos a.C., na Anatólia, ou mais recentes (3000 anos a.C.), em Creta e Malta, não continham nenhum tipo de fortificação, armas ou objetos bélicos; as cenas das inscrições descreviam sociedades pacíficas e igualitárias, centradas na reverência à vida, à beleza, à arte e ao amor.

A supremacia da Deusa no panteão e a reverência à mulher não implicavam uma dominação social ou religiosa feminina, muito menos um sistema matriarcal; a sociedade era pautada em valores de parceria e distribuição igualitária de tarefas e bens. As culturas antigas eram permeadas pelo respeito e pela veneração à vida, pela união e interação em vez de violência, combate e competição. Sem parecer comunidades idealizadas por imaginações fantasiosas de hoje, essas culturas apenas refletiam a antiga crença na "teia cósmica" regida por leis naturais e pela coexistência pacífica de todos os seres, filhos de uma mesma Mãe. A linhagem era matrilinear, as comunidades eram matrifocais e geocêntricas, organizadas ao redor das mulheres e crianças e protegidas pelos homens. Como não havia casamentos monogâmicos nos primórdios das civilizações nem era possível conhecer a paternidade precisa, o nome das crianças e os bens eram transmitidos pela linhagem materna. As crianças pertenciam à comunidade, assim como os depósitos de grãos e as provisões de comida; e as mulheres eram encarregadas da sua manutenção e cuidado.

As mulheres conheciam os mistérios da vida e da morte (por vivê-los mensalmente nos seus ciclos menstruais, no ato de dar à luz e nos cuidados com os moribundos e doentes) e tinham o dom da cura (por conhecerem as ervas e saberem como usá-las). Devido à sua sensibilidade e percepção expandida, elas eram as mediadoras nos intercâmbios entre os seres humanos e os espíritos da Natureza, os ancestrais e os seres sobrenaturais. Por isso, durante muitos milênios, foram elas as parteiras, benzedeiras, curandeiras, sacerdotisas e profetisas encarregadas de realizar as festividades de plantio e colheita, os ritos de passagem, as bênçãos e as proteções, o culto dos mortos, as previsões e a reverência às divindades.

Os homens, por não serem os responsáveis pelo cuidado das crianças e dos animais e pelo plantio, pela colheita ou pela preparação dos alimentos, tinham mais liberdade de movimento e percorriam longas distâncias para caçar, pescar e desbravar novos lugares para moradia.

A transição da sociedade de coleta para a de caça e conquista levou à criação de uma nova estrutura social, em que prevaleciam a força física e a habilidade masculina para tirar a vida, em oposição a de gerar e cuidar dela, características femininas. Enquanto os grupos de mulheres se reuniam para celebrar sua fase menstrual, seus partos e suas práticas espirituais e curativas, os homens começaram a criar seus próprios grupos, centrados nas demonstrações de habilidade e vigor físico (em lutas, na caça ou na domesticação de animais selvagens) e na celebração de suas façanhas heroicas (que persiste até hoje, com outras roupagens e motivações, mas baseada no mesmo conceito de competição e conquista).

Com a descoberta do seu papel na procriação, ignorado até então e revelado pela criação de animais domésticos, houve uma mudança na mentalidade e na postura masculina. O antigo respeito masculino pela totalidade da criação, o temor e a reverência que sentiam diante do ato de dar a vida, a veneração da Deusa Mãe e a parceria com a mulher foram substituídos pelo orgulho de serem cocriadores, pelo poder, pela autoridade e pela dominação do mais forte. Além do antigo culto ao deus da floresta, da caça e da vida selvagem, começaram cultos dedicados à face ceifadora da Deusa e às divindades das batalhas, das guerras e da morte. Os homens se tornaram cada vez mais conscientes e orgulhosos do seu poder de lutar, vencer, conquistar e tirar a vida, e passaram a competir, de maneira velada, com os "mistérios femininos" (rituais menstruais, partos, curas, contato com os espíritos), dos quais eram excluídos. Continuamente desafiados para provar suas habilidades e afirmar seu poder no grupo, os jovens eram treinados pelos adultos para demonstrar sua agressividade e seu instinto de dominação em ritos selvagens de passagem da infância para a adolescência; esses ritos envolviam competições, provações e incisões corporais com derramamento de sangue – um equivalente violento dos rituais secretos que celebravam a menarca das meninas.

O surgimento de armas cada vez mais potentes preparou o caminho para a ascensão de uma casta de guerreiros, e, assim, as pacíficas comunidades neolíticas foram adquirindo características patriarcais e belicosas, típicas da Idade do Ferro. O desenvolvimento crescente da agricultura, depois da invenção do arado e da domesticação dos cavalos, requeria maiores extensões de terra, o que levou os homens a empreender incursões para apropriação dos territórios vizinhos e sangrentos combates entre invasores e invadidos.

Simultaneamente, começou uma migração maciça de tribos nômades indo-europeias, mongóis e semitas, vindas do Sudeste Asiático e das estepes da atual Rússia, que provocou ondas sucessivas de conquista e subjugação dos povos do centro e do sul da Europa. Chamados de *kurgos* pela escritora e historiadora Marija Gimbutas, essas tribos compostas de habilidosos guerreiros montados traziam com elas, além do poder letal da espada, valores eminentemente patriarcais e cultos a deuses poderosos, senhores do céu, dos raios e dos trovões, da guerra e da morte.

Pouco a pouco os *kurgos* impuseram seu domínio aos povos autóctones europeus, subjugando suas comunidades agrícolas, matrifocais e pacíficas, desprovidas de fortificações e armamento. A institucionalização da guerra, da hierarquia patriarcal, da linhagem patrilinear, do sistema de castas e da apropriação de todos os bens pelos homens levou à subordinação e dominação das mulheres, à escravidão e a decorrentes mudanças sociais, culturais e espirituais.

Surgiram os primeiros reis, que, a princípio, eram os próprios líderes militares que usavam seus exércitos para dominar e controlar os povos subjugados. Os prisioneiros se tornavam escravos, e as mulheres eram capturadas como troféus de guerra e passavam a servir como concubinas ou escravas. Os espólios de guerra oferecidos aos soldados como recompensa por sua coragem eram a riqueza material e cultural dos povos vencidos, o direito de saquear, queimar casas e lavouras e estuprar. Como as mulheres não participavam das guerras na mesma escala ou da mesma maneira que os homens (atividade contrária aos seus deveres e atributos de mães doadoras e preservadoras da vida), o seu poder social, cultural e espiritual, antes respeitado e honrado, declinou, cedendo lugar ao novo sistema androcrático e hierárquico, cujos valores e objetivos eram o domínio, a exploração e o extermínio pela violência.

O "DECLÍNIO" DA DEUSA

Nesse período, começou um longo e insidioso processo de "destronar a Deusa" com o intuito de dar sustentação e legitimidade à nova cultura patriarcal e guerreira. As deusas das culturas paleolíticas e neolíticas foram rebaixadas do seu status de Mães Criadoras, Senhoras da Terra e da Natureza e passaram a se subordinar aos deuses da nova ordem. A religião deixou de demonstrar reverência à Deusa, à Terra, à Lua, à mãe, à mulher, à vida, e passou a demonstrar reverência ao céu, ao Sol, a Deus, ao homem, ao pai, à morte e à guerra, e uma nova hierarquia espiritual foi estabelecida em sintonia com a estrutura social. A Deusa foi relegada a um plano secundário nos mitos, como mãe, esposa, amante ou filha de deuses dominantes. As Grandes Mães divinas como Cibele, Deméter, Gaia e Tellus Mater, cultuadas como Senhoras da Terra e dos seus ciclos e frutos, foram reduzidas a meras personificações da terra e da matéria.

Com o intuito de despojar a Deusa do seu antigo poder e da sua importância todo-abrangente de outrora, os mitos foram reescritos por patriarcas e profetas, de modo a enfatizar os poderes de Deus. À Deusa foram atribuídas não mais a totalidade dos aspectos da criação, mas somente as forças consideradas "escuras" e maléficas. Seus símbolos foram reduzidos, prevalecendo os dragões e as serpentes (que deviam ser vencidos e mortos por semideuses ou heróis), a escuridão, a noite, os pássaros agourentos, a Lua negra, os gatos pretos e todos os sinônimos de perigo e azar. Para invocar a benevolência dos novos deuses e justificar a matança de prisioneiros, escravos, mulheres e crianças "inimigas", novas lendas que estimulavam o derramamento de sangue humano surgiram para aplacar a ira divina e consagrar as terras conquistadas, antes abençoadas pelo sangue menstrual das sacerdotisas e pelos ritos de fertilidade sazonais.

Os mitos de criação foram deturpados e deixaram de conter conceitos primordiais em que a Deusa criava o universo e a vida. O mito babilônio Enuma Elish, por exemplo, teve sua primeira versão reescrita entre 668-626 a.C. Esse mito descreve a morte de Tiamat, a Criadora primordial da religião suméria, Senhora do Oceano da Vida, pelas mãos do seu filho, Marduk, que usurpa seu lugar e poder e do seu corpo retalhado cria a Terra, o céu, as estrelas, os planetas e os seres humanos, para servir aos deuses. Para justificar o crime, a deusa Criadora é acusada de gerar monstros malignos – serpentes venenosas e dragões destruidores – para se defender dos planos de Marduk. O contador do mito tenta, por todos os meios, justificar o crime, implorando pela conivência dos ouvintes, e descreve com detalhes o esfacelamento do ventre grávido da Deusa, pisoteado por Marduk depois de tê-lo esfaqueado. Dessa maneira, ao celebrar "o massacre da Deusa", incentivam-se a violência contra as mulheres, tanto nas guerras como nos lares, em caso de subordinação, e a necessária e recomendada punição.

O mito Enuma Elish usa diferentes argumentos para desacreditar a Deusa, que são também usados em outros mitos adaptados por escritores motivados por crenças patriarcais. Primeiro, o mito contesta os atributos de

Tiamat como Deusa Criadora, regente do nascimento, da morte e da regeneração, acusando-a de gerar monstros. Depois glorifica o herói que a mata e, em seguida, enaltece o ato de profanação do ventre materno, anteriormente reverenciado como Fonte da Vida. Esse mito era encenado anualmente nas celebrações babilônicas de Ano-Novo, para reforçar sua mensagem ultrajante.

Existem vários mitos gregos que também descrevem o massacre da Deusa. No relato da conquista do templo de Delfos pelo deus Apolo, da autoria de Homero (700-600 a.C.), reconhece-se que os cultos iniciais eram de Gaia (a Terra), seguidos pelo de Phoebe (a Lua) e Themis (a ordem social). *Delphos* significava "ventre" e era considerado o local de nascimento do universo. Para justificar a conquista do templo da Deusa por um deus, descreve-se como Apolo teve que matar a fêmea de dragão que guardava o altar de Gaia – uma "criatura bem nutrida, selvagem, cheia de sangue e causadora de vários males" (autorizando, assim, a crença masculina do poder maléfico e perigoso do sangue menstrual). Não contente com isso, Apolo profanou também a fonte sagrada da Deusa e violentou a ninfa responsável por ela. Posteriormente, esse ato de selvageria contra o dragão era encenado anualmente em um drama litúrgico chamado *Septerion*.

Em outro mito, numa versão patriarcal bastante conhecida sobre o nascimento de Athena, Zeus mata a deusa Metis (cujo nome significa sabedoria) e a engole, para depois parir Athena da sua cabeça, já adulta, totalmente armada e pronta para a luta. A própria Athena se declara convicta da supremacia e herança patrilinear por não ter nascido de uma mãe, por isso sendo totalmente a favor do pai e dos direitos masculinos, mesmo que isso prejudicasse as mulheres (nascidas de um ventre!). Com essa declaração, Athena consolida uma "teoria" do deus Apolo segundo a qual "a mãe não é parente do seu filho, apenas ama e guardiã da semente nela colocada pelo pai" – afirmação repetida posteriormente por Aristóteles e que influenciou, durante séculos, as teorias científicas e religiosas da época.

A morte da Mãe é legitimada na trilogia *Oresteia*, escrita por Ésquilo, que apoia o direito dos homens de matarem as mães e as filhas e enviarem os filhos para a guerra. No entanto, a mulher que mata o marido, mesmo que seja para vingar a morte da filha, deve ser julgada e condenada, até mesmo pelos seus filhos e parentes. *Oresteia*, que justifica o domínio masculino, tornou-se a base clássica do sistema educacional europeu e continua sendo encenada e ensinada em universidades do mundo inteiro, sem nenhuma preocupação com o enaltecimento grego do matricídio.

Outras deusas da antiga Grécia também foram despojadas do seu poder primordial nos mitos reescritos posteriormente. A poderosa Hera, uma antiga deusa tríplice da cultura pré-helênica e protetora das mulheres, foi transformada na ciumenta e vingativa esposa do poderoso Zeus. Pandora, cujo nome significava "a doadora" e representava os dons e as riquezas de Gaia no seu aspecto de Anesidora (a deusa guardiã do *pithos*, o vaso sagrado destinado a conter os mantimentos e a enterrar os mortos, equivalente ao próprio ventre da Terra), é descrita como uma mulher leviana que abre uma caixa e libera todos os males no mundo. Esse mito distorcido é outra versão da difamação de Eva, herdeira das deusas ancestrais, criada com seu parceiro, Adão, do corpo da Mãe Terra, perseguida por ter comido da Árvore do Conhecimento (antigo símbolo da Deusa) e transformada na causadora dos sofrimentos da humanidade. A poderosa Afrodite, antiga Deusa Mãe dos países do leste do Mediterrâneo e cultuada em Chipre e em outras ilhas antes da sua "chegada" na Grécia, é descrita "nascendo" dos genitais de Urano, castrado pelo seu filho Saturno e adquirindo, assim, significados eróticos e sensoriais, em vez dos seus atributos de criadora, soberana das águas, da beleza e do amor incondicional.

As inúmeras lendas e mitos das aventuras e conquistas amorosas de Zeus, nos quais ele seduz e estupra deusas, ninfas e mortais, são outra forma de reforçar o destronamento e a profanação do poder primordial da Deusa pelos novos deuses, seus filhos ou consortes.

Todo o simbolismo patriarcal dos mitos e da religião grega resultou da apropriação da cosmologia matrifocal pré-helênica e da sua substituição pelos temas da conquista e do predomínio dos deuses no culto imemorial das deusas locais.

Em outros mitos, deuses consortes ou filhos da Grande Mãe são promovidos a divindades criadoras, mas tão androcráticas e vingativas quanto Jeová. Muito antes de se criar a oração matinal dos judeus que diz: "Abençoado sejas Tu, Senhor, por não ter me feito mulher", a deusa criadora hebraica era Ashtoreth ou Anat, cujo consorte Tammus ou Baal foi se sobrepondo aos poucos à figura dela, até ser substituído pelo terrível Jeová. Os antigos deuses Ashtoreth e Baal foram considerados forças maléficas e perigosas, seus cultos proibidos e suas imagens destruídas, conforme recomendava o Velho Testamento.

Se analisarmos a história de Adão e Eva pelo prisma do "massacre da Deusa", descobriremos que, em Gênesis 2-3, Eva, cujo nome significava "vida", tinha o título de "a Mãe de todos os seres vivos" (Carol Christ, em *Rebirth of the Goddess*). As imagens da árvore, da serpente e da nudez da mulher fazem parte da iconografia da Deusa e foram consideradas depois, pelo cristianismo, como fontes de sofrimento para a humanidade. (Devido ao pecado de Eva – comer da árvore do conhecimento e partilhar depois o fruto com Adão –, a humanidade foi punida com a expulsão do paraíso, e a mulher, condenada a sofrer, para sempre, as dores do parto.) O mito original da criação, em que a mulher e o homem foram criados juntos do mesmo barro, foi substituído por uma versão posterior, em que a primeira mulher, Lilith, revoltou-se contra a dominação de Adão, saiu do Éden e se refugiou às margens do mar Vermelho, "criando incessantemente demônios que aterrorizavam crianças e vampirizavam os homens". Em seu lugar, Deus criou – da costela do Adão – outra mulher, Eva, que por isso era mais dócil; mesmo assim, ela desobedeceu às ordens do Senhor e comeu o fruto do conhecimento, incentivada por Lilith metamorfoseada em serpente. Em outras palavras, a punição infringida aos povos pré-cristãos por continuar cultuando a Deusa e os seus símbolos foi a expulsão do Paraíso.

A tradição teológica cristã interpreta a história do Gênesis com base no dualismo clássico que associa a razão e o controle ao homem e a sexualidade e a irracionalidade à mulher, que se torna a origem do pecado e do mal, e considerada por Tertúlio "o portão do Diabo". A figura pura e obediente de Maria expia o pecado original, aceitando a missão imposta por Deus de gerar de forma imaculada aquele que iria salvar a humanidade. Mas Maria não devolve às mulheres o poder que elas tinham antes do "massacre da Deusa", reforçando pela suposição da sua virgindade o "ventre corrupto" das outras mulheres que dão à luz de forma natural. A imagem de São Jorge matando o dragão confirma a aniquilação da Deusa pelo cristianismo. Dragões e serpentes eram guardiões dos templos da Mãe Terra; o herói os mata fincando sua espada (símbolo fálico e patriarcal) no ventre volumoso e fértil dessas criaturas (a própria terra). Em certas gravuras, até mesmo Maria pisoteia a serpente enrodilhada aos seus pés, reforçando simbolicamente a definitiva derrota da religião da Deusa e sua substituição pela religião cristã.

A "invenção" do patriarcado foi a negação do ventre materno, do seu dom de dar a vida e a afirmação de que o Pai é o único criador. Portanto, tudo o que Ele faz é justo e certo, pois somente Ele tem o poder. Repetida, encenada, escrita, falada, cantada e ensinada por vinte séculos, essa inverdade fundamental tornou-se a verdade aceita e não questionada, devido ao temor do pecado e da punição.

Deus, no Velho Testamento, é sempre uma figura masculina e severa, e sua contraparte feminina – Shekinah –, adorada pelas mulheres como a Deusa, foi perdendo, aos poucos, sua importância, até acabar sendo reverenciada apenas no culto do Sabbath, praticado de modo velado pelas mulheres em seus próprios lares. Para garantir o poder e a autoridade masculina, o deus hebraico impôs sua dominação sobre as mulheres e apagou qualquer vestígio dos antigos rituais da Deusa. Consideradas inferiores, as mulheres foram despojadas de quaisquer direitos, e seus únicos valores passaram a ser a perpetuação da espécie e o trabalho doméstico. As poucas heroínas mencionadas no Velho Testamento atuam como "obreiras do Senhor" contra os inimigos da fé (ou seja, os que continuavam adorando a Deusa). Declaradas "seres sem alma e pecadoras", as mulheres não podiam estudar nem possuir bens, pertencendo aos pais, que escolhiam seus maridos, seus novos senhores. Na viuvez, deviam acatar a autoridade do irmão, tio ou filho. Até mesmo nas sinagogas elas eram discriminadas, ficando reclusas em um canto; o seu sangue menstrual era considerado impuro e perigoso, exigindo cuidados para que a mulher menstruada não tocasse nenhum homem, para não contaminá-lo ou enfraquecê-lo.

DUALISMO

Em oposição à antiga cosmologia da Deusa, que afirmava a unidade e a harmonia entre vida e morte, começo e fim, refletidos nas suas facetas de Doadora, Ceifadora e Regeneradora da vida, a teologia cristã impôs o dualismo.

Enquanto Deus é uma força espiritual e transcendente, a Deusa é imanente e permanente, presente em todas as formas, energias, seres e ciclos naturais. A visão dualista, hierárquica e patriarcal preconiza a superioridade de uma polaridade sobre a outra, criando, assim, o antagonismo entre elas:

espírito/matéria, mente/corpo, racional/intuitivo, espiritual/sexual, homem/mulher.

A Tradição da Deusa considerava a alternância e a complementação das polaridades e dos elementos como uma realidade natural; porém, as novas concepções patriarcais criaram a cisão e a oposição entre forças e energias antes integradas na multiplicidade dos aspectos da Grande Mãe. As antigas culturas matrifocais e geocêntricas honravam e celebravam igualmente a luz e a sombra, o dia e a noite, o Sol e a Lua, a vida e a morte, o espírito e a matéria, o homem e a mulher, pois tudo fazia parte da criação divina. Na visão dualista e patriarcal, houve uma distribuição desigual de valores; tudo o que era bom, nobre, valioso, luminoso, benéfico, coerente, fixo, racional e mensurável foi atribuído ao princípio masculino e aos homens, criados à semelhança do Deus imutável e transcendente. As energias mutáveis da Natureza e da mulher tornaram-se sinônimos da imperfeição, do perigo e do instinto selvagem e irracional que deveria ser dominado e controlado. As mulheres foram associadas à escuridão, ao pecado, ao mal, à luxúria, à irracionalidade, à impulsividade, à imprevisibilidade, à inconstância e a todos os "perigos" carnais e sexuais.

Apesar das tentativas dos sistemas religiosos e culturais de extinguir os vestígios dos cultos e da simbologia da Deusa, podemos discernir imagens e costumes que sobreviveram nos mitos e no folclore e que foram assimilados pelo cristianismo. Apesar de transformada em uma traidora do seu sexo, Athena era honrada como padroeira da cidade de Atenas no seu simbolismo oculto de "Senhora da Rocha" (onde está a Acrópole, seu antigo templo, símbolo da força e do poder da cidade), da oliveira (símbolo da paz) e dos seus animais de poder (a coruja e a serpente), totens das deusas pré-cristãs. Mesmo vulgarizada, Afrodite continuou ser louvada como "A Mãe dos seres vivos" nos seus hinos e nos poemas de Safo. No México, o templo da Virgem de Guadalupe foi erguido na colina consagrada à deusa pré-asteca Tonantzin, enquanto o fogo sagrado da deusa irlandesa Brigid continuou a ser zelado pelas freiras de Kildare. As igrejas e as fontes dedicadas a Brigid na sua adaptação cristã como santa mantêm vivo o simbolismo da Deusa até os dias de hoje. As datas das antigas festividades pré-cristãs da Roda do Ano permanecem nas datas e nos costumes cristãos dos seus equivalentes, bem como a adoção de várias deusas como santas (Ana, Helena, Irina, Lucina, Úrsula).

Nos primórdios do cristianismo, a presença e a participação das mulheres eram incentivadas por Jesus, cuja companheira e colaboradora, Maria Madalena, teve um papel proeminente, junto a outras seguidoras, na divulgação e sustentação da nova fé, que promovia e abençoava o amor e a igualdade entre todos os seres. No entanto, à medida que a doutrina cristã evoluiu de um pequeno culto de judeus "heréticos" para uma instituição hierárquica e um sistema religioso patriarcal, aumentou a relutância masculina em aceitar a presença igualitária de mulheres, o que levou à sua exclusão dos serviços religiosos e ao repúdio de Maria Madalena. Segundo a mentalidade judaica, as mulheres deviam ser silenciosas e obedientes, acatando a autoridade paterna – divina e humana –, sem direitos, apenas com obrigações e deveres. Declaradas responsáveis pelo pecado original e por todos os males do mundo, deviam ser punidas eternamente pela transgressão de Eva e por não terem nascido homens, criadas à semelhança do Pai. Consideradas seres inferiores, "desprovidos de alma", elas eram vistas como "receptáculos do esperma" para gerar filhos varões e "caixinhas para o prazer masculino".

O CULTO A MARIA

Apesar da postura misógina e androcêntrica da religião cristã, a antiga reverência à Deusa – perpetuada em segredo pelas mulheres no recôndito dos seus lares e nos seus encontros ocultos – ressurgiu de maneira camuflada e paulatina na Mariolatria, o culto a Maria. Na iconografia de Maria, permanecem símbolos, imagens, elementos e títulos das deusas da Suméria, da Babilônia, de Canaã e do Egito. Para os povos convertidos ao cristianismo pelo "poder da cruz e da espada", Maria representava a Mãe Divina, embalando seu filho nos braços ou chorando sua morte, as mesmas imagens dos mitos de Inanna, Isthar, Ísis, Deméter. O nascimento milagroso de Jesus de uma mãe virgem assemelha-se ao de antigos deuses solares, como Dumuzi, Tammuz, Adônis e Mithra, cuja comemoração era feita no solstício de inverno no hemisfério Norte, data escolhida pelos patriarcas cristãos para as festividades de Natal e o suposto nascimento do Filho do Pai Divino, equivalente à Criança Divina pagã. O sofrimento de Jesus na cruz lembrava a automolação do deus Odin e o sacrifício anual dos deuses dos grãos, para alimentar com seu corpo e sangue a humanidade.

Datas cristãs se sobrepuseram ao calendário pagão das celebrações da Roda do Ano e o uso de batina pelos padres foi aceito como uma substituição dos mantos usados pelas sacerdotisas da Deusa. Assumindo vários títulos e símbolos das antigas deusas e preenchendo a sua ausência, Maria era a Mãe do Deus, a Rainha do Céu, a Estrela do Mar, a Mãe amorosa e benevolente que oferecia aos cristãos – principalmente às mulheres – um arquétipo feminino de compaixão, amor, proteção. A opressão patriarcal, institucionalizada na Igreja e mantida pela força armada e política, foi suavizada pela presença de Maria, mesmo ela não fazendo parte da Trindade, a não ser de modo dissimulado, no misterioso termo do Espírito Santo. Dava-se, assim, continuidade às antigas trindades de Mãe-Pai-Filho ou da tríplice manifestação da Deusa (como jovem, mãe, anciã).

O culto a Maria ficou evidente na arte, nas inúmeras igrejas a Ela dedicadas (e erguidas nos antigos locais de culto à Deusa), nas orações e procissões, na fé de homens e mulheres que a Ela recorriam para mitigar seus sofrimentos e aflições. No entanto, com a ampliação do seu culto e o retorno das mulheres à reverência de uma figura feminina, a Igreja sentiu-se ameaçada pelo poder crescente das mulheres que usavam o nome de Maria nas suas práticas curativas (como benzimentos, uso de ervas, simpatias – lembranças da antiga arte pagã da magia natural). Para acabar com essa ameaça e ao mesmo tempo beneficiar a incipiente classe médica, livrando-a da concorrência das parteiras e curandeiras, a Igreja Cristã criou a paranoia da "caça às bruxas", queimando, do século XIV ao XVII, milhões de mulheres nas fogueiras da hedionda Inquisição e impregnando o mundo com o medo do terror e da morte. As culpas das mulheres julgadas, torturadas e condenadas como "bruxas" eram sua própria existência, a continuidade do culto do sagrado feminino – representado por Maria – e a sobrevivência do legado ancestral de sabedoria mágica e curativa. O odioso livro *Malleus Maleficarum* reforçou a tese bíblica do pecado da mulher e colaborou para uma matança indiscriminada de mulheres jovens e anciãs, feias e bonitas, com sardas ou verrugas, que tinham algum dom ou habilidade equivalente à "bruxaria", mesmo que fosse apenas ajudar mulheres a parir, curar crianças e animais ou aliviar a transição e o sofrimento dos moribundos. Uma vez acusadas, não havia como escapar às torturas e à morte, seguidas do confisco dos seus bens, que passavam a ser propriedade da Igreja, que incentivava os delatores com recompensas. A alma coletiva feminina ficou para sempre marcada com o pavor de revelar conhecimento mágico e poder espiritual, pavor que explica os séculos de retraimento, em que as mulheres se deixaram anular, aceitando, em silêncio e sem reagir, a dominação, a exploração dos seus corpos e do seu trabalho, os abusos e as violências perpetradas pelos homens, conformando-se com isso. A Inquisição devastou a Europa, se espalhou pela América, e somente em 1784 as torturas e fogueiras foram abolidas.

MOVIMENTOS FEMINISTAS

Apesar de todas as tentativas de aniquilá-lo, o poder feminino não sucumbiu. Em 1848 (64 anos após o fim do terror), surgiu a primeira onda do movimento feminista americano, marcada pela convenção de Seneca Falls, nos EUA, na qual foi discutida a discriminação sofrida pelas mulheres e redigida uma declaração reivindicando seus direitos. Os esforços e a dedicação de mulheres como Elisabeth Cady Stanton (autora de *Women's Bible*), Lucretia Mott, Matilda Gage, entre outras, chamaram a atenção da sociedade para a exclusão da mulher da vida religiosa, pública e social. Apesar do empenho, dos sacrifícios e da tenacidade das sufragistas, o direito a voto das mulheres foi concedido somente em 1920 (nos EUA), e as oportunidades de trabalho apareceram apenas com a carência de homens durante a guerra. No entanto, a desigualdade na remuneração continuava, e, após o término da Segunda Guerra Mundial, as mulheres tiveram que voltar para os seus afazeres domésticos, coagidas pela volta dos homens ao trabalho e pela crise econômica.

Os livros de Simone de Beauvoir (*O Segundo Sexo*) e de Betty Friedan (*The Feminine Mystique*), em 1963, catalisaram o descontentamento das mulheres em relação à sua condição de inferioridade, dando início à segunda onda de feminismo. Entre 1960 e 1970, inúmeros grupos de mulheres, incluindo a National Organization for Women, procuraram derrubar as leis que perpetuavam a discriminação em assuntos de propriedade, trabalho, sexualidade e procriação, e buscaram amparo legal e material para mães solteiras; a remoção de barreiras legais, políticas e sociais na afirmação e expressão femininas e a legalização do aborto, entre outros temas. O movimento feminista procurava também ampliar a consciência da mulher e o reconhecimento do seu potencial inato, combatendo os estereótipos tradicionais de "passividade, dependência, fragilidade, incompetência e irracionalidade", e incentivando a luta contra abusos e violências, nos âmbitos doméstico, profissional, social e espiritual.

O RETORNO À DEUSA

> *Mãe antiga, ouço Teu chamado; Mãe antiga, ouço Tua canção; Mãe antiga, ouço Tua risada; Mãe antiga, provo das Tuas lágrimas.*
>
> – Canção dos círculos de mulheres norte-americanas

Acompanhando a mudança no cenário político e profissional, as mulheres começaram a procurar um amparo religioso que promovesse os valores rejeitados pelo patriarcado e permitisse o fortalecimento e a expressão do poder espiritual feminino. Escritoras como Mary Daly, M. Esther Harding, Merlin Stone, Elinor Gadon, Monica Sjöo, Riane Eisler, Starhawk, Carol Christ, Charlene Spretnak, Christine Downing, Anne Bering e Buffie Johnson analisaram as religiões institucionalizadas e revelaram a existência – omitida no ensino convencional – das antigas culturas matrifocais e das imagens, das estatuetas, dos mitos e dos cultos da Deusa. A gigantesca obra arqueológica e literária de Marija Gimbutas divulgou os inúmeros artefatos e estatuetas de deusas paleolíticas e neolíticas em diversos sítios da Europa e da Anatólia, comprovando o milenar culto a uma divindade criadora feminina e incentivando outras escavações, pesquisas e livros.

Apesar da resistência inicial das feministas ativistas políticas, a corrente da espiritualidade feminina foi se ampliando e adquirindo importância mundial. Pequenas publicações e artigos sobre deusas despertaram o interesse de pessoas de mente mais aberta, enquanto ativistas espiritualistas como Starhawk, Zsuzsana Budapest, Shekinah Mountainwater e outras realizavam rituais abertos que reavivavam memórias ancestrais e celebravam a Deusa de Mil Nomes. As mulheres – antes separadas e divididas pelos códigos e imposições das religiões patriarcais – passaram a se reunir e se apoiar na busca de uma nova manifestação da sua espiritualidade, que celebrasse a sacralidade da Terra e da mulher, reconhecesse e honrasse seus ciclos e suas transições, incentivasse o reconhecimento da unidade e respeitasse a vida e a coexistência de todos os seres da criação.

As primeiras vertentes da espiritualidade feminina surgiram com os *coven* (grupos ritualísticos da tradição Wicca); os livros sobre a Deusa; o neopaganismo; o renascimento das tradições celtas, nórdicas e xamânicas; os estudos e as práticas de magia natural e a celebração pública dos solstícios, equinócios e plenilúnios. Também contribuíram os festivais musicais, as conferências sobre a Deusa, as feiras de arte e artesanato, os seminários, os cursos, as vivências. Surgiram novas terapias baseadas na sabedoria ancestral, difundiram-se conhecimentos sobre yoga, meditação, fitoterapia, Tarô, runas, cristais, deuses, anjos, fadas e gnomos. Livros famosos como *As Brumas de Avalon, A Dança Cósmica das Feiticeiras, O Cálice e a Espada, A Grande Mãe, A Sacerdotisa do Mar e A Sacerdotisa da Lua* – e mais recentemente *O Código da Vinci*, as obras sobre Maria Madalena, entre outros – mobilizaram a opinião pública. Enquanto isso, dezenas de trabalhos sobre arquétipos, símbolos, mitos e rituais das deusas de várias culturas preenchiam lacunas seculares e ofereciam alternativas religiosas sem dogmas ou hierarquias, incentivando a criatividade e a cooperação femininas. Amparadas pelo embasamento arqueológico, histórico, cultural e espiritual, um número crescente de mulheres – educadas nas doutrinas e religiões tradicionais, repletas de simbologia e supremacia masculinas – encontrou no movimento diversificado da espiritualidade feminina um caminho de liberdade de expressão. Esse novo e ao mesmo tempo antigo caminho fortalecia e reconhecia seu poder inato, suas percepções e habilidades psíquicas, bem como permitia e estimulava sua participação nas práticas espirituais. As mulheres que encontram e vivenciam a religião da Deusa tornam-se suas sacerdotisas e senhoras de si mesmas, não mais meras espectadoras de serviços religiosos formais e rígidos ou simples obreiras a serviço do Senhor. A sacralidade feminina preenche os anseios da alma e nutre o psiquismo com energias positivas, permitindo a cocriação, o amplo envolvimento, a participação e a criatividade em diversos tipos de rituais.

O DESPERTAR DAS MULHERES PARA A DEUSA

> *Mulher eu sou, espírito eu sou, tenho o infinito dentro de mim, não tenho começo e não tenho fim, eu sou assim.*
>
> – Canção dos círculos de mulheres norte-americanas

Por meio de livros, palestras, imagens, sonhos, visões, meditações e diálogos com outras mulheres, participação em rituais, contato profundo com a

Natureza, experiências místicas, lembranças espontâneas, terapias de renascimento ou regressão são ativados e trazidos à mente consciente os antigos registros de existências anteriores em que a Deusa era cultuada. Uma vez despertadas essas memórias ancestrais e estabelecida a conexão com a lembrança adormecida do primeiro impulso religioso humano centrado em uma Mãe Criadora, dificilmente a mulher abandonará esse caminho, que a levará de volta para a verdadeira fonte divina e ao encontro de si mesma. Em contraste com a figura de um Deus velho, barbudo e sisudo, aparecendo entre as nuvens, as tocantes imagens da Deusa são telúricas e cósmicas, maternais e carnais, evocando a sacralidade e a fertilidade da Natureza e da figura feminina. Mais do que histórias, mitos ou palavras, as estatuetas e as imagens das deusas paleolíticas e neolíticas trazem à tona memórias ancestrais de participação em cultos que reconheciam e reverenciavam o poder feminino – divino e humano. Sem corresponder aos cânones da beleza contemporânea, a representação do corpo das antigas deusas realça a capacidade criadora e nutriz da mulher, dom intrínseco e inato que independe da idade ou da perfeição física.

A Deusa era o símbolo da unidade de toda a vida e da Natureza, respeitada e venerada como algo sagrado e misterioso, presente em tudo: na água e na terra, nas grutas e nas montanhas, nos animais, nos peixes e nos pássaros, nas árvores e nas flores, nas estrelas e no vento, nos homens, nas mulheres e nas crianças. As antigas imagens da Deusa têm inspirado e conduzido as vivências da sacralidade feminina no movimento contemporâneo do "retorno à Deusa". É importante que voltemos a visualizar a Fonte Criadora como Deusa e Mãe amorosa, falando sempre o seu nome, para romper os padrões enraizados na nossa mente de um Deus e Pai dominador, que vê e julga nossos atos, punindo as transgressões humanas, conforme relata a Bíblia.

Segundo Carol Christ, autora de *Rebirth of the Goddess*, "As imagens e invocações da Deusa acabam com o controle masculino que formou os nossos conceitos, não somente de Deus, mas de todo o poder universal". Os vislumbres intuitivos sobre a Deusa podem ser repentinos, mas também podem levar um tempo para mudar nossos paradigmas, pois precisam ser assimilados pela nossa mente e vividos e expressos nas nossas atitudes e ações. Contudo, para manifestar seu poder na nossa vida, além das imagens e dos mitos, precisamos de rituais que criam novas formas de expressão e motivação, reencenando antigas práticas e criando altares como pontos de força e atração da presença da Deusa. A experiência é fundamental para a ampliação da consciência e a reconexão com os arquétipos e símbolos da Deusa.

O renascimento e a divulgação dos conceitos e valores da espiritualidade feminina levaram ao surgimento de núcleos revisionistas no seio das religiões convencionais, visando a enfoques mais abrangentes que aceitassem "a face feminina de Deus". Em algumas igrejas protestantes americanas, as orações estão sendo agora dirigidas ao Deus Pai-Mãe; no judaísmo há uma ênfase maior na reverência a Shekinah, a consorte oculta de Jeová (herdeira das deusas de Canaã Asherah e Anath), enquanto a igreja ortodoxa intensifica o culto de Maria como *Theotokus*, a Mãe Divina. No catolicismo as "aparições marianas", a valorização crescente das Madonas Negras e as peregrinações às suas basílicas estão realçando a importância da reverência a Maria e o fervor renovado da antiga fé. O teólogo dominicano Matthew Fox postula o conceito de Deus como Mãe e Filho e aponta a responsabilidade dos homens para desenvolver a "mãe interior", que simboliza o dom da criatividade e da nutrição. Sua proposta coincide com uma das definições da espiritualidade feminina como "o caminho que desenvolve as qualidades nutrizes e protetoras latentes em homens e mulheres, o amor manifestado na realidade". A freira católica Meinrad Craighead – pintora mística e visionária – expressa suas visões da Mãe Divina em quadros de extraordinária beleza, repletos de símbolos da Deusa, com cores e texturas da terra, acompanhados por poemas permeados de significados e elementos cósmicos e telúricos que retratam o fluxo eterno da criação divina.

O movimento espiritual e cultural denominado O Retorno da Deusa (ou Retorno à Deusa) também exerce influência na arte feminina, ampliando a inspiração pela contemplação de imagens das deusas pré-históricas, pela conscientização e expressão da riqueza das formas femininas e pelo abandono da rigidez dos padrões convencionais. A extensa e variada temática e a simbologia feminina estão sendo refletidas na literatura e na arte contemporâneas, nos poemas, nas músicas e nas canções, em quadros e esculturas, na cerâmica, na tecelagem e nos adornos, nas danças sagradas ou nas encenações teatrais. Muitas artistas recriaram a antiga iconografia em formas modernas;

outras usaram seus próprios rostos ou corpos em quadros, máscaras, desenhos ou esculturas representando a Deusa, redescobrindo e celebrando sua própria essência divina. Os antigos símbolos da Deusa são poderosos auxílios para as mulheres nos seus momentos de dúvidas ou conflitos, na compreensão dos sonhos, nas suas terapias e vivências. O respeito pelo corpo feminino, como fonte de poder, saúde, prazer, beleza e arquivo de experiências passadas, em muito contribuiu para que as mulheres aceitassem e afirmassem suas verdadeiras identidades, redescobrindo que o corpo físico é a manifestação da força vital criativa, com atributos inerentes à sua essência e um elo com a Mãe Natureza.

A psicoterapeuta, escritora e militante feminista Deena Metzger afirma que o grande desafio de cada mulher é a ressacralização da sua sexualidade. Ela usa nos seus workshops terapêuticos a autobiografia, as histórias, os mitos e os contos de fadas para recuperar a experiência do sagrado em cada ato e situação da vida. Deena sustenta que as mulheres estão adotando atitudes e estilos masculinos com medo de expressar sua verdadeira natureza, reprimida e condenada como algo pecaminoso e diabólico. Por isso elas se "armam" e perpetuam padrões culturais e comportamentais masculinos e nocivos. É preciso que ocorra o "desarmamento interior" e a adoção de um modelo feminino autêntico, baseado nos atributos e valores da Deusa.

Quando as mulheres estiverem plenamente conscientes do seu verdadeiro poder, elas vão poder usá-lo para se transformar e mudar o mundo ao seu redor. Em vez de direcionar o poder para competir ou dominar (poder sobre alguém), elas vão usá-lo para se tornarem poderosas, sem serem agressivas ou competitivas, mas apenas utilizando o seu poder interior.

A expansão da consciência provocada pelo movimento da espiritualidade feminina está fazendo as mulheres perceberem que não devem permitir a exploração dos seus corpos, promovida por interesses comerciais ou não, e que levam, por meio de imagens e atitudes, à degradação e à profanação da sua essência sagrada e dos seus atributos. Desde os primórdios da humanidade, o corpo da mulher simbolizou a energia da Deusa e a sacralidade da Terra. A opressão e a dominação da mulher estão ligadas historicamente à destruição e à exploração da Natureza. Com o reconhecimento do planeta como um organismo vivo e interdependente, a Deusa tornou-se um símbolo da consciência ecológica.

A CONSCIÊNCIA DE GAIA

A consciência de Gaia é um movimento global para a cura do planeta que se manifesta de várias formas, visando aumentar a responsabilidade humana pela preservação da Terra, cada vez mais ameaçada pela poluição e degradação ambientais, bem como pela cobiça, pela exploração desenfreada e pela violência. Ele surgiu aos poucos, de iniciativas individuais e grupais, depois que as fotografias da Terra vistas do espaço – aparecendo como um lindo globo azul cercado de nuvens, de extrema beleza e vulnerabilidade – tocaram o coração de muitas pessoas.

Em 1971, os cientistas James Lovelock e Lyn Margulis criaram a hipótese Gaia, que considera a Terra como uma estrutura complexa e viva, autorregulável, em que a interdependência de todas as formas de vida, com o solo, os oceanos e a atmosfera, forma um único sistema vivo. A hipótese Gaia reconhece o planeta Terra como uma entidade inteligente do Universo e a nossa íntima relação com toda a criação por meio de uma energia sutil que liga todos os seres vivos. Reavivando o antigo conceito da "teia cósmica" e usando o nome da Mãe Terra grega – Gaia – como metáfora da teoria, a validação científica de uma verdade milenar catalisou a formação de uma nova mentalidade e de movimentos chamados "gaianismo". A Consciência de Gaia é a solução necessária e adequada para contrabalançar os conceitos mecanicistas atuais que dicotomizam o homem e a Natureza, a razão e a emoção, a matéria e o espírito e destruíram a antiga reverência e o respeito do homem pelas energias naturais, antes vistas como personificações da Fonte Divina.

Outra manifestação e consequência desse despertar foi a criação do ecofeminismo, que combina filosofia feminista com consciência ecológica, oferecendo uma perspectiva global e ecocêntrica. O ecofeminismo é baseado na crença da unidade e interdependência de todas as formas de vida e busca formas mais humanistas, pacíficas e benéficas para a remodelação das estruturas políticas, sociais e individuais. Ele visa à integração de todos os níveis energéticos (tanto o racional e material quanto o psíquico e emocional) e a aceitação do divino como força vital imanente no mundo natural.

Movimentos como o Gaianismo, a Consciência de Gaia e o Greenpeace, organizações para a preservação dos ecossistemas, a proposta de "O Milionésimo Círculo", a organização Gather the Women, as conferências e os encontros internacionais de mulheres e fundações como a Women's World Summit Foundation são exemplos de como a Deusa – Mãe e Mestra – nos convoca e pede nossa ajuda. Ainda existem outros incentivos, como as marchas de mulheres, as ligas, os grupos e as listas da internet, que convidam mulheres do mundo inteiro para projetos, publicações e eventos que beneficiem e fortaleçam as mulheres nas suas aspirações, necessidades e objetivos.

A escritora e terapeuta Jean Shinoda Bolen expressou de forma tocante e precisa essa nova realidade global no título do seu livro, *Urgent Message From Mother. Gather the Women, Save the World* [Mensagem Urgente da Mãe. Reúnam as Mulheres, Salvem o Mundo].

O retorno à Deusa é o prenúncio do surgimento de uma nova consciência que vê a humanidade como parte do Todo, da Natureza e do cosmos, e aceita a sacralidade da vida e a imanência do divino. O mistério da Deusa é o mistério do nosso próprio ser, a força vital dinâmica, a dança da vida e dos ciclos naturais, a canção eterna da criação, da destruição e da regeneração. A Terra é viva, é a própria Deusa que sustenta e nutre todos os seres e os abriga no seu corpo. Ao trilharmos o caminho da Deusa, vamos relembrar que não há separação, apenas unidade; a matéria é permeada pelo espírito, e todos nós somos responsáveis por tudo o que é vivo.

A escritora Elinor Gadon, em seu livro *The Once and Future Goddess*, define a Deusa como: "a guardiã da fonte interior, da conexão e orientação espiritual, a divindade existente em todos nós, manifestada como a nossa consciência autêntica, o centro transpessoal chamado Eu Divino".

A Deusa é o símbolo da cura necessária para a nossa sobrevivência; da pacificação entre homens e mulheres, povos e nações; da expansão da consciência que vai garantir a renovação social, política, cultural e espiritual da humanidade. Sem precisar voltar para as estruturas e os comportamentos pré-históricos, podemos usufruir a sabedoria antiga, dos cultos e rituais que honravam e celebravam a vida, a Terra, a sacralidade feminina. Precisamos apenas abrir nossa mente e nosso coração para fazer bom uso das riquezas naturais e agradecer por tudo o que a vida e a Deusa nos ofereceram para a nossa existência.

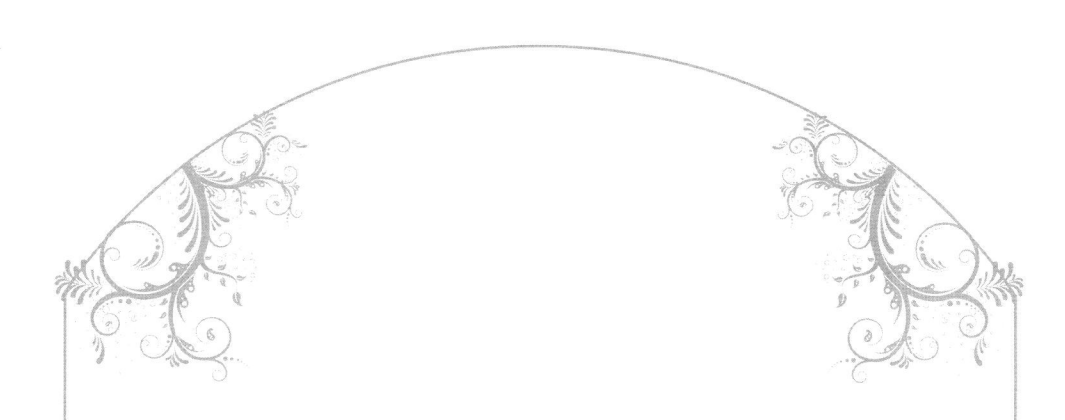

PRIMEIRA PARTE:

O PODER MÁGICO DO CÍRCULO

1.1 SIMBOLISMO, HISTÓRICO, FINALIDADES

> *Todas as manifestações de poder no mundo acontecem em círculos. O céu é redondo e ouvi falar que a Terra é redonda como uma bola e assim também são todas as estrelas. O vento rodopia em círculos. Os pássaros constroem seus ninhos em forma circular, pois a religião deles é a mesma que a nossa. O Sol gira em círculo. A Lua também e ambos são redondos. Até mesmo as estações retornam sempre para o mesmo ponto. A vida dos seres humanos é o círculo de uma infância a outra e assim é em tudo onde o poder se manifesta.*
>
> – **Black Elk**, chefe da tribo indígena Oglala Sioux, citado por J. E. Brown em *Madre Tierra, Padre Cielo*

O círculo é um símbolo antigo e universal que representa a unidade e a totalidade; tem uma forma perfeita e infinita, sem começo nem fim, que caracteriza a continuidade.

Ele é um dos padrões energéticos fundamentais do mundo natural, observado nos ciclos solares e lunares, na Roda do Ano, na mandala da vida e das encarnações, no movimento giratório dos centros de força do ser humano (cujo nome em sânscrito – *chakra* – significa "roda"), na eterna e permanente passagem do tempo. Nada é estático, tudo se movimenta e muda, a espiral contínua da transformação se reflete na vida cíclica do Todo, onde tudo renasce, se desenvolve, alcança a plenitude e diminui até desaparecer, para depois renascer.

O movimento dos corpos celestes; a dança das estações; as mudanças de luz e sombra, de pressão e umidade, de calor e frio, de expansão e retração se refletem na vida cósmica e humana, no macro e no microcosmo. Por ser o círculo a forma pela qual as energias universais se integram, ele se tornou o símbolo mais antigo e fundamental da humanidade.

Inúmeros mitos de criação descrevem a origem do mundo a partir do vazio primordial ou "o grande redondo": o ovo cósmico, o ventre da escuridão, a espiral ou a bolha de luz. Combinando as forças cósmicas com a forma feminina, o círculo torna-se uma imagem da Criadora, a Grande Mãe Universal, de cujo ventre (cósmico, telúrico ou aquático) se originou a vida. Os povos antigos usavam o círculo nas suas cerimônias e nos seus encontros comunitários para reverenciá-la e invocar sua proteção.

As culturas pré-históricas matrifocais (bem como sociedades tribais contemporâneas) construíam suas casas, seus altares e suas lareiras em formato arredondado. Os túmulos, os espaços de culto e celebração, os locais para guardar mantimentos e animais, as fontes e todas as vasilhas e cestas eram redondos. As comunidades se agrupavam e cresciam a partir de um espaço central circular, que está presente no projeto urbanístico de grandes cidades, como Paris e Washington.

Os antigos templos, os círculos de menires, as rodas nativas e sagradas de cura, os círculos mágicos e dos conselhos, as danças sagradas, as fortificações, os anéis e escudos de proteção reproduzem a forma sagrada do círculo, que permeou durante milênios crenças e conceitos, cerimônias e rituais, bem como o pensamento filosófico e religioso. A aplicação prática desse símbolo sagrado levou à criação da roda – da carroça, da moenda e do oleiro –, que permitiu o progresso da civilização.

O significado linguístico do círculo é múltiplo, unindo o sagrado e o profano. Em sânscrito, *mandala* significa "círculo, globo, redondo, anel, orbe, halo, grupo, coleção, multidão". O hieróglifo egípcio se refere ao "cosmos, ao Sol, ao dia, ao começo, à placenta, ao olho, ao deus solar, ao mundo". Em grego, *kirkos* descreve "o voo em círculos do falcão, a pupila, o ciclope, o tambor, o escudo, a abóboda celeste, o lugar de assembleia", e o latim *circulus* significa "anel, tempo".

Devido ao seu perímetro ininterrupto e contínuo, o círculo representa o tempo, que não tem começo nem fim e se movimenta em ciclos. O zodíaco – definido como o "cinturão da deusa Ishtar" é formado por doze constelações ao longo da trajetória elíptica do Sol. Ele foi criado em 3000 a.C. pelos sumérios em forma de círculo, e os mapas natais têm até hoje forma circular. Os calendários hindus, chineses e astecas também eram circulares, assim como as rodas sagradas de cura, os círculos cerimoniais dos nativos norte-americanos (com 28 raios partindo de um totem central) e as formações de pedras sagradas dos povos celtas.

Ainda nos dias de hoje, alguns locais destinados a eventos sociais e recreativos reproduzem o formato arredondado das arenas romanas ou dos teatros gregos; e certas organizações religiosas e espirituais criam círculos mágicos de poder e proteção em seus encontros e rituais.

Apesar da presença evidente ou sutil do círculo na nossa vida e realidade, perdemos a habilidade para o pensamento circular, pois na nossa cultura a linha reta é o modelo certo, o próprio conceito judaico-cristão de tempo linear. A história é vista como uma sequência de eventos, sem dar atenção aos ciclos do "eterno retorno". Na percepção ocidental, o tempo corre para a frente, por isso pensamos, planejamos e nos movimentamos apressadamente, sem prestar atenção naquilo que se passa ao nosso redor, sem percebermos os movimentos cíclicos da vida e da Natureza. Somente aceitando e praticando a interação com o universo, tendo a percepção dos processos cósmicos e telúricos, poderemos nos alinhar com as energias naturais e viver de uma maneira mais plena, saudável, harmônica e feliz.

A reunião em círculo de pessoas que compartilham os mesmos objetivos e interesses é uma maneira ancestral e sagrada de provocar transformações pessoais e coletivas.

Desde o tempo em que as pessoas se reuniam ao redor das fogueiras tribais e nos círculos de conselho (conduzidos por matriarcas ou anciãos), foram criadas e desenvolvidas inúmeras variantes. Atualmente existem círculos de diferentes finalidades: diálogo; psicoterapia; dramatização; contação de histórias; estudos; ativismo (ecológico, social, cultural); expansão da consciência; cura; paz; danças; corais; arte; artesanato; cerimônias; rituais; ritos de passagens; recuperação de vícios (como os baseados nos "doze passos"); encontros de mulheres, adolescentes, homens, casais; entre outros mais.

Apesar de ter sido quase esquecida, a prática primitiva dos encontros comunitários circulares (para aconselhar, ensinar, curar, celebrar) voltou a ser adotada por pessoas do mundo inteiro, pertencentes a religiões e culturas diferentes. Essas pessoas reunidas em círculos falam abertamente e ouvem com atenção, conversam e chegam a um consenso, cantam, dançam, meditam, tocam tambor, oram, ajudam umas às outras ou celebram.

O círculo tem o poder de coletar, concentrar e direcionar energias para efetuar mudanças e ajudar nas transformações individuais e coletivas. É um meio de criar um espaço seguro para praticar a comunicação aberta; compartilhar visões, alegrias e dores; definir objetivos; confiar; construir uma comunidade solidária; curar feridas da alma e trocar experiências, reconhecendo a interdependência com o Todo e buscando uma comunhão de valores e objetivos.

Para fazer parte de um círculo, as condições necessárias são: conexão amorosa (de coração para coração); confiança e ousadia para falar a própria verdade; disposição para silenciar e ouvir o outro, respeitar e apoiar as outras companheiras; reconhecer, honrar e compartilhar dons e habilidades, medos e sonhos, aflições e esperanças. O círculo deve possibilitar e incentivar a expressão da gratidão e do reconhecimento – a todos e ao Todo –, bem como criar tempo-espaço sagrado, para cada participante sentir e ampliar a sua conexão com o plano espiritual, com a Fonte Divina. Assim, o círculo passa a ser um *temenos* (santuário, em grego), em que o ambiente exterior, as preocupações e a rotina diária vão se dissipando até desaparecer, permitindo a expansão de consciência.

Na Antiguidade, os sacerdotes e videntes intuíam quais eram os melhores lugares para os cultos, fossem eles nas florestas, nas colinas, nos vales ou nas grutas. Sobre os antigos templos muitas igrejas cristãs foram construídas, aproveitando-se as linhas de força da Terra, que tornavam esses locais mais propícios para a introspecção e a reverência. No nosso mundo moderno, sentimos falta de santuários naturais e nem sempre uma igreja ou um templo nos oferece condições para sentirmos a unidade com toda a vida e superarmos o isolamento e o sentimento de separação. Um círculo bem estruturado, com um centro espiritual que dê condições para a união e a conexão (entre os participantes, com a Fonte Divina e a plenitude da vida), poderá ser um *temenos*; mesmo que não seja um local na Natureza, ele abrirá "portais" para a comunhão com ela.

Quando expandimos o nosso senso restrito de eu [*self*] para incluir o mundo natural e participar conscientemente da teia da vida, criamos uma nova consciência chamada "ecológica" ou *ecoself*. A "consciência ecológica" nos incentiva a assumir responsabilidades e a participar ativamente da preservação da Natureza e de todos os seres que nela vivem. Mesmo que a mudança da nossa consciência habitual seja difícil e requeira um aprendizado, para direcionarmos a atenção e a energia para outros valores além dos interesses pessoais (ligados aos prazeres do consumismo, aos avanços tecnológicos, à diversão ou ao trabalho), a energia de um círculo poderá auxiliar e transmitir novas maneiras de viver. Poderemos reaprender novos valores, como a simplicidade voluntária, a cooperação, a solidariedade, o respeito pela vida e a biodiversidade, o empenho para criar e viver a paz, o incentivo às iniciativas e contribuições dos participantes.

O círculo está reaparecendo na nossa cultura após séculos de egocentrismo e oferecendo oportunidades para a conexão com o mundo natural. Os esforços conjuntos das participantes do círculo são no sentido de servir à comunidade e oferecer atividades e ocasiões que façam bem à alma. Existe entre as pessoas do mundo todo uma tendência cada vez maior de procurar "espíritos afins", com interesses e missões comuns, que expandam o nosso pequeno mundo individual para abranger uma família espiritual.

Sem medo de perder a identidade individual, as pessoas encontram dentro de um círculo condições para reconhecer e usar melhor seu potencial e suas habilidades. Participando em conjunto de práticas de meditação ou celebração, elas vivenciam a livre expressão de pensamentos e emoções e reconhecem com mais confiança e segurança a sua própria voz interior. Ao receber *insights* sobre questões pessoais ou transpessoais, elas se fortalecem e contribuem, assim, para a integração e coesão do círculo. O grupo, assim como o indivíduo, tem uma energia própria, com características específicas em função da egrégora criada pelos participantes. Ao ampliar a sua participação na teia da criação, elas expandem o *Eu* para o *Nós*.

Segundo a escritora Christina Baldwin, no livro *Calling the Circle*, o círculo vai recuperar seu lugar de honra na "Terceira Cultura"; ela o define como: "uma prática interpessoal e global para agir com respeito em relação aos outros, aos recursos da Terra e aos valores espirituais".

A "Terceira Cultura" será criada quando as pessoas modificarem suas ações e reações atuais, substituindo as acusações, a agressão, o julgamento, as diferenças, o isolamento, a ansiedade, a hierarquia piramidal por cooperação, compreensão, semelhanças, solidariedade, meditação, diálogos e conselhos circulares.

O círculo originou-se na "Primeira Cultura", a época primeva da humanidade, quando as pessoas viviam em comunidades baseadas nas formas e nos conceitos circulares e se sentiam como parte da teia de criação. Durante milênios, nossos ancestrais migraram e se adaptaram às variações climáticas, geográficas e aos recursos naturais, criando estruturas sociais e crenças religiosas que os sustentavam e protegiam. Evidente em petróglifos, pinturas, mitos e construções é a constante presença dos círculos: de celebração, conselhos, comunitários, comunhão com a Natureza e reverência ao plano espiritual e aos espíritos ancestrais.

A "Segunda Cultura" é a atual, contemporânea, em que o círculo foi substituído pelo triângulo, aplicado ao sistema de organização social e transformado em símbolo de hierarquia. A hierarquia é uma estrutura triangular que posiciona os líderes no topo e lhes confere autoridade para governar os que estão abaixo deles. O triângulo não nega o círculo, eles podem ser combinados, de maneira harmônica, assim como também a hierarquia é útil em vários setores da sociedade.

O que é nocivo no mundo moderno não é a presença do triângulo, mas a sua utilização agressiva, como uma flecha que visa atacar sistematicamente as estruturas sociais e espirituais preexistentes. A Segunda Cultura foi imposta sobre a Primeira, e o círculo foi negado como um modelo de governar, de interagir socialmente, de celebrar e ou de reverenciar. A hierarquia, mal direcionada, tornou-se o modelo negativo do "mundo da máquina", que funciona sem alma ou consciência, destruindo os ecossistemas do planeta do qual depende. A "máquina" não permite tempo e espaços ociosos, condições para pensar, refletir, criar, viver, ser, celebrar, agradecer.

Mas, se relembrarmos e resgatarmos a presença e o poder do círculo, vamos encontrar um oásis de paz, parceria e harmonia que não será controlado pela "máquina" e que permitirá novas formas de percepção e ação, para restabelecer a conexão entre nós, a Natureza e o mundo espiritual.

O círculo é uma estrutura que dilui a liderança em torno da sua circunferência, oferecendo meios inclusivos de delegar tarefas, consultar, orientar, auxiliar, agir, criar, aprender, servir, reverenciar, planejar e alcançar objetivos, comemorar e orar, reconhecendo a importância de cada participante e honrando sua contribuição. E, acima de tudo e sempre, ele permite criar um centro sagrado na nossa vida, proporcionando e fortalecendo a conexão individual e grupal com a Fonte Divina e celebrando em conjunto a diversidade, a beleza e a sabedoria de toda a existência.

I.II. OS CÍRCULOS FEMININOS E SUAS CARACTERÍSTICAS

> *Somos irmãs de jornada, cantando todas como uma só*
> *Lembrando os antigos caminhos, as mulheres e sua sabedoria,*
> *Somos irmãs de jornada, cantando à luz do Sol.*
> *Cantando na noite escura,*
> *A cura começou, a cura começou.*
>
> – Canção tradicional dos círculos de mulheres norte-americanas

Em 1993, com base em uma década de pesquisas e estudos de outras autoras, a escritora Cynthia Eller definiu no seu trabalho sociológico *Living in the Lap of the Goddess* as características principais dos grupos praticantes da espiritualidade feminina:

1. reverenciar o princípio criador feminino, a Deusa;
2. buscar e valorizar o "empoderamento" feminino;
3. respeitar a Natureza, a vida e todos os seres da criação;
4. realizar rituais, cerimônias e práticas mágicas;
5. incentivar o estudo histórico e mitológico, contribuir para a criação de um caminho espiritual amoroso, tolerante, inclusivo e compassivo, praticando a presença da Deusa no cotidiano e recriando o sagrado na vida (pessoal e coletiva).

Coube aos círculos de mulheres uma relevante contribuição à evolução e expansão do movimento da espiritualidade feminina. Funcionando como receptáculos de energia, eles proporcionaram meios para atrair e direcionar atributos espirituais e divinos para as participantes e para o mundo. Falando, ouvindo e se relacionando com mulheres – semelhantes e diferentes –, no espaço seguro do círculo, favorecem-se a alquimia da transformação e a elevação pessoal, encontrando-se, assim, a verdadeira identidade espiritual e o canal adequado para expressá-la no intuito de fazer uma contribuição mundial.

A essência da espiritualidade feminina pode ser resumida da seguinte maneira: confiar e se apoiar, falar a própria verdade, silenciar, ouvir e respeitar, compartilhar a experiência pessoal, aceitar a responsabilidade em relação a si e ao mundo. Reconhecendo, honrando e vivenciando a sacralidade – a própria, a das outras mulheres e a da Natureza –, celebra-se e reverencia-se a Deusa. A espiritualidade feminina não é uma religião organizada nem codificada; é um caminho isento de dogmas, doutrinas ou proibições. Um círculo pode ser formado por mulheres que pertençam a diferentes crenças, religiões ou filosofias, tradicionais ou liberais, sendo o objetivo comum a conexão e a celebração do princípio divino feminino. Valoriza-se a experiência vivida de cada mulher, reconhecida como um ser sagrado e único, representando a Deusa na Terra. Esse reconhecimento fortalece as mulheres e as encoraja a exercer autoridade no seu mundo pessoal, tornando-as mais assertivas, seguras, criativas e livres para fazer escolhas e opções, sem permitir imposições, limitações, coações ou interferências.

Os círculos de mulheres resgatam e ativam a ancestral conexão com o sagrado, explorando, criando ou desenvolvendo formas específicas para expressá-la em conjunto, mas levando em consideração as visões e as sugestões individuais. Os encontros proporcionam um espaço seguro, não encontrado na cultura contemporânea, para apoiar e incentivar o desenvolvimento e o fortalecimento pessoal.

Os rituais e as cerimônias são criados de acordo com a ocasião, o propósito ou a necessidade. Reverenciam-se a Deusa e a Terra; celebram-se os ciclos naturais, as fases da Lua e a mudança das estações; comemoram-se ritos de passagem como a gravidez, o nascimento de um filho, a menarca e a menopausa, o divórcio ou a viuvez, além das mudanças e dos sucessos profissionais. Realizam-se bênçãos, irradiações de cura, alinhamento energético ou rituais de proteção, em caso de necessidade pessoal. As fontes de inspiração podem variar: tradições celtas, nórdicas, nativas (indígenas ou africanas), xamânicas, neopagãs, budistas, taoistas, ocultistas, wicca. Os rituais são elaborados a partir de mitos, lendas, contos de fada, visões, meditações, sonhos, livros ou reinterpretações de cerimônias tradicionais, adaptadas aos interesses femininos atuais.

Em todas as formas de celebração, porém, deve estar sempre em realce a reverência a uma manifestação, arquétipo ou atributo da Grande Mãe. Há no mundo uma grande carência pelos valores e pelas qualidades do divino feminino, que estão emergindo por meio da mente e do coração dos círculos de mulheres que honram a Mãe do Mundo, do céu, da Terra e de toda a criação.

Citando a escritora Elinor Gadon, autora de *The Once and Future Goddess*: "em nosso tempo e em nossa cultura, a Deusa esta se tornando novamente o símbolo do fortalecimento das mulheres, um catalisador para uma espiritualidade centrada nos valores da Terra, uma metáfora do nosso planeta visto como um organismo vivo, o arquétipo da consciência feminina, a mentora dos curadores, o emblema de um novo movimento político, uma inspiração para os artistas".

A espiritualidade feminina encoraja as mulheres a apreciarem seus corpos, independentemente de tamanho, raça e idade, mas cuidando de sua saúde e da condição física com métodos naturais, yoga, meditação, dança, massagem, ervas, cristais, essências e florais. Reconhecendo seu corpo como algo sagrado e parte integrante da natureza, a mulher tem melhor percepção dos seus sinais físicos ou psíquicos e uma recuperação mais rápida das pressões, cobranças e poluições cotidianas. A mulher que segue a Tradição da Deusa tem como desafio e responsabilidade a sua interação e conexão com os recursos, as energias e os seres da Natureza, sabendo que todos fazem parte da mesma teia cósmica. Para isso são utilizados os rituais, cuja finalidade é reconhecer e consagrar ações e acontecimentos, mudanças e transições, com base na rica simbologia e mitologia das deusas das antigas culturas, no legado das ancestrais e na criatividade e inspiração das mulheres integrantes do círculo.

A ativação e o direcionamento energético dentro de um círculo é muito mais poderoso e eficiente do que os mesmos procedimentos feitos de maneira solitária. A corrente de mãos dadas, de mente e coração conectados, de almas elevadas para a mesma frequência vibratória cria uma egrégora de poder mágico e oração amplificada. O círculo se torna uma só unidade, centrada em um único propósito e cujas energias fluem na mesma direção. Dentro de um círculo cerimonial existe um vórtice de energia que protege e harmoniza, como se fosse o próprio abraço da Deusa envolvendo as mulheres. Esse vórtice atua como um ímã, atraindo as energias benéficas, e como um escudo, para repelir e dissipar as interferências negativas. A respiração em uníssono e a meditação em conjunto, dentro de um círculo, possibilitam uma ampliação da percepção sutil e a expansão da consciência, o que consolida a coesão e a ligação entre as mulheres e dissolve diferenças e barreiras, em uma atmosfera de respeito, aceitação, apoio, amor e confiança.

O encontro em círculos é muito importante para as mulheres modernas porque esse tipo de encontro elimina a hierarquia e propicia um espaço seguro e protetor, que evoca as formas femininas – o ovo, o ventre grávido, o seio nutriz, o abraço carinhoso, o abrigo de uma gruta –, símbolos perenes, sagrados e naturais. Em um círculo, todas são igualmente vistas e ouvidas, pois cada mulher está à mesma distância do centro, sendo a distribuição e a recepção igualitária de energias, ideias, iniciativas e ações a própria definição de círculo. Para as mulheres, é mais fácil participar de um círculo porque a sua forma natural e habitual de pensar é circular e espiralada, diferente do pensamento linear masculino. Na concepção do sagrado feminino, é mais natural compartilhar o poder do que lutar para se apropriar dele.

Segundo a escritora Beverly Engel, a criação e difusão mundial de encontros e atividades em diferentes tipos de círculos devem-se ao movimento da espiritualidade feminina, que lhes deu origem e sustentação e continua contribuindo para a sua expansão. Pelas suas estimativas, 85% dos participantes de círculos são mulheres. Qualidades femininas, como a necessidade de interconexão e a facilidade para "negociar" e chegar a um consenso que satisfaça a todos e para demonstrar empatia e compaixão pelo sofrimento alheio, bem como o inato senso maternal e a tendência para proteger e ajudar, são as premissas essenciais para que a Terra seja novamente honrada como nossa Mãe e impedir violências e destruições. Se as mulheres se virem e agirem como parte de um círculo gigante que envolve a Terra e irradia paz, solidariedade e amor para o mundo, a mudança de valores e mentalidades, individuais, coletivas e globais será muito mais fácil.

As mulheres podem mostrar aos homens como usar a comunicação aberta, como interagir solidariamente sem usar hierarquia ou opressão, como ter interesse e responsabilidade em relação aos outros e não agir apenas visando ao próprio bem-estar. Os círculos de mulheres podem tecer uma teia firme e ampla para ensinar e divulgar as qualidades femininas de conexão, colaboração, apoio e compaixão, contrabalançando os comportamentos típicos masculinos de competição, agressividade, autoridade e autonomia. Em outras palavras, os círculos de mulheres podem resgatar a consciência lunar e telúrica (as práticas da Tenda Lunar), em equilíbrio e interação harmoniosa com a mentalidade e o comportamento solar e marciano (características do Império do Sol). Esse equilíbrio é necessário não apenas para os homens, mas também para as "guerreiras modernas", que confundem poder pessoal com belicosidade, ambição com rivalidade, sucesso com egoísmo, prepotência e vaidade.

As mulheres que se reúnem em círculo conhecem o poder que ele gera e que fortalece cada uma das componentes. Conectadas com o poder divino, com a atenção concentrada em um objetivo específico, irmanadas na mesma intenção, elas poderão criar o vórtice energético que manifestará o propósito desejado. O círculo bem estruturado e harmonioso é o meio ideal para oferecer apoio e sustentação às participantes, para propiciar cura emocional e fortalecimento espiritual e para criar e irradiar solidariedade, amor e compaixão. Assim, envolvendo o planeta em um círculo imantado com boas intenções, estarão cada vez mais próximas a pacificação e a transformação da humanidade. O que é imprescindível é a correta definição e direção das intenções e dos projetos, para que o movimento não se disperse ou se dilua em iniciativas locais ou que visem apenas a interesses pessoais.

O movimento da espiritualidade feminina tem características distintas das dos movimentos feministas das décadas 1960 e 1970 do século passado (com objetivos políticos e sociais) e das décadas de 1980 e 1990 (que expandiram seus interesses para criar grupos de cura e reabilitação). Sua orientação não é política, mas espiritual. Celebra-se a importância da maternidade – divina e humana –, procura-se o fortalecimento da mulher e não sua transformação em vítima. É proposta uma parceria harmoniosa com os homens e não o seu repúdio ou a sua crucificação e almeja-se a realização da mulher devido ao seu potencial, sem adotar ou imitar valores e comportamentos masculinos. Realizam-se rituais e cerimônias em lugar de protestos e passeatas, são incentivadas as qualidades e atitudes positivas para contornar as negatividades, a esperança em lugar de desespero, o sucesso em lugar da dificuldade, o amor em lugar do ódio. Apesar de diferente, a vertente política do feminismo não é antagônica à espiritual. Ultimamente, mulheres ativistas e politizadas começam a se abrir para os mistérios sagrados femininos, enquanto as que estavam centradas apenas no crescimento transpessoal e no aspecto cerimonial canalizam cada vez mais suas energias e sabedoria intuitiva para as transformações sociais e o serviço planetário.

A importância espiritual dos círculos de mulheres deve-se à sua capacidade de unir e regenerar.

Segundo a xamã Carol Proudfoot Edgar, o poder masculino da *fissão* (desagregar, separar) é oposto ao feminino da *fusão* (reunir, agregar), sendo ambos energias naturais do processo evolutivo. O atual momento planetário exige o fortalecimento da fusão, praticada pelos círculos de mulheres que visam à integração de todos em uma comunidade baseada em valores naturais e espirituais.

Outra xamã, Sandra Ingerman, afirma que "a cura planetária é missão e responsabilidade das mulheres". Mas, para que isso aconteça, elas devem abrir mão dos seus comportamentos competitivos e da rivalidade entre elas (os modelos masculinos por elas adotados para vencer na profissão) e da desconfiança e dos preconceitos que as separam. As mulheres perderam muito do seu poder ao se distanciarem umas das outras, em lugar de se apoiar e se unir. Elas precisam reaprender a confiar e se conectar, combatendo qualquer forma de abuso de poder (feminino ou masculino) e ousando expressar suas qualidades inatas, maternas, nutrizes e intuitivas. Individualmente, nenhuma mulher poderá desencadear mudanças no mundo, mas, quando um círculo feminino de união e apoio é criado, há uma modificação vibratória na egrégora individual e coletiva.

Citando as ideias da escritora Beverly Engel, os valores que modelam e sustentam os círculos femininos são:

- Respeitar a diversidade humana e natural;
- Preservar a Terra e o meio ambiente;
- Confiar na criatividade e na sabedoria inatas;
- Empenhar-se em conciliar;
- Combater todo ato de violência;

- Trocar os julgamentos pela compaixão;
- Praticar atos de generosidade e gratidão;
- Substituir o consumismo pela simplicidade;
- Acreditar na liberdade de expressão individual (religiosa, ideológica, sexual);
- Honrar e auxiliar os idosos;
- Agradecer aos líderes espirituais e aos ancestrais;
- Reverenciar a Grande Mãe.

A xamã Brooke Medicine Eagle recomenda: "o caminho circular não consiste em solucionar os problemas atuais criando outros". É necessário enfatizar a receptividade e não a agressão, buscar relacionar-se e não se isolar, apoiar em lugar de lutar, criar sem destruir, praticar a ecologia sagrada que respeita *todas as nossas relações* (como diz a saudação tradicional dos índios lakota, *Mitakuye oyassin*).

Na tradição xamânica, o círculo representa poder e proteção, atuando como um caldeirão para a transmutação de energias e como um útero sagrado nas vivências de renascimento. As experiências são poderosas devido à energia criada e mantida, a expressão das emoções favorecida pela segurança e os objetivos mais facilmente alcançados pela coesão afetiva e espiritual dos participantes. Círculos xamânicos têm realizado rituais de cura não só para seus integrantes, mas para resgatar e restabelecer a vitalidade e a sacralidade de certos locais naturais, poluídos, ameaçados ou depredados pelo homem. Cada vez que se faz um ritual comunitário em benefício da Terra, ocorre uma mudança sutil na consciência da humanidade.

Para as mulheres, as práticas de cura e regeneração – tanto no aspecto individual, coletivo ou global – são mais "naturais". As mulheres as aprendem e realizam com mais facilidade, intuição e compaixão do que os homens. A mulher carrega dentro de si o poder de vida e morte, por gerar, parir, nutrir, cuidar e proteger seus filhos. Desde a Antiguidade as artes curativas pertenciam às mulheres que eram curadoras inatas, sabendo instintivamente cuidar de plantas, crianças, animais, feridos, doentes, velhos, moribundos. Eram elas as responsáveis por abençoar as colheitas e a boa sorte e por agradecer por elas, pois serviam como mensageiras entre os mundos, invocando e irradiando energias e bênçãos de cura e proteção.

Por isso o círculo de mulheres pode lançar mão de práticas xamânicas para curar, regenerar, abençoar e expressar gratidão. As vivências dentro de um círculo facilitam a tarefa de levar e espalhar essas mensagens terapêuticas ao mundo exterior. Se cada mulher usar e ensinar aos familiares e amigos suas crenças e seus conhecimentos, um círculo maior de conscientização será criado. Gestos simples como abençoar e agradecer a comida, meditar, comemorar datas da Roda do Ano ou as transições pessoais de forma íntima, simples, mas significativa, vão tocar lembranças antigas no coração de todos, sem que seja necessário pertencer a um círculo formal. Cada vez que pessoas se reúnem em um círculo para orar, agradecer, abençoar ou comemorar, as energias criadas se agregam a outras de mesmo teor vibratório e contribuem para a cura planetária.

Lembrando as palavras da xamã e escritora Scout Cloud Lee: "as mulheres sabem como cuidar e nutrir, sete dias por semana, vinte e quatro horas por dia, desde a concepção até a morte. Nós temos as sementes da vida no ventre. Tudo o que chega até nós primeiro alcança e sustenta essas sementes. Nós somos as criadoras".

Experiências pessoais com grupos e círculos

Em 1977, logo que meu marido e eu nos mudamos para Petrópolis, no Rio de Janeiro, tive a minha primeira iniciativa para criar um grupo de mulheres. Desconhecia qualquer fundamento religioso ou filosófico quanto à sua formação e às possibilidades energéticas, mas, como sempre gostei de círculos e arranjos simétricos, achei que a forma circular era a mais adequada para agregar pessoas e discutir assuntos. Intuitivamente eu sabia que, para um grupo progredir, ele deveria ter um objetivo, orientações específicas e um roteiro preestabelecido, para assim evitar conversas superficiais ou banalidades. Convidei algumas mães cujos filhos estudavam no mesmo colégio da minha filha, propondo encontros quinzenais na casa de uma de nós, num sistema de rodízio, e sugerindo tópicos ligados ao autoconhecimento e ao crescimento pessoal. Os primeiros encontros decorreram bastante bem, apesar do alvoroço habitual e da dificuldade para evitar conversas paralelas ou cruzadas durante a exposição do tema principal. Com o passar do tempo, ocorreu uma diluição energética e um desvio de rumo. Por não ter uma liderança ou estruturação definida, apesar do consenso inicial quanto a uma agenda que beneficiasse todas as participantes, os assuntos foram resvalando para comentários triviais, pedidos de orientação psicológica ou astrológica (duas das mulheres eram psicólogas; eu, astróloga), trocas de receitas culinárias e estéticas. Tentei sugerir algumas práticas de meditação e centramento, mas, por ser a única mulher que pertencia a um caminho espiritual, as propostas foram vistas como tentativas de "conversão", e o grupo acabou se desfazendo por falta de assiduidade e motivação. Concluí que não eram suficientes boas intenções; faziam-se necessários um programa fixo e liderança adequada, mesmo sem hierarquia.

Desisti de outra tentativa e durante a nossa permanência de sete anos em Petrópolis frequentei, com meu marido, vários trabalhos e atividades espirituais, em grupos mistos e com orientações variadas (espiritismo, umbanda esotérica, parapsicologia, "contato" com seres extraterrestres, yoga, meditação, cura psíquica, estudos para expansão da consciência e práticas bioenergéticas). Em nenhum desses grupos havia uma estrutura igualitária, muito menos circular, pois todos tinham a tradicional hierarquia e liderança única, com dogmas e conceitos baseados no princípio sagrado masculino e algumas poucas "concessões" ao feminino (na umbanda esotérica, por exemplo, das sete Vibrações Originais, apenas uma era regida por um Orixá feminino).

Quando nos mudamos para Brasília, em 1984, tentei criar com meu marido um novo grupo, misto. Percebi intuitivamente que a reunião devia ser pautada em valores espirituais comuns, que as pessoas se revezariam para contribuir e que o encontro seria em forma de círculo (ao redor de uma mesa redonda), para evitar hierarquias e incentivar a parceria. Todos os participantes tinham certo grau de conhecimento ou prática espiritual, mas diferentes crenças, ideologias e conceitos filosóficos. Para evitar melindres, preconceitos ou incompatibilidades, o roteiro por nós escolhido era "neutro", com orações, alguns mantras, meditações variadas, um tema a ser apresentado e discutido e irradiações de energias curativas a distância. Desde o início senti dificuldade para formar uma egrégora harmoniosa, pois percebia nitidamente a presença de egos e não de almas em busca de aprimoramento ou doação. Após algum tempo, o grupo se desfez, mas meu marido e eu continuamos com as meditações semanais e, nas noites de Lua cheia, íamos para algum lugar na Natureza buscar uma conexão maior com as energias cósmicas e telúricas. Nessa época eu recebia muitas mensagens e psicografias de uma entidade feminina sem nenhuma filiação religiosa.

Participamos também de alguns grupos e trabalhos espirituais, e, após algum tempo, em consequência de palestras e cursos realizados pelo meu marido, formou-se um grupo de estudos e práticas de umbanda esotérica que motivou a construção de um templo em nossa chácara, nos arredores de Brasília. Participei como médium de consultas nesse grupo de umbanda, organizado e dirigido por meu marido até 1991.

Tínhamos sido ambos iniciados na umbanda esotérica pelo escritor e babalawô W. W. Matta e Silva, em 1971. Mesmo discordando dos fundamentos patriarcais – cosmológicos e humanos –, eu participava e atuava mediunicamente, devido à atração que os rituais e as oferendas singelas exerciam sobre a minha alma. Como "gringa", tive dificuldades no início para compreender e aceitar a fenomenologia das incorporações, mas superei os questionamentos intelectuais e racionais movida por um sentimento de fé e reverência perante os mistérios e a profundidade dos conceitos espirituais e sua conexão com as forças da natureza. Disciplinada, eu seguia o "protocolo" ritualístico, mas discordava dos dogmas e da supremacia masculina. Argumentei muitas vezes com o Mestre Matta sobre a discriminação da mulher, impedida de exercer certas tarefas, liderar ou iniciar homens devido ao seu ciclo menstrual que, supostamente, a tornava "impura" e à sua sensibilidade extrassensorial e emocional, que a predispunha a "desequilíbrios". O que me espantava era o fato de eu ser a única mulher que reclamava ou discordava, atribuindo-se o meu descontentamento ideológico e filosófico à minha origem europeia e a certas tendências "feministas". Por essa razão, desisti de qualquer tentativa de convencer os outros, principalmente pelo fato de esse *status quo* não ser apenas de um só mestre ou caminho, mas por estar enraizado e ativo na própria consciência coletiva.

Por isso, ao ser criado o grupo de umbanda na nossa chácara, empenhei-me para que ele tivesse uma organização mais "democrática", sem a hierarquia dos graus iniciáticos e os rigores das regras e proibições. Todavia, surgiu outro fator que impediu a formação de uma atmosfera de solidariedade e comunhão. Por ser uma organização mista, apareceram as seculares situações de rivalidade feminina, exacerbadas pela presença masculina, alvo de tentativas mais ou menos sutis de sedução e conquista. Presenciei e vivi situações constrangedoras, em que até mesmo orientações e manifestações mediúnicas eram distorcidas em projeções egoicas ou jogos de poder. Independentemente dessas situações, eu não me sentia realizada espiritualmente, pois sentia um vazio na alma e um estado de profunda tristeza, insatisfação e nostalgia. Cumpria meus deveres mediúnicos com fé e dedicação e consolava-me com a ideia do dever cumprido, mesmo percebendo que faltava algo, sem saber precisamente o que era nem onde procurar uma solução. Durante os vinte anos em que participei da umbanda esotérica, esse vazio transcendental foi parcialmente suprido pelos cânticos e pelas orações; a luz das velas; o aroma dos defumadores; as oferendas na mata, no mar e nas cachoeiras; o contato com energias astrais sutis, mas poderosas.

Voltando no tempo, em 1988, motivada pela busca da realização mais ampla dos meus anseios espirituais, li a série *As Brumas de Avalon* e depois o livro *Spiral Dance*, de Starhawk (traduzido em 1993 como *A Dança Cósmica das Feiticeiras*). Essas leituras foram verdadeiros catalisadores de lembranças, saudades, questionamentos, desejos e sonhos. Tornaram-se marcos de mudança na minha vida, pois o que neles estava descrito correspondia às necessidades ocultas da minha alma. Percebi que os meus conflitos e questionamentos interiores e as controvérsias externas não eram frutos da minha imaginação, mas provinham de uma "fome" do sagrado feminino, que nenhum dos outros caminhos já percorridos (centrados nos princípios e nos valores masculinos) tinha mitigado. Logo depois de *Spiral Dance*, li *O Cálice e a Espada*, de Riane Eisler, que me forneceu as bases – históricas e antropológicas – para refutar as costumeiras críticas sobre as "fantasias literárias" do livro de Starhawk e de *As Brumas de Avalon*. Era cada vez mais forte o meu desejo de ir para Glastonbury, a lendária terra das sacerdotisas e dos cultos da Deusa. Sem saber o que iria buscar ou encontrar, sentia que era algo que eu devia fazer para a minha "sobrevivência" espiritual. A minha decisão de viajar para a Inglaterra em 1991 não ocorreu apenas por eu ter lido *As Brumas de Avalon*. Assim como aconteceu a milhares de mulheres, também senti meu coração tocado com o afloramento de memórias ancestrais.

Foi uma experiência desafiadora viajar para lugares desconhecidos. Eram poucos os recursos materiais, mas as vivências espirituais que tive mudaram para sempre a minha vida pessoal e espiritual. Passei por momentos de êxtase, seguidos de desespero e desolação, quando pensava que a minha permanência nas "brumas" e entre os mundos era temporária e que no além-mar me aguardava uma realidade compatível com a terra desolada da lenda do Rei Pescador. Pedi à Deusa, com toda a alma, que me mostrasse qual era a minha cura, e a Sua resposta para mim ficou tão clara que nem por um momento duvidei de que deveria segui-la, sem me importar com o preço que teria que pagar. Revivi e lembrei situações de vidas passadas em que tinha sido Sua sacerdotisa e me desviado ou renegado o Seu caminho, por ter feito outras escolhas na vida ou por medo de perseguições. Recebi inúmeras mensagens em versos e em inglês, língua que aprendi sozinha na adolescência, às escondidas (devido à proibição pelo governo comunista romeno), motivada por um desejo incontrolável. Após assistir ao filme *Hamlet*, em 1955, senti-me tocada pelo som das palavras que me despertavam uma saudade desconhecida. Todas as mensagens me encorajavam a voltar à Antiga Senda, imprimindo um novo curso à minha vida espiritual, para atender aos anseios da minha alma e ajudar na cura de outras mulheres. Uma das mensagens dizia:

> *Deixe a velha mulher morrer e ajude a sacerdotisa a viver. Você deve começar uma nova fase com sua face atual, no seu próprio espaço. Lembre-se, estarei sempre com você, se me chamar mentalmente e ouvir minha voz no seu coração.*

Em uma das minhas meditações, pedi à Deusa que me mostrasse minhas falhas passadas e como retificá-las na vida atual. A resposta (que traduzi aqui para o português) veio desta maneira:

> *Às vezes é melhor não saber quem você foi ou qual foi seu erro. É mais importante agora levantar a cabeça e mudar o seu modo de pensar. Para curar seu corpo e seu coração, antes de tudo você deve se perdoar, assim como eu lhe perdoo agora e lhe tenho perdoado desde aqueles tempos antigos. Assim como o tempo passa e a vida flui, tudo aqui e acolá volta a Mim, no mesmo fluxo e sem dor, para se tornar inteiro novamente.*

No dia 13 de agosto daquele ano (dia dedicado a Hécate e noite de Lua cheia), fiz meu singelo ritual de dedicação à Deusa, na colina de Tor, em Glastonbury. Pedi-lhe um sinal que eu levasse comigo para diminuir a dor da saudade que já apertava o meu coração. Na trilha menos percorrida pelos turistas, onde eu costumava ficar sentada entre as raízes de um velho carvalho, encontrei uma concha fossilizada em forma de espiral, chamada amonita (originária do período cretáceo) e que, segundo o folclore da região, aparecia às vezes como sinal da Senhora de Avalon. Segurei-a junto ao peito e chorei toda a tristeza de ter que sair da "ilha mágica" e voltar ao meu longínquo e incógnito mundo real, onde não teria como me reabastecer com as energias da Deusa. Depois de chorar muito, senti uma presença forte ao meu lado e ouvi palavras fluindo tão rápido que mal conseguia anotá-las.

Transcrevo a seguir esta mensagem (traduzida para o português):

> *O verdadeiro caminho nem sempre é o mais direto ou o mais fácil. Atrasos, desafios e armadilhas fazem parte dele e requerem cautela e paciência. Confie e centre-se: não se deixe aprisionar na teia das suas emoções e medos. Livre-se de objetivos fixos e de estruturas existentes. Resgate o seu poder de Senhora, mas não se afogue no lago das dúvidas. Inverta o processo, seja a aranha e não a mosca. Ao assumir e exercer o seu poder, você mudará a sua vida; somente assim poderá contribuir para a cura e a mudança de outras mulheres. Você não precisa subir o Tor para se conectar Comigo. Estarei sempre ao seu lado, aquiete-se e silencie e poderá ouvir a Minha voz. Crie uma nova ordem na sua vida, crie um novo espaço que você organize e conduza, faça já o que não fez até agora, mas já fez muitas vezes nos velhos tempos. Você não precisa de um mestre, você não precisa aprender nada novo, apenas se lembrar da antiga sabedoria. Ouça sua voz interior e saberá o que fazer para não errar. Mas mantenha seu equilíbrio e fortaleça sua autoestima para não mais ser usada ou enganada. Guarde a espiral como símbolo, crie círculos e dance com os ciclos naturais. O tempo é apenas uma noção humana, o Meu amor e a Minha proteção são eternos. Dançar na espiral da vida significa viver e agradecer cada momento, de experiências e aprendizados.*

Nesta mesma temporada, além de visitar outros locais sagrados na Inglaterra, viajei também para uma região muito mágica e repleta de menires no oeste da Bretanha (na França) e para alguns lugares de poder na Irlanda. Sentia nitidamente a presença da Deusa me conduzindo e fortalecendo, "aparecendo" em visões ou me transmitindo mensagens em diversos lugares sagrados (círculos de menires, câmaras subterrâneas, grutas, colinas, florestas). Antes de embarcar de volta para o Brasil, passei mais alguns dias em Glastonbury. Depois de muita procura, eu tinha enfim localizado uma antiga pedra sagrada usada pelas sacerdotisas da Deusa para o oferecimento do seu sangue menstrual nos rituais. Chamada de *Omphalos Stone* (pedra do "umbigo"; *omphalos* em grego), era desconhecida da maioria dos habitantes, mas consegui encontrá-la atrás das ruínas da antiga catedral cristã de Glastonbury. Na fundação dessa enorme igreja havia também uma fonte sagrada chamada Lady's Well, "Fonte da Senhora", pois a primeira capela cristã construída por José de Arimateia nesse mesmo local tinha sido dedicada a Maria e muito antes disso era um local de culto e cura da Deusa. Por ter sido a pedra das oferendas um poderoso resquício da tradição da Deusa, os monges da abadia tentaram fixar nela uma cruz, sem êxito, então isolaram a fonte atrás de grades. A pedra sagrada e antiga jazia agora esquecida, lembrada apenas pelos praticantes da Antiga Tradição. Coloquei sobre a pedra, na pequena escavação central, uma oferenda de flores, leite e mel, e fiquei meditando a respeito da minha nova guinada espiritual. "O que e como fazer" era a pergunta que martelava na minha cabeça, e a ela, a Senhora de Avalon, me respondeu desta maneira:

> *A sagrada ciência da eterna Lua ensina às mulheres a atrair suas energias para viverem alinhadas com os ciclos naturais. Mostre a elas como melhorar seu bem-estar e saúde, respeitando as mudanças e restrições dos seus ciclos, sem sobrecarregar o corpo e a mente quando a maré está no auge, diminuindo o ritmo e mergulhando no seu interior, usando a escuridão lunar para o crescimento e fortalecimento pessoal. O sangue é vida, ofereça-o de forma natural e sagrada como reverência e cura. No seu trabalho anterior, os elementos naturais estavam certos, mas usados de modo errado. Não lamente o que não foi realizado, faça-o agora. A única solução para a pirâmide é se livrar*

dela. No seu lugar construa uma cabana redonda, com um altar simples com os elementos e cristais. Celebre as treze lunações, use símbolos e sons sagrados para meditação e harmonização. Desperte o poder da terra, que independe da localização geográfica; sem essa ajuda tudo o que sobre ela for construído será desprovido de vida. Não espere milagres; trabalhe para que eles aconteçam; a magia existe nos pequenos atos e coisas. Esqueça o passado, você não pode desfazer os erros; olhe para a frente e evite novas repetições. Você é quem deve fechar as portas do passado e iniciar um novo caminho; ninguém mais poderá fazê-lo. Tem ainda tarefas a cumprir; independentemente da sua saúde e idade, você tem o poder espiritual para ensinar e conduzir, "abrir portas" e orientar. Mas não poderá fazer as pessoas passarem pelas portas, cada uma tem sua escolha, seu momento, suas necessidades e seu dom. Esteja pronta para ajudar se as pessoas pedirem por isso, não imponha suas convicções e crenças. Distribua a "medicina" pouco a pouco, não exagere a dose. Use recursos mágicos, fortaleça as fraquezas, desenvolva os dons, mas não entre nos jogos kármicos de ninguém. Ao trazer clareza para a consciência de uma pessoa, mostre como ela pode trabalhar sozinha e encontrar seu próprio caminho no labirinto interior. Para isso acontecer, são necessárias apenas disponibilidade interior e fé na orientação e ajuda divinas. Empenhe-se para realizar esses projetos: um labirinto (de terra ou pedras), uma câmara subterrânea para iniciações, o espaço pequeno e redondo para um trabalho diversificado com meditações, elementos, mitos, rituais e celebrações. (Em inglês a expressão usada foi: path and patch working, weaving threads of different traditions, ou seja, "uma tessitura feita com retalhos e tecendo fios de caminhos e tradições diversas".)

Levei muito tempo para conseguir colocar em prática tudo o que a Deusa me orientou a fazer. Assim que voltei para casa, "fechei" meu compromisso espiritual com a umbanda, me afastando em definitivo das atividades e dos compromissos mediúnicos. Apesar das discordâncias externas e até mesmo de algumas ameaças veladas, sentia-me em paz, pois não tinha negado ou me afastado de uma "missão", apenas trocado um compromisso espiritual por outro. Durante algum tempo, tornei-me uma "solitária", estudando, meditando e celebrando sozinha os plenilúnios e os Sabbats celtas no meu pequeno espaço sagrado na nossa casa. Somente após minha segunda viagem para a Inglaterra e a Irlanda, em 1993, eu me senti pronta para iniciar um trabalho público. Nesses dois anos, eu me preparei interiormente, seguindo muitas outras mensagens recebidas, tanto na primeira como na segunda viagem, quando passei um mês em Glastonbury, em um quarto alugado no sopé da sagrada colina de Tor. Ia diariamente meditar, tanto no Tor quanto no Chalice Well Garden, o maravilhoso e silencioso jardim onde se encontra o "Poço Sagrado da Deusa", com suas fontes vermelha (ferruginosa) e branca (de calcário). Considero essa estada a minha cura xamânica; o resgate da minha alma; a recuperação do meu equilíbrio físico, mental e emocional; o meu renascimento das cinzas do passado; a integração e o alinhamento das polaridades (interna e externa) da minha vida.

Uma mensagem em especial me trouxe de maneira simples, mas profunda, um estado de paz e aceitação compassiva das feridas em mim infligidas pelas energias e atos masculinos ao longo da minha vida, permitindo-me perdoar o passado e viver mais harmoniosamente no presente.

> *Fonte vermelha, fonte branca, sangue e sêmen, padrão entrelaçado do modelo de toda a vida, subindo e descendo na espiral de prata, teia de vida e morte, mesclando-se um com o outro, macho e fêmea, ambos são iguais como filhos de uma só Mãe.*

Comecei os rituais públicos e as vivências xamânicas no final de 1993. No início celebrava apenas os plenilúnios (exclusivos para mulheres), depois acrescentei os Sabbats, alguns abertos para homens, que chegavam em pequeno número, trazidos pelas suas companheiras ou amigas e bastantes reticentes em relação às minhas colocações "feministas". Apesar da distância entre a nossa chácara e a cidade (30 quilômetros), da estrada escura e do cansaço após um dia de trabalho, a afluência das mulheres aos rituais era uma prova viva da sua sede secular por momentos mágicos e vivências sagradas. Durante os doze anos em que os rituais foram realizados ininterruptamente, centenas de mulheres tiveram a oportunidade de celebrar a magia da Lua, da noite, das estrelas, da Natureza, em completa sintonia e união entre si, longe do cotidiano, de volta para a Mãe Divina, percorrendo o novo/velho caminho da sacralidade feminina.

Além de participar dos rituais, algumas mulheres queriam se aprofundar ainda mais nos mistérios antigos, conhecer os mitos e as tradições da Deusa. Queriam também estar juntas de outra maneira que não fosse a habitual, trocando impressões, compartilhando emoções, chorando, rindo, cantando, dançando, uivando para a Lua (!), celebrando. Percebi que tinha chegado o momento de iniciar um trabalho mais restrito e intenso, com encontros mensais e um programa específico. Por mais previdente e sistemática que eu fosse, no início não sabia qual assunto seguinte iria abordar, deixando-me levar pela intuição, confiante na orientação divina.

Completava depois as intuições com informações obtidas em livros, jornadas xamânicas e cursos feitos no exterior. Foi assim que, a partir da experiência do primeiro grupo, elaborei um cronograma anual, que foi seguido pelos grupos seguintes e atualmente continua servindo como base para a Teia de Thea.

A ideia das reuniões em círculo surgiu nas minhas meditações nos agrupamentos circulares de menires (Stone Circles), da Inglaterra, da Bretanha e da Irlanda. Em todos esses círculos, olhando as "velhas irmãs pedras" (como dizem os nativos norte-americanos), eu as vi como guardiãs sábias que ocultavam nas suas entranhas registros e códigos da antiga sabedoria. Tentava ouvir sua voz, e elas me "falaram" muitas coisas, que eu retribuía com oferendas de cristais. Deixei cristais brasileiros em inúmeros círculos de menires e *cairns;* nas fontes sagradas da deusa Brigid, na Irlanda; na gruta de Merlin, em Tintagel, na Cornualha; nas antigas câmaras mortuárias subterrâneas (*burial chambers*) e nas florestas, todos locais que outrora eram os verdadeiros templos em que os povos antigos honravam e celebravam os deuses e os seres da Natureza.

Desde que foi formado o primeiro grupo de mulheres em 1994, antes mesmo de eu transformar a pirâmide em Templo Lunar, ter providenciado a construção da *Kiva* (câmara subterrânea circular) e o labirinto (seguindo as orientações da Deusa), eu realizava as reuniões em círculo, com um altar no centro. Sentávamos no chão de areia do Templo Solar (o antigo templo de umbanda), ao redor de uma colcha tecida pela minha avó, sobre a qual eu colocava uma estatueta representando a Deusa, os elementos das direções e os objetos sagrados das participantes. Quando meu marido atendeu a uma visão minha e construiu a Redonda (como foi chamada carinhosamente a cúpula do Templo Lunar) em lugar da pirâmide existente, esse pequeno espaço tornou-se o templo sagrado das mulheres, em que nenhum homem entrava. No seu centro reinava um enorme caldeirão, com grandes cristais sobre uma camada de areia, em que fui arrumando estatuetas da Deusa, representando seus múltiplos arquétipos. Ao redor ficavam quatro pequenos altares com os elementos, objetos e cores correspondentes às direções e aos caminhos da tradição xamânica. Com o passar do tempo, muitos outros objetos do poder feminino foram acrescentados, culminando com os treze escudos das Matriarcas das Lunações, confeccionados pelas mulheres de um dos grupos. Nesse pequeno Templo Lunar, as mulheres sentadas em círculo ao redor dos altares passavam por experiências profundas, de descobertas pessoais e solidariedade grupal, desvelando dons ocultos ou reprimidos, curando feridas seculares, resgatando, assim, o verdadeiro poder, riqueza e beleza da alma feminina. Tenho certeza de que mesmo aquelas que lá permaneceram por pouco tempo ou se afastaram para seguir outros caminhos (algumas formando seus próprios grupos) jamais esqueceram as vivências místicas e os momentos mágicos ali vividos, lembrando que, por algum tempo, fizeram parte do Círculo de Mulheres da Chácara Remanso, onde iniciaram, ampliaram e fortaleceram sua conexão espiritual com a Deusa.

Quando se formou o primeiro grupo de mulheres, em 1994, eu desconhecia outros trabalhos de círculos femininos, sobre os quais nem sequer havia lido algo a respeito. Mas, intuitivamente, sabia que devíamos nos reunir em círculo, por ser essa uma forma natural, harmoniosa e não hierárquica que reproduzia o próprio ventre primordial. Eu considerava o altar central o *Omphalos* (umbigo) divino, ao qual éramos ligadas por fios invisíveis, mas nutrizes e fortalecedores. Incentivava as participantes a criar seus próprios altares em suas residências, considerando todos eles como pontos luminosos que faziam parte da Chama Sagrada da Deusa iluminando a todas nós.

Em 1999, li o livro *O Milionésimo Círculo*, de Jean Shinoda Bolen (traduzido para o português em 2003 por um círculo de mulheres). Fiquei muito feliz ao saber da iniciativa mundial com relação aos círculos e me afiliei a esse movimento. Durante viagens ao exterior participei de vários encontros de mulheres, vivências e jornadas xamânicas e pude confirmar que a reunião em círculo era uma tradição ancestral quase esquecida, preservada apenas nos conselhos tribais dos povos nativos e ressuscitada pelo movimento feminista, que também motivou, posteriormente, a formação de círculos de homens. Em todos os rituais, encontros e reuniões que dirijo, peço sempre que as pessoas fiquem em círculo (em pé ou sentadas), movimentando-se no sentido horário ou anti-horário, conforme a finalidade do ritual. Esse procedimento foi rapidamente assimilado e adotado pelo círculo de mulheres da Chácara Remanso; elas também se acostumaram a usar saias ou vestidos nos encontros e rituais, reafirmando sua feminilidade esquecida, ocultada ou renegada no mundo competitivo e masculino. Outra conquista foi o uso do xale e dos colares e das pulseiras com pedras semipreciosas, cristais, conchas e sementes, confeccionados ritualisticamente pelas próprias mulheres e reavivando as suas habilidades criativas adormecidas. Para acrescentar mais beleza e harmonia aos rituais, incentivei o aprendizado, a prática e o ensino das danças sagradas circulares, que eu tinha presenciado pela primeira vez em Glastonbury e posteriormente delas participado nos encontros de mulheres da Inglaterra e dos Estados Unidos.

O círculo já não mais significava uma simples forma geométrica, mas passou a ser um receptáculo energético nos rituais, a maneira sagrada para começá-lo e finalizá-lo, a despedida e a promessa de novos encontros, como diz uma frase de uma canção tradicional: *o círculo se abre, mas não se rompe; feliz encontro e feliz despedida, para felizes nos encontrarmos novamente*. Selávamos essa afirmação com um "beijo circular", passado de uma mulher para outra com a saudação tradicional *"abençoada sejas"* e finalizando com a firme afirmação *"e que a Deusa abençoe a todas nós"*.

Motivar mulheres a fazer parte de um círculo sagrado não é difícil, pois os rituais tocam o coração e despertam lembranças atávicas dos encontros e das vivências de outras existências, quando cabia a elas a comunicação com o plano divino, assim como a cura, os ritos de passagem, as comemorações das Luas cheias, dos festivais de plantio e colheita. As dificuldades e desistências começam a surgir com a continuidade dos encontros, que exigem assiduidade, dedicação aos estudos e responsabilidade para cumprir o compromisso assumido.

A alma passa por constantes e diversas iniciações e testes no mundo dos desafios e aprendizados – materiais, humanos, espirituais. Por isso acredito que a marcação ritualística da subida dos degraus, na escala do conhecimento e do aprimoramento pessoal, é uma medida necessária para reforçar, reafirmar e aprofundar um compromisso espiritual, bem como para honrar as responsabilidades dele decorrentes, em relação a si mesma, ao círculo, ao caminho, a todos e ao Todo. Independentemente dos procedimentos, das diretrizes e dos roteiros adotados, o fio condutor de um círculo sagrado feminino deve ser o impulso amoroso que une e harmoniza personalidades e supera diferenças, permite aceitar cada mulher como ela verdadeiramente é e, assim, aceitar a si mesma. Acima de tudo e sempre, é preciso abrir o coração – para o amor, a irmandade e a solidariedade – e a mente para a fé e a confiança.

Dessa maneira, a Mãe Divina, a Deusa dos Mil Nomes e Múltiplas Faces, a Tecelã e Guardiã dos Destinos das Suas filhas sempre vai acompanhar e guiar aquelas que A reverenciam e invocam. Ela ilumina seus caminhos com a luz da Sua tocha sagrada, cobrindo-as com Seu manto de proteção e poder, abrindo as portas dos seus objetivos e de suas necessidades com Sua chave mágica e abençoando seus caminhos e vida com Seu eterno amor.

Que seja assim!

I.III. DIRETRIZES BÁSICAS PARA FORMAR, SUSTENTAR E PRESERVAR UM CÍRCULO SAGRADO FEMININO

> *Viemos rodopiando do vazio cósmico como estrelas espalhadas no céu que, ao se encontrar, formam um círculo e nele se unem e dançam.*
> – Rumi, poeta persa do século XIII

> *Somos um círculo dentro de um círculo sem começo e sem fim.*
> – Canção tradicional dos círculos de mulheres norte-americanas

Ao longo da história da humanidade, mulheres de várias culturas e tradições se reuniram em círculos para orar, reverenciar, celebrar e comemorar; para honrar sua feminilidade, marcar estágios e mudanças na sua vida; para se apoiar e se curar, compartilhar histórias, alegrias, tristezas, força e sabedoria.

Esse costume ancestral permaneceu nos conselhos das Mulheres Sábias dos povos antigos e no mundo "civilizado", diluído ou metamorfoseado em encontros sociais (chás de panela, e de bebê, aniversários), comunitários (trabalhos voluntários), terapêuticos, artísticos ou religiosos (grupos de oração, de caridade ou cultos). Apesar desses encontros nem sempre terem uma conexão e motivação mística e às vezes se tornarem ocasiões frívolas, é uma oportunidade para as mulheres ficarem juntas, compartilharem alegrias, conquistas, perdas ou dores e receberem auxílio, orientação ou cura.

O movimento atual de espiritualidade feminina está incentivando a formação de círculos cerimoniais, de crescimento pessoal grupal e de apoio. Um número cada vez maior de mulheres se reúne para compartilhar seus medos e suas preocupações, para receber suporte e compaixão. Mas o objetivo principal de cada mulher é entrar em contato com sua verdadeira essência, reconhecendo e superando fragilidades, desenvolvendo dons e qualidades, sendo autêntica e honesta consigo mesma, reaprendendo a aceitar e honrar a individualidade das suas irmãs.

Ao entrar em um círculo, a mulher traz – e revela – sua bagagem do passado e, dependendo das suas possibilidades e necessidades, encontra o ritmo e a direção adequada para suas escolhas e direções futuras. Não existe uma medida e um modelo comum a todas as mulheres, pois cada uma possui dentro de si um complexo e diversificado labirinto interior. Por isso, dificilmente os círculos de mulheres são idênticos; mesmo que tenham a mesma finalidade e sigam objetivos semelhantes de crescimento espiritual, as suas práticas e seus métodos de trabalho podem assumir coloridos diferentes.

Todavia, existem características, diretrizes e princípios básicos a serem seguidos, oriundos das práticas ancestrais tribais, testados e adaptados nos atuais grupos de apoio, autoajuda, oração, meditação e celebração. Diferentes dos grupos feministas tradicionais, cujo enfoque tende a ser assuntos políticos e ativistas, os círculos sagrados visam, além do "empoderamento" das mulheres (ou seja, o resgate do seu próprio poder), ao seu desenvolvimento pessoal e fortalecimento espiritual. O maior benefício deles consiste em reavivar, divulgar e vivenciar valores e tradições da sacralidade feminina. O mundo moderno aboliu as suas manifestações externas, mas não anulou as necessidades da alma, que, ao ficar desconectada da vivência do sagrado, expressa essa carência em estados psíquicos inexplicáveis e muitas vezes considerados doentios (como tristeza, nostalgia, sensação de vazio, desânimo, desolação, compulsões, medos, fobias, depressão).

A reunião em círculo, dentro de um contexto espiritual, satisfaz aos anseios da alma pelo sagrado, favorece a conexão com valores elevados e preenche a vida com novos significados e objetivos valiosos. Participamos, assim, da regeneração da nossa cultura e da própria expansão de consciência. Ao recriar a conexão com o Todo e reconhecer cada parte como expressão e forma peculiar da sagrada teia universal da vida, o círculo favorece e contribui para a integração e cura, pessoal e grupal.

A. A ESTRUTURA DO CÍRCULO

> *Vejo uma fina corrente de prata, delicada, mas forte, se estendendo ao longe através dos tempos, penetrando na terra do passado... Vejo uma corrente circular de mulheres, cada uma ouvindo as outras e esperando sua vez para nascer, para que seus valores e emoções se formem e manifestem... Uma mulher ao lado da outra, cada uma delas presente e encontrando sua voz.*
>
> – *Circle of Stones*, Judith Duerk

A primeira questão a tratar antes de criar um círculo é definir sua finalidade, que depende da intenção que lhe deu origem. Existem vários tipos de círculo de mulheres, mas o objetivo deste livro é o estudo dos círculos sagrados e cerimoniais. Esses círculos caracterizam-se por rituais, cerimônias e intercâmbio com energias e seres sutis, comunicação e integração harmoniosa entre as participantes, descoberta da sabedoria interior de cada uma delas – que pode contribuir para a sua cura e também para o fortalecimento de todas –, tomada de decisões em conjunto e por consenso.

Independentemente do perfil do círculo, certas premissas básicas são imprescindíveis para a sua estruturação. Em círculos não estruturados, a energia torna-se caótica e dispersa; naqueles que têm uma boa estrutura, a energia é direcionada de acordo com o objetivo escolhido. Vou citar os princípios que considero indispensáveis, com base na minha experiência e na de outras autoras. Cada dirigente pode acrescentar novos tópicos, porém sem excluir estes:

1. Sacralidade – vivências sagradas e desenvolvimento espiritual;
2. Tempo-espaço sagrado – criados por meio de rituais;
3. Intenção – individual e conjunta;
4. Compromisso – assumir e manter;
5. Igualdade – todas as mulheres são irmãs e filhas da Grande Mãe;
6. "Consciência do coração" – ouvir em silêncio e falar abrindo o coração;
7. Liderança – única, por revezamento e compartilhada;
8. Responsabilidade – em relação a si mesma e ao Todo;
9. Gratidão – como expressá-la.

Sacralidade e tempo-espaço sagrado

Os primeiros dois itens se complementam, pois, para perceber e vivenciar o sagrado, é preciso criar condições especiais de tempo e espaço. Para isso usam-se rituais e cerimônias que permitem o desligamento da "realidade ordinária" (expressão xamânica que define o cotidiano e o mundo exterior) e abrem-se "portas" para níveis mais sutis (do próprio Eu, bem como dos planos astrais e espirituais). O ritual é um elemento importante nos círculos sagrados e cerimoniais, pois ele permite alcançar o subconsciente, criar a conexão com as forças e os seres da natureza e canalizar essas energias para melhorar a si mesma e o mundo ao redor. A cura é alcançada quando nos reconectamos às energias primevas da Terra, conexão perdida ao longo da nossa trajetória de civilização e tecnologia. Ao retornar à nossa essência, redescobrimos a nossa sacralidade e a de toda a Natureza.

O círculo oferece o receptáculo adequado para o desenvolvimento espiritual, a conexão com as energias sutis e as diversas manifestações do sagrado, permitindo-nos honrá-las e reverenciá-las, consagrando, assim, o nosso cotidiano. A Deusa é o símbolo do divino feminino arquetípico e primordial e inspira as mulheres a redescobrirem a sua própria sacralidade e interdependência com os ciclos e seres da natureza.

Estar em tempo-espaço sagrado significa estar plenamente presente no aqui e agora, ter a total percepção e compreensão daquilo que se pensa e faz. Nesse estado é possível reverenciar e se conectar com o plano divino de forma ampla e consciente, perceber-se como elo da grande cadeia da vida, em que árvores, animais, pedras e seres humanos são irmãos de criação, filhos da mesma Mãe Criadora.

Não existe uma fórmula ou receita-padrão para criar o tempo-espaço sagrado; isso depende do conhecimento e da habilidade das participantes em trabalharem com energias sutis e meios físicos, bem como da sua concentração, motivação e experiência. Um círculo bem estruturado oferece condições para que suas integrantes possam experimentar uma profunda conexão com o Todo, percebendo, ao mesmo tempo e claramente, o que se passa dentro delas. Cada vivência pessoal contribui para o crescimento grupal; suas repetições e partilhas aprofundam o alcance e a riqueza das experiências.

O círculo é uma mandala viva, uma célula do corpo da Deusa cuja energia flui, une e integra as consciências individuais. Cada componente dessa mandala é responsável pelo seu próprio desenvolvimento e crescimento espiritual, tecendo e preservando um dos fios sutis que compõem a tessitura grupal. Pertencer a um círculo sagrado representa um desafio para que a mulher saia do seu pequeno mundo e participe de uma comunidade que proporciona descobertas e realizações tanto no plano individual quanto no coletivo. O grupo cura a separatividade e o isolamento, favorece o acesso ao mundo espiritual, aprofunda a transformação individual e expande a consciência. O desenvolvimento espiritual muda a relação pessoal com a realidade, por permitir uma ligação consciente e duradoura com os níveis sutis e a canalização de energias espirituais para o mundo material e cotidiano.

Intenção e compromisso

A intenção e o compromisso são interligados e interdependentes. Para iniciar ou fazer parte de um círculo, são necessárias a clara intenção e decisão pessoal, amparadas pela vontade, pela determinação e pela perseverança, para assumir e cumprir com firmeza e convicção suas responsabilidades. O círculo é criado e mantido pelo entrelaçamento das intenções e dos compromissos individuais, que estabelecem uma forma especial de comunicação e relação entre as participantes. Sem ter um compromisso formal e uma intenção clara, compartilhados e mantidos por todas as integrantes, nenhum círculo poderá se manter e crescer.

O compromisso é a condição indispensável para garantir a continuidade do círculo, para criar uma atmosfera estável, coesa e segura que permita às participantes abrir a mente e o coração, revelando com confiança e cumplicidade seus pontos vulneráveis, suas feridas, suas dores e seus medos. Para que se crie uma verdadeira irmandade, o compromisso inclui, além da participação e da presença, a doação amorosa, a segurança dos segredos mantidos entre si e a contribuição energética, emocional e espiritual de todas.

Compromisso não significa apenas obrigação e dever, mas a vontade de ficar na companhia das irmãs do círculo, compartilhando vivências e aprofundando conhecimentos (de si mesmas, da Natureza, do divino). O compromisso significa tornar a participação nos encontros uma prioridade verdadeira, que persista independentemente das circunstâncias externas. Se impedimentos sérios surgirem, a mulher que precisar se ausentar deve avisar à dirigente ou outra irmã, para que o "vazio" por ela deixado no círculo seja preenchido por vibrações e pensamentos por ela enviados ou pelo suprimento energético das suas companheiras. É muito importante ressaltar desde o início a responsabilidade pessoal em relação à presença assídua e alertar sobre o escoamento energético provocado por ausências. Uma mulher consciente do seu compromisso não vai se ausentar se estiver com ressentimentos ou dificuldades em relação a outra participante, nem por motivos irrisórios ou contratempos naturais (como trânsito, chuva, cansaço, feriados, visitas em casa, reclamações ou discussões familiares).

Para reforçar o compromisso inicial (consagrado com um ritual ou uma cerimônia) e fortalecer a motivação de pertencer ao círculo e aumentar a união, aconselho sua confirmação ritualística anual. No círculo, cada mulher representa um elo da corrente, que, ao ser aberto por ausências ou enfraquecido por falta de motivação, permite a diluição da egrégora energética, a diminuição da coesão grupal e as possíveis desistências.

Para ter certeza da intenção e da responsabilidade de pertencer a um círculo, proponho que as candidatas reflitam antes sobre as seguintes questões:

- Estou disposta a participar plenamente do círculo, abrindo minha mente e meu coração para falar e ouvir as outras participantes?
- Estou preparada para atender com pontualidade e assiduidade a todas as reuniões, ausentando-me apenas em caso de real necessidade?
- Estou pronta para mergulhar no meu interior, arcando com o sacrifício e a dor inerente a esse processo, sabendo que posso contar com a discrição, o apoio e a compaixão do círculo e agindo da mesma maneira em relação às confissões das minhas irmãs?
- Estou consciente da minha responsabilidade para ouvir com respeito, abertura e atenção as comunicações das outras mulheres; para falar a verdade e agir com lealdade, guardando silêncio sobre tudo o que for dito e feito nas nossas reuniões, sem comentar ou aconselhar, a não ser que isso me seja pedido?

Somente após refletir e responder afirmativamente a esse questionário é que a candidata poderá solicitar a sua inclusão no círculo. Anualmente, na cerimônia de reafirmação do compromisso, a(s) dirigente(s) e o círculo em conjunto podem fazer uma avaliação de como foi mantido o compromisso individual e de como evoluíram o crescimento e a coesão grupal. Dessa maneira será mais fácil planejar e assumir novas metas ou realizar os ajustes necessários para a expansão e o fortalecimento do círculo.

Igualdade
"Todas as mulheres são irmãs e filhas da Grande Mãe"

O poder do círculo reside na sua estrutura igualitária e desprovida de hierarquia; ninguém está "acima" nem é melhor do que ninguém, pois todas as participantes são elos integrados de uma só corrente. Cada mulher será considerada – e ela deve se sentir assim – como uma pérola diferente, mas igualmente valiosa, do colar da Grande Mãe.

O benefício prático dos encontros em círculo é a eliminação da competitividade, que surgiu nos sistemas e nas culturas patriarcais e foi incentivada pelos homens no intuito de enfraquecer e abolir a força da solidariedade feminina. Ao se colocarem em um círculo, olhando-se frente a frente, as mulheres resgatam o impulso atávico e esquecido de agir de comum acordo em prol de objetivos grupais, empenhando-se em criar uma atmosfera de aceitação, compreensão e apoio recíproco. Em vez de rivalidades e conflitos, a interação e a integração fortalecem cada participante e aumentam o poder do conjunto, que, assim, pode barrar as forças opressoras e desestabilizadoras externas.

Para assegurar a igualdade de expressão e a participação, cada mulher terá o seu momento certo para falar e ser ouvida, sem interrupções, em silêncio e com respeito, pelas demais. Para garantir esse direito, usa-se um "símbolo da palavra", que a mulher segura enquanto fala e depois passa para a vizinha. Esse recurso é inspirado no costume dos indígenas norte-americanos, que usavam o *talking stick* ("bastão da palavra") nos conselhos tribais e encontros comunitários.

A presença de um "objeto da fala ou da palavra" (*talking piece*) controla o impulso de interromper ou completar as palavras de outras pessoas e nos ensina a confiar na voz interior, calando-nos quando nada relevante temos a dizer ou tendo coragem de compartilhar verdades pessoais. A forma tradicional de usar esse objeto é segurá-lo por alguns instantes, fazendo três respirações profundas. Na primeira expiração, exalamos as energias que trouxemos do mundo exterior; na segunda inspiração, procuramos acalmar nossos pensamentos e nossas emoções visualizando um ponto de tranquilidade no centro do nosso ser; e durante a terceira respiração completa "ouvimos" na mente aquilo que o nosso espírito ou Eu divino nos aconselha a falar. Esse procedimento diminui o ritmo mental e verbal de todas as participantes e cria uma sinergia energética no grupo. O seu objetivo é acessar e compartilhar a sabedoria inata de cada mulher, honrando sua presença e suas palavras e uniformizando a energia sutil, independentemente das diferenças de idade, do *status* social, intelectual ou profissional.

Em alguns círculos, o uso do "objeto da palavra" serve para avaliar o estado emocional ou mental das participantes antes de começar a reunião, e também no final, para verificar as mudanças vibratórias. Se durante a reunião há dificuldade para chegar a um consenso nas decisões conjuntas ou se a discussão exalta os ânimos, para acalmá-los recorre-se novamente a uma breve roda de conselho. Alguns momentos de silêncio – antes de usar o "objeto da palavra" – ajudam no centramento necessário para falar com ponderação e diminuem o calor das argumentações ou dissensões.

Sabe-se pelos mitos e artefatos pré-históricos encontrados nas escavações que os povos antigos tinham esses "bastões da fala", comprovando que o desejo de interromper o outro é tão intrínseco à natureza humana quanto a vontade de falar e ser ouvido sem interrupções. Como uma versão feminina do *talking stick*, aconselho um objeto menos fálico, que tenha formas ou características femininas, como um cálice, uma taça, uma cabaça, um caldeirão pequeno, um chocalho, uma concha ou um búzio gigante, uma pedra furada naturalmente (considerada pelos povos celtas um símbolo da Deusa), uma imagem da Lua, uma estatueta de uma deusa, uma boneca de palha ou pano, um cesto, uma rodela de vime ou barbante, um leque, uma pena, uma flor, uma fruta (romã, maçã, pera), uma espiga de trigo ou milho, uma vasilha de barro com sementes, uma mandala.

Para os primeiros grupos que formei, escolhi um pedaço de raiz com formas femininas, que adornei com penas, conchas, cristais, búzios e pingentes de Lua, espiral, gato, tartaruga, serpente e aranha. Com o passar do tempo e devido à influência dos conceitos e das práticas xamânicas das vivências, os grupos preferiram criar um *talking stick* grupal. Para isso, utilizei um galho tríplice formado por três cipós entrelaçados, em que as integrantes dos grupos amarraram vários objetos, acrescentando sempre outros, oriundos da imaginação criativa de dezenas de mulheres que pertenceram ao círculo ao longo dos anos. Posso citar várias fitas coloridas, teias e rodas de fios, "filtro dos sonhos", penas e cristais, conchas e búzios, talismãs (como a "cruz de Brigid" de palha, o "olho grego", a figa, o penta e o hexagrama, runas), sininhos, pingentes diversos, moedas e pedras furadas, contas e miniaturas de animais.

O fator mais importante não é a forma nem a decoração do objeto, mas a sua finalidade de assegurar às mulheres o direito de falarem a verdade da sua mente e de seu coração com confiança e de serem ouvidas em silêncio, sem interrupções, sabendo que suas palavras não serão comentadas pelas demais nem reveladas fora do círculo. No entanto, mesmo falando a verdade, é necessário certo cuidado em relação ao tom de voz e às palavras usadas e uma reflexão sobre o impacto que elas terão sobre o círculo, evitando termos agressivos, rudes ou grosseiros.

Dependendo da duração – previamente estabelecida – da reunião, cada mulher deverá ter "seu" tempo para falar, sabendo de antemão que algumas precisam falar mais, enquanto outras preferem ficar em silêncio, passando o objeto sem se expressar. Como as palavras devem vir "de dentro", sem pensar ou escolher, apenas sentir, é possível que, às vezes, a dirigente precise intervir amorosamente, quando a emoção ou a lembrança fizerem aflorar as lágrimas. Mas ninguém deverá interromper ou apressar a mulher que estiver segurando o "objeto da fala", certamente dentro de um limite razoável de tempo (que dependerá do número de participantes). Para lembrar que o tempo se esgotou, pode-se usar um sino ou gongo; uma opção mais suave é uma ampulheta, cujo escoar de areia define o tempo disponível, sem causar sobressaltos.

O poder criado por falar a verdade em um círculo que oferece amor, confiança e solidariedade não depende apenas daquilo que é revelado individualmente, mas da sinergia gerada pelo compartilhar coletivo, que reforça a união e a coesão do grupo.

Para marcar o fim da sua fala, a mulher usa uma expressão tradicional como "*Eu* (o nome de quem fala) *falei*" ou um som específico de determinada tradição: *Hô* ou *Aḥá* (xamânica), *Ká* (nórdica), *Axé* (ioruba), *Aloḥa* (havaiana), *Kariê* (grega), e entrega o objeto para a vizinha, ambas ficando em pé e segurando-o com as duas mãos. Outra maneira de passar o "objeto da fala" é colocá-lo no altar ao terminar de falar, voltar para seu lugar e esperar que outra mulher o pegue, seguindo uma ordem circular ou aleatória.

A igualdade de falar e ser ouvida em um círculo requer certa disciplina e paciência, para que as que ouvem não mostrem indiferença, irritação, cansaço (com bocejos, fechando os olhos, rabiscando no caderno ou, pior, levantando-se para ir ao banheiro ou saindo para fumar ou telefonar). A "roda da fala" é um ato sagrado que requer a plena atenção e o respeito de todas as participantes.

Devemos nos lembrar de que a maior parte das conversações habituais é plena de interrupções, exclamações, perguntas, comentários e opiniões pessoais. As pessoas estão acostumadas a falar superficialmente – nem sempre expressam aquilo que realmente pensam e sentem –, e cada vez torna-se mais difícil alguém ser ouvido com atenção e respeito. No círculo, usando o "objeto da fala", cada mulher tem a oportunidade de compartilhar suas emoções, opiniões, experiências e histórias. Não há competição nem pressa para interromper, pois cada uma tem sua chance de falar, amparada pelo conceito da igualdade dentro do círculo.

Consciência do coração

Segundo Beverly Engel, escritora e dirigente de círculos femininos, a "consciência do coração" é uma prática ancestral e cada vez mais necessária na atualidade, que consiste em falar de coração, ouvir com o coração aberto e descobrir a sabedoria inata contida no nosso coração. Essa prática requer empatia e compaixão, que demonstramos com plena atenção e silêncio respeitoso, compartilhando as dores, as alegrias, os medos, os desejos e as esperanças das nossas irmãs do círculo. Diminuímos, assim, o nosso isolamento e a separação, e aumentamos a união e a mútua aceitação, expandindo nossa capacidade de sentir e expressar amor transpessoal e incondicional.

Falar de coração significa compartilhar de forma espontânea e livre, sem escolher ou planejar as palavras, nem censurar as emoções que surgem do subconsciente, liberando lembranças e feridas ali armazenadas. Criam-se, assim, as condições para o afloramento de aspectos ocultos do ser e a revelação da sabedoria inata por meio de *insights* e intuições, em um verdadeiro processo de cura sutil. É o próprio espírito que se comunica pela voz interior e desvela aquilo que foi reprimido ou ocultado pela censura da mente consciente.

Se alguma mulher não estiver presente quando uma irmã fizer confissões íntimas ou dolorosas, ela não deverá ser informada pelas demais sobre o assunto em causa, deixando a critério daquela que se "desnudou" contar ou não a revelação. Fora da reunião, esses assuntos jamais poderão ser comentados.

Outro aspecto importante da consciência do coração é a escuta ativa, na qual a pessoa atua como testemunha silenciosa, porém atenta, sem fazer comentários posteriores nem oferecer conselhos. A experiência é individual e única; a orientação ou solução deverá ser "ouvida" pelas mulheres no sussurro da sua voz interior. Por isso o silêncio da escuta é a condição indispensável para as revelações confidenciais e a expressão da verdade.

A xamã Wabun Wind, orientadora de círculos e conselhos comunitários, recomenda não interferir na manifestação emocional de alguém, ou seja, não abraçar, consolar ou oferecer ajuda para não reprimir o fluxo de catarse. Na minha experiência, vi que, pelo contrário, esses gestos solidários e amorosos em muito auxiliam e confortam na superação da dor de uma experiência traumática ou de uma perda. Muitas vezes, o círculo entoava mantras ou fazia imposição de mãos para acalmar e fortalecer uma irmã, e tenho certeza de que a energia amorosa que fluía ajudava não apenas a mulher em causa, mas a todas. Acredito com plena convicção que, cada vez que uma mulher consegue curar uma ferida da sua essência ou superar a lembrança dolorosa de uma experiência, todas as outras mulheres que estão presentes e solidárias conseguem curar algo do seu próprio passado ou da sua vida.

Para falar de coração e expressar sua verdade pessoal, a mulher que se sentir apoiada pelo círculo poderá relatar suas dificuldades e necessidades, seus medos, seus sonhos ou suas aspirações. Se ela se sentir magoada ou ofendida por alguém do círculo, deverá se abster de acusações e ilações, expressando apenas seus sentimentos, sem analisar ou julgar o fato ou a pessoa que o causou. Essa atitude imparcial e sábia é um teste difícil na comunicação aberta e sincera, assim como é também para a aceitação da verdade alheia, sem melindres, ressentimentos ou mágoas. Pode ocorrer que uma mulher não se sinta pronta ou disposta a falar. O círculo deve aceitar essa situação sem tentar convencê-la, pois, independentemente do que as outras pensam, o que importa é aceitar a realidade alheia sem restrições. As pessoas agem e reagem de formas diferentes, e o círculo, muitas vezes, é o único lugar onde uma mulher pode ser autêntica, confiando que sua verdade será honrada e mantida em segredo, sem que ela precise "disfarçar" para corresponder às expectativas alheias e contrariar sua voz interior. Quando uma mulher se sente livre para ser ela mesma, sem máscaras ou armaduras, revelando sua verdadeira identidade e sendo aceita sem preconceitos, ela pode depois buscar e encontrar por si só os meios adequados para a sua cura completa.

OBSERVAÇÃO: o círculo sagrado não é um grupo de terapia ou aconselhamento; as curas que acontecem são espontâneas e atuam nos níveis sutis, contribuindo para a integração com o Eu divino, além de contar com a proteção, a orientação e o auxílio dos aliados espirituais e a bênção luminosa da Deusa.

Tipos de liderança
Única, por revezamento e compartilhada

Durante os últimos milênios, nas culturas e sociedades patriarcais, as mulheres foram condicionadas a seguir um líder e obedecer a ele, seja no âmbito religioso, espiritual, social, político, profissional ou familiar, e obrigadas a acatar a autoridade de uma figura masculina (pai, tio, marido, filho, irmão, chefe da tribo ou patriarca da família). O líder era responsável pela segurança e pelo bem-estar daqueles que ele governava, conduzia ou instruía. No processo de amadurecimento, o adulto busca e tenta expressar a sua própria autoridade; mesmo assim, muitas das suas atitudes, avaliações, escolhas e valores são resultado dos ensinamentos, das crenças, dos conceitos e dos condicionamentos recebidos de autoridades externas (pais, padres, chefes, mestres, gurus). O comportamento humano é o resultado de intenções conscientes mescladas com motivações e condicionamentos preservados no inconsciente e enquadrados, limitados e influenciados por códigos morais, éticos, familiares, culturais, sociais, religiosos, espirituais.

As mulheres sofrem até hoje uma opressão maior e sentem a anulação ou limitação do direito de exercer sua autoridade em relação à própria vida, suas ações, opções e decisões. Para que elas possam readquirir a confiança no seu discernimento e a capacidade de controlar a própria vida – em qualquer área ou nível –, é necessário um longo e contínuo processo de desprogramação e fortalecimento. No entanto, precisam ter cuidado para não caírem no extremo oposto, assumindo o modelo masculino no seu comportamento e adotando os mesmos valores e atitudes que feriram a alma feminina durante milênios. Infelizmente, são cada vez mais comuns as queixas de mulheres cujas chefes exercem uma autoridade desleal, prepotente e extremista, sendo temidas e consideradas "piores" do que seus equivalentes masculinos.

Por isso é muito importante que, antes da formação de um círculo, o tipo de a liderança seja discutido e escolhido com antecedência e de comum acordo, pois não existem regras fixas ou receitas-padrão.

Existem círculos que são criados pela iniciativa de uma só mulher, que se torna, assim, a líder; outros que se formam como resultado de uma ação conjunta e que continuam sendo conduzidos pelas responsáveis iniciais, que podem – ou não – dividir a liderança com outras participantes.

Alguns círculos funcionam melhor quando têm uma única líder, dirigente, supervisora, mestra, guia, mentora, guardiã ou "mãe", que se encarrega de manter a estrutura, a organização e a segurança. Ela também é responsável pela agenda, ou seja, pelo planejamento das reuniões, das atividades, das vivências e dos rituais, cuidando também dos aspectos e das exigências espirituais, energéticas, intelectuais, materiais e humanas. Essa é uma situação confortável e cômoda para as demais participantes, mas é uma sobrecarga que ocasiona na responsável um desgaste físico, psíquico e mental, que pode levar ao desgaste energético, ao decorrente estresse e a uma possível desistência.

> OBSERVAÇÃO: por ter sido, durante doze anos, idealizadora e dirigente do Círculo de Mulheres da Chácara Remanso de Brasília, formado por vários grupos de estudo e vivências, posso assegurar que é uma missão árdua e exaustiva ser a única responsável por tudo o que diz respeito ao bom desempenho e à manutenção de uma egrégora humana e espiritual, firme, segura e harmoniosa. Não foi uma opção ou decisão premeditada; as situações e oportunidades de trabalho foram acontecendo, e aceitei de coração aberto os encargos que a Deusa me enviava. Cumpri todas as tarefas, por mais amplas e trabalhosas que fossem, com muito amor, dedicação e a alegria do dever cumprido. Muitas vezes fui interpelada ou censurada por "fazer demais", mas sentia-me impelida a agir da maneira como fiz, sem medir esforços ou respeitar meus limites, até quando a vida me mostrou que eu devia reformular meu modo de agir. Tinha começado tardiamente a minha doação na senda da espiritualidade feminina, por isso sentia-me pressionada pela passagem do tempo e pela minha urgência e vontade de servir. Reconheço que somente pude realizar tudo o que fiz com a permanente ajuda, orientação e proteção divinas e com a cooperação, o apoio e a solidariedade do círculo de mulheres. Agradeço à Deusa por tudo que vivi, aprendi e realizei, mas não recomendo essa forma de liderança e responsabilidade única. Amparada pelas minhas experiências e vivências, realizações, dificuldades, erros e desafios, recomendo duas alternativas de liderança: única, mas por revezamento; e compartilhada, por um grupo escolhido ou sorteado dentro do círculo.

- A *liderança única por revezamento* permite a cada mulher do círculo dirigir o círculo de mulheres segundo seus próprios critérios e conhecimentos e de acordo com sua formação, motivação, experiência, preferências ou habilidades. Por mais simples que pareça, esse procedimento representa um desafio para a dirigente e para as demais, pois pode ocasionar conflitos devido à diversidade de valores, tendências e atitudes entre as participantes.

As mulheres mais dinâmicas e empreendedoras vão se sentir pouco à vontade com uma dirigente cujo ritmo é mais lento ou que não tem experiência suficiente para tomar decisões e exercer a liderança. A tendência dessas mulheres é querer assumir a direção, pois sua paciência e tolerância serão testadas; possivelmente elas vão discordar daquilo que não coincidir com seus pontos de vista. Em compensação, as que têm dificuldade para sair do anonimato e da passividade vão tentar, a todo custo, se eximir da responsabilidade da direção e vão preferir "passar o bastão de comando" para as outras. É necessário um tempo de argumentação e de concessões recíprocas para que esse tipo de liderança flua harmoniosamente.

Um grupo coeso e amoroso pode alcançar mais facilmente a união e a colaboração de todas as suas integrantes, fato que propiciará um crescimento pessoal e grupal. Se as mesmas mulheres assumirem, sempre, todas as responsabilidades, o círculo torna-se disperso e podem surgir as temíveis "lutas por poder". Esse conflito deve ser evitado a todo custo, para não trazer para o círculo os padrões comportamentais perniciosos do competitivo mundo exterior. É preciso lembrar sempre e reafirmar – por todas – que o círculo é isento de hierarquia e dominação, e que a liderança pode ser feita com segurança e competência, mas acompanhada de paciência, amorosidade e delicadeza. Prestar atenção às palavras e ao tom usado ao exercer a direção é uma forma de garantir que é possível uma dirigente ser amorosa sem pieguice ou hipocrisia, pois o amor, a suavidade e a gentileza são qualidades concedidas às mulheres pelas *Charitas*, as Graças. As sacerdotisas das deusas Britomartis ("a doce Donzela"), de Ártemis de Éfeso (a "Mãe dos mil seios") e de Deméter (a "Senhora dos grãos") eram chamadas de *Melissas*, pois "suas palavras eram doces como o mel de abelhas". Mulheres que pertencem por muito tempo a um círculo desenvolvem uma forma de comunicação especial, e a cumplicidade que as une lhes permite relacionar-se sem rispidez ou rivalidade, resgatando, assim, os valores esquecidos da irmandade feminina.

A *liderança compartilhada* permite que as decisões e os procedimentos sejam feitos por um grupo menor de mulheres dentro do círculo. Elas poderão ser escolhidas por votação ou de acordo com a disponibilidade em cumprir as responsabilidades, a experiência para organizar e realizar rituais e vivências (públicos ou não) e a vontade de servir e manter unidos os elos do círculo.

Esse grupo pode ser permanente ou temporário, nesse caso sendo reeleito anualmente ou se revezando (dentro de um prazo preestabelecido). O número de componentes desse "centro" está condicionado ao tamanho do círculo. Ele pode ter, por exemplo, apenas "três mães" representando a Deusa Tríplice (de idades diferentes ou não) ou outro número com significado místico. A agenda das reuniões, os procedimentos ritualísticos e logísticos, a distribuição de tarefas complementares e todas as medidas necessárias para o "fluir suave" do círculo serão decididos por consenso por essas "mães", que trazem, cada uma delas, suas ideias e sugestões e ouvem as demais. Nem sempre é um processo fácil, fluido e rápido, principalmente se o "núcleo dirigente" for composto por muitas. No entanto, como todo desafio dentro do grupo, é uma experiência rica e instrutiva que contribui para o crescimento de todas. Se os objetivos forem bem definidos e escolhidos de comum acordo pelo círculo, as decisões por consenso tornam-se, com o passar do tempo, mais harmoniosas e eficientes. Auxilia em muito usar o "objeto da palavra", praticar a escuta passiva e a interação amorosa.

A liderança compartilhada contribui em ritmo acelerado para o amadurecimento, o crescimento, o fortalecimento e a evolução espiritual de todas as integrantes do círculo. Surge uma extensa e variada gama de dons criativos; diversifica-se a forma com que cada mulher cria a conexão com a Deusa enquanto realiza um ritual ou contribui com ele; e se fortalecem a parceria amorosa e a seriedade ao cumprir os compromissos. À medida que outros círculos reproduzem e perpetuam esse modelo, são criadas novas possibilidades e padrões, que expandem e enriquecem a variada teia feminina.

A liderança única (permanente ou temporária)

Mesmo que eu não recomende essa forma de liderança como uma solução fácil, não posso deixar de mencionar algumas precauções e sugestões para as mulheres que desejam formar e conduzir sozinhas um círculo. Acredito que essa motivação e decisão sejam oriundas da alma, como um desejo profundo e persistente de servir à Deusa, reunindo mulheres que precisam de tempo-espaço sagrado para honrá-La e reverenciá-La.

A escritora Beverly Engel sugere o termo alternativo "supervisora, guardiã ou guia" para a mulher responsável em manter a estrutura e a segurança do círculo. Ela deverá receber a autorização do grupo para interferir nos processos dinâmicos, interrompê-los ou redirecioná-los; pedir e manter silêncio e centramento quando necessário; guiar os assuntos de acordo com os conceitos preestabelecidos; esclarecer dúvidas; apaziguar conflitos, cumprir a agenda e assumir novos compromissos.

Porém, mesmo que a opção seja a escolha de uma líder (temporária ou permanente), o círculo deverá continuar fiel aos valores de igualdade entre as participantes, pois a dirigente terá como missão incentivar e auxiliar o empoderamento de cada mulher. Assumindo a liderança como uma responsabilidade que deverá ser honrada de forma sagrada (lembrando a atuação das antigas sacerdotisas da Deusa e dos conselhos tribais e comunitários das Matriarcas), ela não a usará como um direito para exercer seu poder e transformar o círculo em uma pirâmide hierárquica. Para que possa servir como exemplo para as demais mulheres, uma líder digna, leal e consciente conduzirá sua vida de acordo com os preceitos e valores que ensina e que exigirá das outras (seguindo o lema nativo *walk your talk*, "pratique o que fala"), em um clima de "perfeito amor e confiança", respeito, responsabilidade e solidariedade. Para poder ensinar, uma boa líder precisará se manter em permanente processo de aprendizagem; para guiar espiritualmente, ela deverá se empenhar em superar e resolver conflitos internos e problemas pessoais, tendo o equilíbrio e a sabedoria necessária para agir com imparcialidade, justiça e compaixão, visando sempre ao bem-estar do grupo.

Mesmo que a sua atuação a coloque em destaque, ela deverá inibir qualquer culto à personalidade, jamais se valendo do seu privilégio ou preparo. Ao compartilhar com suas irmãs problemas ou situações difíceis do seu passado, em uma atmosfera de cumplicidade e confiança, ela não se sentirá diminuída como líder, mas ajudará aquelas que passam por circunstâncias semelhantes. A experiência de uma mulher reflete facetas e possibilidades da vida de outras mulheres, assim como as conquistas e os sucessos individuais trazem esperanças e promessas para todas.

Ao lembrar-se das dúvidas e dos desafios que enfrentou, uma líder madura terá paciência e tolerância com o ritmo e as dificuldades alheias, evitando impor seus pontos de vista, suas convicções e seus valores, apenas oferecendo auxílio e compaixão pelo sofrimento e pela dor, ou aconselhamento e orientação, quando isso lhe for solicitado. Uma boa "parteira espiritual" é aquela que já sentiu na alma o peso da escuridão e sabe como caminhar para a luz. Recursos que podem auxiliar uma líder ou dirigente a orientar com maior segurança e contribuir para o equilíbrio psicofísico de suas irmãs são o uso de oráculos, de conhecimentos terapêuticos, de dinâmica grupal ou de cura sutil.

Todavia, por mais competente e sábia que uma líder seja, ela jamais poderá descuidar-se e "dormir sobre os louros". Para lidar com os permanentes testes e desafios que a vida e sua missão lhe trazem, ela deverá estar em contínuo trabalho interior e alerta exterior. Quanto mais ela souber, mais vai aprender, pois somente assim poderá conduzir com sabedoria e equilíbrio a caminhada espiritual de outras mulheres, sendo também solidária com seus problemas e alegrando-se com suas conquistas. Um dos maiores desafios de uma dirigente é saber agir com imparcialidade e equanimidade, sem mostrar qualquer favoritismo e mesclando a severidade com fluidez e gentileza. Ela deverá estar atenta a melindres, ressentimentos e rivalidades entre suas "filhas", que reproduzem, às vezes, padrões comportamentais e carências maternas, fraternas, familiares. Nessas situações, a dirigente se deixará guiar pelo seu instinto materno ou fraterno e pela sua intuição para consolar, proteger, apoiar, fortalecer e ensinar com amorosidade, tolerância e paciência. Caso surjam demonstrações de "rebeldia filial", quando uma delas tenta desrespeitar sua liderança por discordar da sua atuação ou almejar seu lugar, a dirigente deverá lidar com o problema de maneira racional, equilibrada e tranquila, sem permitir disputas ou conflitos de poder. Muitas vezes, o silêncio desarma qualquer embate, e uma oração conjunta, por harmonia e paz, é a melhor e a mais sagrada solução.

Responsabilidade
Em relação a si mesma e ao Todo

Para evitar processos de codependência, queixas, melindres, mágoas ou ressentimentos, comuns no convívio e nos relacionamentos, as mulheres que assumem o compromisso de formar um círculo sagrado ou entrar em um deles tornam-se responsáveis por suas necessidades, seus problemas pessoais e seus conflitos interiores.

Por mais que um círculo seja uma base de fortalecimento, cura espiritual e expansão individual, ele não é um grupo de terapia ou ajuda (a não ser quando o objetivo é esse). Às vezes, uma mulher que passa por uma crise ou dificuldade na vida tende a monopolizar a atenção e o apoio de todo o círculo. Nessas circunstâncias, reserva-se um tempo razoável para que se ouça o seu desabafo, em silêncio, com respeito e compaixão. Somente se ela solicitar são oferecidos conselhos ou sugestões para o problema ou para sair do impasse. Porém, se ela continuar voltando ao mesmo assunto nas reuniões seguintes, sem nada fazer para se melhorar interiormente ou resolver suas questões pendentes, o círculo não precisará continuar a servir como um muro de lamentações. A dirigente ou uma amiga poderá lembrá-la – em particular –, com delicadeza e tato, que o círculo poderá vibrar positivamente para ela, mas que as mudanças dos padrões energéticos, mentais e comportamentais cabem a ela, com ajuda psicológica ou terapêutica adequada.

Outro aspecto da responsabilidade pessoal é não abusar da solidariedade ou da ajuda de uma ou mais mulheres do círculo. É comum existir nos círculos uma mulher que sempre está disposta a ajudar ou a assumir encargos, assim como também existem aquelas que se apoiam nas outras ou se aproveitam da disponibilidade alheia. É preciso observar esses processos e estabelecer um limite entre ser solidária ou assumir tarefas de outra mulher que se "esqueceu" de fazê-las. Quando a situação se repete, o assunto é discutido e resolvido por todo o círculo, para evitar futuras omissões ou esquecimentos.

Por responsabilidade entende-se também a certeza de que o círculo como um todo e cada mulher que faz parte dele podem contar com a aceitação e o respeito em relação às personalidades e aos estilos de vida das participantes. Independentemente da escala pessoal de valores, dos gostos e das opções, não há lugar no círculo para críticas, comentários pejorativos ou difamações relacionadas à vida de uma ou mais mulheres. As confidências e revelações jamais devem ultrapassar o recinto em que foram expostas nem serem seguidas de comentários ou censuras feitas na ausência da mulher que expôs sua intimidade ou dor. O lema da tradição da Deusa é "perfeito amor e perfeita confiança", e do seu cumprimento dependem a segurança e a coesão do círculo.

A responsabilidade também engloba o empenho, pessoal e grupal, para buscar e ampliar o desenvolvimento mental, o fortalecimento emocional e o crescimento espiritual. Cada mulher que pertence a um círculo sagrado pode se tornar um canal para irradiar luz, paz e amor, para si, para os outros e para o planeta. Ao ampliarmos a nossa consciência, nós nos tornamos mais sensíveis a tudo o que nos cerca, mais conectadas às necessidades de outros seres, mais preparadas para nos doarmos.

A xamã, escritora e dirigente de círculos Brooke Medicine Eagle afirma: "A nossa conexão com a Mãe Terra é feita através do nosso ventre, no centro energético localizado três dedos abaixo do umbigo". Se imaginarmos um cordão umbilical energético nos ligando à nossa Mãe Terra, é fácil perceber que através deste mesmo cordão estamos conectadas com todos os outros seres da Criação, irmãos nossos e filhos de uma mesma Mãe, sejam eles alados ou rastejantes, pedras, árvores ou plantas. Formar pequenos círculos e participar deles nos permite encontrar o caminho de volta para o Círculo Maior, que é a própria Terra; ao sentirmos nossa conexão com a Mãe Terra pelo ventre, a percepção de tudo o que nos cerca é ampliada e aprofundada. Ultrapassam-se argumentos intelectuais e considerações éticas sobre a necessidade da preservação do meio ambiente e da biodiversidade. Por sermos irmãs e filhas de uma mesma Mãe Divina, a nossa responsabilidade com todos os seres é muito maior; se alguém do Grande Círculo da Vida sofre ou é eliminado, todos nós somos afetados. Do mesmo modo, vibrações positivas irradiadas em algum ponto do círculo se repercutem ao longo de toda a sua circunferência.

Tudo o que pensamos, fazemos, vibramos volta para nós, pois fazemos parte da mesma tessitura cósmica e telúrica. A renovação da vida acontece cada vez que mulheres, representantes da Deusa na Terra, se reúnem em círculos para cantar, dançar, orar, celebrar, agradecer. Somente assim as nuvens negras da poluição e da destruição vão se dissipar, para que o sonho dourado de um novo mundo de paz possa se realizar. Rituais, práticas e vivências transcendentais contribuem para o desenvolvimento espiritual individual e coletivo. Eles podem ser escolhidos de acordo com a filiação espiritual ou esotérica do círculo, seguindo determinada tradição ou caminho; porém, sempre respeitando e divulgando os valores da sacralidade feminina e o respeito à Mãe Terra.

Na segunda e terceira partes deste livro, serão descritas práticas específicas e sugeridos alguns rituais para círculos femininos.

Gratidão
Como expressá-la

Um aspecto importante de cada círculo é a sua capacidade para expressar gratidão, como reverência e agradecimento por tudo o que a vida e a Mãe Divina nos oferecem como dádivas, aprendizados, testes e realizações.

A gratidão pode ser manifestada de várias maneiras: com orações, gestos ou oferendas. Durante um ritual ou um encontro, pode-se criar uma "roda de oração", na qual cada mulher agradece por algo da sua vida pessoal ou, de maneira impessoal, à Mãe Terra ou à Natureza, aos aliados espirituais, aos seres ancestrais, aos mestres ou às divindades. Mais do que uma oração, a gratidão requer uma postura permanente, em que se agradeçam diariamente as pequenas e as grandes coisas da vida. Quando se faz uma oração de agradecimento, ela deve vir do coração, sem repetir fórmulas prontas ou frases alheias. Para mostrar gratidão, pequenos gestos solidários, contribuições voluntárias ou doações para organizações filantrópicas ou ecológicas são maneiras de reconhecer a nossa interdependência na onipresente teia cósmica.

Quanto maior é a nossa conexão espiritual, mais necessária torna-se a gratidão, como reforço na nossa espiral evolutiva e por sermos elos da grande cadeia da vida.

Ao finalizar um encontro ou ritual, é preciso reconhecer as forças espirituais e agradecer a elas, cuja ajuda e presença luminosa protegeram e fortaleceram todas as participantes e a realização das etapas ritualísticas.

Inspiradas nas tradições xamânicas, celta, nórdica e ioruba, oferendas poderão ser feitas à Mãe Terra, às forças e aos seres da natureza, aos espíritos ancestrais e aos aliados sutis como uma maneira simples, mas significativa e tocante, de demonstrar a nossa gratidão. Flores, frutas, grãos, sementes, pão, bebidas (como vinho, sucos, leite), mel, essências, pedras, conchas e cristais, tranças de fitas ou teias de fios, "flechas de oração", totens de madeira com símbolos gravados, queima de ervas e resinas, bandeiras e faixas de oração flutuando no ar são as oferendas mais comuns e geralmente utilizadas. Ao deixá-las em locais específicos na Natureza (mar, lagos, rios, cachoeiras, matas, pedreiras, colinas), enterradas no chão ou queimadas na fogueira, é preciso sempre lembrar a etiqueta ecológica de não poluir o meio ambiente, respeitando e preservando a sua pureza primordial. Portanto, jamais deixar vidros e plásticos nesses locais, nem oferecer materiais sintéticos ou elementos artificiais.

Os povos antigos honravam a Mãe Terra e agradeciam a ela pelos seus frutos invocando suas bênçãos nos plantios e demonstrando sua gratidão nas colheitas, fazendo oferendas daquilo que produziam, comiam e bebiam, antes de se servirem. Com o passar do tempo, aos elementos naturais foram acrescentados objetos de metal, armas, joias, inscrições em pedra, objetos pessoais e sacrifícios de animais.

A mais sagrada e significativa oferenda que uma mulher pode fazer à Mãe Terra é doar seu sangue menstrual, uma antiga prática ancestral que está sendo relembrada e revalidada pelos movimentos da sacralidade feminina. Oferecer seu sangue à Mãe Terra restabelece a conexão sagrada com Ela e com a energia vital presente em todos os seres da natureza e aprofunda a gratidão e o respeito pelo dom da vida. Assim, a mulher moderna se reaproxima da Natureza e interage com ela de maneira atávica e profunda, nutrindo o solo com seu "néctar" (como era chamada a menstruação na Índia). Longe de ser algo vergonhoso ou impuro, o ato de doar seu sangue para a terra sempre foi – nas culturas antigas – uma oferenda das sacerdotisas para a Deusa e uma prática ancestral de abençoar a terra antes do plantio ou de reforçar a vitalidade das plantas.

Maiores explicações sobre os Mistérios do Sangue podem ser encontradas em *O Legado da Deusa* (ver Bibliografia) e na segunda parte deste livro.

B. COMO CRIAR SEU PRÓPRIO CÍRCULO

Tenho fé
Em todas as promessas do passado,
Em todas as colheitas do futuro,
Em todos os encontros do presente.
A Deusa me acompanha.
Tenho fé
Que todos os frutos amadurecem
No círculo que canta a nossa prece,
Os olhos que se olham se reconhecem
E a vida continua.
Tenho fé
Que tudo que muda renasce,
Que a Grande Mãe acolhe nossa verdade
O amor existe hoje, eternidade
Divina é a confiança.

– Canção composta por Natália, do círculo de mulheres Teia de Thea

A criação de um círculo sagrado requer – antes e acima de tudo – uma fé inabalável e a confiança na orientação, na proteção e na ajuda divinas. Para imbuir um círculo com um poder que o fortaleça e proteja, é necessário estender a percepção até a Fonte Divina e dela receber a sabedoria e a força que despertam o nosso próprio poder interior. Para exercermos, com equilíbrio e discernimento, a nossa autoridade e o nosso conhecimento na condução de um círculo, devemos ter certeza de que esses atributos provêm de uma fonte espiritual e não são apenas criações do nosso ego.

A confiança de que "ouvimos" a voz da Deusa – e não as projeções, os desejos ou os anseios do nosso subconsciente – será adquirida com a prática assídua da introspecção, da meditação e do centramento. Não precisamos aspirar à condição de monjas ou ioguines, mas devemos nos empenhar para ter controle sobre nossos pensamentos e nossas emoções, sabendo como criar o silêncio mental que nos permite ouvir o sussurro da nossa voz interior.

A intuição é uma percepção sutil de conhecimentos ou informações existentes nos registros akáshicos, nos planos astrais e espirituais e no inconsciente pessoal ou coletivo. Ela se manifesta de maneiras diferentes em cada mulher; algumas têm mais facilidade para desenvolvê-la ou aprimorá-la, mas todas nós temos esse dom, essa dádiva da Deusa para Suas filhas, que devem apurá-lo permanentemente. Há uma diferença nítida entre intuição e imaginação. A primeira é sentida no ventre e no coração (como mostra a expressão inglesa *gut feeling*, "sensação das entranhas"), enquanto a segunda é fruto de fantasias e elaborações mentais, mescladas com desejos, conscientes ou não.

Uma vez iniciada a deliberação de formar um círculo, compete a quem tiver a iniciativa ou sentir esse chamado fazer os preparativos necessários para que a decisão possa se manifestar no plano material e humano. É comum as iniciantes precisarem de um modelo para seguir, ou nele se inspirar, ao criar o seu próprio círculo, acrescentando sua bagagem de conhecimentos, experiências e aspirações. Com o intuito de facilitar a organização inicial, criei um questionário com base na experiência de mulheres citadas na Bibliografia e na minha própria; depois de analisado e respondido, ele em muito ajudará a clarear incógnitas e a definir melhor as diretrizes.

- Quais são a intenção e o propósito da criação do círculo?
- Quem é(são) a(s) responsável(éis) pela sua formação?
- Qual é o "público-alvo" (a quem se destina o círculo)?
- O círculo será fechado desde o início da formação ou sempre estará aberto a novas participantes?
- Onde será o local dos encontros (temporário, fixo) e como será mantido?
- Que tipo de liderança ele terá?
- Quais serão os critérios para escolher a programação e definir as datas dos encontros?
- Quais temas serão estudados e que tipo de rituais serão realizados?
- Haverá alguma contribuição financeira e quem cuidará da cobrança e da aplicação?

A avaliação dessas questões simplifica e facilita o procedimento inicial e a definição de metas, valores e diretrizes, evitando discussões e dissensões futuras. Não existem fórmulas certas para criar um círculo harmônico e funcional; o melhor aprendizado vem com a participação em um círculo já estruturado, com ideias adquiridas em livros e, principalmente, com a criação do próprio círculo. Cada vez que um círculo de mulheres é iniciado, agregam-se conhecimento e energia ao campo arquetípico existente, o que torna mais fácil a formação do círculo seguinte, ativando-se, ao mesmo tempo, as memórias dos antigos círculos. Se além de ser um círculo feminino ele também for sagrado, a realização dos seus propósitos será facilitada pela egrégora milenar de poder, força e sabedoria ancestral.

Para melhor aproveitamento desse questionário, seguem algumas informações complementares e sugestões que contribuem para o "nascimento" fácil e harmonioso de um novo círculo.

Propósito

Para escolher com certeza e clareza o propósito de um círculo, é necessário que se avaliem a intenção, a visão, o desejo, a ideia ou o chamado que lhe deu origem. A intenção e a motivação da responsável por iniciá-lo são as forças motrizes que impulsionam seu nascimento. É necessário definir também quem se beneficiará da concretização dos objetivos, ou seja, se o círculo ficará restrito apenas às participantes ou terá uma finalidade comunitária. Essa diferença pode ser estabelecida desde o início ou ficar em aberto até que o grupo alcance coesão, experiência e segurança suficientes, trabalhando o "solo" antes de se arriscar a empreender um trabalho ritualístico público.

Para que a idealizadora do projeto possa motivar outras mulheres com os mesmos interesses, objetivos e valores a participar, ela precisará expor suas ideias de maneira clara, coerente, explícita e segura. É possível que apenas uma mulher se sinta chamada para formar um círculo. Mesmo assim, ela precisará ter pelo menos uma parceira com quem troque ideias, para que dessa interação energética se forme o cerne do grupo. Aos poucos, novas candidatas vão aparecer, e a diversidade de personalidades e bagagem de conhecimentos poderá contribuir para a modelagem das diretrizes, mas sem se desviar da intenção e do propósito originais. A parceria, além de contribuir para o fortalecimento do projeto, é um antídoto ao desânimo, às dúvidas e aos medos inerentes a qualquer iniciativa que desafie a *normose*[2], os modelos grupais e os caminhos espirituais convencionais. Seguir as normas cegamente é tornar-se escravo; somente ouvindo a voz interior nos tornamos livres para seguir o chamado da alma e aptas a descobrir a nossa sabedoria inata.

Responsabilidade

A "iniciadora" ou "a mãe geradora", cuja intenção, motivação e determinação atraíram as energias e condições espirituais, energéticas e humanas para proporcionar a germinação das sementes iniciais de um círculo, tem um papel relevante e vital. Ao expressar no mundo exterior o seu chamado interior, ela acendeu uma tocha de poderosa energia que vai iluminar e mostrar o caminho para um círculo de poder e possibilidades femininas.

É comum presumir que essa "mãe" continuará, de modo permanente e todo-abrangente, sendo a responsável pelo círculo, situação que pode se tornar uma realidade, ou não, dependendo da sua opção. O importante é lembrar, honrar e agradecer – enquanto o círculo existir – a missão de desbravadora dessa mulher, principalmente se ela se manifestou como um chamado de entrega e doação.

Admissão

Antes de "lançar o chamado", é preciso avaliar o tipo de pessoas que será compatível e benéfico para o propósito do círculo. Familiares, amigas e colegas não compartilham necessariamente conosco os mesmos objetivos espirituais e a mesma escala de valores. Se não forem especificados, desde o início, alguns critérios básicos ou requisitos de seleção, poderão surgir situações constrangedoras caso seja negada a participação de pessoas problemáticas, depressivas ou com dependências químicas que precisam, sim, de um grupo de ajuda, terapia ou cura, mas cuja presença em um círculo sagrado poderá se tornar um foco de discórdia ou desequilíbrio. Mesmo que seja considerada

---

[2] Conforme definição do livro *Normose, a Patologia da Normalidade* (ver Bibliografia), *normose* é o conjunto de normas, conceitos, valores, estereótipos, hábitos de pensar ou agir aprovados pelo consenso ou pela maioria.

uma atitude antipática ou elitista, se a responsável perceber o "sinal vermelho" através da intuição, deverá segui-lo para poupar a si e às demais participantes de futuros problemas e dissabores. Motivada por compaixão ou por vontade de ajudar, pode acontecer de a responsável admitir mulheres incompatíveis com os valores ou os objetivos do círculo e que venham a ocasionar situações desagradáveis com o passar do tempo. A revelação de desajustes pode levar ao afastamento de algumas e exigir, posteriormente, um esforço conjunto do círculo para restabelecer a harmonia energética. Se a maioria das mulheres do círculo tiver uma forte conexão entre si e com os princípios e valores sagrados, as pessoas dissonantes vão se afastar por si mesmas, em um processo de seleção natural.

O propósito de um círculo sagrado é criar uma comunhão de almas em busca da sua conexão com os princípios e valores da espiritualidade feminina.

Essa premissa deverá ser bem esclarecida desde a entrevista das candidatas, sabendo-se que a responsável pela admissão estará agindo em benefício dos interesses grupais. Um questionário formulado com algumas perguntas básicas (acerca dos interesses, dos anseios e dos conhecimentos espirituais da candidata, das suas crenças, hábitos e idiossincrasias, da sua determinação e perseverança em cumprir os compromissos e as diretrizes estabelecidas) poderá auxiliar na seleção inicial. Cabe à responsável preparar-se psíquica e espiritualmente antes da entrevista, para poder agir com equilíbrio, discernimento e isenção de ânimo, guiada pela sua própria conexão com a Deusa e consultando eventualmente algum oráculo.

Os critérios de escolha poderão ser resumidos da seguinte maneira:

- Aceitar apenas pessoas que, no seu entender, apresentem equilíbrio psíquico e espiritual, para que o grupo não se deixe envolver por problemáticas pessoais, desviando a atenção do seu propósito. A exceção será quando o grupo quiser se dedicar à terapia ou cura energética para pessoas necessitadas, mas que não pertençam ao círculo propriamente dito. Não quero dizer com isso que não faça parte do propósito de um círculo sagrado auxiliar, fortalecer ou promover a cura individual, mas é melhor considerar esse fato ocasional e reservado para datas ou situações especiais. É importante prestar atenção às vítimas profissionais, que gastam o tempo e as energias alheias com relatos das suas crises permanentes, exigindo socorro e atenção das companheiras, porém sem se empenhar em busca de soluções ou cura.

- Incentivar a presença de mulheres com idades, formações, personalidades e experiências diferentes, pois a diversidade é um elemento que estimula o crescimento grupal. Enxergar a vida por outros ângulos e descobrir novas possibilidades e maneiras de superar desafios e dificuldades contribui para a ampliação dos horizontes de todas.

- Dar preferência às mulheres dispostas a empreender uma jornada de autoconhecimento e expansão da consciência, que se responsabilizem pelo seu aprendizado e paguem o preço que a descoberta interior vai lhes trazer. Nem todas as amigas ou colegas de trabalho podem se tornar companheiras em um círculo sagrado, que deverá representar um receptáculo de nutrição e irmandade.

- Determinar um número inicial de participantes, mas deixar em aberto a admissão de novas companheiras nos três meses seguintes. Esse prazo será suficiente para definir a solidez do compromisso das participantes e a coesão formada. Depois desse prazo (que poderá ser ampliado em função das necessidades específicas de cada círculo), o grupo deverá ser fechado. Esse fechamento é necessário para que se criem as condições de confiança e intimidade que solidifiquem o entrosamento e que poderá ser perturbado com novas presenças. Alguns grupos preferem um ritmo mais solto e variável, permitindo a entrada de novas candidatas uma vez por ano. Pessoalmente, acho bastante desafiadora essa mescla, pois um grupo que estiver bem coeso e que tenha criado laços de cumplicidade e amizade entre si tende a repelir as "intrusas" ou se sentir ameaçado pela inclusão de novatas que interferiram no processo evolutivo. Isso é válido principalmente nos grupos que seguem uma planilha de estudos, com temas que seguem em ritmo crescente de profundidade e complexidade.

Minha sugestão – para evitar reclamações e questionamentos posteriores – é programar uma reunião informal antes da decisão definitiva, com a presença de todas as candidatas, e expor as diretrizes que vão nortear a condução, a estruturação e a preservação do trabalho. Nessa reunião a responsável e sua(s) parceira(s) vão responder às perguntas, esclarecer dúvidas e detalhar o programa de estudos. São comuns perguntas sobre o significado da espiritualidade feminina, as práticas e os rituais, os riscos de um compromisso formal e o medo da reação de familiares e amigos, que podem se sentir ameaçados por essa iniciativa inusitada.

A responsável estará consciente de que o interesse e o entusiasmo iniciais não são garantias de um compromisso real, a longo prazo, nem da responsabilidade da participação assídua e da contribuição permanente. Somente o tempo comprovará quem realmente está interessada em assumir, manter e honrar seu compromisso perante a Deusa e todas as suas irmãs de jornada. Uma vez formado um círculo sagrado, a partir de intenções e motivações claras e firmes e zelando continuamente por sua harmonia e união, ele poderá criar um vórtice de poder mágico que auxiliará a transformação, o fortalecimento e a cura de todas as mulheres envolvidas. Acredito que, com o passar do tempo, os pequenos círculos de mulheres possam se unir e formar círculos maiores e mais abrangentes, para alcançar familiares e amigos e ampliar os laços comunitários.

Local

Estabelecer desde o início o local dos encontros será um fator determinante na estruturação do círculo e na divisão das responsabilidades. Quando um grupo se reúne por algum tempo no mesmo lugar, esse espaço fica impregnado com a energia das pessoas e das atividades ali realizadas, tornando-se um santuário. No atribulado e aglomerado mundo moderno, dificilmente alguém pode ter um templo em sua propriedade ou condições de reservar um espaço apenas para encontros místicos. Os povos antigos realizavam seus conselhos ao redor das fogueiras nos campos ou nas colinas e celebravam seus rituais nas clareiras dos bosques sagrados. Atualmente são poucos os lugares seguros, protegidos e resguardados na Natureza em que um círculo de mulheres possa se reunir e celebrar rituais ou se sentir à vontade. Portanto, surge a pergunta sobre o melhor, o mais seguro e o mais prático lugar reservado aos encontros.

As opções variam desde as residências das participantes (em um esquema fixo ou alternado) até os espaços alugados (em caráter provisório ou permanente). Se o círculo se encontra na residência de alguém, a responsabilidade maior da arrumação e limpeza caberá à proprietária, mesmo se houver uma divisão de tarefas.

Se o espaço for alugado, a manutenção será mais prática, mas a energia não será uniforme, principalmente se outras atividades forem realizadas ali. Nesse caso, os preparativos de purificação e consagração do espaço físico deverão ser mais apurados e profundos, para que se crie um vórtice energético que facilite e fortaleça o trabalho grupal. A criação de uma atmosfera adequada contribui para que o espaço e o tempo sejam realmente sagrados.

A definição do local implica também a distribuição de responsabilidades e previsão de despesas para a manutenção, para adquirir e providenciar objetos, elementos ritualísticos, mágicos e materiais (associados às direções e aos arquétipos) que serão usados nos rituais, bem como para providenciar a infraestrutura necessária para o habitual lanche de confraternização no final das reuniões.

Frequência

No planejamento inicial costumam-se escolher a agenda anual das reuniões e definir um horário – fixo – para o seu início e – aproximado – para o encerramento. Geralmente os círculos de mulheres se reúnem uma vez por mês em uma das fases lunares (nova, crescente ou cheia), durante uma tarde inteira. Se o círculo também realizar rituais públicos, vivências ou ritos de passagem, convém programar uma reunião extra para a organização e elaboração de cada uma dessas cerimônias. Quanto mais vezes um grupo se reunir, mais fortes e profundos serão os laços criados entre suas componentes e mais fluida e harmoniosa serão a interação e a integração dos seus recursos energéticos e criativos. O importante é escolher um esquema que convenha a todas, para garantir, assim, a pontualidade e a assiduidade nos encontros.

Alguns círculos com propósitos artísticos ou terapêuticos se reúnem semanalmente, mas, para a maior parte das mulheres contemporâneas, conciliar suas agendas profissionais e familiares com atividades extras torna-se um desafio tão grande que "menos" torna-se "mais" se for constante. O que conta é a seriedade do compromisso e a profundidade da entrega. Especificar a duração aproximada da reunião é um expediente valioso para evitar que os assuntos se estendam além do necessário. Mas o mais importante é exigir e cumprir o horário de início das reuniões, evitando, assim, desde o começo, os habituais atrasos.

Como os encontros têm uma sequência, que inclui purificação, harmonização e abertura ritualísticas, todas as mulheres devem estar presentes desde o início da reunião. Atrasos repetitivos são indícios de padrões comportamentais indesejáveis ou displicência; se forem resultado de problemas familiares ou profissionais, a mulher poderá repensar suas prioridades e adiar sua participação até solucionar essas questões particulares. Se uma das componentes precisar se ausentar por motivos imprevistos, deverá avisar à responsável ou a uma irmã do círculo e procurar se conectar mental e emocionalmente com o tema do encontro, enquanto o grupo reforça os elos para suprir a falha energética causada pela sua ausência.

Liderança

Este assunto já foi amplamente comentado no subcapítulo anterior. A escolha do tipo de liderança competirá ao grupo se a iniciadora ou as responsáveis pela formação do círculo não quiserem continuar sendo líderes ou facilitadoras.

Dependendo do propósito e da sua estrutura, o círculo poderá eleger por consenso as mulheres que farão parte da liderança compartilhada ou continuar com as líderes iniciais. É importante definir esse quesito desde o início, bem como fazer uma divisão de atribuições, tarefas e atividades complementares, honrando os dons específicos e a disponibilidade das voluntárias. Existem muitas variáveis que dependem do perfil de cada círculo, e a melhor maneira de fazer a escolha adequada é ouvir a opinião de todas as participantes.

Rituais e cerimônias

Para satisfazer à nossa profunda necessidade de viver o sagrado no cotidiano e estabelecer ou reforçar nossa conexão com a Fonte Divina, resgatando a reverência e o respeito pelas múltiplas manifestações da energia espiritual, lançamos mão de rituais e cerimônias. Por meio deles alcançamos a nossa essência e dimensão sutil e nos religamos às raízes ancestrais de tradições e culturas das quais já fizemos parte em existências passadas. Ao mesmo tempo em que nos conectam com as energias da Natureza e os seres telúricos, os rituais nos possibilitam a elevação para os planos celestes e cósmicos. Todas nós temos lembranças atávicas e registros inconscientes das cerimônias que já vivemos e realizamos em tempos remotos. Mesmo que esses registros tenham submergido nas profundezas da nossa psique devido às perseguições e proibições religiosas, culturais e sociais, eles estão apenas adormecidos, e não perdidos. Ao retornarmos às práticas ritualísticas, esses registros afloram e ampliam a nossa percepção e conexão com a sacralidade de toda a criação, fortalecendo-nos e embelezando nossa vida. Assim como os sonhos são mensagens transpostas da mente inconsciente para a consciente, os rituais representam respostas conscientes que preenchem os anseios da nossa alma.

Enquanto o ritual pode ser definido como uma maneira específica de realizar uma ação cerimonial, a cerimônia é constituída de uma série de atos formais definidos por um ritual, protocolo ou convenção. Como os dois termos são usados indistintamente, existe certa confusão em relação ao seu significado exato. Geralmente o ritual pode se referir a uma cerimônia, serviço religioso, celebração, rito de passagem ou prática mágica.

As cerimônias são aspectos importantes de todas as culturas por ligar as pessoas entre si, reforçando os elos comunitários e criando um espaço onde as pessoas podem cantar, dançar, tocar tambor, orar ou meditar em silêncio. Os povos nativos usavam cerimônias para mostrar gratidão e reverencia às dádivas da Mãe Terra, para honrar as transições das estações, as festas agrícolas, os eventos comunitários e os ritos de passagem (os vários estágios e mudanças da vida humana).

O ritual é um componente inserido na cerimônia para lhe acrescentar significado, respeito e reverência e estabelecer os limites do tempo-espaço sagrado; trata-se de um elemento essencial e sempre presente nos círculos cerimoniais. Todo ritual deve ter um propósito e uma maneira certa e preestabelecida para criar e direcionar o vórtice energético, ou seja, uma estrutura definida e um conteúdo mítico e mágico. Por meio de ações simbólicas e de palavras evocativas que criam uma atmosfera de reverência e emoção, o ritual age sobre a mente subconsciente e a mobiliza para que mudanças psíquicas e energéticas aconteçam. Enquanto o corpo físico executa a ação ritualística, a mente contribui para sua eficiência, mas o seu efeito é amplificado por intermédio do espírito.

Os rituais dos círculos sagrados femininos são centrados na cosmologia, na mitologia e na simbologia das Deusas das diversas culturas antigas. Existe a permanente preocupação em reverenciar as dádivas da Mãe Terra e o legado das ancestrais e agradecer por eles. Buscam-se a conexão e o alinhamento com as fases da Lua e as estações e o reconhecimento e a celebração dos ciclos, dos estágios e das transições da vida da mulher. Acrescentam-se danças circulares, práticas de transmutação energética e canalização de energias de cura, canções, orações, oferendas e tantos outros assuntos quanto o universo da criatividade feminina possa oferecer.

No livro *O Legado da Deusa*, encontram-se descrições detalhadas sobre rituais, incluindo a preparação do espaço e das participantes, invocações e despedidas, tabelas de correspondências das direções cardeais, elementos, cores e signos astrológicos. Para evitar repetições, neste trabalho vou me ater especificamente às coordenadas básicas para a organização das reuniões e dos rituais dos círculos sagrados femininos.

C. ORGANIZAÇÃO DAS REUNIÕES

> *Como teria sido diferente sua vida se você tivesse um lugar especial para você? Um lugar onde pudesse ir para ficar na companhia de outras mulheres, aprendendo os sagrados mistérios femininos, sentindo-se nutrida, apoiada e fortalecida pelo fluxo de energias divinas, enquanto estivesse resgatando a sua verdadeira identidade. Um lugar somente para mulheres, onde pudesse reconhecer e confiar na energia e no poder que existe dentro de você, liberando-os para fluir e assim melhorar a sua vida. Um lugar para mulheres... Como teria sido diferente sua vida.*
>
> – *Circle of Stones*, Judith Duerk

Para criar esse "lugar para mulheres", no subcapítulo anterior foram enumerados as diretrizes necessárias e os cuidados principais. Uma vez esclarecidas as questões em relação ao lugar e à data, podem ser iniciados os preparativos para a primeira reunião. O roteiro básico é o mesmo para todos os demais encontros, mas os primeiros requerem alguns detalhes suplementares. Pressupondo que nem todas as mulheres convidadas se conhecem, será preciso reservar um tempo a mais para as apresentações e algumas práticas informais com o intuito de "quebrar o gelo". O assunto principal será a exposição da intenção de criar um círculo e das premissas básicas sobre a sua estruturação, feita pela "iniciadora" ou dirigente(s).

A primeira reunião é decisiva para as escolhas e decisões em relação à logística, à agenda das reuniões, bem como ao tipo de liderança. Sabendo com precisão o propósito, as coordenadas, os temas e as propostas de trabalho, as candidatas podem decidir com segurança a sua adesão e permanência no grupo, motivadas não pela mera curiosidade, mas pela afinidade com os objetivos e a direção do trabalho. Por isso é imprescindível o esclarecimento detalhado do programa proposto para a formação e condução do círculo, evitando-se, assim, futuras decepções – de ambas as partes – por desconhecimento do assunto ou suposição de que algo seria diferente. No entanto, não se deve "dourar a pílula" com o intuito de "seduzir" ou convencer as candidatas; a exposição clara e a verdade são os únicos meios de começar um trabalho espiritual e grupal sobre uma base sólida, honesta e correta.

Antes de iniciar a reunião, a responsável deverá se preparar e harmonizar, pedindo também a proteção, a ajuda e a orientação divinas. Se a criação do círculo e a responsabilidade de conduzi-lo forem iniciativa de duas ou mais mulheres, a sua preparação inclui um pequeno ritual para fortalecer a conexão entre elas e com as forças espirituais. De mãos dadas e coração e mente aberto, elas vão reafirmar sua intenção e compromisso de se apoiar e colaborar, dividindo problemas e soluções, medos e dúvidas. Muitas vezes, identificando e revelando essas "sombras", elas tendem a desaparecer, e a confiança e fé mútuas vão atrair energias positivas. Essa prática pode ser adotada como um preâmbulo da cada reunião, finalizando com uma respiração em uníssono, entoando um mantra e orando para a Grande Mãe ou a deusa "madrinha" do círculo (revelada por mensagens, por intuições ou por um oráculo), para que o encontro seja harmonioso, amoroso e produtivo.

Para ter um fio condutor na organização das reuniões, ofereço a seguir um roteiro baseado na minha experiência com círculos de mulheres (grupos de estudo, rituais, cerimônias, jornadas xamânicas, vivências ocasionais).

Cabe a cada novo círculo experimentar, modificar ou simplificar etapas e detalhes, adaptando o formato às suas possibilidades e necessidades, porém seguindo a mesma sequência de procedimentos.

Preparação do espaço

Seja o local permanente ou não, em prédio próprio ou alugado, recomendo que se proceda a sua purificação energética antes das reuniões. Mesmo que no começo dos encontros o círculo ainda não queira realizar rituais ou práticas mágicas, é necessária a desimpregnação fluídica do ambiente, para que sejam removidos os resíduos de energias – mentais, emocionais, astrais – que nele foram plasmados e acumulados.

Para que a ideia do círculo seja honrada e praticada desde o início, os assentos (cadeiras, almofadas, bancos) são colocados ao redor do centro sagrado, representado pelo altar. Tanto o espaço quanto os móveis devem ser purificados por meio de um ou de todos os métodos descritos a seguir (que simbolizam os elementos mágicos):

- com fogo: circular pelo cômodo com uma vasilha de cerâmica (posta sobre um azulejo) onde queimam pastilhas de cânfora (outra opção é usar uma vela ou tocha acesa);
- com água: aspergir com um galho verde gotas de água do mar, de cachoeira ou da chuva, às quais foram acrescentadas algumas gotas de essência de arruda, verbena ou lavanda (a água do mar pode ser substituída por uma solução de sal marinho);
- com ar: queimar uma mistura de ervas secas (folhas de arruda, guiné, eucalipto, agulhas de pinheiro ou cipreste, manjericão, sálvia, alfavaca, alecrim) com resinas em pó (benjoim, olíbano, mirra, breu) sobre pedaços de carvão incandescentes em um braseiro ou pastilhas prensadas de carvão, acesas em um recipiente de cerâmica. Abana-se a fumaça com uma pena ou um leque. Escolher três, cinco ou sete ervas, um incenso artesanal de breu ou de ervas com cânfora e sal;
- com terra: "varrer" paredes, móveis e o chão com uma "vassourinha" feita com galhos verdes de eucalipto, bambu, fícus, cipreste ou folhas de arruda, guiné, samambaia, alfavaca. Descarta-se depois a vassoura.

Independentemente do método usado, deve-se circular pelo espaço no sentido anti-horário, mentalizando-se a desagregação, a remoção e a transmutação das formas-pensamento e das energias plasmadas em outras ocasiões e reuniões.

Altar

Terminada a limpeza fluídica do espaço, passa-se para a arrumação do altar e a purificação dos objetos sobre ele colocados.

O altar é a representação da conexão com o plano espiritual; sua finalidade é a reverência à Deusa como Grande Mãe ou a um dos seus arquétipos e aspectos. Por meio de imagens, objetos e símbolos, cria-se uma egrégora de sacralidade que facilita a introspecção e a meditação, concentrando e direcionando as intenções e orações das participantes para um objetivo comum. O altar torna-se, assim, um ponto de captação e transmissão energética, um verdadeiro vórtice de poder para harmonizar, fortalecer e curar. Ele representa o ventre primordial, o começo e o fim, o poder de criação e transformação.

Os altares das antigas civilizações e culturas matrifocais eram as lareiras, pois ao seu redor as pessoas se reuniam para se aquecer, comer, orar, comemorar. Para os povos antigos a lareira era a própria representação da essência da Grande Mãe, cujas chamas iluminavam, aqueciam, preparavam a comida e defendiam contra intempéries e animais selvagens. Mais tarde, os altares assumiram formas femininas ou passaram a ser adornados com flores e joias, cobertos com tecidos fiados e bordados pelas próprias mulheres e dedicados a Deusas específicas.

A mais antiga oferenda colocada nos altares era o sangue menstrual das sacerdotisas, substituído depois por sangue de animais, vinho, leite ou água. Junto era colocado o pão feito dos grãos que simbolizavam o corpo da Mãe Terra e que era a Ela oferecido em sinal de gratidão pela nutrição e abundância das colheitas. As roscas e os brioches eram pães modelados para reproduzir as tranças e os coques das mulheres, enquanto a forma oval dos pãezinhos simbolizava a *yoni* (vulva) da Mãe Divina, Criadora e Nutridora. As antigas oferendas que representavam o corpo e o sangue da Mãe Divina foram adotadas e adaptadas pelas doutrinas patriarcais. Os atributos maternos do pão e do vinho, transferidos para deuses como Osíris, Adônis, Dionísio e depois Jesus, eram considerados símbolos do seu sacrifício e oferecidos aos adeptos e fiéis, para que esse sacramento lhes permitisse absorver a essência divina, conferindo-lhes imortalidade e salvação. Antigas orações pagãs pediam à Deusa Mãe que garantisse *o pão de cada dia*, expressão adotada depois pelo cristianismo, que substituiu Mãe por Pai e ignorou que o pão era dádiva da Mãe Terra.

Os altares atuais podem ser simples ou elaborados, adornados com objetos adquiridos pelo círculo ou pertencente às participantes. Porém, deve-se cuidar para não colocar objetos em demasia, sobrecarregando ou desvirtuando sua finalidade de "bateria energética". É bom lembrar que em tudo o que diz respeito ao ritual "menos é mais". Dependendo do local dos encontros (fixo ou temporário), o altar será permanente ou montado antes de cada reunião ou ritual, sendo essa responsabilidade atribuída a uma ou mais mulheres. Mesmo incentivando a criatividade e as contribuições individuais, os objetos destinados ao altar devem se relacionar com a sua simbologia básica e com os atributos específicos da Deusa a ser reverenciada. Altares criados com conhecimento, beleza e harmonia elevam a vibração do ambiente, uniformizam as vibrações individuais e aumentam o poder do ritual.

O simbolismo básico do altar está contido no pentagrama. Quatro das suas pontas correspondem aos elementos mágicos – ar, fogo, água, terra – e às direções cardeais, sendo a quinta o equivalente do espírito, localizado no centro do altar. Os elementos citados – e representados pela vela, pelo cálice com água, pelo incensório e por uma vasilha de barro com terra – são posicionados em função das direções, cujas associações variam de acordo com a tradição adotada (celta ou xamânica).

No livro *O Legado da Deusa* encontram-se informações detalhadas sobre as correspondências – em ambas as tradições – dos elementos, das direções, dos símbolos, dos objetos, das cores, dos animais, das divindades. Na terceira parte deste livro, nos capítulos "Roda Sagrada da Tradição Ocidental e Rodas Xamânicas", são apresentados diagramas de várias equivalências e atributos.

No centro do altar pode-se colocar uma estatueta, uma imagem ou um símbolo da Deusa, uma drusa de cristal de rocha, uma concha grande ou um búzio, uma mandala, uma cabaça, uma cornucópia ou cesta de vime com flores, frutas e sementes ou um caldeirão.

O caldeirão é um antigo símbolo dos mistérios e dos poderes da sacralidade feminina, presente em várias culturas matrifocais e em antigas civilizações, posteriormente difamado pelo cristianismo. Siris, Mãe das estrelas e das nuvens, antiga deusa babilônica do destino, era representada por um caldeirão de lápis-lazúli (o próprio céu). O hieróglifo egípcio da Tríplice Criadora (Mãe do universo, do Sol e dos deuses) era formado por três caldeirões entrelaçados, que também descreviam os três ventres da deusa Kali e as três Senhoras do Destino de outras mitologias. Na cosmologia caldeia, o céu era formado por sete caldeirões voltados para baixo, que correspondiam a sete caldeirões localizados no interior da terra e voltados para cima.

Na tradição nórdica, o deus Odin se apoderou do elixir da inspiração guardado por uma giganta em uma gruta e contido em três caldeirões. O deus hindu Indra também roubou a ambrosia, ou *soma,* da Criadora ocultada nos três caldeirões da deusa Kali. Em ambos os mitos, o "elixir" e a "ambrosia" designavam, metaforicamente, o sangue sagrado da Deusa, dando origem às oferendas de sangue menstrual das sacerdotisas.

Entre os celtas, o "caldeirão da regeneração" era o mistério religioso central, simbolizando o renascimento do ventre da Deusa, escondido pelas Três Mães (Matres ou Matronas) no fundo do mar (ou do lago). Supunha-se que o caldeirão da regeneração estava oculto na "Terra sob as ondas" devido à crença celta de que a Deusa do Mar era a Criadora Universal. As deusas celtas Morrigan, Branwen e Cerridwen, a Grande Mãe, possuíam caldeirões em que era preparado e preservado o elixir da sabedoria e da inspiração; cada templo celta tinha no altar um caldeirão de ferro, cobre ou bronze, considerado um objeto sagrado. À tríplice manifestação da Deusa correspondiam três caldeirões – da inspiração (para a Donzela), da plenitude e abundância (para a Mãe) e da transformação e do renascimento (para a Anciã).

Vários mitos e lendas relatam visões de morte simbólica e renascimento, jornadas xamânicas e curas diversas graças à imersão no caldeirão de regeneração da Deusa. O seu simbolismo foi mantido nas lendas arthurianas e transformado no Santo Graal. Em uma das lendas sobre o Graal, um cavaleiro da Távola Redonda precisa decifrar três enigmas para curar o rei ferido e devolver a prosperidade à terra esgotada. As respostas para os enigmas são facilmente compreendidas se aceitarmos o caldeirão como o símbolo do ventre da Deusa.

A primeira pergunta era: "a quem serve o Graal?". Sem o ventre, a vida não existiria, por isso a resposta é: "à humanidade". A segunda pergunta:

"sabendo que o mundo está no Graal e o Graal está no mundo, o que significa o Graal?". Resposta: "o ventre da Deusa e de cada mulher". E a terceira pergunta é mais óbvia ainda: "onde fica o castelo do Graal, cercado de água, porém invisível?". Novamente a resposta é: "o ventre feminino, mais especificamente o útero".

Levando em consideração todos esses significados cosmológicos e mitológicos, podemos concluir que a magia do caldeirão é a magia feminina, e que, ao utilizá-lo como símbolo sagrado do círculo, facilitamos o nosso acesso para os Mistérios da Deusa e a nossa conexão com Ela.

Citando De-Anna Alba, autora de *The Cauldron of Change*, "nascemos do caldeirão da Deusa, voltamos para ele no final e ao longo da vida dançamos na sua borda".

Se o caldeirão for grande o suficiente, ele pode servir como altar, sobreposto com uma tábua redonda de madeira, onde são colocados os objetos e os elementos. Se ele for pequeno, serve como o centro do altar, enfeitado com flores, folhagens, sementes, espigas de trigo, conchas, cristais, pedras ou terra vegetal, uma verdadeira réplica das dádivas contidas no ventre da Mãe Terra.

É recomendável que o suporte escolhido para o altar seja de madeira (uma mesinha redonda ou quadrada), evitando vidro, metal e materiais sintéticos. Dependendo das suas dimensões, as participantes podem colocar sobre ele seus talismãs ou objetos pessoais de poder, para serem imantados com as energias dos encontros e rituais e retirados depois. Se o ritual for realizado ao ar livre e o círculo não dispuser de uma mesinha, o altar pode ser montando sobre uma placa de madeira colocada sobre um montinho de terra, galhos secos ou pedras.

Para cobrir o altar, a toalha pode ser branca ou de uma cor que corresponda ao objetivo do ritual ou aos atributos da Deusa homenageada. O verde atrai energias de cura e prosperidade; o vermelho propicia a coragem e a ação; o amarelo ativa a mente e a criatividade; o azul inspira harmonia e conexão com a fluidez da água; o laranja induz o fortalecimento e a expansão; o violeta ou lilás representa a transmutação energética; o preto facilita a introspecção e o contato com as ancestrais. A cor dourada e a prateada reverenciam as deusas solares e lunares, e o tecido rústico da toalha homenageia as deusas da terra; o branco é a cor universal e que engloba todas as demais.

Além dos elementos propriamente ditos, podem ser colocados ao lado deles, no altar, objetos que simbolizem seu poder mágico.

Para a terra é o pentáculo (pentagrama contido dentro de um círculo) em metal, gravado sobre um disco de madeira ou pintado sobre uma pedra achatada. Pedras, cristais, madeira petrificada, argila, pinhas, sementes, musgo, ninho de pássaros encontrado no chão, imagens do globo terrestre ou de animais de poder, chocalhos e tambores também são associados ao elemento terra.

Para a água, além do cálice, usam-se conchas, corais, búzios, estrelas-do-mar, imagens de mar, rios, cachoeiras, peixes, golfinhos, baleias, serpentes, sereias e o pau de chuva.

Para o ar, o objeto mágico tradicional é o athame ou punhal ritualístico, mas alguns círculos femininos com orientação pacifista ou ecológica se recusam a usá-lo para não conferir poder sagrado às armas, substituindo-o pelo "objeto da palavra". Como o ar representa a mente, símbolos do poder criativo e intelectual, como canetas, livros, pincéis, também são boas alternativas, além de frascos de vidro com essências, galhos de ervas aromáticas frescas, sinos, flautas ou assobios, leques, penas e imagens de pássaros, borboletas e nuvens. Para traçar símbolos ou delimitar o círculo, uma pena (de ganso, pomba, coruja, arara ou pavão) é uma opção mais feminina do que usar o punhal ou o bastão. Também se podem usar o dedo indicador da mão dominante, uma flor ou um galho verde.

Para o fogo, o objeto correspondente é o bastão de madeira com inscrições mágicas entalhadas, suas versões modernas em cobre e com cristais encastoados ou um "canhão de luz" (lanterna com cristal de quartzo lapidado em forma de prisma na ponta e filtros coloridos). Imagens do Sol, de fogueiras e do fogo vulcânico, velas coloridas, uma lamparina, assim como objetos de metal dourado, reproduções de felinos, pedras amarelas e pedaços de lava e âmbar complementam esse elemento.

Atualmente encontram-se nas lojas inúmeras imagens de Deusas de diversas tradições, como estatuetas, pingentes, cartões, cartas de Tarô ou reproduções dos Seus símbolos, atributos e lugares sagrados. Cada círculo poderá eleger uma Deusa Madrinha (encontrada mediante um oráculo, meditações, visões, intuições, avisos ou sonhos), a quem se dedicará o altar e se pedirá orientação e a proteção das participantes e atividades. Nos rituais em que serão reverenciadas outras Deusas, recomendo colocar no altar Suas imagens ou símbolos dos Seus atributos, que podem ser desenhados, pintados ou modelados em argila pelas mulheres do círculo. A opção mais prática é dedicar o altar à Grande Mãe e variar apenas a simbologia e os elementos dos Seus arquétipos cultuados em cada ritual.

Outros objetos associados à Deusa e que podem substituir o caldeirão são as cestas e as cabaças (abertas ou fechadas, pintadas ou decoradas). Tecer cestas (a arte da cestaria) era uma antiga atividade feminina, preservada até hoje pelas tribos indígenas; elas eram consagradas às deusas da colheita, da Terra e da Lua. Como Mãe das Colheitas e Senhora da Lua, à deusa Ísis eram ofertadas cestas com grãos que eram guardadas pela Sua serpente sagrada. A cesta – em grego *kiste* – era um dos objetos sagrados dos Mistérios de Elêuses e representada nas moedas antigas. O cesto – em grego *kestos* – simbolizava o cinto de Afrodite, que dava a quem o usasse todas as graças, desejos e atrativos, mas é usado, em português, como equivalente de cesta.

O uso ritualístico das cabaças pertence às tradições nativas. Abertas pela metade, servem como receptáculo para água ou bebidas, grãos e oferendas. Fechadas, elas são usadas como chocalhos; para isso, basta abrir um pequeno orifício, esvaziar o conteúdo da cabaça, enchê-la com sementes e cristais, decorar sua superfície com motivos pintados ou gravados e enfeitá-la com penas e contas coloridas.

Quaisquer que sejam os objetos do altar, eles precisam ser purificados previamente. Em lugar de usar incensos industrializados – que servem mais como aromatizantes de ambientes –, recomendo bastões de ervas secas de sálvia, alfazema, manjericão ou alecrim. As próprias integrantes do círculo podem confeccioná-los ou usar incensos artesanais que contenham breu, cânfora, sal grosso e ervas como arruda, guiné e eucalipto.

Lembre-se de sempre entregar no fim das reuniões os resíduos dos elementos usados a algum lugar na Natureza, com uma pequena oferenda de fubá ou grãos, para agradecer à Mãe Terra.

Recepção das participantes

À medida que as mulheres forem chegando, a dirigente lhes dará as boas-vindas, pedindo-lhes que desliguem o telefone celular e passem pela purificação. A dirigente fará uso de um bastão aceso de ervas secas, usará ervas aromáticas frescas (sálvia, arruda, alfazema, guiné, manjericão), um galho verde (eucalipto, bambu, fícus, cipreste), uma flor, uma pena ou um incenso artesanal (evitar os industrializados, que são sintéticos e podem provocar alergias). Passando a fumaça – com o auxílio da pena – ou as ervas ao redor da aura, ela entoará um mantra ou dirá algumas palavras-chave para simbolizar esse ato de remoção das energias negativas acumuladas nos afazeres cotidianos ou absorvidas dos ambientes frequentados. Em lugar de incenso ou ervas, pode-se fazer a purificação aspergindo com a mão algumas gotas de água do mar (ou água com um pouco de sal marinho), borrifando uma essência, abanando um leque ao redor da aura, sacudindo o chocalho ou tocando um sino ou *chime* (pequeno gongo oriental) na frente e nas costas da pessoa.

No decorrer das reuniões, uma voluntária poderá substituir a dirigente nessa tarefa ou cada mulher pode se encarregar da sua própria purificação usando o incenso ou uma alternativa em si mesma e passando-a depois para as demais. A purificação individual é necessária para preservar a energia do ambiente previamente preparado e equalizar os campos áuricos das participantes.

Os atrasos habituais serão tolerados apenas nas primeiras reuniões e depois combatidos, pois são ocorrências desagradáveis que perturbam a egrégora e a harmonia dos encontros. Infelizmente existe em nosso país uma "cultura do atraso", e compete às mulheres conscientes da importância do compromisso sério contribuírem para a mudança desses padrões de comportamento perniciosos.

Harmonização

Nas primeiras reuniões, a maneira mais simples e prática de criar uma sintonia vibratória no grupo é formar uma roda por ordem de idade, quebrando, assim, esse tabu imposto e mantido por preconceitos culturais e sociais. Nas antigas sociedades matrifocais e nas culturas centradas nos valores da espiritualidade feminina, as mulheres "que mais tempo andaram sobre a terra" (que tinham mais idade) possuíam maior sabedoria e eram sempre honradas e reconhecidas como matriarcas e conselheiras experientes.

É esse o propósito principal dos círculos sagrados femininos: resgatar e valorizar as tradições e práticas ancestrais, centradas na reverência à Deusa.

A roda é feita com as mulheres formando um círculo (o mais perfeito possível) e se dando as mãos: a esquerda com a palma para cima – recebendo – e a direita com a palma para baixo – doando. Após algumas respirações profundas e ritmadas, é repetido ou entoado, um a um, o nome de todas as mulheres, começando com a mais "sábia" (de mais idade). Cada mulher diz ou entoa seu nome, e as outras o repetem, no mesmo tom ou improvisando variações. Esse tipo de apresentação é ótimo para descontrair e criar harmonia grupal. Ouvir seu nome sendo cantado por um círculo de irmãs proporciona uma energia amorosa e transformadora que toca o coração de cada mulher.

Em seguida, pode-se entoar um mantra ou a sílaba sagrada *Máa*, que estabelece uma conexão com a Grande Mãe por fazer parte do nome de várias Deusas. *Ma* é uma sílaba básica das línguas indo-europeias, o primeiro som verbal de uma criança, associado com o seio e o leite materno. Na antiga sociedade hindu, os laços sagrados do sangue materno que uniam os clãs se chamavam *Mamata*; *Ma* era o símbolo pictográfico da "centelha da vida", sendo até hoje pintado na testa das mulheres na forma de um ponto vermelho chamado *bindi*. *Ma* era definida como a força maternal original que uniu os elementos no início das eras para criar a vida. Foi chamada de *Mah*, a Mãe Terra sumeriana ou *Maat*, o espírito egípcio da verdade e da justiça divina. A Mãe Ancestral finlandesa era *Mader Akka,* e a Grande Mãe da Síria era *Magna Dea*. *Tiamat* era a Mãe criadora da Babilônia, enquanto a Mãe doadora da vida e da morte da Ásia central era *Macha Allá,* sendo sua contraparte celta chamada *Macha*. *Mama* era o título da Grande Mãe; *Mami* era a Criadora da Mesopotâmia; *Mamaki*, a deusa hindu fertilizadora das águas; *Marici*, a tríplice deusa hindu; *Mari* e *Mariamne,* deusas semitas da água; *Maia,* a deusa grega da primavera; e *Stela Maris,* o título de Afrodite e Ísis, herdado por *Maria,* enquanto *Mater* era a palavra latina para mãe.

Após um curto silêncio, cada mulher (seguindo a mesma ordem da idade) dirá, em poucas palavras, qual é a sua expectativa em relação ao círculo, quais são suas dúvidas ou dificuldades para participar dele e o que ela poderá trazer como contribuição para o trabalho (uma atividade artística, assumir uma responsabilidade ritualística ou profana, contar histórias, entre outras possibilidades).

Nas reuniões seguintes, poderão ser acrescentadas outras práticas para a harmonização, como yoga, tai chi, bioenergética, alongamentos, exercícios respiratórios (*pranayamas*), danças sagradas circulares, canções, meditações dinâmicas ao som de batidas de tambor ou visualizações dirigidas usando cores e símbolos. A escolha vai depender do espaço disponível e da presença de uma voluntária, que poderá conduzir alguma das atividades enumeradas. Um número cada vez maior de mulheres pratica e ensina yoga, tai chi, danças e cantos, e essas práticas, mesmo em tempo reduzido, contribuem para a mudança vibratória e a harmonização energética das participantes. Músicas tradicionais dos povos nativos, canções compostas por mulheres que pertencem ao círculo ou à Tradição da Deusa, bem como as danças sagradas circulares, sempre fizeram e fazem parte dos encontros e dos rituais, seja para iniciá-los e finalizá-los, seja como um componente deles. O ato de dançar e cantar em círculo alinha as mulheres com as energias telúricas e contribui para o seu centramento, equilíbrio e união.

O movimento circular é um ato contínuo de dar e receber poder, por meio da concentração e da distribuição uniforme do fluxo de energias. Um círculo de mulheres que dança ao redor de um centro sagrado e reverencia o poder nele representado cria uma estrutura energética poderosa, resultado da soma das vibrações do corpo com os sons da música. Assim como em uma orquestra, em que o som de um instrumento se funde com a melodia, mas continua sendo uma parte do conjunto, as mulheres que dançam juntas em um círculo estão ligadas por fios sutis e recebem, da egrégora vibracional criada, a energia de que cada uma necessita. Nesse processo, nasce uma alma grupal que reforça a solidariedade e o espírito comunitário, amplificando o significado da forma circular como um espaço protegido, abrangente, sagrado e prazeroso.

Evidências arqueológicas confirmam a prática das danças circulares desde o período Paleolítico. Vasos da cultura Cucuteni, da Romênia – datados de 5000 anos a.C. –, eram modelados na forma de círculos de mulheres de braços entrelaçados, reproduzindo as danças chamadas *horas*, que fazem parte, até hoje, do folclore dos povos da região dos Bálcãs. Portanto, cabem aos círculos de mulheres contemporâneas resgatarem e manterem essa tradição, praticando danças sagradas originárias de outros países e culturas. Mesmo sem uma coreografia elaborada, uma roda de mulheres que se movimenta no sentido horário, ao som das batidas de tambor, batendo os pés no chão para marcar o ritmo da percussão, ou realiza uma dança espiral (conduzida por uma mulher experiente), cria uma poderosa integração energética entre as participantes e o pulsar da Mãe Terra. Esse tipo de "meditação em movimento" pode ser usado para induzir um estado alterado de consciência, proporcionando a introspecção e o resgate de memórias antigas.

Abertura da reunião

Depois de todas as mulheres se acomodarem em seus lugares e ficarem em silêncio por alguns minutos (uma música suave auxiliará esse centramento), a dirigente dará todas as informações ligadas à sua motivação e intenção para criar o círculo. Ela também vai relatar, detalhadamente, as premissas básicas e as condições necessárias para a formação e a sustentação do grupo. Se houver outras responsáveis ou mentoras, elas vão se revezar nas explicações em um esquema preestabelecido e de comum acordo, reservando um tempo adequado para responder às perguntas.

Desde a primeira reunião deverá ser adotado o uso do "objeto da palavra", previamente escolhido, purificado e colocado no altar. Seguindo a ordem decrescente da idade, cada mulher vai contar um pouco da sua história, abordando aspectos das suas vivências como mulher, da sua caminhada e busca espiritual. Sabendo que todas vão falar, é recomendável estipular, desde o início, um prazo reduzido de tempo para cada exposição individual, levando em consideração o número de mulheres e a duração da reunião.

Nas reuniões seguintes, essa etapa poderá ser mais sucinta, consistindo num relato resumido dos aprendizados e das dificuldades individuais no intervalo decorrido desde a última reunião. Esse breve *check-in* será repetido no fim do encontro, para que cada mulher possa observar as mudanças benéficas ocorridas no seu estado espiritual, mental e emocional. Se, ao iniciar o encontro, houver uma atmosfera mais densa, com certeza no decorrer dela ela se tornará mais leve e alegre. Se alguma mulher estiver passando por dificuldades ou problemas pessoais, ela poderá pedir ao círculo uma irradiação de energia fortalecedora, transformadora e curativa.

À medida que o círculo se familiarizar com conceitos xamânicos e mágicos, a etapa seguinte poderá incluir a criação da cúpula de proteção, com invocações e orações para os guardiões das direções e os protetores e mentores espirituais, com as devidas visualizações. Essa prática será descrita mais adiante. Se ela não for necessária – ou o círculo ainda não se sentir à vontade para usá-la –, deve-se proceder a partilha, com o uso do "objeto da palavra", para que as participantes se sintam seguras para abrir o coração.

A prática do círculo

Na primeira reunião, a dirigente fará uma recapitulação resumida das premissas básicas descritas no começo do encontro, ou seja, sacralidade, tempo-espaço sagrado, compromisso, intenção, igualdade, "consciência do coração", liderança, responsabilidade, gratidão. A ordem pode ser a citada ou pode ser aleatória, abordando-se os tópicos que não foram perfeitamente compreendidos ou que dão margem a dúvidas ou questionamentos. Nas reuniões seguintes, conforme necessário, convém incluir na pauta um desses assuntos. Depois desse resumo, a dirigente pedirá às candidatas que reflitam nos próximos dias sobre as suas expectativas, possibilidades e dificuldades para pertencer a um círculo sagrado, detalhando-as por escrito e entregando-lhe o relato na reunião seguinte. Outra opção seria um questionário preparado com antecedência pela dirigente. Esse procedimento auxilia as mulheres a encontrar sua verdade interior e expô-la livremente apenas para a dirigente, que, ao conhecê-las melhor, poderá orientá-las e aconselhá-las em caso de dúvidas ou indecisões.

O próximo passo será explicar o significado e a importância do "objeto da palavra", usando-o novamente para que cada mulher pratique o falar do coração, enquanto as outras a ouvem em silêncio e com plena atenção (escuta ativa). A dirigente pedirá às participantes que reflitam sobre os seguintes assuntos que necessitam de definição e respondam a eles: tipo de liderança, local das reuniões e sua manutenção, agenda dos encontros (datas, frequência dos encontros, temas do estudo). Por ser uma agenda extensa e que exige tempo e reflexão para chegar a um consenso, as definições poderão ser adiadas até a reunião seguinte, quando também serão escolhidas as voluntárias para responsabilidades e tarefas específicas.

O assunto mais importante e que pesará na opção das candidatas de participar do círculo, motivando-as a assumir um compromisso duradouro, é a definição precisa e detalhada da agenda. Muitas vezes, essa decisão depende das perspectivas de aprendizados e evolução espiritual, que podem sustentar e fortalecer o entusiasmo passageiro. A elaboração final da agenda caberá à(s) dirigente(s), que seguirá um roteiro prévio e a apresentará depois para o círculo. A segunda parte do livro contém sugestões para auxiliar e facilitar a escolha dos temas.

Com exceção das primeiras três reuniões (prazo recomendado para a inclusão de novas candidatas e o fechamento do grupo), o cerne de uma reunião será constituído do tema a ser estudado e do ritual a ele associado. Fazem parte do ritual: preparação de uma egrégora de proteção e harmonia, criação e direcionamento do cone energético para um objetivo previamente especificado, práticas mágicas, meditação ou visualização dirigida, complementações (canções, sons e mantras, batidas de tambor), orações de agradecimentos e fechamento ritualístico. Esses procedimentos serão descritos com mais detalhes no subcapítulo seguinte.

É sempre bom lembrar às participantes a recomendação do segredo e da cumplicidade feminina, para resguardar os assuntos estudados e discutidos, que deverão permanecer apenas dentro do círculo, protegidos da curiosidade, das avaliações, dos comentários ou das críticas alheias.

Caso alguma amiga das candidatas mostre interesse em assistir a um encontro, visando a uma possível inclusão no grupo, convém orientá-la para que peça à(s) dirigente(s) permissão para participar das próximas reuniões abertas. Sugere-se o prazo de três meses para o "assentamento" do círculo, no nível humano e energético; esse período poderá ser prolongado para, no máximo, seis meses. Depois desse período, qualquer novo pedido de admissão será apreciado e avaliado por todo o círculo, evitando-se, assim, contrariedades e constrangimentos futuros.

Fechamento ritualístico

Se houver necessidade (no caso de dúvidas ou dificuldades pessoais), poderá ser feita, no final da reunião, uma nova roda da palavra, usando-se o "objeto da palavra", para que cada mulher compartilhe o que está sentido ou simplesmente relate a mudança vibratória ocorrida com ela durante a reunião.

Se o círculo tiver erguido uma cúpula de proteção para o ritual ou a prática mágica, ela será desfeita no final, agradecendo-se às forças espirituais invocadas e direcionando-se o excesso de energia acumulada para as participantes, os objetivos comuns e individuais e a Mãe Terra.

O fechamento do encontro pode ser feito com uma dança final ou simplesmente formando um novo círculo de mãos dadas. Sentindo o coração entrelaçado, as mulheres cantam ou entoam a saudação celta tradicional "o círculo se abre, mas não se rompe; feliz encontro e feliz despedida, para felizes nos encontrarmos novamente" (*May the circle be open but not broken, merry meet and merry part and merry meet again*). Passa-se ao beijo circular, cada mulher beija a face da vizinha da sua esquerda, dizendo "abençoada sejas". No final, quando o beijo "chega" no ponto de partida, a dirigente declara "que a Deusa abençoe a todas nós". Devolvem-se à Natureza as oferendas e os elementos mágicos usados, guardam-se os objetos ritualísticos e arruma-se o espaço.

Confraternização

Para compensar o desgaste energético e reforçar os laços de amizade, costuma-se servir um lanche leve no final, composto de frutas frescas ou secas, suco, chá, chocolate quente ou café, sopa de verduras e cereais, pão com pastas, uma salada de grãos ou um prato salgado, de preferência vegetariano, para não alterar a sutileza da vibração alcançada no ritual. Pelo mesmo motivo, é recomendável evitar alimentação pesada e com carne no dia e na véspera da reunião ou do ritual, evitando, principalmente, bebidas alcoólicas e qualquer substância que modifique os estados de consciência.

A programação do lanche, a responsável por ele e as contribuições necessárias são itens que serão abordados na elaboração da agenda. Também dependerá do consenso grupal o tipo de investimento individual, para cobrir, além das despesas, a habitual retribuição pelo tempo e pela energia gastos pela(s) dirigente(s) para a realização do encontro.

D. REALIZAÇÃO DE RITUAIS

> *Ela tem esperado, Ela tem esperado tanto tempo*
> *Ela tem esperado para que Suas filhas se lembrem de voltar*
> *Abençoadas sejam e abençoadas são as que amam a Senhora*
> *Abençoadas sejam e abençoadas são a Donzela, Mãe, Anciã*
> *Abençoadas sejam e abençoadas são as que dançam juntas*
> *Abençoadas sejam e abençoadas são as que dançam sós.*
>
> – Canção dos círculos de mulheres norte-americanas, de autoria de Paula Walowitz

A finalidade dos rituais nos círculos sagrados femininos é criar condições e meios para a conexão com a Deusa, como Mãe Terra, com arquétipos diversos ou com sua representação interior, que é a chama sagrada intrínseca à essência de toda mulher.

Citando Diane Stein, autora de *A Women's Book of Rituals* e realizadora de rituais: "o espaço ritualístico torna-se um microcosmos na Terra, oriundo do universo da Deusa". Ao conhecer e usar a linguagem mítica, simbólica e mágica da cosmologia da Deusa, as mulheres tornam-se capazes de ativar e direcionar seu próprio poder, transformando a si mesmas e o seu mundo real. Adquirindo e praticando essa consciência – da "sacralidade interior" –, é possível estender as mudanças para além das individualidades e atingir o nível coletivo e global. Como disse Diane Stein, "Quando as mulheres se reunirem para criar as mudanças necessárias, uma nova sociedade vai nascer". Outra escritora, a sacerdotisa da Santeria norte-americana Luisah Teish, define em seu livro *Jambalaya* o significado da palavra ioruba *axé* como "um poder interior que permite à mulher governar seu corpo e sua vida, pensar, agir, criar e ser ela mesma". Para atrair e fixar o *axé* – que é uma energia natural e universal à disposição de todos, conhecida como *mana, prana, chi, ki, vrill, önd, orgone* –, utilizam-se rituais que canalizam, movimentam e direcionam esse poder. A criação de rituais – com discernimento, responsabilidade e sabedoria – facilita a abertura de "canais" de comunicação e "portais" para a ampliação da consciência e a conexão com a Deusa, mobilizando o *axé* para transformações pessoais, grupais e globais.

Ao compartilhar o planejamento, as decisões, a organização e a realização de um ritual, a ligação e a sintonia entre as participantes de um círculo aprofundam-se. Nesses encontros, as mulheres descobrem e desenvolvem suas habilidades criativas e o seu potencial pessoal (muitas vezes latentes ou ignorados), aprendem a respeitar umas às outras e, juntas, empenham-se para manifestar seu amor e sua reverência pela Deusa.

Os rituais são também ocasiões especiais para marcar e comemorar transições e mudanças na vida pessoal (afetiva, familiar, profissional), chamadas de "ritos de passagem", assinalando finalizações e começos, perdas e dores, conquistas ou sucessos.

O ritual é uma maneira sutil, porém profunda, de "falar" com a Deusa, lembrando-nos da nossa origem e essência divinas e auxiliando-nos a abrir nossa consciência e ampliar a conexão espiritual. Com ele, podemos perceber mais facilmente Sua manifestação em tudo o que existe, na natureza interior e exterior.

Os rituais mais antigos da humanidade foram os ligados aos Mistérios do Sangue, praticados pelas mulheres desde tempos remotos, e também aqueles em que se comemoravam as estações, o ato de plantar, colher, pescar, caçar e o intercâmbio com os espíritos ancestrais e os seres da Natureza. Reverenciavam-se os mistérios da vida e da morte, personificados pelos mitos de deuses e deusas, e encenava-se a trajetória da alma no mundo terreno com danças, rituais, práticas mágicas, oferendas e comemorações.

Embora as celebrações, as cerimônias e os rituais "pertencessem" às mulheres (por terem sido elas as suas idealizadoras, sacerdotisas e oficiantes durante milênios), com o advento das religiões e das tradições patriarcais, todos foram "confiscados" e entregues aos homens: sacerdotes, padres, rabinos, pastores, lamas, gurus. As decorrentes perseguições do poder sagrado, oracular e curador das mulheres, culminando com o terror da Inquisição, levaram ao retraimento e ao adormecimento da força e da sabedoria ancestral feminina. Até hoje, pressionadas por imposições familiares ou sociais, muitas mulheres – modernas, intelectuais, racionais – temem, ocultam ou negam a necessidade e a importância dos rituais e das práticas mágicas, abafando, assim, o seu próprio poder atávico e inato.

Todavia, esse poder sagrado ancestral persiste na nossa memória sutil e nos impele a retornarmos àqueles momentos mágicos e poderosos de outrora, quando nos reuníamos ao redor de fogueiras ou dançávamos nas noites de Lua cheia. Precisamos apenas querer, ousar e confiar que o nosso *axé* nos conduzirá com segurança, proteção e sabedoria.

Os rituais e as cerimônias constituem o cerne da espiritualidade feminina, e todos os círculos sagrados os realizam, de uma maneira ou de outra. Eles se apresentam sob diversas formas, com simbolismos e objetivos variados, de modo espontâneo ou elaborado, ocasional ou planejado, e lançando mão de mitos, elementos e práticas de várias tradições e culturas. Mesmo diversos e variados, todos têm em comum uma estrutura e sequência universal, que foram modificadas e adaptadas ao longo dos tempos em função das necessidades e possibilidades das gerações e da sua localização geográfica. Porém, como denominador comum, eles preservaram alguns componentes indispensáveis para o fluxo harmonioso do *axé*.

Sedonia Cahill e Joshua Halpern, autores do livro *Cerimonial Circle*, dividem a estrutura dos rituais em três partes distintas, que devem ser igualmente honradas e harmonizadas para que o círculo atue com eficiência. São elas: o distanciamento do mundo exterior (a entrada no tempo-espaço sagrado), o limiar (a fase central em que se ultrapassam as limitações das identidades habituais) e a volta para o "aqui e agora", integrando a sabedoria obtida no contexto da vida cotidiana.

Ofereço como sugestão básica um roteiro elaborado e "testado" ao longo da minha atuação cerimonial. Com base nas etapas e nos procedimentos detalhados em seguida, os novos círculos poderão criar suas próprias versões, adaptando-as ou modificando-as em função do seu conhecimento teórico e da própria experiência.

Roteiro básico para rituais

1. Intenção: Escolher o Objetivo

Este requisito é essencial para os rituais planejados, visto que os espontâneos podem surgir em decorrência de uma solicitação ou necessidade momentânea de uma das participantes ou de todo o círculo (cura, harmonização e conexão com as forças da Natureza para abençoar, pedir ou agradecer, entre outros).

Dependendo da liderança do círculo, o objetivo do ritual será escolhido pela(s) dirigentes(s) ou por consenso, com base nas sugestões e nos pedidos de todas as integrantes. No planejamento grupal de um ritual há uma profusão de ideias e uma avalanche de sugestões que agradam a umas e são repelidas por outras. Argumentos a favor e contra exigem muito tempo e energia, e as discussões não são o meio mais indicado para chegar a um consenso, muitas vezes provocando melindres e ressentimentos. Por isso é recomendável que se use o "objeto da palavra" e se estipule um tempo (pode ser usada uma ampulheta, para evitar os sobressaltos que o som de um gongo ou sino produz) para que cada mulher exponha sua proposta, assuma responsabilidades e indique soluções para as eventuais dificuldades. Dessa maneira – igualitária e pacífica –, os ânimos se acalmam e chega-se a um consenso em muito menos tempo, sem debates ou atritos.

Caso o círculo siga uma agenda permanente, elaborada e planejada – por exemplo, celebrando os plenilúnios e a Roda do Ano –, os elementos, objetos, os procedimentos e as responsáveis pela organização e realização do ritual serão previamente escolhidos, definidos e detalhados. Se ele for aberto para o público, convém especificar os meios para a sua divulgação (anúncios em jornais, cartazes, internet).

Para que o ritual seja eficiente e toque a todas, sua finalidade ou intenção deve ser clara e bem definida, e declarada no início. Essa "declaração" inicial cria uma atmosfera energética e mental propícia para que cada participante se prepare, abrindo a mente e o coração para o objetivo escolhido. É importante resolver previamente quaisquer divergências ou iniciativas dissonantes entre as responsáveis pelo ritual. Se todas estiverem vibrando em uma só direção e agirem conforme o esquema preestabelecido, o poder do ritual será muito maior, e sua ação, acelerada.

Na ausência de uma agenda fixa, escolhem-se nessa etapa a data e o lugar, a "escala" das responsáveis, o material que será usado, bem como os complementos (música de fundo, danças, canções, práticas artesanais ou mágicas). Mesmo que seja necessário, às vezes, improvisar ou fazer alterações em certos momentos do ritual, é importante evitar isso, ao máximo, durante sua preparação.

> OBSERVAÇÃO: ao declarar o propósito do ritual, convém afirmar sempre: *"que seja para o bem de todos os envolvidos e em benefício do Todo"*, selando, assim, a intenção e o procedimento corretos.

2. Transição: Criar Tempo-Espaço Sagrado

Para marcar a transição do profano para o sagrado, deve-se definir e delimitar o espaço físico destinado ao ritual. A sua escolha – em ambiente fechado ou na Natureza – dependerá da ocasião e das possibilidades logísticas do círculo. Atualmente, com raras exceções e dependendo da localização geográfica, é cada vez mais difícil encontrar lugares seguros, puros e resguardados em ambientes naturais, que antigamente eram os próprios *nemeton* ou *temenos* ("templo" em grego) dos nossos ancestrais.

Mesmo sendo difícil e às vezes oneroso, é recomendável que o círculo faça, de vez em quando, um ritual ao ar livre em uma mata, cachoeira, beira de rio, lago ou mar, com a intenção de se harmonizar, louvar ou agradecer à Mãe Terra e aos seres e espíritos da Natureza. Mais do que nunca, as mulheres modernas precisam dessas oportunidades para descarregar os resíduos da poluição urbana e tecnológica retidos nos seus campos áuricos e preencher suas "baterias" com provisões de *axé* natural. Nessas oportunidades, o roteiro deve ser simplificado e adaptado às condições do local, com ênfase no círculo de proteção; no pedido de permissão, ajuda e bênção das forças espirituais guardiãs do local; na homenagem e no agradecimento à Mãe Terra e às deusas regentes dos elementos e do ambiente ao redor.

Se o círculo se reúne habitualmente em um mesmo local, com o passar do tempo e a repetição de rituais, se plasmará uma egrégora astral envolvendo o espaço e fortalecida a cada nova cerimônia. Se o local for usado por outras pessoas e com finalidades diferentes, será preciso dar mais atenção à purificação energética, usando-se todos os elementos mágicos enumerados no subcapítulo anterior.

Em ambientes fechados, o espaço circular pode ser demarcado pela arrumação das cadeiras ou almofadas, ou com um círculo feito com giz no chão, com uma corda ou com fitas coloridas. Ao ar livre, além da corda, podem ser usados gravetos, pedras, conchas ou sal grosso ou fubá espalhado pelo chão. Uma música suave ou batidas compassadas de tambor favorecem a introspecção e o silêncio das participantes.

A transição é completada pela purificação das participantes, feita em silêncio e concentração. Seguem-se os exercícios de centramento e harmonização, as danças circulares e a formação do círculo de mãos dadas. Sela-se a transição com a criação da cúpula de proteção, em que as mulheres permanecem de pé e de mãos dadas.

A cúpula energética de proteção poderá ser formada, verbalmente, por meio de invocações para os guardiões das direções cardeais, cabendo a uma ou mais voluntárias essa responsabilidade, enquanto as outras mulheres as acompanham mentalmente. Dependendo da intenção e da escolha prévia, as responsáveis pelas invocações (preparadas com antecedência ou criadas com a inspiração do momento) "chamam" as cinco ou sete direções, voltando-se para os respectivos pontos cardeais, segurando na mão o elemento ou o objeto sagrado correspondente ou apenas elevando os braços em forma da letra V.

A seguir, ofereço informações sucintas sobre as correspondências das direções. Escolhi a tradição xamânica por ser a mais "natural", visto que ela segue a trajetória diária do Sol. Mais detalhes sobre os atributos encontram-se na terceira parte deste livro, nos capítulos "Roda Sagrada da Tradição Ocidental" e "Rodas Xamânicas".

- Leste – o poder do fogo, o portal para o espírito, o caminho da busca da visão, o poder mágico do "querer", a função da intuição. Atributos: clareza, inspiração, discernimento, força, expansão, ação, novos começos. Elementos: chama (vela, lamparina, tocha), cor amarela ou dourada, instrumento de percussão, bastão, flecha, lança; imagens de Sol, leão, tigre, águia, falcão; incenso de cravo, canela, mirra. Objetivos: fortalecer a força de vontade, aumentar a vitalidade, favorecer mudanças comportamentais e profissionais, ter coragem, agir, conseguir, abrir-se para comunicações com o mundo espiritual.
- Sul – o poder da água, o portal para as emoções e a cura da criança interior, o caminho da aprendiz, o poder mágico do "ousar", a função da emoção. Atributos: confiança, espontaneidade, humildade, expressar e harmonizar emoções, fluidez, suavidade, pureza. Elementos: água, chuva, conchas, espelho, cabaça, pau de chuva, cor verde (vegetação), vermelha (sangue); imagens de corais, algas, serpente, peixes, sapo, golfinho, baleia; incenso de rosa, jasmim, lótus, eucalipto. Objetivos: curar as feridas emocionais da infância, transmutar a raiva e a culpa, resgatar a confiança para harmonização e equilíbrio.

- Oeste – o poder da terra, o portal para o corpo, o caminho da curadora, o poder mágico do "calar", a função da sensação. Atributos: interiorização, paciência, perseverança, transmutação, eficiência, manifestação. Elementos: pedras, cristais, metais, sementes, pote de barro com terra vegetal e musgo, cor preta e marrom, pentáculo (pentagrama dentro de um círculo), caldeirão, cesto, chocalho, tambor; imagens de urso, lobo, tartaruga, castor, búfalo; incenso de sálvia, cipreste, eucalipto, madeiras. Objetivos: estruturação, sustentação, abundância, realização material, cura física, reverenciar espíritos da Natureza e dos ancestrais, gratidão pela colheita.
- Norte – o poder do ar, o portal para a mente, o caminho da guerreira, o poder mágico do "saber", a função do pensamento. Atributos: conhecimento, inspiração, aprendizado, sabedoria, comunicação, libertação, criatividade, concentração. Elementos: incenso, penas, leque, sino, punhal, *sistro* (chocalho egípcio de metal), flauta, cores transparentes; imagens de pássaros, borboletas, nuvens; incenso de sândalo, benjoim, alfazema. Objetivos: aprendizado, exercícios respiratórios, transformação, renovação, movimentação (dança), criatividade.
- Centro – o poder mágico e sagrado, o portal para o contato com a Deusa e o direcionamento das energias, o caminho da sacerdotisa, a direção da alma, a síntese de todos os elementos e direções. Atributos: elevação, transformação, transmutação, integração, visão interior, equilíbrio, harmonia, amor. Elementos: cristais, pedras furadas naturalmente, imagens da Deusa, caldeirão, cabaça, as cores do arco-íris, todos os animais de poder, os protetores individuais. Objetivos: o contato com o Eu Superior, os mestres espirituais, os seres sobrenaturais, trabalho com sonhos, visualização, meditação, invocações com sons e movimentos, dança extática, canalização.
- Acima – a direção do céu, dos planetas, das estrelas, do espaço cósmico. O reino da consciência cósmica, dos mistérios dos mundos e planos sutis. Os registros akáshicos, a memória ancestral, os mitos de criação. A comunhão com o universo e as divindades.
- Abaixo – o hábitat, a biosfera do planeta Terra, todas as formas de vida do meio ambiente. O reino da consciência planetária, a conexão

com a comunidade e a teia da vida (humana, vegetal, animal, mineral), a própria Terra.

Outra maneira de plasmar a cúpula de proteção é fazer uma visualização dirigida, como a descrita a seguir. Antes de iniciá-la, todas as mulheres devem se centrar, em pé, com a coluna reta, os braços estendidos para o alto, captando as energias celestes e os pés firmes, como se estivessem enraizados no chão.

"Imagine-se como uma árvore cujas raízes absorvem nutrientes e sustentação do centro da Terra e cujos galhos e folhas se nutrem com as energias planetárias. Ao expirar, mentalize a eliminação dos resíduos energéticos remanescentes das suas atividades cotidianas, o cansaço e qualquer tipo de preocupação. Ao inspirar, conduza as correntes de energia cósmica e telúrica ao longo da sua coluna vertebral, ativando todos os centros de força (chakras) e mesclando-os à altura do coração. Juntando os dedos das mãos sobre o centro de poder (três dedos abaixo do umbigo), inicie a visualização de uma esfera luminosa (citar uma cor) englobando todo o local do ritual."

OBSERVAÇÃO: a cor da esfera poderá ser branca, lilás, azul ou verde, de acordo com o objetivo do ritual – homenagem a uma Deusa, transmutação, elevação espiritual ou cura.

Termina-se a visualização com as mulheres dando-se as mãos e entoando um mantra, a sílaba *Máa* ou um som grupal.

Na tradição Wicca, a criação do círculo de proteção é mais formal e elaborada, utilizando-se expressões e gestos tradicionais; no xamanismo, usa-se o chocalho ou tambor, definindo os limites do círculo por meio do som. Para isso, as mulheres se movimentam no sentido horário ao redor do altar (se o espaço permitir) ou usam o ritmo – do tambor ou chocalho – em conjunto com a visualização da cúpula luminosa de proteção. O método xamânico é mais simples, prático e dá excelentes resultados.

O conteúdo do chocalho (sementes, pedrinhas, cristais) representa as "sementes da criação", que, ao serem sacudidas, "despertam" para a vida. O uso do chocalho por um longo período de tempo induz um estado alterado de consciência, que facilita a introspecção e o intercâmbio com os planos sutis.

O tambor é considerado pelos xamãs a "voz da Mãe Terra" falando ao coração humano, despertando lembranças atávicas e a conexão com a energia materna (divina e carnal). Um círculo de mulheres que batem tambores no mesmo compasso – ritmos variados ou a "batida do coração" – proporciona profundas experiências de resgate das raízes ancestrais, de conexão com as forças espirituais, de cura e renovação energética. O tambor mais prático e que nos ajuda a aprender os ritmos certos é do tipo xamânico, de couro, com uma ou duas faces, e tocado com baqueta. Existem outros tipos, como os africanos e indianos, cuja percussão é feita com as mãos, mas esses requerem mais conhecimento e prática para dominar a técnica. O ideal seria que as mulheres do círculo usassem o mesmo tipo de tambor e praticassem bastante juntas, para encontrar um ritmo grupal harmonioso e uniforme, no mesmo pulsar da Mãe Terra.

Uma vez criado o "tempo-espaço sagrado", é necessária a transição interior. Os meios usados são silêncio prolongado para introspecção (ouvindo músicas com sons da Natureza ou mantras), centramento por meio da respiração ritmada, entoação de mantras ou uma curta visualização dirigida que propicie a descontração física e a receptividade interior. Quando as participantes se desligam das solicitações e atuações do mundo exterior, relaxando o corpo, acalmando a mente e apaziguando o coração, criam-se condições para a conexão das participantes com a sua essência divina – o Eu Superior – e a elevação da frequência vibratória em sintonia com os planos sutis.

É importante lembrar que, uma vez criada uma cúpula ou círculo de proteção, a barreira energética plasmada deverá ser reaberta no final do ritual, e o excedente das energias, direcionado para a terra ou armazenado em algum objeto de poder. Não convém sair do círculo após sua formação; em caso de extrema necessidade, "abre-se" (com o dedo indicador da mão dominante) uma "porta" na sua circunferência para a pessoa sair, "fechando-a", em seguida, da mesma forma.

Quando se preserva e honra o círculo, considerando-o um espaço sagrado, seguro e protegido, as ideias e imagens utilizadas ficam impressas no nosso subconsciente; ao recriá-lo novamente, o procedimento inicial e sua formação são mais fáceis e rápidos.

3. Conexão: O Ritual Propriamente Dito

> *Você está prestes a entrar em um lugar que está além da imaginação, um vórtice de poder onde se encontram luz e sombra, alegria e dor, segurança e medo, vida e morte. Transponha o portal que separa os mundos, saia da sua realidade cotidiana e descubra uma nova e sagrada dimensão que a leve fora do tempo e do espaço.*
>
> – *Goddess Spirituality Book*, Ffiona Morgan

O objetivo de um ritual é proporcionar um portal que dá acesso aos níveis sutis do universo, ultrapassando as barreiras e limitações dos condicionamentos mentais, culturais, sociais e comportamentais.

Durante um ritual profundo e magisticamente elaborado, ocorre a expansão da percepção e um deslocamento – ou projeção – da consciência, sem a necessidade de substâncias que alterem quimicamente o cérebro. O estado de um transe leve – induzido pela meditação profunda ou pelas batidas de tambor – intensifica as sensações e favorece *insights,* intuições e visões. Ele amplia a imaginação e a criatividade, aprofunda a concentração e revela novas possibilidades e soluções para os problemas e as dificuldades cotidianas, sem incorrer nos perigos e nas miragens do transe provocado por meios químicos ou plantas alucinógenas.

Uma meditação – livre ou dirigida –, precedida de adequada preparação e acompanhada por um tema musical apropriado, permite que se tragam para o nível consciente imagens, emoções e memórias guardadas no subconsciente (Eu inferior), proporcionando curas e transformação pessoal. Ao mesmo tempo, ela abre um "portal" para a comunicação com o supraconsciente (Eu superior), permitindo a conexão com os planos sutis e as energias espirituais e divinas.

A principal finalidade de um ritual nos círculos femininos é permitir, facilitar e aprofundar a conexão e a comunhão com a Deusa, atraindo Suas energias para nossa vida e fortalecendo Sua presença, Seu amor e poder no âmago da nossa essência. A alma feminina deseja e precisa vivenciar essa "imersão no sagrado", proporcionada pelos elementos, pelas etapas, pelas práticas e pelos propósitos de um ritual. Para poder sair da realidade "comum" e objetiva e penetrar na dimensão incomum e sagrada, é necessário criar um campo energético, cujos símbolos e complementos produzam ressonância nas participantes.

Quanto mais coordenados e uniformes forem os passos ritualísticos, mais profundas e duradouras serão as impressões que produzirão e mais perceptíveis serão seus efeitos. Para atingir esse objetivo, é imprescindível uma programação e preparação cuidadosa do roteiro, dos objetos, das palavras e e das imagens, dos gestos e da música, para que a experiência ritualística alcance todos os sentidos e permita o estabelecimento dos vínculos espirituais e sua repercussão posterior na vida de cada uma.

Dependendo da finalidade do ritual e da escolha do roteiro, as etapas de purificação, harmonização e formação da cúpula energética podem ser feitas na fase de preparação ou usadas como componentes e partes do ritual, antes das invocações, das explicações e da meditação. O importante é sempre criar – mesmo de maneira simplificada em rituais ocasionais ou nas reuniões – uma egrégora energética que defina o limiar de separação e transição do mundo profano para o sagrado e facilite a abertura de portais para os planos sutis.

Os rituais podem ter várias finalidades: proteger (uma pessoa, um lugar, um evento); ativar a criatividade e liberar os dons latentes (artísticos, musicais, literários); atrair abundância, sucesso e plena realização (nos planos afetivo, material, profissional); aumentar o poder pessoal na superação de desafios e obstáculos (pessoais, grupais, comunitários, globais). Com finalidades curativas, eles são utilizados para causar catarse, transmutar lembranças dolorosas e propiciar a cura emocional (após perdas, doenças, acidentes, traumas violentos), incentivar e praticar o perdão (por si mesma e de outros), renovação (remover bloqueios, medos e limitações). Os rituais e cerimônias fazem parte da aplicação prática dos assuntos teóricos estudados (como mitos, arquétipos e elementos das Deusas, ensinamentos xamânicos, conexão com as fases da Lua e a Roda do Ano, arcanos do Tarô, simbolismo rúnico), bem como da reverência às ancestrais e da celebração dos ritos de passagem.

Na segunda parte deste livro, serão descritos rituais correlatos com os temas sugeridos para estudos e vivências dos círculos femininos. Na terceira parte serão detalhadas cerimônias que podem ser abertas ao público, como os plenilúnios e as comemorações da Roda do Ano e das Matriarcas.

Para conduzir um ritual com segurança e eficiência, são necessários conhecimentos teóricos e treinamento prático, ritualístico e cerimonial; essas condições são essenciais e podem ser facilitadas pela cuidadosa preparação (do roteiro, espaço, participantes) e o devido planejamento.

Para facilitar o suave fluir de um ritual, aconselho a observação de algumas providências básicas, citadas a seguir.

Antes do ritual

- Uma reunião preparatória para definir a(s) dirigente(s) do ritual e suas auxiliares (para arrumação do espaço e do altar, purificação, orientações para o público, invocações, canções, danças, práticas e meditações).
- Preparação e divulgação, com antecedência, da lista do material necessário e do arquétipo divino que será celebrado, principalmente se for público.
- Escolha da responsável por receber a contribuição (caso o ritual seja público). Diferente de outros caminhos espirituais, na Tradição da Deusa o dinheiro não é depreciado como um vil metal, mas honrado como uma dádiva da Deusa e usado no intercâmbio energético do ato da doação e recepção, de acordo com o antigo ditado nórdico "um presente requer outro presente".
- Definição do lanche e da responsável por prepará-lo e limpar o material usado, bem como pela arrumação do espaço após a saída das participantes, que acontece, geralmente, como uma "revoada de pássaros" (sem preocupação com esses detalhes).
- Conferência da aquisição do material necessário (para altar, práticas e vivências), funcionamento do som, abertura e fechamento do espaço no final. Aconselho estabelecer um horário limite para admissão das participantes, fechando as portas após o começo do ritual, para evitar a dispersão e "quebra" da corrente humana e energética.

Após o ritual

- É imprescindível a colaboração de algumas voluntárias, previamente escolhidas, para a logística pós-ritual (arrumação, limpeza, guardar objetos, material, fechamento de portas), bem como a entrega das oferendas (em água corrente, perto de uma árvore ou divididas entre as participantes).

※ Uma reunião rápida para comentários sobre possíveis falhas e as contribuições e realizações positivas, individuais e grupais.

As etapas recomendadas para qualquer ritual seguem o esquema a seguir:

※ criar uma atmosfera de expectativa e antecipação, que inclui a preparação do espaço, a purificação, a harmonização e o centramento das participantes, por meio dos elementos adequados (movimento, sons, palavras, silêncio, introspecção, música, imagens, gestos);
※ construir a essência do ritual com explicações detalhadas; criação da cúpula de proteção, invocações, orações e meditações, visando à formação e ao direcionamento do cone de poder; uso de alguma prática mágica ou artística, centramento final para auxiliar o retorno para "o aqui e agora"; aproveitamento do excedente de energias acumuladas (entregando-as para a terra, liberando-as para um objetivo específico ou armazenando-as em um objeto de poder);
※ finalizar o ritual com agradecimentos às forças espirituais invocadas, desfazer a cúpula energética, reforçar a união grupal com uma dança circular e a despedida ritualística;
※ facilitar a transição do "espaço e tempo sagrados" para o cotidiano com uma confraternização e troca de impressões.

Novos rituais

Para auxiliar os círculos de mulheres na criação de novos rituais, ofereço a descrição das etapas de um roteiro básico

※ Preparação do espaço.
※ Arrumação do altar.
※ Purificação das participantes.

OBSERVAÇÃO: essas etapas já foram descritas anteriormente.

※ integração (círculo de mãos dadas, som grupal, danças circulares, cantar o nome).

- ❈ Harmonização (exercícios respiratórios, mantras, mudras, visualização para centramento, silêncio).
- ❈ Conexão com as energias cósmicas (influências planetárias, fase da Lua, signo solar, chuva, vento, nuvens), telúricas (Mãe Terra, espíritos e forças da Natureza, animais aliados) e espirituais (protetores individuais, Anjos, aspectos e atributos da Grande Mãe). Usam-se visualizações dirigidas com imagens, cores, símbolos e orações. Acendem-se a vela e o incenso do altar.
- ❈ Centramento – relaxar e respirar ouvindo música suave, com sons da Natureza ou batidas lentas de tambor.
- ❈ Criar a cúpula energética – uma ou mais pessoas invocam as qualidades e energias das cinco ou sete direções, elevando os braços ou segurando os objetos correspondentes. As pessoas responsáveis pelas invocações circulam no sentido horário ao redor do altar ou apenas se voltam para a respectiva direção, acompanhadas pelas demais participantes. Usam-se palavras e imagens adequadas, com voz firme, para que todas possam ouvir. É conveniente preparar as invocações antes do ritual, evitando, assim, esquecimentos ou hesitações na hora de falar. A barreira energética pode ser criada também pelo som do chocalho ou das batidas de tambor, além de por visualizações de chamas coloridas, faixa com símbolos, círculo de runas, cercas fluídicas em cores ou uma muralha de espinhos. Independentemente da forma ou dos elementos usados, ela deverá ser desfeita ao final do ritual, acompanhando a visualização com um movimento anti-horário (caminhando ou fazendo gestos).
- ❈ A bênção individual – dirigida por uma responsável e acompanhada pelas demais. Pode-se utilizar o traçado do pentagrama, tocando-se com os dedos da mão dominante a testa, o mamilo esquerdo, o ombro direito, o ombro esquerdo, o mamilo direito e novamente a testa. Passa-se água do mar, de chuva, de cachoeira, de fonte ou uma essência na mão e mentaliza-se a proteção conferida por esse símbolo com uma cor lilás ou branco-prateado envolvendo toda a aura. Em outra bênção, a dos chakras (descrita no livro *O Legado da Deusa com as respectivas invocações*), associam-se cores correspondentes aos pontos de poder energético, começando no alto da cabeça: violeta ou

dourado (centro do crânio), azul índigo (meio da testa); azul-turquesa (garganta), verde ou rosa (centro do esterno), amarelo (plexo solar), laranja (três dedos abaixo do umbigo), vermelho (púbis), finalizando com um halo branco ao redor do corpo, símbolo de um escudo protetor.

- Explicações sobre o objetivo e os procedimentos do ritual: muito indicadas em rituais públicos para superar os medos do desconhecido e dissipar as dúvidas da assistência.

- Descrição do arquétipo a ser reverenciado (mito, lenda, história), incluindo a simbologia a ele associada: atributos e qualidades que serão atraídas para as participantes e a finalidade do ritual. Deve-se ter cuidado para não estender demais o assunto, nem entrar em detalhes supérfluos, para não cansar e desviar a atenção. Todavia, é necessário conhecer bem o mito e as características da Deusa a ser cultuada, bem como o contexto histórico da origem do seu culto. No livro *O Anuário da Grande Mãe* (ver Bibliografia) encontram-se informações úteis para criar rituais específicos em cada dia do ano, e na terceira parte deste livro são descritas comemorações para a Roda do Ano e os plenilúnios.

- Meditação ou visualização dirigida pela coordenadora do ritual, visando à conexão com o arquétipo homenageado (Deusa, Orixá, forças da Natureza, ancestrais) e à canalização do potencial energético para formação de um "cone de poder", que será lançado na direção do objetivo (grupal, comunitário ou ambiental). Uma vez visualizado o vórtice energético, ele será lançado no momento certo (intuído pela dirigente), no auge do seu poder, com palavras, batidas de tambor, palmas, gritos, assobios, uivos, gestos, sapateado, pulos, danças. Nessa etapa, podem-se imantar, com o poder criado pelo cone de poder, os objetos trazidos pelas mulheres, como velas, fitas, fios, espigas de trigo ou de milho, sementes, cristais, pedras, conchas, argila, espelhos, símbolos, enfeites ou imagens, para transformá-los em amuletos ou consagrá-los para oferenda. Complementa-se com uma canção (já existente ou composta pela inspiração do momento), na qual cada mulher entoa uma frase ou palavra, e o círculo repete tudo como um mantra ou uma dança circular ou em espiral.

- ❈ Restabelecimento do equilíbrio psicofísico por meio de centramento, direcionando-se o excesso de energia para o benefício da Mãe Terra (colocando as palmas da mão no chão ou visualizando um lugar específico). Se isso não for feito, as mulheres podem se sentir excessivamente energizadas e ter problema para dormir, ficando irritadas ou com dificuldade de voltar ao "aqui e agora".
- ❈ Agradecem-se às forças espirituais invocadas, desfaz-se a cúpula energética no sentido inverso à sua formação e finaliza-se o ritual com palavras apropriadas e a despedida tradicional no círculo de mãos dadas, com o beijo circular.
- ❈ Se o ritual for feito ao ar livre, as oferendas e o restante da água, as ervas, os grãos, as espigas e as flores do altar são deixados perto de uma árvore ou pedra, em sinal de gratidão pela Mãe Terra e pelas forças da Natureza. Em ambientes fechados, uma responsável será encarregada de levá-los depois para um lugar mais adequado.
- ❈ A confraternização inclui um lanche, e a algazarra inerente assinala o retorno à "realidade comum".

Esse roteiro poderá ser simplificado para as reuniões de estudo ou os encontros ocasionais, ou, pelo contrário, ampliado (com acréscimos de detalhes e contribuições das participantes) nas cerimônias públicas.

Pode-se até mesmo incluir uma "roda da palavra", passando o "objeto da fala" para que cada mulher contribua com uma oração, um pedido de cura, palavras "de poder" ou afirmação positiva, em concordância com a tônica e a finalidade do ritual. Cito como exemplo a Celebração das Ancestrais – no *Sabbat* Samhain (31 de outubro) –, quando as mulheres podem declarar sua filiação, citando suas ancestrais até a mais distante de cujo nome se lembrarem: "*Eu* (nome), *filha de* (nome da mãe), *neta de* (nome da avó), *bisneta de* (nome da bisavó), *reverencio e agradeço às minhas ancestrais*". Dessa maneira é reconhecido e honrado o legado da linhagem feminina ancestral, percebendo-se a "presença" dessa energia, vista pelas clarividentes como um círculo de mulheres de diferentes feições e idades ao redor das suas descendentes.

Em rituais dedicados ao fortalecimento do poder e à afirmação do feminino, pode-se incentivar que cada mulher faça a declaração do seu objetivo pessoal e que todas repitam depois esta expressão: "(nome) *deseja, quer, pode e vai conseguir* (definição do propósito)". A egrégora criada por essas afirmações e pensamentos positivos é tão poderosa que as mulheres ficam condicionadas e convencidas da sua realização e em pouco tempo a conseguem de fato.

Quanto mais um ritual reforça a autoestima, a segurança, a proteção, a saúde, a capacidade de realização, o sucesso, mais ele entra em ressonância com o potencial latente de cada mulher, mobilizando seus recursos interiores, removendo limitações e condicionamentos negativos e atraindo circunstâncias e meios que permitam a realização de um sonho, projeto ou necessidade.

O uso de objetos materiais oferece o substrato necessário para concentrar e ancorar a energia plasmada pela união da vontade (força motiva) e do desejo (força emotiva). Desejar somente não basta, assim como o ato de querer sem desejar não mobiliza energia suficiente para materializar um propósito.

Segundo a definição dada pela ocultista e escritora Dion Fortune, "a magia é a arte de transformação da consciência pela vontade", remodelando, assim, a realidade ou fazendo as coisas acontecerem. Para que a magia aconteça, precisamos criar condições psicológicas e espirituais favoráveis, concentrar as intenções e os desejos individuais em uma corrente firme e liberar a energia acumulada de uma só vez, para que ela alcance o alvo determinado.

Em um ritual grupal, o alvo pode ser individual (cura, fortalecimento, "empoderamento" – resgatar e expressar o poder pessoal –, realização afetiva, artística ou profissional, resiliência e renovação, evolução espiritual); comunitário (para combater a violência e motivar os líderes políticos a agir); ou global (diminuir a poluição e a destruição da Terra, evitar a extinção da biosfera e das espécies, pedir clemência a Gaia pelos erros humanos, vibrar a favor da paz mundial).

Mesmo diversificando ou mudando o roteiro sugerido, é importante não omitir a transição do profano para uma dimensão sagrada, os esclarecimentos detalhados (do propósito, das etapas do ritual e dos procedimentos magísticos), a conexão com as forças espirituais, a reverência e a gratidão à Grande Mãe, o centramento para facilitar o retorno ao mundo habitual e o fechamento ritualístico.

E. CONFIRMAÇÃO DO COMPROMISSO: DESPEDIDA RITUALÍSTICA

> *Compromisso significa a determinação em permanecer fiel ao seu propósito, ao longo dos inevitáveis altos e baixos do caminho.*
>
> – *Sacred Circles*, Robin Carnes e Sally Craig

Dedicação e consagração

Depois de três meses de participação e avaliação, antes de formalizar e ritualizar o compromisso de pertencer a um círculo sagrado, chega o momento em que cada mulher deve se questionar sobre sua decisão e a certeza da escolha. Vou enumerar algumas perguntas que elas podem fazer a si mesmas para auxiliar a clarear dúvidas e questionamentos internos.

- Vou participar de todas as reuniões e encontros, com exceção de sérios imprevistos e de situações que fujam ao meu controle?
- Serei pontual e realmente presente durante os encontros, assumindo uma postura sincera, honesta e autêntica e mantendo-me aberta e receptiva para ouvir a exposição alheia e compartilhar dela?
- Honrarei e seguirei a condução e as diretrizes do círculo, respeitando e acatando a orientação da dirigente e as escolhas e decisões da maioria para chegar a um consenso?
- Estou pronta para praticar a "consciência do coração", falando a minha verdade e mantendo-me aberta para ouvir e guardar silêncio em relação às confissões das minhas irmãs?
- Tentarei colocar na prática os valores e princípios da sacralidade feminina, não apenas dentro do grupo, mas na minha vida diária, familiar e social?

Para que um círculo realize seu completo e amplo potencial, ele deve ter como base um compromisso individual e grupal que preencha os requisitos acima citados. Apenas assim um círculo de mulheres pode se tornar um *dojo* – um lugar em que possam praticar atitudes e ações que contribuam para a mudança das pessoas e do mundo. O círculo será um verdadeiro *temenos* (santuário), mesmo na atual selva urbana e tecnológica, se suas integrantes praticarem permanentemente a "consciência do sagrado" sendo fiéis ao compromisso assumido.

Tudo o que é criado e potencializado em um círculo sagrado, irradia e beneficia a todos os seres e ao Todo.

A definição de compromisso varia de um grupo para outro e muda com a passagem do tempo, não se tornando mais superficial ou permissivo, mas, pelo contrário, reforçando os elos e as responsabilidades. Convém definir claramente o nível de compromisso exigido ou esperado de cada integrante e também da(s) dirigente(s), pois conciliar conceitos e expectativas é um desafio que pode colocar em risco a sobrevivência do círculo.

Assim como acontece em outros tipos de relacionamentos, o círculo pode passar por fases e ciclos, divergências e conflitos (que serão descritos mais adiante). Alguns círculos preferem definir, desde o início, os limites das solicitações, dos encontros, dos pedidos, dos compromissos pessoais fora das reuniões. O fato de o compromisso dentro do círculo ser imprescindível e absoluto (enquanto a mulher fizer parte dele) não significa que ele implica a mesma dedicação e interação pessoal no nível social ou profissional. Às vezes, uma mulher deseja ou quer a amizade e o apoio de uma ou mais das suas irmãs fora do âmbito do círculo. Por mais que eu me empenhe na proposta e recomendação da solidariedade e irmandade entre as mulheres, o convívio entre as mulheres, muitas vezes, me mostrou que a intimidade e a amizade estabelecidas nos encontros e nas vivências não são garantia da sua continuidade no mundo exterior. Algumas mulheres podem ficar decepcionadas ou magoadas se suas expectativas e necessidades de amizade e auxílio não forem preenchidas (como visitas, passeios, assistências com os familiares, apoio emocional ou material, resolução de problemas, entre outros).

Mesmo que seja o ideal e desejado, compartilhar objetivos espirituais comuns não implica convívio amplo e permanente fora do círculo. O círculo une as mulheres, mas os laços afetivos profundos que uma verdadeira amizade requer não são automáticos, pois dependem de outros fatores (disponibilidade, afinidade, receptividade familiar ou social).

O contrário também é verdadeiro: outras mulheres assumem – erroneamente – que sua interação e solidariedade se restringe ao âmbito das reuniões, tornando-se inacessíveis fora delas, e desconsideram, assim, o lema "*somos todas irmãs*".

Para evitar possíveis mágoas e constrangimentos, convém propor, desde o início, uma linha de conduta transparente e firme, enfatizando a cooperação dentro das atividades do círculo (sejam elas ritualísticas, culturais, artísticas, ecológicas, comunitárias ou em eventos públicos) e a liberdade de escolhas pessoais fora do âmbito grupal. O tempo vai revelar como o círculo manifestará o espírito comunitário, quem serão as mulheres que abrirão seu coração e seus espaços sem reservas e quais serão as que preservarão e defenderão sua privacidade. Porém, qualquer que seja a opção da mulher, ela deve ser aceita e respeitada pelas demais.

Como orientação, segue o resumo das normas de convívio grupal propostas por Christina Baldwin, no seu livro *Calling the Circle*, baseadas na sua experiência pioneira em formar e conduzir círculos com diversas finalidades.

1. O que é falado ao círculo pertence ao círculo. As confidências e vivências não são comentadas, e os conflitos são resolvidos pelas participantes no âmbito dos encontros.
2. O círculo é uma prática de discernimento e não de julgamento. Ouve-se com atenção o que cada mulher fala, apreciando sua contribuição sem interrupção, julgamento, comentários ou críticas.
3. Cada mulher é responsável por pedir ao círculo o auxílio ou apoio de que necessita. Assim, evitam-se conflitos de poder e dramatizações para chamar a atenção, bem como mágoas, críticas ou ressentimentos.
4. Determinadas tarefas grupais não são obrigatórias. Uma mulher pode aceitar ou recusar participar diretamente de uma atividade, sem, no entanto, se ausentar fisicamente. Ficará a seu critério compartilhar ou não com o grupo seus pensamentos e sentimentos.
5. Para que o grupo mantenha a coesão e a eficiência, será permitido às participantes assinalar quando os assuntos se estenderem em demasia ou perderem o foco. Torna-se necessário pedir assistência espiritual em caso de divergências e dúvidas (fazer uma oração ou meditação), para sugerir o centramento quando a harmonia ou a comunicação são ameaçadas.

6. Quaisquer entraves ou dificuldades na realização da agenda das reuniões ou dos rituais devem ser analisados e resolvidos por consenso grupal, sem conversas e soluções paralelas ou fora dos encontros. Evitam-se, assim, a discórdia e os mal-entendidos e reforça-se a estrutura circular nas deliberações e escolhas.
7. Somente quando o grupo de candidatas tiver elaborado e aceito todos os quesitos relacionados à estrutura, à organização e à condução do círculo será formalizada a sua constituição. Para isso, declara-se seu fechamento (após o término do prazo para aceitação de novas integrantes), evitando-se, assim, um possível movimento de vaivém, com novas chegadas e saídas das indecisas.

A confirmação do compromisso será realizada em duas etapas: com o ritual grupal (conforme sugestões a seguir) e com os rituais individuais (descritos na segunda parte do livro, no capítulo "Cerimônias de Transição"). A dedicação grupal poderá ser feita antes do começo das reuniões formais, enquanto as individuais serão previamente programadas, de preferência no *Sabbat* Imbolc (1-2 de fevereiro).

Uma maneira simples, porém significativa, de "materializar" o compromisso da dedicação grupal é a construção, em conjunto, de um "objeto de poder coletivo", no qual se podem utilizar os itens trazidos pelas integrantes e mesclar seus dons criativos direcionados para uma mesma finalidade ou ideia. Existem inúmeras possibilidades: "o objeto da palavra", a sacola xamânica (*medicine bundle*), um totem ou bandeira definindo o objetivo do grupo, um escudo de proteção e outro de conexão com a Matriarca do mês em que é feito o ritual (*vide* informações na terceira parte deste livro). Uma forma criativa de selar o compromisso é a confecção de uma toalha para o altar, uma tapeçaria, um quadro ou um tapete com motivos ou símbolos pintados e bordados por todas as mulheres. Esse ato é, acima de tudo, simbólico, e não necessariamente artístico, pois representa a contribuição individual e o entrelaçamento das energias pessoais na consolidação de uma egrégora comum, manifestada no plano material pelo objeto. Associada ao simbolismo do objeto ou usada para abrir a reunião, poderá ser criada uma música ou um mantra que expresse a finalidade do círculo e uma homenagem à Deusa

Madrinha (escolhida por meio de meditação coletiva, revelação ou uso de um oráculo com imagens e nomes de Deusas).

A escolha do nome do círculo é muito importante, pois cada vez que ele for pronunciado estará se reforçando a simbologia a ele relacionada. Por isso, ele deve ser escolhido com cuidado, visando-se, principalmente, ao seu objetivo, à sua intenção ou à sua sintonia espiritual.

A título de curiosidade, vou enumerar alguns nomes de círculos norte-americanos: Sisters in Spirit [Irmãs em espírito], Bosom Buddies [Amigas do peito], Covenant of the Goddess [Aliança da Deusa], Gaia's Daughters [Filhas de Gaia], Spider Lodge [Toca da aranha], Moon Lodge [Tenda da Lua], The Grandmothers' Circle [Círculo das avós], Crone Circles [Círculo das "mulheres sábias"] – (mulheres pós-menopausa), Womens' Bear Medicine Circle [Círculo de mulheres baseado no poder – "medicinal" – do urso], Gather the Women [Reunir as mulheres], Empowerment Circle [Círculo de "empoderamento"].

Além dos círculos femininos, existem os mistos, com os mais variados temas, como Earth Drum Council [Conselho dos Tambores da Terra], Peer Spirit Circles [Círculo do espírito de igualdade], Wisdom Circles [Círculos da sabedoria], Singing Circles (de canto), Simplicity Circles (que propõem a simplicidade voluntária), Healing Circles (de cura), Cerimonial Circles (cerimoniais), Creative Circles (para desenvolver a criatividade).

Além desses círculos com objetivos específicos, existem inúmeros outros grupos empenhados em projetos ecológicos e de preservação: do meio ambiente, das florestas, das espécies ameaçadas de extinção e principalmente de defesa da nossa Mãe Terra. No Brasil, existem poucas iniciativas de trabalho circular; as existentes são ligadas ao Sagrado Feminino, às danças circulares, ao Movimento do Milionésimo Círculo, às Ecovilas, iniciativas xamânicas e ecológicas, atividades terapêuticas, esportivas, literárias (como contar histórias, grupo de leituras), artísticas e artesanais (canto, pintura, cerâmica ou trabalhos manuais), cura, oração.

Para a consagração do compromisso grupal, aconselho uma cerimônia tradicional feminina, muito linda e tocante, mas que necessita acontecer nas proximidades de uma cachoeira, rio ou lagoa (desde que o lugar seja seguro e protegido de interferências, interrupções ou passantes).

O ritual começa com uma oração e conexão com as deusas das águas (um arquétipo específico ou *A Mãe das águas que correm*), seguida de uma pequena oferenda de flores, perfumes, vinho, leite de coco, mel (lembrar sempre de recolher e levar de volta qualquer tipo de recipiente e embalagem utilizados). Segue o banho ritualístico, no qual se mergulha sem roupas, visualizando a remoção dos resíduos negativos do passado e a renovação energética. As mulheres formam um círculo dentro – ou à margem – da água e de mãos dadas entoam uma canção ou o mantra *Máa*, pedindo a bênção da Grande Mãe para o ritual. Escolhe-se uma dupla de mulheres de mais idade, que sai da água antes das demais, e que, de frente uma para a outra, levantam os braços, juntando as mãos. Seguindo a ordem da idade, as outras mulheres passam uma por uma sob o arco assim constituído e formam novas duplas, que procedem do mesmo modo, aumentando progressivamente o túnel dos braços.

Cada vez que uma mulher sai da água e passa pelo túnel, todas as outras falam em uníssono: *de uma mulher você nasceu, de um círculo de mulheres você está renascendo para o mundo*. A frase é dita sem parar, até que a primeira dupla que iniciou o túnel saia do seu lugar e também passe sob os braços de todo o círculo, que as reverenciam como as Matriarcas, merecedoras de homenagens pela sabedoria adquirida ao longo da vida.

Em lugar de simplesmente permitir a passagem das mulheres pelo "túnel", as duplas podem baixar os braços, segurando e envolvendo nesse abraço cada mulher que passa e beijando-a na face. À medida que as mulheres vão saindo da água, antes de passarem pelo túnel, as demais entoam alegremente: *uma menina, que bom que você chegou*! Muitas mulheres revivem, nesse momento, a dor de uma rejeição inicial por não terem nascido homens, conforme as expectativas dos pais. Em vivências que realizei, pude presenciar o afloramento dessas antigas memórias dolorosas e a cura emocional que se seguiu ao serem recebidas e abraçadas com amor e alegria pela fileira de irmãs.

No final, após as últimas mulheres terem passado pelo túnel, o círculo de mãos dadas é refeito, dessa vez sobre a terra e não mais na água (para ancorar a sua materialização como almas saídas do útero primordial). Todas juntas vão repetir esta frase por três vezes: *por um círculo de mulheres renascemos, com um círculo de mulheres recriaremos o nosso mundo*.

Uma variante da passagem das mulheres por um túnel formado pelos braços de duplas, acima descrito, pode ser feita em recinto fechado, sendo que na saída do túnel cada mulher é recebida pela dirigente, que a abraça e diz: *você é minha irmã, minha filha, minha mãe, e eu amo você*, beijando-a com carinho e abençoando-a com uma essência de rosas vermelhas.

Lembro-me da vez em que usei essa prática, no final de um *workshop* sobre a cura do relacionamento mãe e filha. Todas as mulheres estavam chorando e se abraçando, repetindo sem parar a frase mencionada. Percebi que o grupo tinha conseguido curar antigas feridas, não apenas na relação familiar, mas revertendo a proverbial inimizade e competição femininas.

Diga-se de passagem, o conceito da rivalidade entre mulheres foi introduzido e alimentado pelas estruturas patriarcais – políticas, sociais, culturais – baseadas na milenar estratégia de *divide et impera*, utilizada pelos imperadores romanos nas suas conquistas e aplicada também no enfraquecimento da solidariedade feminina. Ao incentivar a rivalidade, a competição e a desunião entre as mulheres, os homens astutamente obtiveram, aproveitando-se de vulnerabilidades e interesses, aquilo que as guerras e privações seculares não conseguiram: desintegrar a irmandade e a força da parceria e da união. No passado remoto, os conselhos das Matriarcas e mulheres sábias orientavam as decisões dos homens, que as acatavam e honravam devido aos seus reconhecidos e apreciados dons extrassensoriais. A única tática masculina que podia (e conseguiu) abolir a resistência e a coesão dos agrupamentos de mulheres foi lançar entre elas as sementes da discórdia, da rivalidade, da inveja, da competição e da maledicência.

Compete aos círculos femininos atuais a missão de anular esses condicionamentos e preconceitos nocivos do passado de supremacia patriarcal e demonstrar, na prática, a possível cumplicidade, parceria e solidariedade feminina.

Uma alternativa para consagrar os elos grupais é tecer uma teia, pedindo a bênção da Mulher Aranha, a Divina Tecelã da tradição nativa norte-americana. A teia é um antigo símbolo da *tealogia* da Deusa, na Sua representação de Tecelã do Destino. Mitos antigos descrevem como a Criadora tecia os fios do universo em cada dia e os recolhia à noite. O mundo chegaria ao fim quando a teia deixasse de ser fiada pela Deusa. O símbolo da teia era usado na consagração das antigas sacerdotisas dos cultos das deusas. Durante séculos, as mulheres europeias reverenciavam a Deusa Tecelã como a patrona das suas atividades de tecelagem e fiação, mesmo depois de a igreja cristã ter proibido cultos pagãos e começado a punir as mulheres que invocavam a Deusa antes do ato de fiar ou tecer.

Como a Deusa representa o centro do universo por Ela tecido, cada mulher que se aproximar da revelação dos Seus mistérios chegará mais perto desse centro e de todas as outras mulheres que seguirem seus próprios fios na imensa e eterna teia feminina. Dessa maneira, a teia é um símbolo sagrado para um círculo de mulheres que revive e manifesta o poder e a sabedoria da Deusa. O centro da teia reúne e concentra todos os fios e possibilita a reunião de mulheres conscientes da sua sacralidade, para que trilhem juntas o caminho da evolução espiritual feminina.

A maneira mais simples de tecer uma teia física é a que descrevi no Prefácio. As mulheres formam um círculo e, após uma breve oração e introspecção, jogam aleatoriamente entre si um novelo de lã (enrolado ao redor de uma pequena pedra, para facilitar o seu "voo"). Cada vez que uma mulher joga a lã, ela afirma com poucas palavras, mas com firmeza de intenção, a sua contribuição para a sustentação e o fortalecimento do círculo. O ziguezaguear da lã faz com que as mulheres segurem e mantenham esticados os fios até obterem, no final, uma tessitura irregular, mas que simboliza a egrégora do grupo e poderá ser guardada durante um período estabelecido. É recomendável repetir essa prática anualmente, no aniversário do círculo, nos rituais de Iniciação ou em uma data dedicada à Mentora ou Madrinha do círculo, quando se queima a antiga teia e tece-se uma nova, com outra cor de lã.

Um procedimento mais elaborado reproduz mais fielmente o desenho da teia de aranha. Cada mulher traz um novelo de lã na sua cor favorita e, partindo do centro, estende o fio até o seu lugar no círculo, prendendo-o no chão. O grupo começa a entoar uma canção ou mantra que simbolize o ato de tecer ou os atributos da Deusa Madrinha, e cada mulher caminha até o centro, seguindo o raio (fio) por ela marcado. O círculo dá uma volta até que as mulheres param em outro raio, um além daquele que foi seu ponto de partida. Durante a dança, cada integrante passa por todos os fios, indo até o centro e voltando para a periferia, cada vez seguindo um fio diferente. Usando cada uma seu novelo de lã, as mulheres poderão formar novos círculos concêntricos (partindo da periferia e indo até o centro), unindo com eles os raios, para reproduzir, com maior exatidão, o traçado da teia de aranha. No final retira-se com cuidado a teia (para guardá-la dobrada ou presa na parede) e as mulheres entrelaçam os braços, formando um círculo bem apertado, entoando o som sagrado *Máa* e reafirmando seu compromisso em relação à Deusa, ao círculo e às suas irmãs. Despedem-se com a frase tradicional e o beijo circular.

Se ao longo de determinado período (geralmente um ano) novas integrantes forem aceitas (com a aquiescência de todas as componentes do círculo), a sua dedicação e inclusão na estrutura energética do grupo poderão ser formalizadas com a sua participação na tessitura de uma nova teia ou na construção de outro "objeto de poder". Deve-se evitar, no entanto, a entrada sucessiva de novas candidatas para não prejudicar a harmonia de um grupo já consolidado. Se a dirigente tiver disponibilidade de tempo e energia, ela poderá preparar um novo núcleo paralelo, instruindo-as e responsabilizando-se por conduzir o seu aprendizado acelerado, até que perceba que esse núcleo está pronto para ser integrado ao "círculo-mãe", sem causar nenhum transtorno ou atraso no seu desenvolvimento.

Despedida

Quando uma mulher decide sair de um círculo (independentemente da causa ou do motivo), é importante aceitar sua decisão e honrá-la com um rito de passagem. Mesmo que isso não seja dito abertamente, o afastamento de uma companheira ativa traz à tona antigas memórias – conscientes ou não – de perdas e abandonos existentes no passado de cada mulher. Por isso, é necessário fechar o vazio criado no círculo com um ritual, por mais simples que seja. O importante é que o círculo reconheça e agradeça a sua participação e contribuição, lamente, mas aceite, a sua saída e atraia para sua nova vida bênçãos de sucesso e felicidade. À sua vez, a mulher deverá acrescentar sua contribuição ao ritual, agradecendo às suas vivências e aprendizados e prometendo não revelar nada daquilo que foi falado ou vivido durante sua permanência.

Se alguém sair do círculo sem um reconhecimento e fechamento ritualístico, cria-se uma ruptura na teia grupal que permite o vazamento de energias, situação que deverá ser resolvida depois por todo o círculo. Para evitar isso, é prudente incluir no compromisso de filiação ao círculo uma cláusula que recomende uma cerimônia de despedida, fechando, assim, a brecha energética criada.

Nos casos em que divergências ou conflitos conceituais ou interpessoais forem as causas do afastamento brusco de uma mulher, o círculo fará o ritual na ausência dela, "colocando-a" energeticamente no centro. Uma a uma, as companheiras falarão como se fosse para ela, expressando seus sentimentos. Depois, substituirão as emoções negativas por afirmações positivas e desejarão bons augúrios para sua vida. No final, todas visualizarão a ex-companheira se afastando em paz, abençoada pelo círculo, sem ressentimentos ou mágoas de nenhuma das partes.

É possível – mesmo sendo raro – que uma mulher se torne uma *persona non grata*, devido ao seu comportamento dentro do círculo ou desrespeito aos valores e ensinamentos da espiritualidade feminina.

Pedir que uma integrante se afastasse pode ser uma experiência muito complicada e dolorosa, tanto para a mulher como para a dirigente e o próprio círculo. Esse desfecho não acontece de modo repentino; geralmente é precedido de sinais ou situações desagradáveis ou inconvenientes que podem ou não alertar o círculo sobre a inevitabilidade do afastamento. A delicadeza de tal decisão exige muita diplomacia e sabedoria para evitar ferir ainda mais a mulher que – com certeza – levará consigo muitas mágoas ou ressentimentos.

Se os sinais de alerta forem percebidos e as providências tomadas a tempo, às vezes é possível evitar o "desenlace" conversando e aconselhando a mulher sobre o seu comportamento ou suas omissões. Ela tem, assim, uma oportunidade de ter uma percepção melhor da sua sombra e empenhar-se para mudar e melhorar.

Se a situação não tiver saída e se o grupo, de comum acordo, decidir pelo afastamento de um dos seus elos (que ameaça a integridade, a segurança e a evolução coletiva), recomenda-se um ritual de despedida, criado por consenso, por todas as integrantes. Se a respectiva mulher participar, será mais fácil dissipar as energias e emoções negativas se alguma prática mágica for realizada em conjunto.

As mulheres têm sentimentos maternais e, por pior que tenha sido a passagem ou permanência de uma dissidente, na hora da despedida o coração é tocado e sem muito esforço poderá ser criada uma cerimônia singela e amistosa, incluindo uma bênção para que sua vida seja repleta de luz, paz, harmonia e renovação.

F. TRAJETÓRIA DE UM CÍRCULO

> *O arquétipo do círculo pode ser perfeito. Um círculo de mulheres nunca é. Mas, se o seu centro for mantido quando surge um problema, ele poderá ser resolvido se existir sabedoria, amor, honestidade e espaços para erros.*
>
> – O Milionésimo Círculo, Jean Shinoda Bolen

> *A dinâmica de uma pseudocomunidade é evitar conflitos; uma comunidade verdadeira se propõe a resolvê-los.*
>
> – The Different Drum, M. Scott Peck

Evolução do círculo

Podemos comparar um círculo bem estruturado com uma cesta firmemente trançada, em que vamos guardar os nossos preciosos pertences. Um círculo harmonioso é o receptáculo ideal para receber e realizar os sonhos, as esperanças e as expectativas das mulheres que o constituíram e que anseiam nele encontrar apoio e aceitação, fortalecimento e crescimento, expansão e cura.

Por ser uma forma de relacionamento interpessoal, o círculo também passa por desafios e crises que são testes para comprovar se a sua tessitura é sólida o suficiente para suportar pressões psíquicas e energéticas e não se romper.

A espiritualidade feminina almeja a parceria harmoniosa e a interação amorosa entre todas as integrantes de um círculo sagrado. Mas, para que isso aconteça é preciso alcançar um delicado e precário equilíbrio entre o comportamento autêntico e fiel aos valores pessoais e a aceitação irrestrita das outras irmãs. O crescimento espiritual em grupo implica o permanente questionamento de conceitos e crenças sobre "certo" e "errado" e a observação das reações causadas pelas nossas palavras e ações sobre as demais. Quando não se assume nem se mantém um compromisso firme e contínuo em relação às premissas da criação do círculo, são comuns desencontros ou desistências, quando aparecem divergências.

Mesmo quando o círculo é criado com seriedade, responsabilidade e as melhores intenções, não existem magias que o poupem de flutuações energéticas, altos e baixos ou fases alternadas de expansão, estagnação e retração. Como todos os sistemas energéticos, o círculo também está sujeito à "lei da entropia", a tendência universal e inevitável de diminuir a intensidade e o calor até um estado de inércia. Por maiores que sejam o entusiasmo, o encantamento e o empenho inicial, esses fatores não constituem uma garantia de que o círculo terá um relacionamento perfeito e "para sempre". Dependerá da coragem, da disponibilidade e da conscientização de todas as integrantes, que, ao perceberem e reconhecerem os sinais de alerta prenunciando problemas, possam avaliar e definir as causas e os efeitos dos conflitos e empenharem-se na sua solução, evitando também possíveis repetições.

Em nossa cultura, não é comum o reconhecimento das influências interpessoais, ou seja, o modo como vibrações, emoções, pensamentos e palavras afetam as pessoas entre si e como essa influência pode ser diminuída ou anulada. Se o círculo tiver criado laços de afeto entre suas componentes, será mais fácil encontrar meios para resolver os problemas que surgirem, mobilizando a vontade e a motivação comuns, o respeito e o apoio mútuos e a comunhão da busca espiritual.

O poder de um círculo sagrado reside na sua conexão com a Fonte Divina, que é invocada e honrada no começo e no final de cada ritual e representada pelo altar, o centro do círculo. Mantendo o centro forte – o do círculo e o nosso também –, seremos capazes de buscar a força e a orientação necessárias para alinhar a energia humana com a dimensão espiritual. O centro – representando o espírito – não pertence a ninguém, mas pode ser acessado por todas, independentemente das diferenças entre as personalidades, o passado pessoal e familiar, a situação profissional e social, os gostos e valores. O que une as mulheres em um círculo é a consciência da sua essência divina como almas irmanadas e filhas de uma mesma Mãe Divina. Em momentos difíceis, se abrirem mente e coração e se unirem, lembrando-se das intenções, dos objetivos e das diretrizes que deram origem ao círculo, suas integrantes serão capazes de ir além das diferenças e divergências e restabelecer a harmonia e a união do grupo.

A principal característica de um círculo é sua função de captar e distribuir energias nutrizes, fortalecedoras e protetoras que contribuem para o bem-estar e o crescimento espiritual de todas, oferecendo um espaço seguro e amoroso. A "chave mágica" para a sustentação e a preservação do relacionamento harmonioso a longo prazo é a prática e a observação permanente das diretrizes básicas: liderança compartilhada, "consciência do coração", igualdade, respeito e solidariedade, parceria amorosa, consenso na hora das decisões, compromisso e responsabilidade individuais.

Estágios da trajetória de um círculo

Scott Peck, escritor e dirigente de grupos e comunidades, escreveu em *Sacred Circles* que existem vários estágios na trajetória dos círculos; e o conhecimento desses estágios ajuda na compreensão e na solução de dificuldades.

O primeiro estágio é o da pseudocomunidade, baseada no entusiasmo inicial, mas com interação superficial, em que falta intimidade e profundidade. Todo mundo é gentil, amável, cordial e amistoso, mostrando apenas qualidades e tentando dar a melhor impressão de si. Diferenças e idiossincrasias são ocultadas ou minimizadas; as pessoas se expõem pouco e falta entrega por não existir confiança absoluta.

No segundo estágio, surge o caos: as "máscaras" são retiradas, e as diferenças – de opiniões, pontos de vista, valores, ideias, atitudes – são reveladas. Aos poucos, aparecem conflitos (velados ou abertos) e são feitas tentativas bem-intencionadas de mudar ou "reformar" as pessoas que, por serem diferentes de nós, consideramos erradas. Há uma batalha de conceitos: entre o que é certo ou errado, entre quem tem razão ou não. Começa uma sutil luta pelo poder, exacerbada por incompatibilidades entre as "contestadoras" e a(s) dirigente(s) ou pelo desejo atávico de "destronar" alguém e assumir seu lugar. Dependendo da liderança e da tônica do círculo, são tomadas medidas ou estabelecidas regras que impeçam os conflitos e a ameaça do caos. No entanto, na opinião de Scott Peck, o caos não deve ser impedido, muito menos negada a sua aproximação. A única solução é atravessar essa fase com fluidez, equilíbrio e sabedoria, aceitando o inevitável e vendo-o como um teste e aprendizado de crescimento, mas sem abrir mão do respeito recíproco e da busca de orientação espiritual.

O terceiro estágio traz o esvaziamento de ideias, crenças, comportamentos, suposições e bloqueios que impedem uma verdadeira comunicação. Apesar de difícil, essa fase permite a remoção de bloqueios psicológicos, permitindo o desabrochar e o florescimento da essência espiritual de cada mulher. A pergunta crucial nesse período é: "o que impede a minha comunicação neste grupo e como posso me desbloquear?".

Scott Peck enumera os seguintes bloqueios que devem ser reconhecidos, transmutados e removidos nessa fase:

1. Expectativas e preconceitos que condicionam as nossas tentativas de modelar o grupo como gostaríamos que fosse e enquadram as pessoas em modelos por nós imaginados.
2. Soluções "ideais" e convicções pessoais que usamos para tentar convencer os outros a agirem "certo" (conforme nossos critérios) e que nos impedem de enxergarmos outros ângulos da realidade.

    A necessidade de curar, "consertar", converter, melhorar ou modificar alguém pode ser motivada por uma intenção sincera de ajudar, porém baseada nos próprios valores, ideias ou crenças. Mesmo que seja decorrente de uma escolha pessoal ou da necessidade kármica de alguém errar ou sofrer para assim poder aprender e mudar, não suportamos ver alguém errando ou sofrendo e nos oferecermos como curadoras e conselheiras, sem que seja pedida a nossa ajuda.
3. Exercer o controle para influenciar, orientar ou "retificar" o comportamento de um indivíduo ou o relacionamento de um grupo para a direção que achamos certa, evitando, assim, situações que nos desagradam.

    Esse é o maior dilema para a(s) dirigente(s): deixar o grupo encontrar seu caminho por si só ou tentar acertar seu rumo e ritmo. Escolher a atitude correta requer cuidadosa e imparcial avaliação e o uso de cautela, discernimento e sabedoria.

O estágio de esvaziamento permite o despojamento e a retirada de máscaras e armaduras. Sem se esforçar para parecer melhor ou ter sempre razão, cada mulher poderá usar suas energias para a integração e a verdadeira expressão da sua identidade e do seu potencial em parceria e união com as demais.

No quarto estágio, a tensão e a animosidade diminuem, os ânimos são pacificados e torna-se possível criar um receptáculo de proteção e segurança que permita o crescimento de todo o grupo. Cada mulher sabe que é aceita com seus aspectos de luz e sombra, sendo reconhecidas suas habilidades e vulnerabilidades. As diferenças não são camufladas nem realçadas, apenas reconhecidas; a sua plena aceitação permite melhor entrosamento e direcionamento das energias individuais para objetivos comuns.

Definidas de modo resumido, as fases de um círculo são o encontro de pensamentos divergentes, o surgimento das diferenças, as convergências e a coesão.

Quanto mais unido for o círculo no propósito de crescimento e conexão espiritual, mais fácil será atravessar os períodos de conflitos e divergências e maior proveito será obtido nas fases douradas, de "paz e amor". O desafio é lidar de maneira respeitosa e criativa com os campos energéticos interpessoais, até definir e concretizar os propósitos escolhidos, em harmoniosa parceria. Um círculo não é imune às intempéries nem tem garantia de ser perene.

Para manter uma verdadeira comunidade é necessário um processo de avaliação contínua, transmutação e renovação, com a certeza do compromisso firme e da responsabilidade de todas as componentes. Esse processo de avaliação e renovação se processa tanto no nível individual quanto no grupal, pois o círculo espelha as imagens e experiências de cada mulher que dele faz parte.

Como disse Jean Shinoda Bolen, em *O Milionésimo Círculo*, "um círculo de mulheres é um espelho multifacetado no qual cada uma se vê refletida. O que cada uma vê de si mesma – nas palavras e nos gestos das demais – depende da capacidade de cada mulher, como espelho, de ser clara e compassiva. O que enxergamos em nós mesmas pode ser trabalhado e transformado".

Problemas comuns

Por ser o círculo um receptáculo que favorece a intimidade e a franca expressão de personalidades e expectativas, ele também expõe vulnerabilidades e revela jogos de projeção. Como em toda relação de amizade ou colaboração entre mulheres, é comum aparecerem choques de personalidades, emoções e projeções negativas, complexos psíquicos (rivalidade, competição, inveja), medos (de traição, rejeição, abandono), sentimentos de culpa e raiva, mágoas, melindres e ressentimentos. O problema pode ser real, acontecendo no presente como reflexo ou reverberação das histórias alheias, recrudescimento de lembranças dolorosas da infância, adolescência, existências passadas, com eventos e situações negativas relacionadas a mulheres.

Para manter um círculo saudável e funcional, cada integrante deve se responsabilizar em reconhecer e resolver seus problemas pessoais (projeções, bloqueios, complexos, medos, fobias) e dar a sua contribuição (energética, mental, afetiva, espiritual) para alinhar o grupo com seus propósitos e o plano divino. Cria-se, assim, uma sinergia, graças à habilidade do círculo para alcançar o alinhamento coletivo, que fortalece cada integrante e, ao mesmo tempo, aumenta o poder grupal.

Ainda que todas busquem, no espaço seguro e íntimo do círculo, aceitação, comunhão de interesses, apoio e interação amorosa, essa similitude de propósitos não implica o descarte automático e "indolor" dos padrões comportamentais, dos condicionamentos, dos impulsos, das reações, das projeções e das sombras. Depositam-se na criação do círculo as esperanças e expectativas de harmonia, irmandade e amor incondicional, e nos surpreendemos quando as companheiras e dirigentes não correspondem aos modelos atribuídos.

Para lidarmos melhor com possíveis frustrações e múltiplas interrogações, precisamos reconhecer e analisar as nossas próprias projeções e sombras individuais, buscando sua integração e transmutação. Mesmo sendo um processo difícil e doloroso, ele é necessário para a evolução e a cura.

Como disse Carl Jung, citado em *Sacred Circle*, "sem dor não há o nascimento da consciência".

Projeções

As projeções acontecem quando atribuímos às outras pessoas aspectos ignorados, temidos ou rejeitados do nosso próprio ser. Nessa situação, achamos que nossas opiniões e pontos de vista são os certos e somos incapazes de enxergar nossas falhas e erros, "passando-os" aos outros. Apesar de visíveis para o grupo, as nossas projeções são negadas ou ignoradas por nós, sendo, muitas vezes, ocultas ou inconscientes.

Às vezes, nossas avaliações sobre a conduta alheia são corretas, mas, para que não se tornem uma projeção, devemos excluir os julgamentos e as classificações de "certo" e "errado". O procedimento indicado é ater-se ao reconhecimento do próprio estado emocional e à dificuldade em lidar com o comportamento de alguém. Em vez de julgar as atitudes de uma companheira ([nome] *é agressiva, autoritária, arrogante, irresponsável*), usar palavras que não diminuem nem criticam (*a maneira de* [nome] *se expressar, pensar ou agir é tão diferente da minha que tenho dificuldade em aceitar, concordar ou compreender*).

Existem também as chamadas projeções positivas, quando diminuímos nossas habilidades para enaltecermos as alheias. Admirar alguém e reconhecer sua contribuição no círculo não é uma projeção, mas passa a ser se eu me diminuir ao me comparar a outra pessoa por não querer assumir atribuições. Assim eu me omito, mas "recomendo" outra pessoa que tem mais habilidades, reais ou presumidas (*Eu não sei, mas ela sabe, por isso é mais adequada para fazer essa tarefa*).

Ter dificuldade em se relacionar com alguém não representa uma projeção, mas, se julgar ou criticar seu comportamento, eu a diminuo e lhe atribuo defeitos que talvez não existam, mas que talvez eu possua. É importante prestar atenção às projeções dentro do círculo porque elas ocasionam ressentimentos e incompreensões, ameaçam a harmonia coletiva e enfraquecem a força do todo.

Se o círculo honrar as diferenças e se unir na solução dos problemas, as projeções poderão ser reconhecidas e transmutadas ritualisticamente. Exigem-se, para isso, a autoavaliação, o compromisso de pedir aquilo de que necessitamos, oferecer o que está ao nosso alcance e usar a energia da boa vontade individual e da colaboração grupal para finalidades positivas. Ao evitar palavras e atitudes que inferiorizam ou criticam – uma ou mais mulheres do círculo –, toda a sua egrégora se fortalece.

Sombras

A sombra individual consiste na amalgamação de aspectos ignorados, indesejados e temidos da nossa personalidade, tudo o que não corresponde ao nosso ideal de ser. Esses aspectos são armazenados na psique e, por não serem reconhecidos ou descartados, vão se acumulando até "explodir" em situações de confronto, conflito ou crise. Conhecida por diversos nomes como eu inferior, eu reprimido, duplo, alter ego, demônio interior ou lado escuro, a sombra é, conforme definição de Jung, "um dos principais arquétipos do inconsciente pessoal", uma estrutura herdada e inata.

A sombra precisa ser compreendida, aceita e integrada, para que deixe de ter domínio compulsivo sobre nós. Podemos encontrá-la se examinarmos nossas projeções, nossos lapsos verbais, nossas manias, nossos comportamentos repetitivos, compulsivos ou obsessivos. Um trabalho terapêutico e espiritual com a sombra permite profunda e ampla percepção de quem realmente somos, reconhecendo e integrando a totalidade do nosso eu (*self*). A sombra pode ser "trazida à luz" por meio de terapias, sonhos e vivências com mitos, introspecção e meditação, imaginação ativa, reprogramação psíquica, encenação e pintura espontânea, arte, ritual e práticas mágicas.

Nós nos tornamos seres integrados e autênticos ao aceitar a nossa sombra, sem rechaçá-la ou negá-la. Ao trazê-la para a nossa consciência e convivendo pacificamente com ela, diminuímos a angústia e a tensão interior e aprendemos a aceitar a nós e aos outros. Se nos recusarmos a acatá-la e persistirmos na sua negação, a sombra será fortalecida e poderá atuar de forma negativa – e até mesmo destrutiva – nos nossos relacionamentos. Em um círculo de iguais, não poderemos dividir responsabilidades na solução de problemas e conflitos se pleitearmos sempre nossa inocência, atribuindo culpas e causas às outras companheiras. Os problemas e as crises nos relacionamentos (familiares, grupais, espirituais) não são causados pela presença da sombra, mas pela sua repressão e negação. Avaliar, reconhecer, aceitar e integrar a sombra individual são tarefas de um trabalho grupal de cura e transformação.

Dentro do círculo, veremos nossa sombra refletida e projetada de volta para nós. Se o círculo não se propuser a colaborar, trabalhando ritualisticamente a sua existência, as projeções conjuntas dos aspectos escuros vão se acumular até "explodir" em uma crise ou minar paulatinamente a coesão e a funcionalidade do grupo. A maior parte das pessoas não participa de um círculo pensando na existência da sombra; elas buscam luz, proteção, força. No entanto, sem olhá-la, perdemos a oportunidade de aprender como lidar com o acúmulo de energias "escuras" e prevenir possíveis dificuldades e desavenças, evitando repetições de situações constrangedoras. Além de beneficiar as mulheres e o círculo, o trabalho com a sombra contribui para clarear e diminuir as nuvens escuras que envolvem a humanidade, criadas pela projeção de sombras nacionais, raciais, políticas, religiosas, culturais.

No livro *Dreaming the Dark*, a escritora e ativista ecofeminista Starhawk, pioneira na criação de círculos sagrados americanos na década de 70, descreve as dez *personas* mais comuns nos círculos: a loba solitária, a órfã, a desajeitada, a faz-tudo, a princesa, a palhaça, a esperta, a vítima, a rocha e a estrela. Esses termos retratam os filtros através dos quais as pessoas apresentam suas contribuições ao grupo.

Em uma das jornadas xamânicas que realizei anos atrás, cujo tema era "sombras femininas", adaptei algumas denominações da escritora Mary Elisabeth Marlow (autora de *Handbook for the Emerging Woman*) para a realidade brasileira e as usei como modelos de sombra. Foram elas a donzela gelada, a fêmea castradora, a guerreira enfurecida, a passiva complacente, a sereia sedutora, a madre superiora, a princesa desamparada, o pássaro perdido, a deprimida, a processada, a amargurada, a implicante, a feiticeira desalmada, a mártir sofredora, a amazona blindada, a catadora de ouro ("a garimpeira"), a viúva negra, a cobra com duas faces e a abelha rainha. As vivências e rituais realizados com essas sombras foram profundos e transformadores e em muito ajudaram o autoconhecimento e a consequente aceitação, transformação e integração das sombras femininas do grupo.

Cada círculo pode redigir a lista de "personagens" que se manifestam por meio das suas integrantes. À medida que as mulheres se conscientizam dos papéis que desempenham no círculo, eles podem ser trabalhados em encenações e dinâmicas grupais e transmutados ou integrados ritualisticamente. Personificar energias arquetípicas é uma antiga e eficiente prática para conscientização e manifestação das projeções e sombras. O ritual permite diferenciar a fala do "personagem" da verdadeira expressão da voz interior. Usando rituais e dramatizações, alternando humor e seriedade, possibilita-se a purificação energética da egrégora grupal.

Dificuldades interpessoais

São ocasionadas pela heterogeneidade das personalidades, experiências, vivências, habilidades, fragilidades, condicionamentos, idiossincrasias e valores que as mulheres trazem para o círculo. Em todo grupo existem personalidades dominadoras, inseguras, reprimidas, desconfiadas, revoltadas, carentes ou apáticas. Algumas mulheres podem ser complexadas ou problemáticas – em grau maior ou menor – e não perceberem como o seu comportamento se reflete sobre as demais. Além disso, existe uma gama variada de afinidades, incompatibilidades e dissonâncias interpessoais. Todavia, a existência de diferenças não invalida a possibilidade de uma comunhão de intenções e objetivos, desde que todas as integrantes se propuserem a preservar a integridade e a coesão da estrutura por elas criada. Se uma mulher tende a monopolizar a atenção falando em demasia ou querendo impor seus pontos de vista, por mais eficiente que seja sua contribuição, ela deverá ser lembrada de que a finalidade do círculo é dar oportunidades e espaços iguais para todas. Cito as palavras de Jean Shinoda Bolen: "Silêncio é consentimento. Se uma mulher domina o círculo e se apodera de 'todo o ar da sala', não somente ela, mas todas as demais, são igualmente responsáveis".

Além de usar sempre o "objeto da palavra" para compartilhar ideias, sugestões, emoções e vivências, as atividades comuns e os rituais serão estruturados de modo que neles esteja incluído o maior número de mulheres possível. Evita-se, assim, o domínio de uma delas e a submissão ou a revolta das demais.

O caso contrário também é uma realidade: existem mulheres que, por timidez, baixa autoestima, insegurança, medo, educação repressiva ou acomodação, não ousam opinar ou se expressar, limitando-se a concordar e a seguir o que foi decidido pelo grupo. Além de criar lacunas energéticas e drenar a energia das outras mulheres, o comportamento omisso ou submisso contraria a finalidade do círculo como um meio de "empoderamento" e expansão feminina. Para que "as passivas complacentes" saiam dos seus casulos, o grupo deve incentivar a sua colaboração, oferecendo-lhes oportunidades, apoio e reconhecimento do seu potencial inato inexplorado.

Cada mulher traz ao nascer um determinado *quantum* espiritual, intelectual e artístico, que ela desenvolverá ou não, em função das condições e das possibilidades do meio em que viveu e foi educada. Cabe às dirigentes espirituais e às irmãs de jornada – que se empenham na sua própria evolução – orientarem e apoiarem o progresso e o crescimento das demais.

Segundo Jean Shinoda Bolen, de *O Milionésimo Círculo*, "se alguém teme ser verdadeira com receio de ser magoada ou punida, existe codependência. Codependência e equidade são incompatíveis".

Uma prática benéfica é a "roda da apreciação", que pode fazer parte das reuniões de avaliação ou ser usada em momentos de inércia, indecisão ou "cristalização" coletiva. O círculo vai atuar como um espelho de aumento que reflete qualidades e habilidades, curando as feridas da alma feminina submetida a séculos de inferiorizarão, diminuição e críticas constantes (de familiares, professores, chefes, colegas, namorados, cônjuges, amigas).

Usa-se o "objeto da fala", mas de maneira diferente: a mulher que o segura fica em silêncio, enquanto o círculo reconhece e valoriza sua atuação ou seus dons. Podem ser escolhidas três frases para resumir: suas habilidades, sua participação no círculo e sua conexão espiritual. Serão evitados os superlativos e as lisonjas, as comparações e interpretações das suas experiências e realizações e, principalmente, os conselhos.

A "roda de apreciação" é uma proposta sugerida por Christina Baldwin (no livro *Calling the Circle*), para ser usada quando é necessário restabelecer a comunicação após conflitos, ao abrir e fechar reuniões agitadas ou quando as participantes ainda não estavam totalmente integradas no círculo.

Algumas vezes as projeções e as sombras se manifestam de modo insidioso e camuflado, mas eficaz e criativo, demonstrando incompatibilidades entre duas ou mais mulheres. É feita uma avaliação criteriosa e cautelosa para verificar se existe um real "foco de discórdia" ou se algumas mulheres reagem a associações inconscientes entre o comportamento atual de alguém e lembranças negativas do seu passado.

Quando as atitudes de uma mulher afetam, de fato, a harmonia do grupo e ela é rotulada de "pessoa problemática" ou "criadora de casos", pode se instaurar o complexo da "cabra expiatória". Problemas e erros que surgem habitualmente em um relacionamento grupal vão ser atribuídos àquela mulher, mesmo que nem sempre ela seja sua criadora. Esse processo é nocivo e prejudica tanto a mulher quanto o grupo, que passa a se eximir da sua responsabilidade, direcionando todo o descontentamento – e às vezes a agressividade – para uma só pessoa. Quando uma mulher se torna – com ou sem razão – o foco negativo do grupo, inicia-se a situação chamada *blaming game* ("jogo da acusação"), em que culpas individuais são descartadas e atribuídas à "cabra expiatória". A mulher que foi considerada "a culpada" (com ou sem razão) proporciona a união solidária do grupo, que ignora as falhas de outras componentes e "congela", permanecendo em uma só perspectiva, ponto de vista ou avaliação. Esse processo agrava o relacionamento e contribui para a criação de situações de vitimização, acusação e julgamento, inadmissíveis dentro de um círculo de irmãs.

Compete à(s) dirigente(s) identificar e reverter essa situação, mobilizando todo o grupo para uma autoavaliação e reconhecimento de erros e responsabilidades individuais. Existe uma tendência geral para sempre atribuir a culpa a alguém (pais, professores, familiares, colegas, chefes, cônjuges, dirigentes, mestres, homens, mulheres, destino, azar ou governo). Devem-se ter muita cautela e atenção, a fim de evitar que as participantes façam generalizações e usem frases ou explicações estereotipadas para eximir-se da cocriação de impasses ou dificuldades no relacionamento grupal.

A contribuição das "pessoas difíceis" consiste em apontar possíveis projeções e similitudes nas nossas atitudes e crenças e nos proporcionar o desafio de abrir o coração e descobrir como podemos ajudar ou apoiar, sem julgar ou culpar. Um círculo bem estruturado é capaz de aceitar e integrar diversos tipos de personalidades e saber corrigir ou mudar sua direção. Para os momentos difíceis, os *wisdom circles* ("círculos de sabedoria") americanos lançam mão de avaliações específicas e sugerem as seguintes soluções:

- Cada pessoa avalia seus próprios sentimentos em relação a determinada pessoa, incidente ou grupo e propõe a si mesma as seguintes questões: a) Considero a "pessoa difícil" a única origem das dificuldades nos relacionamentos, negando ou ignorando a minha coparticipação? b) Reconheço pequenos sinais de mudança no comportamento da pessoa e estou disposta a compreendê-la e apoiá-la? c) Acredito que apenas essa pessoa deve mudar, excluindo a mim mesma e o grupo?
- Analisa-se a situação da "pessoa problemática": a) Seu comportamento é repetitivo ou ocasional? b) Tem consciência dos seus problemas ou não percebe como perturba os outros? c) Há a possibilidade das suas atitudes não serem "jogos de poder", mas sinais inconscientes de carências ou pedidos de reconhecimento?

- Avalia-se o grupo como um todo, reconhecendo a participação e as responsabilidades de todas quanto à solução do impasse e modificação do seu modo de agir e reagir (amistoso ou agressivo) em relação à "pessoa difícil".
- Oferecem-se oportunidades para que a pessoa tome consciência das suas dificuldades pessoais, fazendo uma "roda da palavra" (usando o "objeto da fala"), em que todo o círculo expressa como está se sentindo, mas sem acusar diretamente nem julgar. Além de cada mulher "falar de coração", será praticada a "escuta ativa", enquanto a pessoa causadora do conflito também expressa sua verdade.
- Como o círculo não se propõe a tratar ou curar nenhuma das integrantes, caso seja confirmado que a pessoa não é somente "difícil", mas que tem um problema sério (de comportamento, distúrbio psíquico ou espiritual), ela será aconselhada a buscar ajuda especializada. Esse conselho será dado com tato e delicadeza, fora da reunião, pela dirigente.
- Se no círculo existir uma presença realmente perniciosa, que catalisa reações negativas e processos sombrios das demais participantes, e se ela – devidamente alertada e aconselhada a mudar e melhorar seu comportamento – continua a proceder da mesma forma, é aconselhável solicitar o seu afastamento. O grupo deverá reconhecer seus limites, suas dificuldades ou suas impossibilidades de lidar ou conviver com determinada pessoa. Preservam-se, assim, a harmonia e a integridade funcional e libera-se a pessoa para procurar ajuda ou outra atividade espiritual.

Pedir a alguém para sair do círculo pode ser uma experiência difícil para todas, mas é, às vezes, necessária. Para preservar a egrégora grupal, deve-se realizar um ritual de despedida ou apenas a declaração da saída de um dos elos e iniciar a consequente reconstrução energética do círculo. O importante é considerar esse fato uma solução de cura e renovação e não uma ruptura ou perda, que poderá provocar o descontrole emocional de algumas mulheres do círculo. Nesse caso, a dirigente deverá ter cuidado para evitar que se crie um sentimento de solidariedade em relação à "vítima", o que pode ocasionar cisões no grupo ou até mesmo a contestação da decisão do afastamento, por pena ou compaixão, e o esquecimento dos reais motivos que levaram a essa medida, em benefício do círculo.

Conflitos

Fazer parte de uma comunidade implica enfrentar desafios, e entre eles o mais difícil é saber lidar com os conflitos. Na tentativa de evitar os modelos masculinos de confronto e combate, a tendência geral dos grupos femininos é ignorar ou recuar perante os conflitos. Porém, a permanência no estágio de *pseudocomunidade* é um desperdício de tempo, energia e oportunidades de autoconhecimento e crescimento.

Com exceção das mulheres com fortes características marcianas (as guerreiras inatas), preferimos evitar embates, pois nas nossas memórias de existências passadas eles deixaram profundas feridas. Além dessas lembranças dolorosas, temos sido "domesticadas" por séculos de imposições e restrições religiosas, políticas, sociais e familiares, que nos condicionaram a sermos gentis, corteses, caladas, submissas e medrosas. Lidamos permanentemente com algum tipo de insegurança, baixa autoestima e medos e dúvidas em relação ao nosso conhecimento e à nossa capacidade ou competência, exacerbando vulnerabilidades e codependências. Por ser mais seguro, fácil e cômodo, nós nos acostumamos a ceder às pressões e imposições alheias, pois temos dificuldade de expressar com franqueza e firmeza nossos sentimentos e mágoas e impor ou defender nossos limites.

Ao nos sentirmos agredidas ou ofendidas, preferimos expor o nosso descontentamento a uma amiga ou parceira de grupo, em vez de falar diretamente com aquela cujas palavras ou atitudes nos causaram irritação ou mágoa. Nesse processo de "triangulação", os problemas interpessoais não são resolvidos, mas muitas vezes aumentados ou desvirtuados. Criam-se complexos – reais ou imaginários – de perseguição e vitimização que fomentam a desarmonia e podem levar à cisão do grupo.

Na opinião de Scott Peck, escritor e terapeuta, "uma verdadeira comunidade se consolida apenas se souber como lidar com a dor". Não devemos esperar que um círculo nos proteja dela e garanta permanente felicidade e bem-estar. Como a principal finalidade dos círculos femininos é o crescimento espiritual, individual e conjunto, o processo de aprendizado e fortalecimento requer o reconhecimento sincero das sombras e projeções – tarefa desafiadora e dolorosa, mas necessária e terapêutica.

Consideram-se dois tipos de conflitos: aqueles entre pessoas que os reconhecem e se empenham em resolvê-los e aqueles que são ignorados e por isso aumentam de intensidade e alcance. Muitas vezes o verdadeiro significado ou motivo de um conflito é menor do que a atitude em relação a ele ou aquela tomada para solucioná-lo. Geralmente o conflito é polarizado por duas pessoas que se tornam as expoentes de uma frustração ou desavença, em um projeto ou atividade comum.

Para dissipar a concentração e a polarização da energia grupal dissonante é necessário o seu redirecionamento, com a colaboração de todo o círculo. A habilidade em manter a harmonia depende de comunicação aberta e franca, que vá além das aparências e avalie os assuntos essenciais. A comunicação será baseada nos princípios de confiança, na "consciência do coração" e na boa vontade de todas. A disposição para reconhecer e revelar brechas, vulnerabilidades e sombras individuais não enfraquece as mulheres; ignorá-las, sim. A expressão dos sentimentos pessoais, sem acusações ou julgamentos, é um ato de coragem e honestidade que requer clima de intimidade, confiança total e aceitação amorosa.

No livro *Sacred Circles*, as autoras (que são também dirigentes de círculos) recomendam os seguintes procedimentos para lidar com conflitos:

- Escolha o ambiente e o momento adequado para falar sobre o conflito, no grupo ou diretamente com a(s) pessoa(s) envolvida(s).
- Não deixe passar muito tempo depois de ocorrido um incidente, para evitar incompreensão e ressentimentos (que persistem mesmo depois do esquecimento do fato). Um ditado romeno diz: "Não deixe o Sol se pôr sobre sua raiva". O tempo nem sempre cura as mágoas; pode preservá-las e aumentá-las.
- Use o pronome "eu" quando fizer afirmações (Eu me sinto magoada, raivosa, ferida), evitando julgar, criticar ou agredir as outras, e expresse apenas seus sentimentos em relação a um fato ou situação.
- Exponha seu estado emocional com clareza e sinceridade, sem interpretações ou suposições em relação à conduta alheia. Pergunte a si mesma que tipo de "gatilho" determinada mulher dispara em você,

trazendo à tona lembranças antigas, a manifestação da sua "criança interior" ferida ou padrões comportamentais do passado. Evite culpar-se ou culpar outra pessoa; essa atitude não melhora suas emoções nem o acontecimento; apenas piora a situação.

- Não envolva outras pessoas criando triangulação (comentários sobre uma pessoa com terceiros e não com ela própria). Essa atitude é prejudicial e não resolve o problema, que vai continuar reverberando com ressentimentos e mágoas.

A resolução dos conflitos depende principalmente da boa vontade e da receptividade das mulheres envolvidas e do apoio e da sustentação das demais. Para evitar que uma situação constrangedora ou um conflito evidente seja ignorado, ou que se criem facções no círculo em defesa de uma das oponentes, é recomendável que se tenha um procedimento-padrão, previamente estruturado.

No livro *Calling the Circle*, a autora Christina Baldwin sugere, com base em sua experiência com diversos tipos de círculos, um protocolo básico, cujo resumo adaptado apresento a seguir. Esse roteiro poderá ser modificado de acordo com as necessidades, as circunstâncias e as especificidades do conflito.

Depois que todas as mulheres relaxaram e realizaram o centramento e o equilíbrio interior, a dirigente – ou uma moderadora previamente escolhida – vai assinalar a presença de uma energia dissonante no círculo, pedindo a atenção e a colaboração de todas para sua solução. Para evitar que as duas (ou mais mulheres envolvidas) se sintam desamparadas, elas podem receber o apoio de algumas das companheiras, que se sentam ao lado delas e, quando necessário, as confortam.

Com exceção das oponentes, todas as outras vão avaliar e anotar suas reações/emoções/sentimentos em relação aos fatos acontecidos. As anotações serão lidas depois, em público, da maneira como foram escritas, sem que sejam acrescentados verbalmente outros comentários ou conclusões, enquanto o círculo as ouvem em silêncio e com atenção. A expressão e liberação das percepções individuais clarificam o campo emocional de todas e facilita a compreensão, sem a interferência de ideias preconcebidas.

Em seguida, inicia-se o diálogo entre as mulheres envolvidas, que poderá ser gravado e ouvido novamente por todas, para que se tenha certeza do que foi realmente dito e se evitem interpretações ou distorções posteriores.

O propósito do diálogo é dar oportunidade para que ambas as "beligerantes" sejam ouvidas com respeito, atenção e compreensão. O círculo oferecerá seu apoio e paciência, até que a situação seja resolvida ou pelo menos esclarecida e compreendida. Enquanto na discussão os pontos de vista divergentes são apresentados e defendidos, no diálogo há uma exploração criativa dos assuntos, com "escuta ativa" de ambas as mulheres envolvidas, sem que os ânimos sejam exaltados.

Depois que a atmosfera de tensão ou animosidade diminuiu, indica-se uma prática de realinhamento energético para a união grupal, com a ajuda de canções, mantras e visualizações. Finaliza-se o encontro com orações de agradecimento às forças espirituais que orientaram e auxiliaram o processo, bem como de reconhecimento e homenagem à coragem e honestidade das mulheres que abriram sua mente e seu coração para desfazer os nós das desavenças e discórdias.

G. AVALIAÇÃO DO CÍRCULO. REFORMULAÇÃO. FECHAMENTO

> *Nada importante pode ser realizado sem que se tenha a coragem de assumir riscos. Na verdade, esse é o verdadeiro critério para se encontrar uma maneira eficiente de pensar e agir.*
>
> – *Sacred Circles*, Robin Deen Carnes e Sally Craig

Avaliação

Todos os relacionamentos, grupos e associações humanos requerem avaliações e análises frequentes, que permitam as correções e os ajustes necessários, com as consequentes mudanças de perspectivas ou de prioridades.

Garante-se, desse modo, a manutenção a longo prazo de um círculo em que as integrantes se dispõem a avaliar com coragem, honestidade e imparcialidade a evolução e a realização dos objetivos escolhidos, em determinado período de tempo.

O planejamento e a realização de uma avaliação anual, semestral, trimestral ou mensal permitem que se descubram e se resolvam os problemas antes que se tornem mais graves ou irreversíveis. Nessa avaliação serão analisadas as realizações, os progressos, as dificuldades, as incompatibilidades, os desvios do planejamento inicial e os erros. Caso seja necessário, os objetivos e procedimentos serão modificados, de comum acordo, ou será feita uma nova configuração.

Quanto mais tempo as mulheres ficam juntas em um círculo, maior é a intimidade e a facilidade para abordar e resolver assuntos delicados. O reconhecimento, com coragem e honestidade, da estagnação da energia criativa ou produtiva e a existência de divergências ou discórdias camufladas possibilitam que se evitem crises e favoreçam a recuperação e a manutenção da harmonia grupal. A avaliação do desempenho e da evolução intelectual e espiritual do círculo facilita o redirecionamento do ritmo e dos temas, visando ao crescimento e à expansão de todas.

Para fazer ajustes ou modificações, é preciso que se ouçam as insatisfações, as reclamações e as sugestões de todas as participantes, usando-se oráculos para tirar dúvidas e definir melhor as novas escolhas e decisões. Busca-se o consenso ponderando-se sobre os prós e contras e eventualmente procede-se uma votação. O consenso é necessário para que as decisões sejam colocadas na prática, com o apoio de todas. Ele proporciona uma base unificadora e estabilizadora à estrutura circular e distribui a responsabilidade entre as mulheres. Mesmo que nem todas demonstrem o mesmo entusiasmo, empenho ou participação, o importante é que haja solidariedade em relação a um projeto ou atividade comum.

Para evitar a perda de foco ou as controvérsias e divagações, é aconselhável que se designe uma "guardiã", cuja tarefa será cuidar do fluxo energético e da qualidade da comunicação. Com a ajuda de um sino, ela vai assinalar quando o círculo precisa silenciar e se centrar, mudar de direção ou pedir assistência espiritual para melhor orientação. A guardiã – que será escolhida pelo círculo a cada reunião ou designada para determinado período de tempo – terá a aquiescência de todas para interromper a dinâmica do grupo, trazendo-o "de volta" ao cerne da questão. Sua intercessão será necessária quando, em vez de diálogo, a comunicação se transformar em discussão, quando uma mulher segurar o "objeto da fala" por tempo demais ou quando o assunto se arrastar, causando sonolência, apatia ou irritação. Nesses casos, a guardiã, após tocar o sino e pedir silêncio por alguns momentos, vai sugerir uma prática respiratória, uma dança, uma canção ou uma meditação para restabelecer o foco e a harmonia. A guardiã pode servir também, nos encontros e nas reuniões habituais, para evitar a monopolização do "objeto da palavra", para corrigir a falta de atenção ou consideração (quando alguém estiver falando) e para assinalar quando se faz necessária a ajuda espiritual.

Nas reuniões costumeiras, o uso do "objeto da palavra" proporciona o compartilhar espontâneo de avaliações individuais sobre o ritmo e o progresso do aprendizado, além da revelação de expectativas, necessidades e dificuldades relacionadas às atividades e tarefas. Dessa maneira, podem ser detectados problemas incipientes e divergências camufladas, antes que se tornem problemas crônicos ou insolúveis.

A avaliação das datas previamente marcadas terá uma agenda mais complexa e demorada, por isso recomenda-se que sejam sempre anotados os assuntos discutidos e as resoluções tomadas. Sem que se tornem atas convencionais e formais, os depoimentos e as retificações de rumo servirão como base para que o grupo identifique, no futuro, as fases de crescimento, retraimento e renovação. Às vezes, torna-se necessário formular questionários – entregues antes da reunião – para que cada mulher possa refletir e responder com calma e equilíbrio, sem se deixar influenciar pelos argumentos ou conceitos das demais. Muitas vezes, o desabafo ou a declaração de uma mulher faz com que outras mulheres se sintam impelidas a concordar ou discordar dela. Sem fomentar celeumas, a reunião de avaliação vai verificar a trajetória do círculo, observando se ele continua fiel às diretrizes básicas, se as diferenças individuais comprometem a sua evolução e a concretização de metas e se existem discordâncias em relação à liderança, aos temas de estudo, aos rituais e às vivências e aos detalhes práticos (logística, despesas, frequência e duração das reuniões).

Caso haja solicitação para admissão de novas integrantes, o círculo vai deliberar sobre sua aceitação e a organização de um ritual de inclusão. Será decidida também a maneira adequada para colocar as novas integrantes a par das diretrizes do grupo e dos temas estudados.

É possível que em certas reuniões sejam apresentados pedidos de afastamento – temporário ou definitivo –, os quais, independentemente dos motivos expostos, serão aceitos sem pedidos insistentes de explicações ou tentativas de dissuasão. Convém realizar um ritual de despedida, de preferência com a presença da mulher que pediu o afastamento, mas mesmo na sua ausência o círculo poderá fazer uma declaração ritualística da sua saída, refazendo, em seguida, a integridade da estrutura circular, humana e energética.

Um assunto delicado, mas que fará parte da pauta das reuniões de avaliação, é a repetição frequente de atrasos e faltas. Apesar de serem assuntos pessoais, eles afetam o grupo como um todo, principalmente quando não são avisados com antecedência, ocasionando lacunas energéticas. Se eles forem costumeiros, demonstram diminuição no interesse ou na motivação, que pode ser causada por falta de apoio, aceitação ou incentivo. Às vezes, pelo fato de não se sentir compreendida ou não querer revelar suas queixas, suas frustrações ou seus sentimentos, uma mulher pode preferir se ausentar ou até mesmo sumir sem explicação. Se o grupo perceber algum sinal de "evasão" iminente, poderá incentivar a mulher a falar sobre suas necessidades e expectativas e procurar integrá-la novamente no conjunto energético e humano.

Para guardar os registros das reuniões anteriores e de futuros projetos e procedimentos, convém manter um "livro do círculo". Mesmo que as atas sejam registradas e entregues por meios eletrônicos, o grupo pode ter um caderno com divisões que abranjam intenções grupais, compromissos individuais, realizações, mudanças de rumo, anotações, comentários, fotos e dados pessoais. Nos casos de dúvidas, comparações ou comprovações, será mais prático folhear o caderno e verificar rapidamente o que foi planejado, decidido, modificado, esquecido e concretizado.

Reformulação

É possível que, ao final de determinado período, o grupo constate que os propósitos iniciais foram realizados; o programa, idealizado, cumprido; e a "colheita", finalizada. Para não mergulhar no vazio ou numa "crise existencial", o círculo deverá encarar com coragem e determinação a pergunta crucial: "O que fazer agora, para onde e como seguir?".

Algumas mulheres talvez queiram sair do círculo para seguir outros caminhos espirituais ou interesses pessoais, como mudar de cidade ou formar seu próprio círculo. Outras podem continuar, mas com outros objetivos e uma nova estruturação. Nesse momento de extrema importância, cada mulher poderá refletir, decidir e definir sua opção com clareza, imparcialidade e segurança, sem se deixar influenciar, coagir ou prender por saudosismo, indecisão ou remorso.

Independentemente de o círculo seguir o mesmo formato ou passar por reformulação, novos projetos e metas serão analisados e definidos para que se inicie um novo ciclo. A reformulação se torna necessária para que o círculo possa renovar e redirecionar o pleno potencial energético para a sua ampla manifestação. Cada integrante assumirá responsabilidades e fará suas escolhas, permanecendo fiel à "consciência do coração", para poder expressar sua verdade e ouvir com respeito e aceitação as demais companheiras. Nessa hora, é de suma importância que se guardem, no âmbito do círculo, os assuntos discutidos e não se busquem conselhos ou orientação fora dele. Quanto maior o impulso de falar fora do círculo, maior será o perigo da desintegração da egrégora grupal. Os problemas não serão resolvidos abrindo-se brechas nos elos da corrente; a força reside em manter a coesão e confiar no conselho, no bom senso e no consenso do grupo, mesmo nos momentos mais difíceis. Aconselha-se usar um protocolo semelhante ao descrito anteriormente para que se constate e verifique a situação do círculo, enfrentem-se os desafios e iniciem-se as mudanças.

O perigo da dissolução do círculo não está na reformulação, mas na negação dessa necessidade e nos medos das integrantes de encarar a realidade e agir. Porém, se existirem energias não trabalhadas ou transmutadas que circulam e trazem instabilidade ou inércia, o cerne do círculo estará ameaçado, pois apenas sua apresentação externa (a fachada) estará persistindo. Por isso, a disposição para se manter fiel às diretrizes e aos princípios do círculo torna mais fácil e eficaz o processo de renovação e evita que o desgaste leve à desistência geral.

Fechamento

Às vezes, mesmo passando por uma reformulação e continuando por mais um tempo sua trajetória, é possível que em outro momento seja inevitável a dissolução do círculo. Sua duração não é eterna; para alguns, ela é breve; outros continuam por muito tempo, porém não eternamente. Fechar um círculo é diferente de decretar seu fim; trata-se de uma experiência ambígua, de dor e pesar, mas também de celebração e gratidão por tudo o que foi vivido, aprendido, superado e realizado. Ao se constatar que chegou o momento de encerrar a colheita e desistir de um novo plantio, é preciso agir com honestidade, coragem e desapego, agradecendo o convívio e os momentos felizes e plenos. "Desapegar-se e despedir-se" são situações dolorosas, mas, como tantas outras na vida, às vezes são inevitáveis. Para suavizar o momento, sugere-se a realização de um ritual; mesmo que seja de adeus, ele será um auxílio energético e espiritual na liberação e transmutação da dor e da emoção de perda. Usando símbolos, imagens e práticas específicas, as mulheres vão reconhecer a influência do círculo em sua vida e no crescimento de cada uma das integrantes e agradecer por ela. Honram-se, assim, o conceito do sagrado e os objetivos e as realizações do círculo e libera-se a energia grupal para sua utilização em novas direções e finalidades. Se algumas das mulheres que fizerem parte desse círculo se agruparem novamente em um novo círculo, serão necessários outros rituais de cura e renovação para um desligamento definitivo das influências anteriores, sem que se deixe, porém, de honrar e respeitar tudo o que foi vivido e compartilhado no outro círculo.

Por ser o círculo uma estrutura energética poderosa, suas energias tanto podem curar quanto ferir, sendo esse poder duplo um mistério que deve ser levado em consideração. Para evitar que essas energias sejam nocivas ou mal direcionadas, recomenda-se um ritual de perdão anterior ao fechamento. Perdoam-se o círculo, cada companheira, a(s) dirigente(s), a si mesma. Fecha-se, assim, o escoamento de eventuais energias residuais e abre-se uma fresta na consciência e na vida de cada integrante para novas oportunidades, conexões e realizações. Ao liberar energias do passado, agradecendo à sua influência na nossa vida, facilitamos a aproximação de um novo ciclo, em uma nova volta da espiral evolutiva.

Segundo Jean Shinoda Bolen, em *O Milionésimo Círculo*, "há um momento para encarar a verdade e tomar uma atitude... Algumas vezes encarar o que precisa ser dito e feito torna-se um inesperado ponto de mutação e não um final [...] A compreensão permite que o processo se complete. Possibilita a reflexão do que foi vivenciado, testemunhado e aprendido no círculo, bem como a expressão da gratidão".

H. EXPANSÃO DO CÍRCULO E SUA INTEGRAÇÃO NO COTIDIANO

> *Uma vez formado e funcionando com eficiência, um círculo pode se expandir até se unir a outros. É essa a tendência natural para sobreviver: ampliar a nossa identificação tribal até a inclusão de todos. Afinal de contas, cada homem, mulher e criança de cada nação fazem parte do grande círculo da vida.*
>
> – *The Cerimonial Circle*, Sedonia Cahill e Joshua Halpern

Antes de podermos expandir o potencial sagrado e curador do círculo até um nível global, precisamos integrar a prática e os princípios do círculo em nossa vida diária. Isso pode ser feito de várias formas: compartilhar com nossos familiares, amigos e colegas, aquilo que sabemos e fazemos e introduzir a prática do círculo em reuniões e encontros de natureza variada.

Sem entrarmos em explicações detalhadas e místicas, podemos sugerir a formação de um círculo para outras finalidades, como tomar decisões em família, intermediar e apaziguar desavenças entre amigos, melhorar os relacionamentos nos locais de trabalho e ampliar a comunicação e a partilha nos encontros com fins espirituais, comunitários, terapêuticos ou educacionais.

O formato da reunião pode ser simplificado, propondo-se que as pessoas se sentem em círculo, permaneçam em silêncio por alguns minutos (para relaxar, centrar-se ou orar) e depois se apresentem, descrevendo com poucas palavras sua atividade, questão ou proposta relacionada ao objetivo ou motivo do encontro. É importante ressaltar desde o início (com ou sem o uso do "objeto da fala") a necessidade da comunicação aberta, com respeito e atenção, em que apenas uma pessoa fala de cada vez e as outras escutam, sem interromper ou comentar suas palavras. Depois de uma "roda da palavra", a mediadora do círculo vai apresentar a razão do encontro, expondo os motivos de forma clara e imparcial e pedindo, depois, a colaboração de todos para resolverem as questões pendentes ou tomarem uma decisão. Diferente de discussões em grupo, a comunicação no círculo oferece a cada pessoa a oportunidade de falar aquilo que deseja ou precisa, sendo ouvida pelos demais sem interrupções, críticas, acusações ou julgamentos. A atmosfera fica leve, a comunicação flui, e o consenso pode ser alcançado com maior rapidez e facilidade.

Um grande desafio da mulher que faz parte de um círculo é apresentar essa prática aos homens da sua vida (pai, cônjuge, parente, namorado, filho, amigos, colegas). Há uma diferença básica entre a forma feminina de ser – que resulta da interação com as pessoas que estão ao redor – e a masculina –, oriunda de um processo de individualização forjado por embates e competição. Enquanto o comportamento egocêntrico permite ao homem agir com mais confiança e segurança, ao mesmo tempo é um obstáculo na formação e sustentação de relacionamentos mais íntimos e profundos. O homem se preocupa e se movimenta em função das suas prioridades, dos seus interesses familiares e sociais, sem se envolver com as dificuldades dos demais. O dom da mulher para perceber e saber atender às necessidades alheias reside em sua facilidade e sensibilidade para se relacionar com os outros seres, escutá-los e entrar em ressonância com eles.

Para que se tenha uma conexão verdadeira com alguém é preciso ter capacidade de sentir empatia por essa pessoa, ouvi-la com atenção e compreender sua forma de se comunicar e seus pontos de vista. É mais fácil para as mulheres criar conexões verdadeiras e profundas; é por isso que elas podem transmitir sua sabedoria aos homens, mostrando-lhes como podem fazer parte de um círculo sendo autênticos, espontâneos e abertos, e expressando-se com honestidade e confiança. Porém, existe um limite em relação aos homens que as mulheres têm que respeitar, ou seja, não tentar mudá-los, ensiná-los, "consertá-los" ou curá-los. Se ultrapassarem esse limite, elas cairão na armadilha da codependência, da acomodação e da revolta (de ambas as partes).

"Trazer homens para o círculo" significa revelar-lhes como se tornar mais empáticos, confiantes e abertos, explicando seus princípios, seus valores e suas premissas, e incentivando-os a participar de um círculo sagrado ou cerimonial misto, ou a formar o seu próprio círculo de homens (com temas filosóficos, metafísicos, espirituais, astrológicos, oraculares, terapêuticos, comunitários, entre outros). Posso garantir que a "atmosfera" e a comunicação se modificam completamente na presença de homens nos grupos com maioria feminina (o que é uma constante, devido à maior necessidade das mulheres de se aprofundarem nos assuntos que lhes foram proibidos e negados durante séculos). Surgem competições mais ou menos veladas entre as mulheres para atrair a atenção e a aadmiração masculina. Diminui ou até mesmo desaparece a habitual cumplicidade e intimidade presentes nos círculos femininos. Nota-se, de maneira visível, a relutância dos homens em falar o que pensam e sentem, resvalando para assuntos gerais ou ficando calados e prestando atenção, sem exteriorizar suas emoções, nem mesmo quando o encontro oferece aos integrantes a oportunidade de cantar ou dançar ao redor de uma fogueira.

Existem exceções, e principalmente os jovens demonstram grande interesse em participar e compreender "as misteriosas artes femininas". Torna-se difícil explicar a recusa em não aceitar a presença de homens nos plenilúnios, sendo necessários argumentos como: a conexão da mulher com a Lua é ancestral, espiritual, biológica, emocional e visceral, ou seja, algo difícil para um homem sentir e vivenciar. Mesmo que concordemos com a existência da *anima*, se permitirmos a presença masculina, a magia da reverberação das emoções e percepções que fluem livremente nas noites de Lua cheia vai diminuir ou desaparecer. Não são as danças, as canções ou as meditações que perderão a espontaneidade, mas as emoções extravasadas no riso, no choro ou em eventuais catarses serão reprimidas e tolhidas como resultado da milenar censura, do medo e do retraimento enraizados na psique feminina, devido às perseguições, às proibições e às repressões.

> OBSERVAÇÃO: em uma vivência espiritual mista na Inglaterra, no Chalice Well Center, em Glastonbury, presenciei o oposto: uma ostensiva marginalização do único homem presente em um grupo de mulheres. Ele estava acompanhado da esposa e era um conhecido pesquisador e autor de temas místicos; mesmo assim, foi considerado um "intruso e espião" e questionado sobre a sua insistência em permanecer, sabendo que não era bem-vindo. Apesar da tradicional fleuma britânica, em várias ocasiões ele teve que se recolher e "encolher", tamanha a animosidade feminina, mesmo sutil e velada. Mas ele não desistiu e, no final, foi cumprimentado pela coragem de conviver uma semana com mulheres poderosas e cientes do seu valor espiritual.

Com o intuito de reverter a proverbial postura agressiva e dominadora masculina que fomentou a separatividade milenar dos gêneros e a decorrente revolta feminina, iniciou-se um movimento internacional de "redefinição da masculinidade". Incentivados pelo famoso livro *Iron John, A Book About Men*, de Robert Bly, orientados e apoiados por outros escritores e terapeutas, grupos de homens começaram a se reunir nos Estados Unidos, dando origem a projetos como The New Warriors, Mens Council e Mankind, além de inúmeros conselhos, grupos e círculos. Em seu livro *A Circle of Men*, o autor Bill Kauth detalha e descreve como criar, conduzir, manter e lidar com problemas em círculos masculinos, iniciativa inédita e ousada na fechada, tradicional e rígida sociedade americana. Ele conta nesse livro quanto aprendeu com o movimento feminista e suas amigas, a ponto de se considerar um "terapeuta feminista", pois conseguiu criar relacionamentos profundos, autênticos e verdadeiros com seus clientes e amigos, inspirado pelo número crescente de círculos de mulheres. Impressionado pela maneira como se expandia e evoluía a espiritualidade feminina, ele começou a promover encontros de homens para aprenderem uma nova forma de masculinidade e contarem com o apoio e a solidariedade dos irmãos de círculo. Sua proposta era "criar um lugar seguro, de apoio, ajuda, compreensão e afeição, em que os homens não tivessem medo de serem ridicularizados ao revelar seus sentimentos e suas vulnerabilidades, e assumissem o risco de buscar uma atmosfera de intimidade".

> OBSERVAÇÃO: enquanto moramos na Chácara Remanso, em Brasília, meu marido, Claudio Capparelli, formou e dirigiu grupos de homens em vivências xamânicas, estudos, debates e práticas, que buscavam e honravam o despertar do "Novo Homem". Essa definição incluía o resgate de valores autênticos e intrínsecos à natureza masculina (coragem, independência, competição, luta pela sobrevivência e proteção da família), acrescidos de novas qualidades (sensibilidade, gentileza, companheirismo e respeito pela mulher, a Terra e todas as formas da criação). Mesmo sem seguir uma abordagem cosmológica, mitológica ou ritualística, nesses grupos promoviam-se os princípios do círculo, com a expressão livre e respeitosa dos pontos de vista individuais, em ambiente de confiança mútua, convívio fraterno e congraçamento, com meditações, danças xamânicas e rituais. Como alguns dos homens que participavam desses grupos eram casados com mulheres que faziam parte do Círculo Feminino, testemunhei e comprovei, por meio de relatos

recíprocos, quanto o relacionamento conjugal desses casais melhorou e como foram abertos novos canais de comunicação, compreensão, parceria e apoio.

Se assumirmos a responsabilidade e o desafio de agirmos como modelos positivos para os homens – em relação à qualidade e à profundidade da nossa conexão com o plano espiritual, humano e natural –, seremos capazes de curar as feridas de ambos os gêneros e criar um equilíbrio que beneficie a todos e ao Todo. No entanto, para cumprirmos de fato a nossa missão de "modelos de conexão", devemos conduzir nossa própria vida de acordo com os princípios do círculo. Ao nos unirmos a outras mulheres, buscamos, além do apoio, o reforço dos nossos valores espirituais e humanos e a ampliação das nossas capacidades de intuição, compaixão, empatia, solidariedade e sabedoria. Restringem-se assim os costumeiros, frívolos e desnecessários assuntos típicos dos encontros de mulheres, que não acrescentam nada para a evolução espiritual nem para o fortalecimento da irmandade feminina.

Se integrarmos a sabedoria do círculo no nosso cotidiano, vamos fazer escolhas com a consciência da sua repercussão sobre a vida de outras pessoas, além da nossa. Modificaremos também o nosso comportamento no ambiente social ou profissional, ouvindo com atenção pontos de vista e opiniões divergentes das nossas, sem julgar ou criticar, apenas abrindo espaço para que os outros se expressem. Incorporando os princípios do círculo na nossa vida, alcançaremos novos níveis de consciência, abrindo, desse modo, novas possibilidades para a nossa expressão.

Se estabelecermos claramente nossa intenção, viveremos com maior plenitude e segurança. Precisamos definir uma intenção de forma específica, tanto em relação aos assuntos materiais quanto aos espirituais, para que ela tenha poder para se manifestar e se manter firmemente na nossa mente e no nosso coração.

Depois de criarmos um centro sagrado em nossa vida, poderemos expandir a consciência do sagrado no mundo. Para isso, recomendam-se algumas práticas para honrar e manter nossa conexão com o plano espiritual, como realizar rituais públicos ocasionais, orar e meditar; fazer breves intervalos para silenciar, observar e nos harmonizar com as manifestações da Natureza; buscar o centramento e o equilíbrio nas diversas situações cotidianas (casa, trabalho, trânsito, reuniões, conflitos, discussões); escolher o tipo de energia que permitiremos entrar e permanecer na nossa vida (programas de TV, filmes, músicas, livros, diversões, locais e pessoas).

Ao reconhecer e honrar o sagrado em todos e no Todo, devemos lembrar que nossas ações e palavras podem criar paz e harmonia, mas também discórdia e dor. Temos a capacidade de influenciar o mundo pela maneira como conduzimos nossa vida e agimos com as pessoas. Agindo com empatia, consideração e aceitação, criamos ondas de energia que reverberam e se multiplicam com vibrações semelhantes. Precisamos nos lembrar sempre do princípio metafísico *Semelhante atrai semelhante*, presente nas máximas: *O amor atrai amor* e *Quem semeia vento colhe tempestade*.

A consciência do sagrado se manifesta também na valorização do presente, do *aqui e agora*, e de cada momento, vivência e lugar como sendo sagrados. As práticas ritualísticas nos ensinam o poder do centramento, do silêncio e da introspecção, para vivermos plenamente o tempo presente, sem nos preocuparmos com passado e futuro, e agradecendo por tudo o que a vida nos oferece. Essa compreensão ampliada nos encoraja a distribuir nosso tempo, nossas prioridades e obrigações com mais sabedoria, sem desperdiçar energia e momentos preciosos com assuntos sem relevância ou que drenam nossos recursos físicos, psíquicos e emocionais. Em lugar disso, é muito mais indicado envolver-se em atividades comunitárias, ecológicas ou espirituais que buscam a preservação e a cura do meio ambiente e honram a sacralidade da Terra.

Cada pessoa pode contribuir para limpar, cuidar, poupar e preservar os recursos naturais, mas cabe às mulheres uma missão maior. Por serem elas as responsáveis – pela própria índole, sensibilidade e habilidade – por cuidar dos seus lares, recursos, filhos e bens, com certeza elas sabem como organizar e supervisionar eficientes programas de reciclagem, preservação da Natureza e prevenção da poluição urbana e planetária. A prática e a divulgação da "simplicidade voluntária", a economia de energia e a preservação dos recursos naturais, a diminuição do consumismo e da destruição da biosfera, a seleção e a reciclagem do lixo e o uso de produtos biodegradáveis e orgânicos são algumas medidas simples que, entre tantas outras, podem representar a nossa reverência e gratidão diária pelas dádivas da Mãe Terra.

Além do compromisso sagrado em relação ao círculo a que pertence, a mulher que almeja a conexão com a Deusa e cultiva uma forma diferente de espiritualidade pode honrar a vida em tudo o que está ao seu redor e consagrar o seu cotidiano com ações específicas, como:

- Criar um espaço sagrado no seu lar, não apenas no altar, para suas meditações e orações, usando a inspiração, a imaginação e a amorosidade em toques sutis, para criar uma atmosfera harmoniosa e de vibração elevada.
- Criar momentos sagrados – para si mesma ou com familiares e amigos – caminhando em meio à Natureza e comungando com ela, ouvindo música suave e lendo textos que enriquecem a mente, nutrem a alma e elevam o espírito.
- Respeitar e consagrar seu corpo como morada da alma, vivendo de maneira saudável, fazendo as escolhas de forma consciente e responsável, sem agredir ou culpar – nem a si nem aos outros –, e transmutando condicionamentos negativos.
- Manifestar sua criatividade buscando novos canais e formas de expressar seu potencial criativo, com finalidades construtivas e que beneficiem também outras pessoas.
- Colocar na prática os ensinamentos espirituais, centrada no "aqui e agora", sem permanecer presa ao passado ou se preocupando demasiadamente com o futuro, compreendendo o significado dos acontecimentos da sua vida e buscando a ampliação da consciência e o seu crescimento intelectual, profissional e espiritual.
- Encontrar o equilíbrio entre falar e silenciar, movimentar e se aquietar, empenhar-se em atividades conjuntas com as irmãs do círculo, cultivar os valores e praticar os ensinamentos da Tradição da Deusa, neles encontrando a verdadeira fonte do seu poder, transformação e cura.
- Agradecer a tudo o que a vida lhe oferece e mostrar sua gratidão com orações, oferendas e iniciativas que beneficiem a Mãe Terra e todos os seres da criação.

No círculo, aprendemos o princípio da igualdade compartilhando liderança, responsabilidade, interesses e objetivos. O desafio, ao expandir a prática do círculo no mundo, é manter essa noção de igualdade em relação aos outros, sabendo que sempre poderemos aprender algo com cada pessoa que encontramos no caminho. Às vezes, os melhores mestres são aqueles que mais testam nossa paciência e tolerância, pois podem atuar como espelhos da nossa sombra. Nosso empenho será no sentido de criar relacionamentos igualitários, evitando jogos de poder, demonstrações de superioridade e de arrogância ou tentativas de dominar e controlar. Permitir que alguém nos domine é igualmente destrutivo em um relacionamento, pois nos destitui do nosso poder e valor. Qualquer sistema de hierarquia ou domínio contraria o princípio de igualdade, por isso devemos nos empenhar para erradicá-lo, prevenindo a perpetuação da dominação e a exploração de mulheres, crianças, idosos, seres animais, vegetais, minerais e recursos naturais.

Aplicar a "consciência do coração" na nossa vida significa estarmos abertas às verdades, opiniões e crenças alheias, sem julgá-las ou criticá-las, tratando os outros com atenção, empatia e compaixão. Ouvindo com a mente e coração abertos, poderemos ultrapassar as ideias, os preconceitos e os julgamentos para que tenhamos a mesma receptividade quando expressarmos nossa verdade. E, se essa atitude for difícil de assumir, sempre poderemos nos refugiar no silêncio, em lugar de falar ou agir impulsiva ou agressivamente. Adquirindo a prática da introspecção, teremos mais facilidade para entrar em contato com nossa voz interior e agir com maior equilíbrio, discernimento e consideração pelos outros.

Praticar a gratidão deverá ser um hábito diário, que vá além do âmbito dos rituais e das orações, tornando-se um modo de viver. Poderemos ver o mundo de maneira diferente, observando a beleza que nos cerca, agradecendo, constantemente, nossa vida e saúde, e nossos bens, nossa moradia, nossa segurança, nossa sustentação, nosso trabalho, nossa família e nossos amigos. Ao preencher nossa mente com a ideia da gratidão permanente, poderemos aceitar os testes e desafios da vida sem nos revoltar, vendo-os como oportunidades de aprendizado e aprimoramento. Todos os povos antigos e nativos consideravam e praticavam a gratidão como um ritual diário. Cada oração individual reforça a egrégora de ligação existente entre a humanidade e os poderes espirituais; a reverência pelo sagrado se baseia no reconhecimento e no agradecimento pelas dádivas da própria vida e de tudo o que existe.

Ao agradecer e oferecer uma oração, um ritual, uma oferenda ou um gesto de reverência, mantemos o equilíbrio entre receber e dar, cumprindo a lei da reciprocidade e interdependência de todas as energias e manifestações da vida. Por mais insignificante que pareça em termos materiais, a expressão sincera da nossa gratidão é o único e valioso presente que podemos oferecer com humildade e honestidade à Mãe Terra e a todas as forças espirituais.

> *Um pouco de fermento transforma uma grande quantidade de farinha e água em lindos pães. Talvez um pouco de tempo passado em um círculo possa ser o fermento que faz crescer o amor, a autoaceitação, a busca espiritual e a vontade de servir, começando a transformar nossas vidas. Ao nos reunirmos, celebramos nossa interdependência, agradecemos pelas dádivas recebidas e pelas conexões criadas entre nós. Que esse profundo sentimento de confiança e responsabilidade para cuidar possa se estender para além do nosso círculo e abraçar toda a Terra.*
>
> – *Wisdom Circles*, Charles Garfield, Cindy Spring, Sedonia Cahill

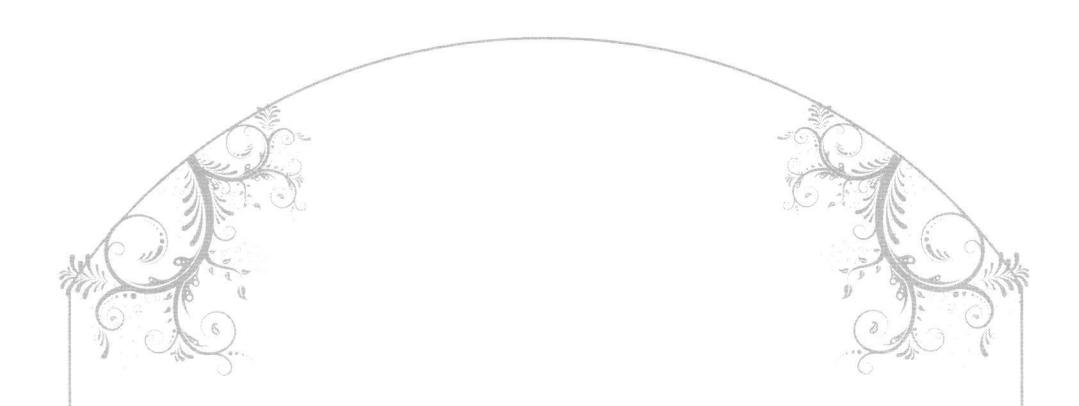

SEGUNDA PARTE

ESTUDOS, PRÁTICAS E RITUAIS PARA A CURA E O FORTALECIMENTO DA ESSÊNCIA FEMININA

Imagine uma mulher que acredita que é certo e bom ser mulher
Uma mulher que honra suas experiências e conta histórias,
Que se recusa a carregar pecados alheios no seu corpo e na sua vida.
Imagine uma mulher que acredita na sua bondade
Uma mulher que se respeita e confia em si mesma
Que ouve seus desejos, anseios e necessidades
E os realiza com ternura e graça.
Imagine uma mulher que acredita pertencer ao mundo
Uma mulher que celebra sua própria vida
Que é feliz por estar viva.
Imagine uma mulher que reconhece
A influência do passado sobre o presente,
Uma mulher que superou o seu passado
E o está curando no presente.
Imagine uma mulher que ama o seu corpo,
Uma mulher que se contenta com seu corpo assim como ele é
Que celebra seus ritmos e fases como valiosos recursos.
Imagine uma mulher que honra a face da Deusa
No seu próprio rosto que muda,
Uma mulher que celebra a passagem dos anos e sua sabedoria
Que se recusa a usar sua energia vital para disfarçar as mudanças do seu corpo e da sua vida.
Imagine uma mulher que cria sua própria vida
Uma mulher que decide, age e se movimenta por si mesma

Que se entrega apenas ao seu Eu verdadeiro e à sua sábia voz.
Imagine uma mulher que escolhe seus próprios deuses
Uma mulher que imagina o divino à sua imagem e semelhança,
Que define a sua espiritualidade e se deixa por ela guiar na sua vida.
Imagine uma mulher que valoriza as outras mulheres
Uma mulher que senta ao lado delas no círculo
Que é por elas lembrada das suas próprias verdades,
Imagine uma mulher poderosa e segura de si mesma
Uma mulher corajosa que assumiu seu lugar, por direito, ao lado dos homens
Uma mulher sábia cujas crenças se refletem nas suas relações.

– A God Who Looks Like Me, Patricia Lynn Reilly

II.I. CERIMÔNIAS DE TRANSIÇÃO

Para marcar etapas de aprendizado e evolução dos grupos de estudo na Tradição da Deusa – em função da passagem do tempo –, realizam-se cerimônias de transição inspiradas nos antigos rituais das culturas matrifocais e adaptadas pelas atuais praticantes e seguidoras.

Segundo a teoria dos campos morfogenéticos, do cientista Rupert Sheldrake, reverberações de eventos passados se propagam através de campos energéticos (semelhantes aos magnéticos), que podem influenciar acontecimentos presentes, com base na similaridade e na ressonância vibratória. Ao longo de milênios, os rituais realizados pelos povos antigos formaram campos vibratórios que continuam existindo, independentemente do lugar e da época da sua criação. Cada vez que um ritual semelhante é repetido, ele ativa e fortalece o campo energético correspondente. Para que os efeitos sejam profundos e cheguem até as pessoas, é preciso que exista uma ressonância entre os fundamentos e a finalidade do ritual atual com os registros do campo energético ancestral. Se uma egrégora for devidamente criada, o simbolismo do ritual visa criar uma sintonia entre o psiquismo dos participantes e as forças espirituais envolvidas. Rituais executados de maneira mecânica, que não tocam a alma, são desprovidos de poder e exercem pouca ou nenhuma influência sobre a vida daqueles que assistem a eles.

Esse fato – científico e metafísico – explica a crescente insatisfação religiosa e espiritual das mulheres, obrigadas durante séculos a assistir, sem participar, aos rituais criados com base em arquétipos divinos masculinos e realizados por homens. As energias que movimentam um ritual são as emoções que ele desperta e a elevação da frequência vibratória das pessoas, alcançada por meio de símbolos, imagens e práticas. As mulheres que começam a trilhar a Senda da Deusa sentem identificação e afinidade imediatas com a Sua simbologia e o Seu cerimonial. Essa sintonia amplia a sua percepção sutil, permitindo que sintam a presença da Deusa não apenas nas palavras e nos gestos ritualísticos, mas na emoção indescritível da entrega e na certeza de terem vivenciado essa experiência anteriormente. Por esse motivo, os rituais que evocam antigos cenários e eventos das culturas centradas no culto da Deusa e que invocam Suas bênçãos para cura, proteção, transformação e evolução ativam os campos morfogenéticos e reavivam as memórias ancestrais. Inúmeras vezes após rituais ou cerimônias de transição, ouvi mulheres comentando que tiveram experiências de regressão espontânea, nas quais reviveram iniciações semelhantes e entraram em ressonância com "recônditos" esquecidos de sua alma. A emoção que amalgama a alegria da lembrança e a dor da perda atua como condutor das qualidades e dos dons daquela vida e cultura, em que a mulher reverenciava e servia a uma das manifestações da Grande Mãe.

São duas as condições importantes para a realização de rituais e cerimônias:

- preparação interior individual, para ampliar a receptividade, a percepção e a conexão espiritual.
- criação de uma egrégora grupal de centramento, reverência e entrega.

O roteiro – simples ou elaborado – deve ser bem estruturado e seguir sempre a mesma sequência, para ativar e fortalecer o campo morfogenético dos rituais ancestrais. Sua finalidade é criar uma estrutura energética especial que ultrapasse os limites do tempo linear e do espaço cotidiano e proporcione o contato profundo das participantes com seu Eu interior e a conexão com os níveis sutis, para deles receber orientação, força e amparo. Esse roteiro deve incluir três estágios:

1. Separação – para o reconhecimento e a libertação de condicionamentos limitantes, bloqueios, crenças e valores do passado.
2. Transição – quando são enfrentados e superados temores e dúvidas e assumidas as responsabilidades do compromisso.
3. Integração – para "ancorar" a nova visão encontrada, que será aprofundada e fortalecida por meio de práticas diárias.

Essas fases existiam em todos os tipos de rituais de iniciação das culturas antigas e ainda continuam presentes nas "escolas de mistérios", sociedades ocultistas e tradições iniciáticas de natureza, estrutura e finalidade diversificadas.

A iniciação representa uma encenação mítico-ritualística do processo de morte (do passado) e renascimento (passagem para um novo nível de consciência). Dependendo da experiência e da organização mística, religiosa ou mágica de quem a pratica, ela pode incluir reclusão, jejum, purificação, testes de coragem, superação de medos ou dor. É comum o recebimento de um novo nome, a revelação de segredos, os juramentos e compromissos, a elevação para outro nível (de conhecimento e poder espiritual), bem como o alinhamento energético (para voltar à realidade cotidiana, reintegrar vivências e aprendizados) e a comemoração final.

No Caminho da Deusa existe uma abundância de rituais iniciáticos tão ricos e diversificados quanto a variada gama de grupos, círculos, tradições e organizações que existem e os praticam. Independentemente do roteiro e dos detalhes dos rituais, recomendo um programa de preparação prévia (durante a semana que antecede o início da jornada), com banhos de ervas correspondentes ao signo zodiacal de cada participante, práticas de meditação e oração diárias no altar pessoal, alimentação vegetariana, abstenção de festas, bebidas alcoólicas e sexo. Para fortalecer o equilíbrio e preservar a pureza energética, é necessário evitar ambientes densos e pessoas "pesadas" do ponto de vista energético e diminuir o ritmo, os estímulos externos e as bebidas com cafeína.

O altar individual pode ser preparado de acordo com a tradição celta ou xamânica para a correlação dos elementos, objetos e direções (descritas no capítulo "Rodas Sagradas").

Para facilitar a conexão com a Face da Deusa – que será a Madrinha individual –, podem ser usados oráculos com imagens de deusas, cada mulher escolhendo intuitivamente uma carta.

Atualmente se encontram no Brasil alguns desses oráculos, mas no começo das minhas atividades eu mesma tive que elaborar um conjunto de cartões, com características, simbologia e atributos sucintos das deusas de diversas culturas e tradições. Os círculos que não disponham de um oráculo manufaturado e com imagens, podem fazer uso desse método mais simples e incentivar as integrantes a complementar os dados e a imagem das suas Madrinhas com pesquisas em livros e na internet.

Antigamente, uma candidata a sacerdotisa se dedicava a pertencer ao culto ou ao serviço da Deusa cujo chamado ouvira em sonhos ou visões, ou à qual fora destinada e preparada pelos pais ou mestres. Mesmo sabendo que *são as divindades que escolhem os seus protegidos*, é muito difícil, no agitado e apressado mundo atual, repleto de compromissos e horários, ter as condições interiores ideais que permitam perceber o chamado de determinada Deusa. Por essa razão, a maneira mais adequada para a conexão com a Deusa é usar um oráculo, estudar e meditar a respeito dos vários aspectos da Grande Mãe e reservar um ano de preparação e conexão (antes de assumir um compromisso formal), para ter maior certeza de qual é a "madrinha" individual permanente. É possível até mesmo ampliar a afinidade conectando-se com diferentes deusas consideradas madrinhas anuais.

No livro *O Legado da Deusa,* enfatizei a importância de escolher um nome mágico ou iniciático, com base na intuição ou em mensagens espirituais, e evitar nome de Deusas. Nas culturas antigas, cujas tradições procuramos resgatar e praticar, o nome sagrado das divindades era pronunciado apenas durante os rituais e com muito respeito e gratidão. Considero uma atitude de humildade, reverência e sabedoria não se "apropriar" do nome de uma Deusa para ostentá-lo na vida cotidiana e apenas entoá-lo diante do seu altar, em meditações ou rituais. Porém, essa é minha opinião, e cada mulher deverá buscar e encontrar a sua própria orientação e "ouvir" a voz da Deusa na sua mente e no seu coração.

Além do oráculo da Deusa, podem ser colocados à disposição dos grupos outros meios de orientação oracular e presságios como cartas de anjos, orixás, fadas, dragões, árvores celtas, flores, essências, animais aliados, escudos do "Caminho Sagrado", runas, tarôs xamânicos, celtas, nórdicos ou mandalas para introspecção (entre outras opções). Todavia, na ausência das palavras escritas ou de conhecimentos específicos, cada mulher poderá buscar e intuir os seus próprios presságios e orientações, algo mais trabalhoso, mas que pode ser até mais autêntico e valioso. Esses presságios vão servir como pontos de sustentação, proteção, reflexão ou alerta ao longo do ano, sendo renovados em cada cerimônia anual.

Vivências pessoais na senda da Deusa

Depois da visão que tive em 1991, em Glastonbury, na Inglaterra, passei os dois anos seguintes me preparando interiormente para iniciar minha missão no caminho da Deusa. Desde que ouvira a Sua voz me mostrando o que deveria fazer, jamais tive dúvidas sobre o meu novo/antigo caminho espiritual. Mas o que me preocupava era a falta do *know-how* e de um embasamento teórico. Sentia-me impelida a voltar para a terra que considerava minha pátria espiritual e, em 1993, passei uma nova temporada em Glastonbury e na Irlanda. Atraída pelo título de um *workshop* xamânico conduzido por uma xamã e psicoterapeuta americana – Arwin Dream Walker –, resolvi me inscrever. Seriam ensinadas técnicas para desvendar os mistérios da alma e o direcionamento dos recursos interiores para realizar o propósito da encarnação atual. Isso era exatamente o que eu estava buscando, e senti que era uma oportunidade que a Deusa me indicava. Arwin me inspirou muita confiança pela sua maneira séria, didática e competente com que usava o tambor e seus profundos conhecimentos xamânicos e terapêuticos para proporcionar o contato com o sagrado. Por meio de várias meditações xamânicas foram abertos "portais" para comunicações com mestres espirituais e animais aliados. No final, Arwin formou o "conselho do cachimbo sagrado" ao redor do altar e depois de invocar as sete direções xamânicas passou a responder a uma pergunta de cada participante. Antes de pedir a orientação, a pessoa deveria se comprometer em cumprir aquilo que seria dito (os pedidos eram restritos a questionamentos transcendentais). Quando chegou a minha vez, pedi que me fosse mostrado como transmitir a Tradição da Deusa para as mulheres em Brasília. A resposta veio clara e dura: "para saber o que fazer, você não precisava vir para um *workshop* além-mar, mas conectar-se com sua sabedoria interior, resgatar seu poder e usá-lo, caminhando com fé e confiança; após ter ouvido o chamado da Deusa não mais poderá ignorá-lo, pois seria negar a sua própria existência".

Fiquei extremamente tocada com essa mensagem e decidi confiar mais nas minhas percepções, pois dependeria só de mim encontrar os meios e começar a caminhar. Meditei bastante em alguns lugares sagrados da Grã-Bretanha e, em um dos círculos de menires (Castle Rigg Stone Circle, em Cumbria), num momento mágico, em que o Sol aparecia no meio das nuvens escuras de chuva, vi claramente um círculo de mulheres ao redor dos menires. Elas não estavam estáticas, mas se movimentavam, algumas choravam, outras falavam, de repente se abraçaram no centro do círculo e desapareceram com a luz do Sol coberto novamente pelas nuvens. Apesar de desconhecer intelectualmente a existência ou a forma de trabalhar com círculos de mulheres, tive a certeza de que era essa a direção que deveria seguir. Mas ainda não sabia como começar a conduzir esse trabalho, tendo em vista que naquela época, até mesmo no diversificado universo místico de Brasília, pouco se sabia sobre a Deusa. Comecei a minha entrega no Caminho da Deusa fazendo algumas palestras sobre a Sacralidade Feminina e percebi que havia bastante interesse e receptividade, o que me incentivou a iniciar celebrações públicas das Luas cheias. Algumas das mulheres que as frequentavam me pediram para criar um grupo de estudo, pois tinham sentido uma profunda emoção ouvindo falar sobre Deusas, rituais femininos, reuniões lunares.

Foi assim que, em 1994, surgiu a Tenda da Lua, a designação do primeiro grupo de mulheres que se reunia nas noites de Lua negra, na Chácara Remanso, dando início a uma longa e desafiadora experiência circular feminina no caminho da Deusa, que se manteve ao longo de doze anos e levou à formação de vários outros grupos. Criei, aos poucos, um programa progressivo de temas para estudarmos, vivenciarmos e celebrarmos, sempre em círculo e ao redor de um altar arrumado com elementos e objetos mágicos e uma estatueta da Deusa. Outras mulheres interessadas em aprender sobre a espiritualidade feminina apareceram, e novos grupos foram criados, seguindo a mesma programação dos encontros, rituais e vivências.

Desde o início, percebi que além das reuniões mensais havia uma necessidade imperiosa – espiritual, energética e humana – de ritualizar a caminhada dessas mulheres, pontuando seus ciclos de aprendizagem com cerimônias de transição de um estágio para outro. Consultei vários livros adquiridos durante as minhas incursões e estudos anteriores em outros caminhos esotéricos e tradições ocultistas. Dispunha de bastante bibliografia para me inspirar na formulação de um cerimonial adequado, mas me desagradava a ideia de uma estrutura dogmática e rígida, com expressões enigmáticas, gestos cabalísticos, sacrifícios, desafios e sofrimento nas iniciações. Achava que nós, mulheres, tínhamos uma quota suficiente de dor e provação na nossa existência cotidiana e que as cerimônias de transição podiam ser suaves e belas, mas nem por isso desprovidas de poder e mistério. Por isso mesclei dados intelectuais com percepções intuitivas e orientações "recebidas" nas meditações e elaborei os roteiros que ofereço a seguir. Ao criar essas cerimônias, procurei incluir práticas e tarefas que reproduzissem, de maneira mais suave, as etapas tradicionais mencionadas anteriormente. No começo adotei alguns elementos das tradições Wicca e xamânica, mas com o passar do tempo dei mais ênfase à simbologia da sacralidade feminina, ao contato com a Natureza e à participação conjunta das mulheres nos rituais e vivências.

Descrever todas as cerimônias, rituais, vivências e práticas realizadas durante doze anos de atividades circulares femininas é uma tarefa que exigiria mais de um livro. Optei por relatar resumidamente a "jornada iniciática" anual, percorrida pelas dezenas de mulheres que começaram sua caminhada na Senda da Deusa, por intermédio dos rituais da Chácara Remanso, que continuam sendo realizados pela Teia de Thea para os novos grupos. Esses rituais abrem "portas" sutis há séculos fechadas, servindo como inspiração para novos círculos femininos atravessarem as estreitas pontes que separam o mundo da realidade cotidiana dos reinos mágicos, sagrados e encantados Daquela que sempre foi, continua sendo e eternamente será a Deusa, nossa Divina Mãe.

Pessoalmente sou bastante avessa a hierarquias e honrarias, por isso não pretendia, no início das minhas atividades cerimoniais, formar uma "pirâmide de poder" com graus iniciáticos. Depois de muita experiência e reflexão, porém, concluí que era necessária uma escala de graduação para designar os níveis ascendentes de aprendizado, responsabilidade e evolução. Para reconhecer e honrar a ascensão individual programei rituais diversificados para as cerimônias de dedicação, iniciação, confirmação e consagração no caminho da Deusa. O último nível citado corresponde à nomeação de Sacerdotisa, para servir a Deusa e a Sacralidade Feminina. Depois de alcançar esse nível, eram as próprias mulheres que preparavam e realizavam seus rituais individuais para reafirmar e reforçar os compromissos espirituais assumidos. Algum tempo depois, quando foram iniciados os grupos de estudo da Tradição Nórdica e da simbologia rúnica, criei outros rituais específicos, adequando-os ao progresso do aprendizado e aprimoramento, seguindo uma escala de três graus, sem a dedicação.

Três é o número que representa a Tríplice Manifestação da Deusa, nos seus aspectos jovem, adulta e anciã; ele sintetiza a evolução da aprendiz até adquirir experiência, alcançar sabedoria e a decorrente maestria. Porém, além da relação com o fator tempo, a evolução espiritual depende do empenho e da dedicação pessoal, além das oportunidades kármicas de resgate e ascensão.

Não são necessárias vestes sofisticadas, adereços, tiaras, capas ou insígnias para as integrantes dos círculos femininos. A túnica branca de algodão usada para a dedicação continua sendo a mesma nos outros níveis, sendo acrescida apenas de um cinto de cordões vermelhos, trançados pelas próprias mulheres, e um anel para o segundo grau e um colar de granada e um talismã para o terceiro. Cada círculo poderá escolher e padronizar uma veste ritual, que será usada apenas nas cerimônias anuais de transição ou também nas reuniões, contribuindo para criar um ambiente mais harmonioso e equilibrado pela uniformidade da roupa e da cor.

Sendo um dos atributos das deusas a beleza e o realce do encanto feminino, é importante incentivar o uso e a confecção individual e ritualística de colares e pulseiras (com pedras semipreciosas, sementes, conchas e contas), e de xales tecidos ou bordados pelas próprias mulheres. Resgatam-se e valorizam-se, assim, as antigas artes manuais e a criatividade e habilidades femininas, honrando as deusas tecelãs. A única exigência imposta aos grupos é o uso de saias ou vestidos, para que, pelo menos em ambientes e situações que honram a sacralidade feminina, sejam abolidos trajes e posturas masculinas. Ao longo dos anos, eu observava encantada a transformação pela qual passavam as mulheres – nos gestos, na maneira de andar, sentar, falar, agir – depois que assumiam sua condição feminina e se libertavam das "armaduras". Devo confessar que não foi tarefa fácil pedir às frequentadoras dos rituais públicos que usassem saias – algumas nem sequer tinham uma no guarda-roupa –, mas, com o passar do tempo, nas celebrações públicas dos plenilúnios e da Roda do Ano, as dezenas de participantes passaram a vir com vestidos coloridos, xales, echarpes e enfeites de flores nos cabelos.

Mais difícil ainda é censurar e abolir expressões e exclamações do linguajar habitual da atualidade, claramente feitas e usadas pelos homens e infelizmente incorporadas ao vocabulário de algumas mulheres, na maioria das vezes inconscientes do seu verdadeiro significado, incompatível com a natureza feminina. É lamentável o uso corriqueiro pelas mulheres de expressões estereotipadas, pejorativas, ridículas e sem sentido, tendo em vista a riqueza da língua portuguesa. Uma conquista dessa "campanha" foi ouvir as mulheres falarem com naturalidade expressões como *Graças à Deusa*, usar como símbolos de proteção para si seus carros e suas casas talismãs e pingentes com pentagrama, *triskelion*, *ankh*, cruz solar ou de Brighid, "olho da Deusa", runas, além de estilizações de imagens ou atributos das Deusas.

No entanto, não convém usar nada de forma ostensiva ou provocadora, ou compartilhar crenças e convicções com pessoas que não demonstrem abertura e receptividade para ouvi-las. Em um mundo sobrecarregado de disputas ideológicas e religiosas, que leva aos exageros do fanatismo e à decorrente discriminação e perseguição, a contribuição da mulher que segue a Tradição da Deusa não é fomentar conflitos, muito menos tentar converter ou convencer outras pessoas sobre suas crenças ou valores. O que ela pode e deve fazer é viver sua vida de acordo com os princípios da Sacralidade Feminina, respeitando a si, aos outros, a Natureza, e celebrando, agradecendo e percebendo a presença da Deusa em tudo o que existe, empenhando-se para contribuir, de algum modo, com a manutenção da paz no nível pessoal, coletivo e global.

A. JORNADA INICIÁTICA

> *A iniciação leva de um estado de consciência para outro. À medida que é alcançado um novo estágio, o horizonte é ampliado, a visão estendida e a compreensão aprofundada até que a expansão chega a tal ponto que o eu pode abraçar todos os outros seres.*
>
> – Alice Bailey, citada em *Sacred Circles*

Para honrar a fase inicial de uma cerimônia de transição – a separação – é indispensável distanciar-se e desligar-se dos hábitos e das obrigações costumeiros, recolhendo-se em um lugar seguro, longe da cidade, próximo a uma cachoeira, rio, mar ou mata que sirva como retiro protegido de interferências externas.

Recomendo escolher o fim de semana mais próximo da data do *Sabbat* Imbolc (1 e 2 de fevereiro), começando na sexta-feira à noite – ou não – pela sauna sagrada (*sweat lodge*, a prática xamânica dos nativos siberianos e norte-americanos).

A realização de uma sauna sagrada com competência e eficiência requer preparação adequada e enorme responsabilidade espiritual, que vai muito além das dificuldades práticas e prosaicas de montar e cobrir a estrutura de galhos e encontrar pedras adequadas e virgens para a fogueira. Na tradição dos indígenas lakota, essa cerimônia chama-se *Inipi* e, segundo a lenda, foi ensinada a esse povo por Kanka, uma velha feiticeira. O objetivo é a purificação (nos níveis físico, metal, emocional, espiritual) e a fusão com a Mãe Terra, as forças e os seres da natureza, os ancestrais e protetores espirituais. Transmitida por ensinamentos orais de mestres xamãs para seus discípulos, exige do responsável por sua condução, além das preparações e práticas específicas da iniciação, alto grau de equilíbrio e preparo psíquico, mental, emocional e espiritual. Não basta "jogar água nas pedras" e recitar invocações e cânticos; é preciso ser habilitado para conduzir com segurança os passos do processo e lidar com os medos, os conflitos internos e os problemas pessoais dos participantes. Enfrentam-se, além da escuridão e do desconforto do ambiente, as sombras e as vulnerabilidades individuais, os temores e as lembranças traumáticas, desta ou de outras existências. Para alcançar a integridade individual e grupal, deve ser reconhecida e vivenciada (em um contexto curativo e transmutador) a dualidade do ser: luz/sombra, negativo/positivo, fraqueza/força, começo/fim.

Uma autêntica sauna sagrada, feita com conhecimento e reverência, representa uma experiência xamânica única de "morte e renascimento", cujo poder é direcionado para a transmutação, a cura e a renovação. Além desse necessário alerta, não é possível ensinar por escrito como preparar e conduzir uma sauna sagrada. Recomendo apenas que a condução da sauna seja feita por uma mulher, para preservar a egrégora da sacralidade feminina e proporcionar liberdade de expressão, confiança, cumplicidade e apoio, condições propícias para a partilha de experiências dolorosas e íntimas. É necessário que as dirigentes de um círculo que se proponha a fazer saunas sagradas busquem e adquiram o conhecimento e a segurança para realizarem essa tarefa. Dessa maneira se respeitará um espaço-tempo sagrado, exclusivamente feminino, longe da interferência e da autoridade masculinas, que infelizmente ainda atuam nessa área, com a conivência e a acomodação de algumas mulheres que não percebem a pretensa continuidade do controle e poder patriarcal.

Para substituir essa cerimônia xamânica de purificação, podem ser usados rituais específicos na fogueira, como exercícios bioenergéticos e catarse; práticas respiratórias; visualizações dirigidas; danças e meditações xamânicas ao som de tambor; aplicações de argila no corpo, retirada de resíduos negativos, por meio de passes energéticos seguidos de banhos de cachoeira, mar, rio; ou infusões de ervas com sal marinho. Essas são algumas das possíveis medidas que favorecem a limpeza da aura, a remoção de energias tóxicas e a transmutação de condicionamentos negativos e limitantes (mentais, emocionais ou comportamentais). Após a purificação pela sauna ou na fogueira, segue a harmonização grupal com danças, meditações, orações e o descanso noturno.

A manhã seguinte é dedicada à deusa Brigid, patrona das iniciações, guardiã do fogo sagrado, protetora e amiga das mulheres. As suas bênçãos são invocadas com um ritual, acompanhado de orações, cânticos e dança circular ao redor de um altar com símbolos adequados e oferendas.

Em 1999, após uma estada em Kildare, na Irlanda, o lugar onde existia antigamente o templo de fogo da deusa Brigid e se realizavam práticas de cura e consagração das mulheres, decidi acrescentar ao roteiro costumeiro da iniciação uma procissão. Realizar procissões para honrar a Deusa era um costume antigo, que foi preservado também no culto contemporâneo da Santa Brigid (Santa Brígida).

Participei de uma vivência com a Sister Mary Teresa Cullen, freira da Ordem Brigidine Sisters (fundada em 1807), que, com outra freira, reacendeu a antiga chama sagrada de Brigid em 1993, que arde desde então na sede de *Solas Bhride* [a visão de Brigid]. Essa organização promove um festival anual – *Feile Bhride* – baseado nos valores de Brigid: paz, justiça, reconciliação, que inclui eventos artísticos, competições de poesias, canções, danças, conferências e uma procissão.

Inspirada nos passos simples da procissão realizada na vivência com Sister Mary no local da fonte sagrada de Brigid (Deusa e Santa), complementei o seu roteiro com informações sobre os antigos mitos e elaborei uma cerimônia mais complexa. Aproveitei a topografia do local onde são realizadas as jornadas anuais de Brasília, que dispõe de uma fonte e uma ponte sobre um rio, assim como é o cenário do atual santuário de Brigid, em Kildare. Para facilitar a compreensão da simbologia usada, vou resumir o mito da Deusa, Seus atributos e Sua adaptação no culto de Santa Brigid. Em seguida descreverei a procissão e os rituais como são realizados pelo círculo de mulheres de Brasília, desde o ano de 2000.

Brigid, Brighid, Brigit, Brighde, Bhrid, Brigantia ou Bride (pronuncia-se *Bríd*)

A reverência do povo irlandês pela Santa Brigid – atestada pelas centenas de igrejas e fontes a Ela dedicadas – é uma prova viva e clara da continuidade do culto à deusa celta Brigid, cujos antigos altares foram encontrados em vários lugares das Ilhas Britânicas, da Escócia, da Irlanda e da Bretanha. Um rico e variado folclore preserva a multiplicidade dos Seus atributos, que abrangiam desde a regência do Sol e do fogo (lareira, fogueira, tocha, forja), as artes (poesia, música, dança, tecelagem, artesanato com fios e metais), a criação do gado e a produção dos alimentos, a cura, o cuidado com gestantes, parturientes, crianças, doentes e animais até a divinação, a profecia e a magia. Seu nome celta – *Breo Saighit* – significa "flecha ardente", e Ela pertence aos Tuatha de Danaan, os ancestrais míticos da Irlanda, regidos pelo deus Dagda, seu pai.

O principal local do seu culto era Kildare, em celta *Cill Dara* [a igreja dos carvalhos], que depois da destruição do templo de fogo e da supressão do Seu culto tornou-se uma cidade insignificante, sem guardar vestígios do passado. Foi erguida uma catedral cristã no local do templo de fogo e preservadas apenas a Sua fonte e a antiga forma de pedir a cura, pendurando-se pertences dos doentes nas árvores ao redor.

A reverência pela Deusa foi transferida para a Santa, cuja biografia é bastante confusa, mesclada com motivos pré-cristãos e várias lendas relacionadas aos milagres. Uma mulher chamada Brigid, filha de um druida e de uma escrava pagã, que teria vivido entre os anos 425-525, ficou conhecida por seus atos milagrosos, foi santificada e continuou a ser homenageada na mesma data da Deusa – no *Sabbat* Imbolc. As lendas contam que, desde o seu nascimento, a vida da Santa foi pontuada por fatos sobrenaturais, como o fogo que cercava seu berço sem queimá-lo (uma clara alusão à coroa de chamas da Deusa), a sua precoce sabedoria, bondade, compaixão e dom de cura e a sua consagração como bispo, em lugar de ser ordenada como freira. Esse fato deveu-se a uma falha inexplicável do oficiante (o patriarca que depois se tornou Saint Patrick, o padroeiro da Irlanda), que recitou o juramento errado e conferiu-lhe o título de abadessa. Assim como a Deusa, que trazia vida e fertilidade na primavera e abundância da terra no verão, além de curar e realizar milagres, a Santa Brigid também multiplicava o leite e as provisões de grãos, propiciava a fertilidade de mulheres e animais, assistia os partos e curava doentes. Teria sido Santa Brigid que ensinou seu povo a assobiar e lamentar os mortos, dedicando-lhes tristes canções (*kenning*), e às mulheres a cuidar dos pobres e doentes, fiar, tecer, bordar, curar e fazer previsões, todos esses dons atribuídos à Deusa no Seu mito.

As cerimônias dedicadas à Santa reproduziam os rituais que reverenciavam a Deusa e foram as responsáveis pela preservação das antigas tradições. Os elementos eram os mesmos: a procissão feita por mulheres vestidas de branco e portando coroas de velas; a imagem de Brigid feita com palha de aveia e colocada em um "berço", com um bastão feito de um galho de árvore sagrada. O bastão representava o Seu cajado, que, ao tocar a terra árida e congelada pelo frio do inverno, lhe devolvia a vida (no início da primavera). Fazem parte dos objetos sagrados de Brigid: *Crios Brighde* ou *Bhrid* (o Seu cinto feito de palha de aveia trançada com fitas vermelhas em forma de círculo e enfeitado com cruzes solares também de palha) e *Brat Brighde* (o Seu manto, simbolizado por pedaços de tecido ou fitas de cor verde, que ao serem deixados no sereno na noite de Imbolc ficavam impregnados com energias de cura). Seus símbolos são as cruzes solares (suásticas feitas de palha), o *triskelion* (símbolo tríplice de proteção) e os "olhos de Brigid" (chamados depois de "olhos de Deus"). Podem ser citados como elementos mágicos tradicionais o *bodhran* (o tambor irlandês), o "sapato de Brigid", confeccionado em bronze ou outro metal (para descrever Seus passos que faziam nascer os frutos e as flores da terra), a imagem de uma vaca vermelha ou branca (significando abundância), assobios ou sinos, tochas, velas de cera de abelhas, oferendas de pão, manteiga, mel e cerveja (cuja preparação foi por Ela ensinada).

Tendo feito a transição da condição de Deusa para Santa, preservando o nome e Sua complexa simbologia, Brigid atua como "ponte" (*bridge* em inglês) atual e poderosa entre as mulheres e os valores sagrados femininos. Mais do que uma das muitas deusas celtas, Brigid é uma divindade com um abrangente espectro de atributos e um grande alcance, tanto para os fiéis católicos (como Santa) quanto para os adeptos do neopaganismo e da Wicca e as seguidoras da Tradição da Deusa.

A Sua representação costumeira é como uma Deusa tríplice ou três irmãs que regem a fertilidade (da terra, dos seres humanos e dos animais), a inspiração dos poetas, artistas e artesãos, a cura (em todos os níveis), a proteção mágica, a iniciação pela ativação da chama interior. A consagração pelo fogo sagrado proporciona o "nascimento espiritual" e favorece o despertar da intuição e o uso da magia (como uso de oráculos, encantamentos, bênçãos, curas e profecias).

Pouco se conhece dos Seus antigos rituais, além do cuidado com a preservação do fogo sagrado perpétuo, que ardia sem deixar cinzas, guardado por dezenove noites pelas sacerdotisas e na vigésima noite pela própria Brigid. Na noite de Imbolc preparava-se o Seu altar em todas as casas e esperava-se Sua "passagem" (representada pelas marcas dos Seus pés nas cinzas da lareira) para abençoar e curar.

Em vários locais da Irlanda e da Escócia, existem inúmeras fontes a Ela dedicadas (chamadas *Tobas Brighde*), onde peregrinos buscam cura e deixam suas oferendas (rosários, colares, tranças de fitas, bordados, reproduções de instrumentos musicais, miniaturas de vacas ou cruzes solares de palha). Em todas essas fontes – denominadas *Clootie Wells* [fontes de trapos] – encontram-se pedaços de panos, roupas e objetos dos doentes, perpetuando a crença de que a doença ficava impregnada neles e que, por seu intermédio, as pessoas recebiam as bênçãos de cura de Brigid.

No pequeno santuário de Brigid em Kildare, atualmente se encontram um nicho na entrada para acender velas e outro com uma estátua da Santa e um arco de galhos de salgueiro acima da ponte, sobre o riacho que nasce na fonte e que passa entre duas rochas que parecem tamancos (chamadas de "sapatos de Brigid"), que serviam de apoio para os peregrinos se ajoelharem. O pequeno lago formado pela fonte acolhe as moedas das oferendas (depois doadas aos pobres, que têm a Santa como Sua padroeira), e a árvore ao seu lado recebe as oferendas. No pequeno trecho entre a ponte e a fonte há cinco pedras desgastadas pelo tempo, possíveis remanescentes de uma antiga fileira de menires que estão sendo usados como marcos das direções cardeais e dos elementos mágicos correspondentes nas procissões atuais.

Procissão e ritual para a Deusa Brigid

Antes de começar o ritual, convém arrumar um altar principal dedicado à Deusa e outro, auxiliar, com objetos mágicos, imagens e oferendas das participantes. Preparar com detalhes o trajeto da procissão, distribuindo os papéis e sinalizando os locais, os passos e as orações.

– Altar: sobre uma mesa coberta com uma toalha de tecido de algodão ou linho na cor branca, colocam-se outras quatro toalhas pequenas nas cores das direções tradicionais celtas, com os seguintes elementos e objetos correspondentes:

- Leste – azul, incenso, sino, flauta, assobio de madeira ou cerâmica, pincel, lápis, caneta (opcional um CD ou DVD como ferramentas modernas de comunicação).
- Sul – vermelho, vela de cera de abelhas, punhal, martelo, objetos dourados ou de bronze.
- Oeste – verde, um cálice com água, ervas secas ou frescas, essências florais para harmonização.

- Norte – dourado ou amarelo, bastão, cruz de palha (suástica), pedras, símbolos de soberania (coroa, cetro), uma vasilha de barro com grãos.
- Centro – uma cesta de vime ou um "berço" de madeira forrado com palha, com a imagem (em palha, pano ou cerâmica) de Brigid vestida com uma roupa branca, xale ou manto verde, tendo ao seu lado um bastão de goiabeira ou pitangueira (para substituir o tradicional, de salgueiro), enfeitado com fitas laranja. Uma estatueta de Brigid de metal (ou Sua imagem colorida), um *triskelion* e – opcional – a imagem ou estatueta de uma vaca. Objetos complementares: o *Crios Brighde*, o "limiar" representado por uma corda trançada e decorada com fitas vermelhas e laranja, o material necessário para a confecção das cruzes solares e dos "olhos da Deusa".

– O ritual será conduzido pela dirigente ou por um pequeno grupo de oficiantes, cada uma se responsabilizando por um dos seus passos. Após as explicações sobre o mito e a simbologia de Brigid como Deusa e Santa, seguem algumas canções e danças sagradas celtas e as invocações, quando são pedidas Suas bênçãos de proteção, poder e cura.

As participantes, vestidas com túnicas brancas e um xale vermelho ou laranja, formam uma fila em ordem de idade, começando com a mais idosa, que passa na frente de três mulheres que representam a Tríplice Manifestação da Deusa e as abençoa com gestos e palavras. Sobre suas túnicas essas mulheres usam echarpes ou xales coloridos e seguram objetos que correspondem aos aspectos tríplices de Brigid: inspiração e criatividade (azul, sino ou assobio), o poder mágico do fogo sagrado (vermelho, vela ou tocha), cura e renovação (verde, cálice com água, galhos de ervas).

À medida que as mulheres são abençoadas, elas vão iniciando a procissão, segurando uma vela laranja dentro de um copo de vidro e levando uma oferenda (escolhida entre flores, um punhado de grãos, um pedaço de pão de aveia, um pouco de mel, leite, manteiga ou cerveja), uma fita vermelha, azul ou verde (dependendo da bênção pedida). As oferendas serão colocadas sob uma árvore, decorada com fitas vermelhas e laranja, com a imagem de Brigid, e uma vela de cera de abelhas acesa.

❇ O trajeto – previamente preparado – inclui a lavagem de pés e mãos, a passagem sob um "portal": galhos verdes e fitas vermelhas formando um arco preso sobre uma ponte (na sua ausência, caminhar próximo da água corrente), uma árvore (de preferência com três galhos ou raízes) decorada com flores, fitas vermelhas, imagens da Deusa para receber as oferendas. A procissão serpenteia as árvores (o caminho é indicado por uma corda estendida) e passa ao lado de uma mesinha ou bandeja com um copo de leite, outro com cerveja (sem álcool) ou suco de maçã, um pão redondo, um pratinho com manteiga ou creme de leite, um potinho com mel. As mulheres param em cada um dos locais assinalados, oram, meditam sobre os atributos da Deusa e compartilham, com respeito, da "mesa de Brigid". Seguem depois em silêncio pelo restante do percurso, assinalado no meio das árvores, até uma fonte (na sua ausência colocar uma jarra com água mineral e uma taça de vidro), onde oram pela sua cura, bebem um pouco de água e se abençoam em nome de Brigid, traçando sobre si (testa, coração, ventre) o símbolo do *triskelion* ou da cruz solar. O último passo requer uma oração em benefício de todas as mulheres, crianças, seres da Natureza e meio ambiente. A volta para o "mundo real" é feita com um salto sobre o limiar, após a bênção da dirigente, na qual ela coloca o *Crios Brighde* em cada mulher.

A procissão é um convite para a reflexão e a oração, buscando o contato com a deusa Brigid. Para isso ela requer silêncio, centramento e reverência. Em cada um dos seus passos, além de refletir sobre os atributos de Brigid, entoa-se a saudação tradicional cristã em gaélico: *A Naoimh Bhrid Gui Orainn*, cuja pronúncia é *A Nem Brid Gui Orín* e significa *Santa Brigid, ore por nós*.

Segue a descrição dos treze passos da procissão:

1. Ao lavar os pés e as mãos (no rio ou em uma bacia com água), pensar no que quer remover e purificar na sua vida, entregando os resíduos energéticos à água ou tocando o chão.
2. Passando sob o arco, pedir reverentemente a permissão e a proteção de Brigid para iniciar e trilhar com segurança o seu caminho espiritual.

3. Parar sobre a ponte ou à margem do córrego, ouvir seu murmúrio e refletir sobre sua forma de conexão com a Fonte Divina. Silenciar, abrir o coração, orar, ouvir a voz da Deusa.
4. Reverenciar Brigid como "Mulher da Terra". Ajoelhar-se, tocar o chão e avaliar o modo como você cuida da Terra ou contribui para a sua preservação e consagração. Colocar sua oferenda sob a árvore das oferendas e agradecer as dádivas recebidas (meios de sobrevivência, saúde, família, relacionamentos, amigos, morada, trabalho, realizações, sucessos).
5. Invocar Brigid como "Pacificadora". Meditar sobre a maneira como cria ou preserva a paz dentro de si, ao seu redor, no mundo. Entoar a bênção tradicional irlandesa para a Paz:

A paz profunda das ondas fluindo para você, a paz profunda do ar lhe envolvendo, a paz profunda da terra silenciosa e das estrelas brilhantes tocando você. Que a paz preencha sua alma e a torne um ser completo.

6. Saudar Brigid como "Amiga dos Pobres" e refletir sobre suas atitudes pessoais em relação aos excessos, aos desperdícios, ao supérfluo e sobre os recursos que poderá usar em benefício dos menos favorecidos.
7. Visualizar Brigid como "Mulher Hospitaleira", avaliar e reconhecer seu comodismo ou sua resistência em doar seu tempo e sua energia para um projeto ou uma comunidade. Compartilhar da "mesa de Brigid", meditar, orar e agradecer a Sua generosidade e os dons que lhe conferiu.
8. Conectar-se com Brigid como "Mulher Contemplativa", refletir sobre suas práticas espirituais e a aplicação dos seus conhecimentos e aprendizados, em benefício de todos e do Todo.
9. Dar três voltas ao redor da fonte ou da jarra com água. "Lavar" as feridas da sua alma e do seu corpo, entregar a Brigid suas dores, mágoas, decepções, falhas, erros. Tomar um gole de água e se abençoar. Recitar a "Oração do Poço Sagrado" (tradução livre da canção original inglesa *The Sacred Well*, do Coven Reclaiming, criado por Starhawk):

> *Mãe, nunca mais nos esqueceremos nem nos perderemos no caminho de volta para a fonte sagrada. O poder da Tua chama vivente se ergue em nossos espíritos como a grama que brota saindo da escuridão da terra para a luz do Sol. Nós buscamos as Tuas águas da vida, nós temos fé e viveremos livres novamente.*

10. Sentar-se e orar para a paz e o bem-estar dos seus familiares, amigos, irmãs e irmãos do mundo inteiro, pelo planeta, por sua preservação, cura e pacificação. Visualizar a energia nutriz, curadora e pacificadora da deusa Brigid envolvendo a Terra.
11. Passar pelo *Crios Brighde* [Cinto de Brigid]. Para substituir o tradicional cinto de palhas trançadas, aconselho um aro circular de arame coberto por cordas e fitas vermelhas, no tamanho adequado para que uma mulher possa "entrar" nele. Colocá-lo no chão, entrar com o pé direito, passá-lo pelo corpo e mentalizar as bênçãos da Deusa para o seu "renascimento". Voltar para a realidade cotidiana atravessando o *limiar*, representado pelo salto sobre a corda.
12. Confeccionar a *Cros Bhrid* [Cruz de Brigid], trançando-a em palha, e também o "olho de Brigid", tecendo-o com linhas amarelas, laranja ou vermelhas (na internet encontram-se modelos diversos e a descrição do método de confecção).
13. Finalizar o ritual acendendo 19 velas, que correspondem aos atributos de Brigid, enunciados pela oficiante e mentalizados por todas as participantes à medida que as velas são acesas, seguindo essa sequência:

    1. A chama do Seu nascimento. 2. A centelha sagrada. 3. O pilar de fogo. 4. A fonte da vida eterna. 5. O fogo perpétuo do Seu altar. 6. A luz do Seu templo. 7. O brilho do Seu olhar. 8. O poder do Seu cajado. 9. O Seu sopro que faz renascer. 10. A luz branca da inspiração. 11. As brasas da Sua lareira. 12. O fogo da Sua forja. 13. O Seu cinto que cura e renova. 14. O Seu manto de proteção. 15. O Seu véu que esconde a verdade. 16. O poder curador das fontes que levam Seu nome. 17. O som da Sua harpa. 18. A nutrição pelo leite da Sua vaca branca de orelhas vermelhas. 19. As orações a Ela dedicadas,

entre as quais se destaca esta prece tradicional, que será recitada em conjunto por todas as participantes:

Brigid, Senhora da Flecha Ardente,
Que tem cabelos vermelhos incandescentes,
Olhos verdes como as ondas do mar
E roupas alvas como a neve que brilha ao luar.
Brilhante e resplandecente Deusa,
Guardiã da floresta de carvalhos,
Padroeira do templo de fogo de Kildare
E das Ilhas Sagradas de Mona e Iona.
Deusa da inspiração e das artes,
Abençoa-nos com a luz da sabedoria,
Para enxergarmos além da ignorância.
Deusa poderosa e vitoriosa,
Dê-nos força para podermos vencer,
Dê-nos poder para tecermos nossa teia mágica
E plantar nossos sonhos como sementes.
Que o Teu calor venha nutrir e abrir,
Embelezando nossa vida e alegrando nossos corações.
Deusa da forja, do lar e da lareira,
Senhora da poesia, da música, da arte, da cura, do amor e da magia,
A Tua flecha ardente aquece nossos espíritos,
Que buscam a promessa da renovação,
Renascendo das cinzas da transmutação.
Nossas almas Te louvam e Te agradecem,
Senhora da Flecha Ardente,
Brigid poderosa e bondosa,
Brilhante e resplandecente Deusa.

As velas acesas podem ser colocadas ao redor do altar, de uma fogueira ou na mão de 19 mulheres representando as Sacerdotisas da deusa Brigid.

As mulheres levam para suas casas, seus altares ou seus carros os amuletos (de palha ou linha) confeccionados durante a vivência e duas orações de proteção previamente impressas. Essas orações podem ser recitadas diariamente antes de saírem de casa, nos momentos de perigo ou sofrimento, como pedido ou afirmação da proteção divina.

Orações de proteção

"Brigid, deusa vitoriosa da luz,
Cubra-me com teu manto sagrado,
Vigia-me sempre com teus olhos,
Proteja-me com teu cajado.
De manhã até anoitecer,
Por onde eu andar ou estiver,
De dia, ou de noite,
Que eu seja sempre protegida, honrada,
Acolhida e favorecida.
Brigid, deusa poderosa e protetora,
Fique ao meu lado, seja a minha companheira,
Minha conselheira, guardiã e defensora.
Brigid, guardiã da chama sagrada,
Cujos pés são brancos e os cabelos vermelhos,
Deusa da profecia, senhora da magia,
Protetora dos caminhos e das encruzilhadas,
Eu sou por ti protegida, guiada e defendida.
Brigid, tu és sempre a minha companheira,
Por isso nenhuma arma me atingirá,
Jamais cairei em armadilhas,
Não serei ferida, nem amedrontada,
Não terei prejuízos, nenhuma perda,
Pois eu estou debaixo do manto de Brigid.
Todos os dias e todas as noites,
Todas as manhãs e todas as tardes,
Eu sou por Brigid protegida,
Guiada e apoiada.
Brigid é minha protetora,
Brigid é minha companheira,
Meu escudo, minha armadura,
Meu cajado e minha luz."

Se as mulheres tiverem trazido fitas ou pedaços de tecidos de algodão na cor verde, eles serão deixados no sereno durante a noite para serem imantados com o poder curativo de Brigid. Depois serão guardados nos altares individuais e usados sobre o corpo em casos de dores ou doenças. Eles podem ser substituídos ou consagrados de novo no Imbolc seguinte.

Depois dessa cerimônia dedicada à Senhora padroeira das Iniciações, são realizados os rituais específicos aos graus individuais.

B. RITUAL DE DEDICAÇÃO NO CAMINHO DA DEUSA

Além da sugestão dada na primeira parte do livro, proponho outro ritual mais elaborado e complexo, que será conduzido pela(s) dirigente(s). Supõe-se que a dirigente ou iniciadora do círculo tenha certa experiência e preparo espiritual e que ela tenha feito previamente a sua própria dedicação pessoal a serviço da Deusa (cuja descrição encontra-se no livro *O Legado da Deusa* e poderá ser ampliada ou adaptada pela própria mulher).

Aconselho que se façam as dedicações anuais após a procissão de Brigid e que as candidatas preparem antecipadamente um símbolo que represente sua intenção de se filiar ao círculo e o seu pedido para que a Deusa permita e abençoe a sua jornada espiritual. Elas podem modelar argila decorada com sementes e materiais naturais (folhas, galhos, raízes, pedras, conchas) ou fazer desenhos, colagens ou pinturas, trabalhos manuais com fios, lã, fitas e contas, acrescentando uma oração, poesia ou canção.

Desde as antigas sociedades matrifocais, a água era considerada um elemento sagrado nos rituais dedicados à Deusa. Além de servir para purificação, ela era um símbolo de renovação e nutrição, representando as águas primordiais que favoreciam o nascimento e as iniciações. No horário combinado, as mulheres se reúnem no local escolhido para essa finalidade (perto de um rio, cachoeira, lago), levando sua túnica branca, uma guirlanda (de flores brancas, folhagens e fitas), uma vela branca de sete dias, uma rosa branca e o símbolo por elas preparado. Após mergulharem – sem roupa – na água, mentalizando seu despojamento, sua volta ao útero primordial e sua renovação pelas bênçãos da *Senhora das Águas que correm*, elas Lhe oferecem a flor, a oração e o símbolo, vestindo em seguida a túnica.

Depois de acender a vela e meditar olhando a chama, aguardam a bênção individual, que será dada pela dirigente, que tocará os seus chakras depois de umedecer os dedos em essência de rosas. Antes da bênção todas recitam em conjunto a oração para a bênção, tocando com a mão esquerda os pontos correspondentes às palavras:

> *Abençoa-me, Mãe, pois sou Tua filha e faço parte de Ti (o alto da cabeça).*
> *Abençoa meus olhos, para poder enxergar o meu caminho de volta para Ti.*
> *Abençoa minhas palavras, para que sejam claras e falem sempre em Teu sagrado nome (lábios).*
> *Abençoa meu coração, para que seja aberto a todos e pleno de amor e gratidão.*
> *Abençoa-me com energia, saúde, vitalidade e boa disposição (plexo solar).*
> *Abençoa a minha sexualidade com equilíbrio, prazer e alegria (púbis).*
> *Abençoa o meu ventre, o portal da vida e da morte, centro do meu poder.*
> *Abençoa meus pés, para que eles andem por caminhos certos e seguros e me conduzam a Ti.*
> *Abençoa as minhas mãos, para que elas trabalhem com alegria e eficiência, para Ti e para mim.*
> *Abençoa-me, Mãe, pois sou Tua filha e sou parte de Ti (alto da cabeça).*

Após mentalizarem as suas Deusa Madrinhas e pedirem-lhes as bênçãos para o ano todo, as candidatas elevam as guirlandas de flores oferecendo-as às Deusas e as colocam na cabeça. A dirigente recita a oração de dedicação, com voz clara, firme e pausada, para que cada frase seja repetida por todas as mulheres, em conjunto.

> *Grande Mãe, Criadora de tudo e do todo, peço a Tua bênção para o meu caminho espiritual. Que a Tua luz ilumine a minha vida, que o Teu manto seja a minha proteção e que eu possa sempre ouvir a Tua voz no pulsar do meu coração. Neste lugar e nesta hora me aceite, Mãe, como aprendiz da Tua antiga e sagrada Tradição e abençoe-me por ser Tua filha.*

Se do círculo fizerem parte mulheres que já foram iniciadas em outra ocasião, elas devem formar um corredor com os braços elevados e entoar, juntas, a frase tradicional: *De uma mulher você nasceu, deste círculo de mulheres você renasce para a Deusa*, enquanto as agora "dedicadas" ao caminho da Deusa passam pelo túnel de renascimento. Em seguida, vêm os abraços, secam-se as lágrimas e comemora-se com um pequeno lanche e suco de morango, maçã ou uva.

Esse ritual pode ser repetido anualmente, da mesma maneira, acrescentando-se outras orações ou realizando-o em um ambiente mais formal. Para isso cria-se uma cúpula de proteção e fazem-se invocações para as Guardiãs das direções, as Deusas Madrinhas e os protetores espirituais, seguindo o modelo tradicional (ver *O Legado da Deusa*).

Se o círculo quiser seguir uma escala de evolução progressiva (representando o tempo percorrido no aprendizado e na dedicação no caminho da Deusa), poderá optar pelos rituais dos graus iniciáticos. O esquema apresentado baseia-se naqueles que eu mesma realizo, omitindo-se algumas invocações, orações e procedimentos específicos; essa é uma precaução necessária para que não se levantem determinados véus sem a devida assistência, preparo compatível ou permissão espiritual. Proponho que cada dirigente ou o próprio círculo elabore a sua "metodologia ritualística personalizada", usando como modelo os rituais descritos ou buscando outras fontes de inspiração, em função das suas afinidades e possibilidades.

À medida que novos grupos eram formados no círculo de mulheres de Brasília, as "novatas" eram auxiliadas e orientadas na sua preparação por "madrinhas encarnadas", escolhidas – por sorteio ou afinidade – entre as participantes já iniciadas para assumir a responsabilidade de cuidar das suas "afilhadas". Mesmo sem pretender criar uma "Escola Iniciática", fui percebendo, com o passar do tempo, que era necessária uma estrutura uniforme e coordenada da trajetória evolutiva dos grupos, para ativar e fortalecer o campo morfogenético das antigas cerimônias femininas da Tradição da Deusa e incentivar a parceria e a solidariedade das integrantes.

O três degraus iniciáticos da escala progressiva (após a dedicação) correspondem a assumir o compromisso, confirmar o compromisso e consagrar-se ao serviço da Grande Mãe.

Independentemente do grau, os rituais serão sempre realizados em tempo-espaço sagrado, dentro de uma cúpula de proteção, ao redor do altar, após a invocação dos guardiões das direções e das forças espirituais. Se um ritual for seguido por outro, abre-se o círculo de proteção para a passagem das mulheres ("cortando" – com o punhal ou o dedo indicador – uma porta na barreira fluídica), mas ele é depois refeito e fortalecido.

No altar coberto por uma toalha branca, são colocados os objetos e símbolos dos elementos nas direções correspondentes (seguindo a tradição celta, a fonte de inspiração desses rituais). Acrescentam-se alguns objetos de poder da oficiante, no centro uma representação da Deusa (imagem, estatueta, caldeirão, fonte, concha ou búzio, drusa de cristal, cabaça com grãos) e um vidrinho com essência (de rosas, lavanda, sândalo, verbena ou jasmim).

Se o ritual for realizado na beira de um rio, lago ou mar, convém que as candidatas mergulhem na água mentalizando sua purificação e orem para a Deusa, assumindo a postura da "estrela" (pernas afastadas, braços elevados e abertos em V, cabeça erguida). A água purifica e renova, lava e retira falhas, culpas, dores e erros do passado e prepara o renascimento por meio do "batismo" para um novo caminho espiritual. Depois de vestirem as túnicas brancas, as candidatas formam um círculo ao redor do altar, segurando os objetos que serão usados no ritual.

C. RITUAIS PARA OS GRAUS INICIÁTICOS

Ritual para o primeiro grau: Iniciação

A senha para obter a permissão de participar do ritual (além da prévia preparação e do necessário estudo) é a recitação da antiga lei da Tradição da Deusa: *Faça o que quiseres desde que não prejudiques ninguém, pois tudo o que fizeres voltará para ti triplicado. Aja sempre com perfeito amor e plena confiança.*

Depois de pedir a permissão, a proteção e a bênção dos Anjos, dos Espíritos Guardiões e das Deusas Madrinhas, a dirigente apresentará as candidatas às quatro direções, ao céu e à Terra, girando-as, uma por uma, no sentido horário (uma volta completa a partir da direção invocada, começando pelo Leste) e pronunciando seu nome. A candidata permanece na postura da "estrela", sendo conduzida pelos ombros pela dirigente; no final ela se ajoelha e toca o chão com a testa.

O passo seguinte – que requer muita reverência, respeito e receptividade – é o da "bênção quíntupla", que a dirigente concederá a cada mulher tocando com a essência (ou uma infusão de ervas lunares misturada com vinho tinto) os pés, os joelhos, o púbis, os seios e os lábios de cada uma delas, à medida que vai recitando:

> *Abençoados são teus pés, que te conduziram a este caminho,*
> *Abençoados são teus joelhos, que se ajoelham no altar sagrado,*
> *Abençoado é o teu sexo, sem o qual não existiríamos,*
> *Abençoados são teus seios, criados com força e beleza,*
> *Abençoados são teus lábios, que pronunciam os nomes sagrados.*

As candidatas acendem sua vela branca de sete dias (colocada em um copo próprio) e seguram seu cálice contendo água e uma rosa branca. A dirigente recita a oração para o compromisso espiritual e todas repetem, inserindo seu nome na frase:

> *Neste momento e neste lugar, eu (nome) peço à Grande Mãe e à Deusa que me escolheu como afilhada as bênçãos para a minha alma, o meu espírito, a minha mente, o meu coração e o meu corpo. Eu (nome) me comprometo a reverenciar e honrar a Sacralidade Feminina em todas as manifestações da Natureza, bem como em mim mesma e nas minhas irmãs. Comprometo-me a estudar e praticar as antigas tradições e rituais da Deusa e a respeitar e proteger todos os meus irmãos da Criação.*

As candidatas se ajoelham, tocam o alto da cabeça com a palma da mão esquerda e seguram o calcanhar direito com a mão direita. Com voz firme e clara, pronunciam a frase tradicional de dedicação à Deusa: *Tudo o que está entre as minhas mãos pertence à Deusa.*

Ritual para o segundo grau: Confirmação

Depois de seguir os mesmos procedimentos para a preparação do espaço sagrado e fazer as devidas invocações, a dirigente reapresenta as iniciadas às seis direções, dessa vez com seu nome mágico (previamente intuído ou percebido em sonhos, visões, meditações), e é realizada a consagração coletiva dos objetos individuais de poder. De acordo com a tradição celta, eles são: o *athame* (punhal ritualístico) no Leste, o bastão mágico no Sul, o cálice no Oeste, o pentáculo (pentagrama dentro de um círculo usado como pingente ou escudo colocado no altar) no Norte, o caldeirão no centro, uma imagem da Lua para o Céu (acima). Cada objeto será imantado com a energia do elemento correspondente, ou seja, incenso, vela, água, terra, ervas queimando no caldeirão e elevando a Lua para o Céu, respectivamente. O seu "despertar" será feito com orações adequadas, previamente preparadas pela dirigente e pronunciadas em conjunto por todas.

Cito como exemplo uma consagração do *athame* e do cálice:

> *Poderes do fogo, do ar, da água e da terra imantem este* athame *para que me sirva bem no mundo, entre os mundos, sempre. Poderes do Leste, Sul, Oeste, Norte, acima, abaixo, centro e ao redor, abençoem e imantem este* athame *para que me sirva bem no mundo, entre os mundos, sempre.*
>
> *Abençoada Mãe, fonte da minha vida, abençoe com Teu amor e o Teu poder este cálice. Poderes da minha alma e do meu sopro, da minha fé e do meu amor, abençoem e imantem este cálice.*

Poderá ser feita uma prática de visualização e transmutação dos bloqueios energéticos, dos condicionamentos limitantes, dos medos e das dúvidas que impedem a plena realização espiritual. Enquanto a dirigente for amarrando fios de lã preta ao redor da cabeça, do tronco, das mãos e dos pés das candidatas, elas mentalizarão essas amarras e as lembranças negativas de outros caminhos ou experiências espirituais sendo transferidas para os fios e impregnando-os. Eles serão depois cortados pela dirigente – enquanto todas imaginam a libertação de todos os bloqueios – e queimados nos caldeirões das mulheres (com uma pequena mecha de cabelos, caso queiram), com pastilhas de cânfora e ervas secas (arruda, guiné, eucalipto, cipreste e sálvia). Enquanto se processa a queima, cada mulher olha as chamas e visualiza a sua purificação e a remoção dos resíduos negativos. Em seguida, ela coloca um pouco de água sobre as cinzas, mexe com seu bastão e, no final do ritual, despeja o conteúdo do caldeirão na terra, agradecendo à Mãe Terra pela transmutação e oferecendo-lhe um punhado de fubá, grãos ou sementes.

Em seguida, a dirigente faz a unção dos chakras de cada mulher usando uma essência ou uma infusão de ervas, acrescida de um pouco de vinho tinto (para simbolizar o sangue). Recita-se, em conjunto, a oração da confirmação do compromisso (citada a seguir) e pede-se a bênção da Deusa para os símbolos que serão usados nos rituais e encontros, representando o seu novo grau iniciático: o cinto vermelho (trançado, tecido ou bordado pela própria mulher) e um anel ou uma pulseira com pedras semipreciosas vermelhas ou búzios.

> *Mãe Deusa, Pai Deus, Mãe Terra, Pai Céu, respostas infinitas para todos os mistérios, neste momento e neste lugar, na presença dos seres da Natureza e com a força dos quatro elementos, eu me abro reverentemente para o poder das Vossas essências. Neste local e neste momento, eu confirmo e reafirmo o meu compromisso espiritual dedicando o meu amor, a minha fé e os meus esforços para a cura do planeta Terra, para a manutenção da paz e a preservação da vida e de todos os meus irmãos da Criação.*

Ritual para o terceiro grau: Consagração

Os procedimentos iniciais são os mesmos dos outros rituais descritos: preparação do espaço sagrado, purificação das iniciadas com o mergulho na água, avaliação e reflexão sincera a respeito das suas dificuldades, falhas, desistências, omissões, dúvidas, bloqueios ou medos que atrapalhem o cumprimento do seu compromisso espiritual. Segue alguma prática para a necessária retificação energética e o consequente realinhamento espiritual com o propósito da alma. Libertas de qualquer bloqueio ou impedimento, as mulheres podem consagrar-se como Sacerdotisas da Deusa, de maneira que a própria Deusa possa lhes ser revelada nas meditações, visões ou sonhos. A dirigente unge, em seguida, seus chakras com uma essência (de rosas, jasmim ou violeta) e as abençoa, citando seus nomes mágicos e confirmando-as como Sacerdotisas da Deusa.

A consagração pode ser feita pela dirigente em nome da Deusa (a Grande Mãe ou um dos Seus aspectos) recitando um juramento – ou voto – previamente preparado por ela ou criado intuitivamente nesse momento sagrado, por cada mulher. O símbolo que representa a conexão profunda com a

Sacralidade Feminina é um colar de pedras semipreciosas vermelhas (granada, rubilita, jaspe sanguíneo), que manifesta metaforicamente a corrente sagrada e universal dos laços de energia feminina e dos Mistérios do Sangue, em que cada mulher é um elo e uma das suas componentes.

A dirigente e as mulheres consagradas abençoam em conjunto uma infusão de ervas lunares (artemísia, jasmim, dama-da-noite, rosa branca, magnólia, angélica) misturada com vinho tinto, e cada mulher toma três goles e faz um brinde agradecendo à Grande Mãe, à Deusa Madrinha e às suas ancestrais e seus protetores espirituais.

Para finalizar, a dirigente coloca o "selo de consagração" – sinal feito com essência e urucum em pó – em cada um dos sete chakras (coronário, frontal, laríngeo, cardíaco, solar, abdominal e pélvico), nas palmas das mãos e nas solas dos pés de todas as novas Sacerdotisas.

Após o fechamento ritualístico, as mulheres fazem sua oferenda e realizam um ritual individual de agradecimento às Deusas Madrinhas pedindo proteção, auxílio e orientação para os desafios e objetivos da sua nova missão espiritual.

Palavras finais sobre a iniciação

Os antigos procedimentos iniciáticos sofreram modificações ao longo dos séculos, não mais exigindo árduos e longos retiros, com privações físicas e desafios mentais, emocionais e espirituais, nem juramentos para resguardar segredos milenares. Hoje, o buscador espiritual dispõe de variada fonte de conhecimentos para o desenvolvimento da sua percepção e a expansão da consciência. Porém, qualquer que seja o caminho que se siga, ele requer disciplina e responsabilidade, perseverança, doação e entrega para cumprir o compromisso assumido, dedicação para despertar e aprimorar a intuição e ampliar a visão, além de equilíbrio e discernimento, condições indispensáveis para alcançar o poder pessoal e saber como direcionar a vontade e a imaginação na direção dos objetivos escolhidos.

A iniciação não é um processo finito, restrito a rituais ocasionais ou anuais; é uma eterna caminhada em espiral que nos leva para a descoberta de novas áreas de conhecimento e novos dons, latentes ou desconhecidos. As cerimônias de transição marcam começos ou términos das etapas desse processo, que não é linear nem absoluto, sendo específico a cada pessoa e, por isso, intransferível e imprevisível. Mesmo completados os graus, o caminho espiralado poderá voltar a estágios anteriormente vividos, mas abrindo cada vez mais a percepção e a compreensão para expandir a visão, com aceitação e realização da missão espiritual.

É importante lembrar que, mesmo tendo percorrido a escala dos graus, isso não confere automaticamente a uma pessoa o direito, a competência ou a responsabilidade necessária para promover a iniciação de terceiros. Apenas ouvindo a voz da Deusa na mente e no coração uma mulher terá certeza de que a sua missão será – de fato – ensinar e conduzir outras mulheres, saber como se alinhar e proteger (a si mesma e as demais), lidar e solucionar os desafios e as dificuldades inerentes. Porém, cada iniciação individual é um passo importante para o próprio crescimento interior, e os frutos da dedicação e do empenho pessoal serão colhidos, aos poucos, ao longo da trajetória existencial pessoal.

Podemos ver cada evento e situação da nossa vida como uma iniciação. Se considerarmos que o mundo ao nosso redor é um templo, vamos servir à Deusa através dos nossos atos, ações, pensamentos, emoções, da nossa permanente dedicação e empenho contínuo para criar paz, harmonia e equilíbrio, dentro e fora de nós.

Para as mulheres, a verdadeira e perpétua iniciação é o mergulho nos mistérios e valores da Deusa e sua identificação com eles. Elas precisam reconhecer e abandonar as muitas camadas de "pré-conceitos" – pessoais e coletivos – criados, reforçados e cristalizados pelas estruturas e doutrinas patriarcais. É um longo e árduo processo de exposição e dissolução de barreiras, até que consigam alcançar a verdade interior e desvelar aspectos reprimidos ou ocultos do seu próprio ser. Apenas atravessando esse processo de desconstrução e regeneração a mulher encontrará seu próprio poder criativo, criador, espiritual e mágico. O autêntico processo iniciático feminino visa ao resgate e à liberação das energias aprisionadas, reprimidas e condenadas pelo mundo masculino. Ao resgatar a herança antiga, a mulher passa repetidas vezes pelas etapas de morte e renascimento e reconquista – por meio dessas iniciações – seu poder intrínseco e inato.

Assim como imagens da Deusa foram encontradas nas profundezas das grutas ou nas entranhas da Terra, assim nós também precisamos mergulhar profundamente na nossa psique, livres de medos, condicionamentos, cisões e dúvidas. Na tealogia da Deusa, não existe a dualidade, mas a unidade, pois todas as Suas faces e seus poderes fazem parte do Todo. No Seu reino não existem barreiras nem limites; ao nos fundirmos com Ela, encontraremos a nossa verdadeira identidade.

A iniciação representa o nosso mergulho no ventre primordial, a fusão com a nossa essência divina feminina e o retorno para a realidade, trazendo fragmentos e memórias perdidas que, ao serem integradas, nos permitem renascer como seres completos, curados e renovados.

II.II. CONSCIÊNCIA LUNAR

> *Se o ano é uma canção, a Lua é a batida do tambor que marca o ritmo com suas fases, mudando o tom ao passar pelos signos zodiacais, crescendo e minguando por treze vezes enquanto completa um círculo perfeito.*
>
> – Goddess Spirituality Book, Ffiona Morgan

> *Quem tem dois cornos quando jovem, perde-os quando madura e os recupera invertidos na velhice?*
>
> – Charada dos nativos norte-americanos

Desde os primórdios da humanidade, a Lua e suas fases foram associadas à Deusa e à mulher. Considerada o Sol da noite, *o olho da Deusa que abria e fechava ao longo do mês*, a Lua foi o primeiro calendário e o mais visível marco da passagem do tempo. Chamada pelos egípcios de "Mãe do Universo" e de Metra pelos persas, a Mãe cujo amor e luz penetravam em todos os lugares foi assim descrita por Plutarco: "Luz que traz a umidade e a fertilidade, que promove a geração de seres vivos e o crescimento das plantas".

O culto da Lua era universal; surgiu 70 mil anos atrás e, em muitas culturas, precedeu em milênios o culto do Sol. Os mais antigos calendários eram lunares, baseados na relação entre as fases da Lua e os ciclos menstruais. Nos calendários lunares, o mês durava de uma Lua nova até a seguinte, cada quarto durava uma semana e havia treze lunações em um ano típico. Cada período era nomeado de acordo com sua qualidade ou ligação com certos acontecimentos, como plantio, colheita, estação, tempo, caça, pesca, plantas, árvores, animais, divindades.

Os povos antigos acreditavam que as almas renasciam na fase crescente e faziam sua passagem na minguante, retornando para o seio da Mãe Lua à espera de uma nova encarnação. Os indígenas sioux chamavam a Lua de *Mulher velha que nunca morre*, os egípcios atribuíam a Ísis a condução da barca lunar que levava as almas para renascerem, enquanto os hindus a reverenciavam como o portal sagrado – *Yoni* –, pelo qual as almas passavam para o paraíso das estrelas.

Em muitas culturas, a Deusa e a Lua eram sinônimas, representando o princípio feminino, a fonte da vida. A representação da Deusa como sendo Tríplice originou-se da sua semelhança com as fases lunares e os principais estágios da vida humana: infância/puberdade, maturidade/maternidade e velhice/sabedoria, correspondendo à Deusa como Donzela, Mãe e Anciã. Desde a civilização suméria e babilônia, o número três era considerado sagrado e bem auspicioso, simbolizando os estágios de nascimento/começo/plantio, vida/manifestação/culminação e morte/final/colheita, bem como a trindade corpo/mente/espírito. A alternância das fases lunares da criação (Lua nova), do crescimento e da plenitude (Lua cheia), seguidas da fase da diminuição e do desaparecimento (Lua minguante e negra), serviu para os povos antigos como modelo perfeito dos ciclos de vida/morte/renascimento, nos níveis humano e natural.

A Lua – através das suas fases – reflete as mesmas flutuações que acontecem no corpo e na psique humana. Ao longo da nossa vida, experimentamos a alternância entre começo e fim, criação e dissolução, luz e sombra, consciente e inconsciente. Assim como a Lua, a Deusa também tinha a sua face luminosa, como a Mãe Doadora – de vida, abundância, fertilidade – e a face escura, a Ceifadora, que finalizava os ciclos, reciclava os resíduos no Seu negro e misterioso caldeirão e abria as portas para novos níveis de consciência e existência.

Com o advento das sociedades patriarcais, que substituíram e erradicaram as culturas matrifocais, começou a supervalorização do Sol e das suas qualidades – *logos*, razão, consciente –, prevalecendo sobre a Lua, regente das energias psíquicas, da emoção, da intuição e do inconsciente. Em lugar da unidade contida na essência multifacetada da Deusa, surgiu a dualidade, simbolizada pela oposição das polaridades e dos luminares. O Sol assumiu o lugar de poder, suas energias louvadas como benéficas e vitais, enquanto à Lua foram atribuídos aspectos negativos, como os perigos da noite e da escuridão, os desequilíbrios psíquicos e mentais, a magia e as práticas ocultas.

Com essa divisão em luz benéfica e sombra maléfica, surgiu a cisão do ser, a dicotomia artificial da personalidade. A repressão das manifestações lunares condenadas como perniciosas e perigosas – mas intrínsecas à psique feminina ou masculina – levou às manifestações destrutivas das projeções da sombra.

A cultura patriarcal nos ensinou a temer e a resistir às energias desconhecidas da escuridão, do inconsciente, da morte. Dessa maneira, perdemos o conhecimento e a conexão com uma parte essencial dos processos cíclicos naturais, representada pela fase escura e oculta (da Lua e da vida), por seus arquétipos e valores.

A existência da fase escura de qualquer ciclo demonstra a transição entre a morte do velho e o nascimento do novo. A escuridão representa um tempo de repouso, recolhimento, cura e preparação para um renascimento. Ela antecede a luz do mesmo modo que a gestação precede o nascimento e o sono precede o despertar. A nossa psique experimenta períodos escuros quando nos sentimos atraídas para o nosso interior e nada parece acontecer. No entanto, esses tempos "vazios" costumam prenunciar fases criativas, de transformação e expansão. Ao compreender e praticar o valor da escuridão, reaprenderemos a magia ancestral dos rituais femininos e conseguiremos a renovação necessária para a continuação da nossa vida. O mistério da morte e do renascimento era simbolizado, nas culturas antigas, pela capacidade da serpente (símbolo sagrado das deusas lunares e telúricas) de se recolher para trocar de pele e se renovar.

Antigamente as mulheres viviam sintonizadas com as fases lunares, ovulavam durante a Lua cheia, menstruavam coletivamente durante a fase escura e se retiravam para as Tendas Vermelhas, as cabanas, os abrigos ou os Templos Lunares em busca do seu fortalecimento, de cura e do contato com as energias espirituais. Com a substituição da consciência lunar pela solar, as mulheres menstruadas passaram a ser isoladas do convívio, não mais por serem sagradas e necessitarem do recolhimento, mas por serem vistas como criaturas impuras e perigosas para a vitalidade dos homens e a produtividade da terra. Um conceito contrário aos antigos rituais para a fertilização dos campos recém-arados, quando, antes do plantio, as mulheres ofereciam à terra seu sangue menstrual para atrair a fecundidade e a abundância. A menstruação não mais era vista como um momento natural e sagrado, que exigia retraimento e repouso para a renovação, mas como um "castigo divino", um fato doloroso, sujo e vergonhoso que devia ser ignorado ou ocultado.

A mulher moderna não mais pode se recolher, orar, curar-se e realizar rituais durante sua "Lua vermelha", como faziam suas ancestrais. Ela é obrigada – social, cultural e profissionalmente – a exercer múltiplas atividades, esconder emoções e sensações e ignorar e disfarçar "aqueles dias". Porém, ao negarmos nossas necessidades atávicas (de recolhimento, cura, renovação, fortalecimento espiritual), nosso subconsciente irrompe com manifestações "escuras" descontroladas, provocando tensão pré-menstrual, dores, angústia, depressão, insônia, compulsão, hipersensibilidade, descontrole emocional, inércia e embotamento mental.

Outra "fase negra" na vida da mulher, temida por muitas, porém inevitável para todas, é a menopausa. Enquanto nas culturas antigas as mulheres idosas eram honradas como sábias conselheiras, curandeiras, magas ou videntes, a sociedade atual considera a menopausa o prenúncio do envelhecimento, da aparição de doenças, da perda do viço, brilho e poder. Relegadas ao ostracismo pela hipervalorização dos atributos efêmeros da juventude, as mulheres pós-menopausa precisam se esforçar muito mais do que as jovens e lutar para serem valorizadas e apreciadas. O que as mulheres maduras esperam, precisam e merecem é ter o reconhecimento do seu valor, da sua capacidade e sabedoria pela experiência adquirida durante a vida, sem precisar recorrer a cirurgias plásticas, enganos e disfarces, sem permitir que sejam oprimidas ou humilhadas pela rejeição, pelo desprezo ou pela indiferença, à medida que se sentem ficando "invisíveis" e marginalizadas.

A fase escura da vida – a velhice – assinala a aproximação inevitável da morte e da decadência física e mental, e aguça os questionamentos sobre a vida no além. Ao negar, ignorar e não mais honrar a morte como uma fase natural do ciclo da vida, a sociedade e a mentalidade modernas forçam o isolamento das pessoas idosas, em vez de valorizar as experiências, os aprendizados e a decorrente sabedoria obtida com o passar dos anos. Os pacientes terminais e os moribundos não são preparados para a sua transição; a morte é ocultada e temida, sem merecer os antigos ritos de passagem que ajudavam o desprendimento do espírito e honravam os ancestrais.

Ao revisar e modificar o conceito de escuridão, vamos compreender e aceitar a fase escura de qualquer processo cíclico vendo-o como um tempo de cura, transmutação e renovação, em lugar de uma fase de desespero, dor ou pânico. Fomos ensinadas a desconfiar do desconhecido e temê-lo; fomos condicionadas a vivenciar a escuridão como algo ameaçador e perigoso. A escuridão passou a representar nossos medos da velhice, da doença e da morte, o esconderijo das nossas lembranças dolorosas ou vergonhosas, de compulsões e desvios.

Quando nos sentimos infelizes, dizemos que passamos por uma fase "negra", associando a escuridão a perdas amorosas, traição, abandono, fracasso, isolamento, solidão, depressão. Como nossos registros sobre a escuridão são repletos de imagens de dor e sofrimento, reagimos com ansiedade, medo, confusão, inércia ou desespero quando atravessamos fases "negras" na nossa vida. Esquecemos – ou não sabemos – que as fases de declínio, vazio e finalização são fenômenos naturais e inerentes dos ciclos vitais e biológicos, e que cada fim é precursor de um novo começo.

A cura e integração de todos os aspectos do nosso Ser requerem o reconhecimento e o cultivo das forças escuras, o resgate da sabedoria ancestral e a consciência lunar do alinhamento e da sintonia com todas as fases da Lua. Essa nova/antiga consciência amplia e fortalece a jornada das mulheres no caminho da Deusa e lhes permite recuperar e celebrar seus Mistérios Femininos.

Quando começamos a "redescobrir" a Lua, abre-se um novo mundo diante de nós, com o reconhecimento e aproveitamento de qualidades adormecidas, como a percepção intuitiva, a expressão verdadeira de emoções profundas, a criatividade e a inspiração. Reconhecendo nossa natureza cíclica, podemos buscar o alinhamento das marés internas com os ciclos externos. Ao nos sintonizarmos com as fases lunares, descobriremos nosso padrão menstrual e saberemos como nos harmonizar e curar disfunções, bem como tirar melhor proveito da nossa "Lua vermelha".

Poderemos seguir as energias de cada fase lunar e nos beneficiar delas planejando e iniciando projetos na energia da Lua crescente, manifestando e celebrando na Lua cheia, finalizando e transmutando resíduos na Lua minguante e nos recolhendo, nos reprogramando e nos renovando na Lua negra.

Os rituais e as meditações individuais favorecem a integração e a expansão da nossa consciência; e as cerimônias coletivas beneficiam a humanidade e ampliam os canais de comunicação com os seres e as energias espirituais.

O corpo feminino é lunar; a Lua rege seios, ovários, útero, menstruação e gestação; as mudanças ocorridas no corpo são acompanhadas de profundos processos mentais, psíquicos e emocionais. Os hormônios femininos e a fisiologia atuam em nossas emoções e em nossos comportamentos; a desvalorização das qualidades femininas em vista das imposições e exigências do mundo solar – em que as mulheres vivem e atuam – traz consequências negativas e pode levar a sérios desequilíbrios.

Em uma sociedade que valoriza apenas pensamentos científicos e resultados concretos, a emoção e em nossos intuição femininas não são qualidades apreciadas. As mulheres aprendem a ignorar os sinais e apelos internos e a trancar seus sentimentos, para serem "racionais e lógicas". Por ser ignorado, o material psíquico armazenado aflora de maneira desorganizada e pode ameaçar o equilíbrio emocional e espiritual se não for reconhecido, aceito ou transmutado.

Para equilibrar e reintegrar o hemisfério lunar, é vital orientar o subconsciente para se conectar com a Lua e resgatar o conhecimento intuitivo e a capacidade instintiva. Devemos aprender a nos cuidar, sendo receptivas e sensíveis às nossas necessidades, para assim sabermos lidar com os problemas e desafios da nossa realidade solar. Porém, não devemos permanecer na visão dualista que separa as polaridades solares e lunares. Para expandir e equilibrar esse conceito, pode-se incluir a Terra e atribuir-lhe a regência do corpo, cabendo ao Sol o espírito e à Lua a mente, mas englobando todos os seus níveis (consciente, subconsciente, supraconsciente, intuição, sonhos, premonições, projeções e estados de transe).

Um dos principais fatores determinantes das nossas reações e flutuações emocionais e mentais é a Lua natal, ou seja, sua posição no zodíaco e a sua fase no momento exato do nosso nascimento. Infelizmente dá-se muito mais valor ao signo solar ou até mesmo ao Ascendente do mapa natal do que às características e aos aspectos lunares. Para as mulheres que seguem o Caminho da Deusa e fazem parte de um círculo sagrado, essas informações são indispensáveis e de extrema importância. Conhecer o signo zodiacal e o elemento e a fase da Lua natal é o primeiro passo para readquirir e praticar a consciência lunar. Atualmente é muito fácil obter essas informações (por meio de astrólogos, da internet, de livros, de almanaques) que vão possibilitar o conhecimento do próprio "clima emocional", ou seja, as flutuações de humor e energia em função da trajetória da Lua ao longo dos dias.

Assim como as fases lunares propiciam ou dificultam certas atividades, a passagem da Lua durante um mês ao redor do zodíaco favorece – ou não – acontecimentos, reações, ações, tarefas, planos, compromissos. Uma maneira construtiva de alinhamento com as energias dos doze signos zodiacais, ativadas pela passagem da Lua por eles, é a prática das meditações lunares, sugerida pela astróloga Donna Cunningham no livro *A Influência da Lua no seu Mapa Natal*. A meditação diária evita que fiquemos à mercê das flutuações lunares e possibilita a atração das energias positivas de cada signo, ou apenas o realce das qualidades da Lua natal, adequando-as para situações específicas da vida cotidiana. Além de minimizar ou reforçar os padrões mentais e energéticos relacionados a determinado signo, a meditação e as afirmações positivas vão ativar as qualidades construtivas inatas de cada pessoa.

Tanto no livro acima citado como em *A Lua na sua Vida*, da mesma autora, encontram-se informações detalhadas sobre a relação entre o signo Ascendente e a Lua. O conhecimento dessas interações aplicadas ao mapa natal individual permite a compreensão e a utilização das energias lunares na sua trajetória diária, mensal ou anual, através das casas zodiacais específicas de cada mapa natal.

Sem precisar de um conhecimento astrológico profundo, os livros citados são valiosos auxílios no autoconhecimento feminino e na aplicação das características da Lua natal para o alinhamento da consciência lunar. Desse modo, as mulheres que fazem parte dos círculos sagrados e estudam os Mistérios de Sangue e as práticas lunares usufruem de recursos energéticos e espirituais para alcançar e manter seu equilíbrio físico, psíquico e emocional, sem se deixar afetar pelas marés internas e pelas "tempestades" externas.

A. OS MISTÉRIOS DO SANGUE

> *A deusa chinesa lunar Chang-O era a guardiã do sangue menstrual, considerado o elixir da imortalidade por ter o poder misterioso e sagrado da vida, da morte e do renascimento. Seu marido, invejando esse monopólio mágico, tentou roubá-lo. Revoltada, Chang-O se refugiou na Lua e proibiu a presença dos homens nos Seus festivais. Ela tornou-se a protetora das mulheres, que passaram a celebrar a Lua cheia somente entre elas, com canções, danças e exaltação do poder sagrado feminino, representado pelo sangue menstrual, a Lua e a Deusa.*
>
> – *O Anuário da Grande Mãe*, Mirella Faur

Desde os primórdios da humanidade, atribuía-se ao sangue menstrual um poder sobrenatural, sagrado, misterioso e mágico, pelo fato de ele representar a própria força da criação. O ciclo menstrual representa a dualidade da Mãe Divina: vida e fertilidade na fase da ovulação, morte e finalização na fase da menstruação.

A observação do ciclo menstrual e sua relação com as fases da Lua deram origem aos antigos conceitos da medição e da passagem do tempo, dividido em noites e lunações. A menstruação, portanto, era honrada como um dom divino que permitia a estruturação e o desenvolvimento da sociedade, e a Lua, considerada o símbolo das energias criativas dos ciclos femininos. A sincronicidade entre o fluxo menstrual e o ritmo lunar refletia o vínculo entre a Mãe Terra e a mulher, que guardava o mistério da vida no corpo e transmitia os poderes criadores, nutrizes e sustentadores do próprio universo. O "mistério do ventre" era simbolizado pelo vaso sagrado, o caldeirão da transmutação alquímica ou o enigmático *Graal*, fonte de vida e morte, inspiração e renascimento. Por ele ocupar um lugar central nas culturas e tradições matrifocais, com o advento das religiões, das filosofias e dos valores patriarcais, iniciou-se uma longa e persistente difamação e perseguição dos poderes sagrados do sangue menstrual, ao qual foram atribuídos efeitos maléficos e associações com sujeira, perigo e maldição. A mulher moderna vive em uma sociedade centrada e sustentada por sistemas e conceitos masculinos, que não lhe oferecem nenhuma orientação, consideração ou apoio para suas emoções, sensações e experiências menstruais, nem o reconhecimento das energias criativas e expansivas da consciência que delas se originam.

Os antigos Mistérios do Sangue relembrados e celebrados pelo atual movimento da espiritualidade feminina permitem a compreensão e a percepção da natureza cíclica da mulher, vista e vivida pela experiência individual e pela reverência coletiva. Apesar da ausência na sociedade moderna, muitos dos ensinamentos e conceitos antigos referentes ao ciclo menstrual sobreviveram nos mitos, nas lendas, nos folclores e, de maneira velada, nos contos de fadas. Essas histórias foram criadas a partir das experiências pessoais das nossas ancestrais e podem servir de base para que as mulheres modernas compreendam suas próprias vivências e as enriqueçam com novas percepções, exercícios e práticas.

Na atual sociedade tecnológica e racional, a menstruação é vista como uma desvantagem biológica, que torna as mulheres instáveis emocionalmente e pouco produtivas. Alguns médicos até recomendam a suspensão artificial do ciclo, considerando-o um "mal desnecessário", sem ter o mínimo conhecimento das implicações e consequências nefastas dessa atitude nos níveis psíquicos e espirituais da mulher. A única ajuda real oferecida aos processos emocionais, mentais e sutis do ciclo menstrual é a atenuação dos sintomas. Exige-se das mulheres que elas ignorem, dissimulem ou neguem a própria natureza cíclica feminina, cujas energias, ao serem reprimidas ou bloqueadas, se tornam destrutivas. As energias menstruais devem ser aceitas como um fluxo natural que se expressa de maneiras diferentes, específicas de cada mulher, da fase do seu ciclo e das condições favoráveis ou adversas do seu ambiente.

Durante séculos, as sociedades e culturas patriarcais denegriram o poder sagrado da menstruação, considerando-o um processo pernicioso e sujo e levando à separação e ao isolamento das mulheres durante "suas luas". O afastamento natural e ancestral da mulher, que se retirava para as Tendas, Cabanas ou Templos lunares para interagir com os seus aspectos sutis e as energias espirituais, foi transformado no tabu da marginalização. Durante sua fase menstrual, a mulher tem a percepção expandida, fato que permite *insights* e amplas conexões com o mundo espiritual, proporcionando-lhe possibilidades de cura, sabedoria, magia e precognição, conforme comprovação obtida por relatos e experiências das xamãs, curandeiras, magas, profetisas e sacerdotisas de outrora. Vistos como ameaças à estrutura e à religião masculinas, os poderes mágicos da mulher foram perseguidos – e, ao longo dos séculos, proibidos –, sua existência negada ou ridicularizada, e as próprias mulheres passaram a temer sua manifestação. A ascensão e o progresso da mulher contemporânea no mundo masculino têm ocorrido principalmente no nível intelectual e artístico, sem o reconhecimento das suas habilidades intuitivas e de comunicação com os planos sutis.

Para a cura e o fortalecimento da essência feminina é vital a reprogramação dos conceitos e condicionamentos limitantes e seculares, revertendo a maldição do ciclo menstrual em consagração e celebração. Os círculos sagrados femininos têm um papel relevante na revalidação da natureza lunar e da conexão com as energias de vida e morte, criação e transmutação, acessíveis e perceptíveis durante o ciclo menstrual.

No início do estudo e das vivências dos Mistérios do Sangue, recomendo às dirigentes dos círculos que transmitam alguns conhecimentos históricos e mitológicos, descrevendo antigas tradições e costumes (encontrados no livro *O Legado da Deusa* e em outras obras), e também informações sobre os efeitos do ciclo menstrual no nível fisiológico, suas manifestações psicossomáticas e as maneiras de minorá-los. O livro *Na Casa da Lua*, de Katherine Ketcham, oferece valiosas recomendações de suplementos, plantas, remédios chineses e questionários para avaliar e tratar os distúrbios menstruais. Caberá às dirigentes orientar e incentivar práticas e exercícios individuais e incluir as contribuições pessoais das participantes, como partilha de experiências e vivências, meditações, danças, canções ou sugestões curativas.

Para orientar a programação dos estudos, vou enumerar as práticas e vivências seguidas ao longo dos anos pelos círculos de mulheres que dirigi e que me serviram de base para elaborar as cerimônias e os ritos de passagem descritos no livro *O Legado da Deusa*.

Honrar o ciclo menstrual

Mãe, que eu saiba honrar
O ventre de onde eu vim,
O ventre onde estou
E o ventre que há em mim,
Com a bênção da Deusa.

– *Canção composta por Adriana*, Teia de Thea

A "Lua vermelha" representa uma oportunidade mensal ideal para a mulher se libertar de padrões e conceitos limitantes, romper e remover bloqueios e amarras do seu passado (pessoal e ancestral), mudar sua "pele interior" e renascer fortalecida e dignificada pelo poder do seu sangue. À medida que o endométrio se desprende e o sangue começa a fluir, a mulher entra em contato com as energias da morte (do óvulo não fecundado) e do final de uma fase. Silenciando e avaliando aquilo que deseja, precisa ou quer descartar, ela poderá se libertar do "velho" e abrir espaço para o "novo". Assemelhando-se à troca de pele da serpente (antigo símbolo da Deusa e da transmutação), a "Lua vermelha" representa um processo de recolhimento, renovação e renascimento. A cura dependerá da motivação e do empenho pessoal para reconhecer e se mobilizar para a libertação dos conceitos limitantes e prejudiciais. Em vez de reclamar, lamentar, temer e sofrer durante "aqueles dias", a mulher consciente vai reaprender os métodos ancestrais de cura e começar a honrar seu sangue menstrual como um verdadeiro elixir de sabedoria, o *néctar da Lua*, ou *sangue de Ísis*, a ambrosia (manjar divino) ou a *soma* das antigas culturas da Deusa. Aproveitando o ciclo menstrual como uma pausa abençoada para se interiorizar, meditar, descobrir e direcionar as energias criativas, curadoras, nutrizes e fortalecedoras da sua essência feminina, a mulher que pertence a um círculo sagrado saberá como melhorar e curar sua vida.

A maior parte dos problemas comuns das mulheres tem origem no conflito entre suas necessidades internas e o ambiente e as obrigações externas. O seu tempo e as suas energias são ocupados permanentemente com afazeres e deveres, cuidando da família e da casa, investindo na educação ou profissão, sendo submetidas a um contínuo estresse que não é compensado por uma autonutrição. A sociedade é baseada nos ciclos masculinos e solares, que são diferentes dos femininos e lunares. A mulher é obrigada a manter o mesmo ritmo, sem poder respeitar suas flutuações hormonais e energéticas. Isoladas dos seus ciclos naturais e do convívio com outras mulheres, os ajustes psicológicos são precários, e o resultado são os sintomas conhecidos como tensão pré-menstrual (TPM), ansiedade, depressão, exaustão, irritação. Durante milênios, nas antigas culturas, honrava-se a necessidade fisiológica, emocional e espiritual da mulher de se recolher, perceber e interagir com o seu mundo interior. Será necessária uma ampla e gradual mudança na mentalidade atual para que as mulheres reconquistem o seu ancestral e natural direito de ter espaço e tempo reservados para si mesmas durante sua Lua, sem ter que lidar com considerações negativas e imposições externas a respeito dessa – assim chamada – "deficiência".

A renovação espiritual se processa no recolhimento e na contemplação solitária, no contato com a Natureza e nas práticas e nos rituais individuais e coletivos. Ao perceber a conexão com o Todo, intensifica-se o poder interior, que será direcionado para a própria nutrição e cura, nos níveis físico, emocional, mental e espiritual. Honrar o ciclo menstrual não é uma tarefa fácil em uma cultura solar e linear que não reconhece nem respeita a natureza cíclica feminina. Porém, não é impossível para a mulher reservar um tempo para se recolher, cuidar de si, relaxar, meditar, orar, diminuir responsabilidades, nutrir a mente e o espírito, conectar-se com as emoções, curar feridas e fortalecer-se.

Para saber como honrar sua "Lua vermelha", é necessário que ela estabeleça, inicialmente, o padrão individual, por meio de observações e avaliações criteriosas durante pelo menos três meses, anotadas em um diário ou calendário adequado a essa finalidade.

O diário da lua vermelha

Anotar os seguintes tópicos em um formulário especial ou na sua agenda:

- a fase lunar da menstruação (o dia do seu início e fim), com base nas informações sobre as fases da Lua publicadas em calendários, almanaques ou livros;

- seu estado físico (dores, sintomas, alimentação, sono, qualidade do sexo);
- seu estado emocional (irritada, calma, emotiva, raivosa, carente, agressiva, deprimida, compulsiva, ansiosa, erótica);
- seu estado energético (apática, dinâmica, sociável, reclusa);
- seu estado mental (criativa, confiante, insegura, indecisa, dispersa, medrosa, preocupada, pessimista).

Anotar também mudanças de humor, idiossincrasias, compulsões alimentares, comportamento alterado, fobias, intuições, percepções, sonhos.

É recomendável observar ainda a presença da Lua no céu, o seu nascimento e as suas fases, percebendo e anotando as influências e flutuações lunares sobre o seu corpo, sua mente e suas emoções. Sentir-se "banhada" pelas energias da Lua, dormir exposta à sua luz e meditar com os arquétipos divinos a ela relacionados, tudo isso permitirá uma compreensão maior das mudanças da natureza cíclica feminina.

Outras observações relevantes são as da sequência das quatro fases do ciclo menstrual – pré-ovulação, ovulação, pré-fluxo e menstruação – e os correspondentes sintomas, sensações, percepções e mudanças nos níveis físico, mental e emocional.

Nos mitos e nas lendas, as flutuações do ciclo menstrual eram vistas como reflexos das fases e arquétipos lunares. As energias da Lua crescente eram relacionadas com a fase entre o fim da menstruação e a ovulação, fase regida pela Deusa Donzela e seus atributos dinâmicos e criativos. A Deusa Mãe e a Lua cheia representavam a ovulação e a capacidade de nutrir, sustentar e fortalecer. A diminuição da luz lunar refletia a mudança da ovulação para a menstruação e o aumento da energia sexual, do poder mágico e da percepção sutil. Essa fase corresponde ao aspecto misterioso da Feiticeira, Bruxa ou Maga, cujo poder serve para criar ou destruir, seduzir, encantar ou enganar. A Lua negra e a Anciã regem a menstruação, interiorizando as energias físicas e mudando o enfoque do mundo externo para a realidade interna e o plano espiritual. Nessa fase as energias criativas são direcionadas para a mente, que estará apta a gerar novas ideias ("filhos da mente").

Apesar da divisão teórica do ciclo menstrual em quatro fases, a sua demarcação não é rígida, pois elas fluem naturalmente, e cada mulher vai percebê-las de um modo diferente. A partir da auto-observação, poderá ser feita uma programação para melhor aproveitamento das energias e dos aspectos de cada período.

Na fase da Donzela, a mulher pertence a si mesma, pois ainda está livre das responsabilidades da procriação. Ela é segura, sociável, determinada, ambiciosa; consegue bons resultados no seu trabalho e pode iniciar novos projetos com entusiasmo e energia. Seu tempo é para aprender, ouvir, descobrir e experimentar.

A fase da Mãe prepara a mulher para a abnegação da maternidade; ela se torna amorosa e envolvente, disposta a assumir responsabilidades, tomar decisões, fazer mudanças, cuidar dos outros, fazer projetos, concretizar ideias, atrair pessoas e compartilhar o amor.

As energias da Feiticeira se manifestam quando o óvulo é liberado, mas não é fertilizado. A mulher experimenta o auge do seu poder sensual, sedutor e mágico. Suas energias se expandem e podem se manifestar de forma ambivalente como criativas ou destrutivas. Sua intuição é ampliada, mas a concentração, reduzida. Essa fase requer tenacidade e paciência para concretizar visões e tecer projetos.

As energias da Anciã se expressam durante a menstruação como o aguçamento da percepção intuitiva, a necessidade de introspecção e a facilidade maior para ter sonhos e visões. O período é propício para se isolar, diminuir o ritmo, recolher-se para encontrar respostas e soluções para os problemas, transmutar energias, receber mensagens e orientações espirituais. Nessa fase, a mulher se torna receptiva para memórias e conhecimentos antigos, para "mexer o caldeirão" e "beber do cálice sagrado", transmutando a energia sexual em experiências extáticas e na expansão da consciência.

Apesar dessa classificação, não existem divisões fixas entre as fases descritas, pois a todo momento a mulher pode dispor das suas energias intrínsecas de luz e sombra que fluem, interagem e se complementam. Os dois tipos de ciclos menstruais – tanto da "Lua branca" (a ovulação ocorre durante a Lua cheia) quanto da "Lua vermelha" (a ovulação ocorre durante a Lua negra, e a menstruação, na cheia) – são diferentes expressões da energia feminina, porém igualmente poderosas.

No ciclo da Lua branca, o auge da fertilidade coincide com a plenitude da Lua, que canaliza as energias geradoras e nutrizes para a procriação ou a criatividade. A mulher que pertence a esse ciclo é considerada a "Boa Mãe", o único aspecto aceito pela sociedade patriarcal.

No ciclo da Lua vermelha, o auge da fertilidade coincide com a escuridão lunar; as energias criativas são canalizadas para o mundo interior, e a energia sexual, desviada para fins mágicos. A mulher que passa por esse ciclo é definida como "Feiticeira, Bruxa ou Maga", sendo o aspecto temido e perseguido pelo patriarcado como "perigoso e mau".

Ao longo da vida, os ciclos de todas as mulheres oscilam entre os dois polos, dependendo das situações externas e dos seus estados emocionais e conexões espirituais. A percepção de que as suas necessidades físicas, mentais e emocionais variam em função das fases lunares permitirá às mulheres resgatar sua "consciência lunar", adquirir melhor compreensão e aceitação de si mesmas, bem como usar os meios adequados para amenizar dores ou desequilíbrios (recursos como acupuntura, fitoterapia, florais, cromoterapia, yoga, exercícios físicos ou bioenergéticos, homeopatia, reiki, relaxamento, psicoterapia, práticas mágicas).

A Doação do sangue à Terra. O "Jarro Vermelho"

O oferecimento do seu sangue à Terra é um costume antiquíssimo e sagrado, usado pelas mulheres das culturas da Deusa e das tradições nativas para agradecer às dádivas recebidas e devolver à Mãe Terra a energia fertilizadora do sangue menstrual. Considerado um fluido sagrado, rico em nutrientes e imbuído de poder mágico, o sangue era a oferenda das mulheres para a Grande Mãe desde os tempos mais remotos, substituído depois, nas sociedades patriarcais, pelo sangue dos sacrifícios animais ou humanos.

No livro *O Legado da Deusa*, encontram-se orientações práticas para a realização da oferenda, bem como as necessárias precauções quanto ao seu uso mágico, que deverá ser feito com muito discernimento, respeito e sabedoria.

O ideal é oferecer o sangue em um lugar protegido da Natureza (bosque, jardim, praia, margem de um rio), em profunda comunhão com a Mãe Terra e com a consciência da sacralidade desse ato simples, mas belo e profundo. A mulher moderna, no entanto, raramente dispõe dessa facilidade (como tinham suas ancestrais) e precisará preparar o "jarro vermelho" para coletar seu sangue (durante a higiene íntima ou espremendo o absorvente). Atualmente, muitas mulheres – que procuram viver de maneira mais natural e ecológica – estão trocando os produtos industrializados pelas toalhinhas de flanela usadas pelas avós ou os *abiosorventes*, evitando a contaminação do seu "templo interior" com agentes químicos. Recomenda-se evitar os absorventes internos, que provocam bloqueios energéticos e facilitam a reabsorção de resíduos menstruais e de poluentes químicos. Em seu lugar podem ser usados os coletores menstruais reutilizáveis (*Moon cups* ou *Miss cups*), de silicone medicinal, sem efeitos colaterais, práticos, econômicos, higiênicos e ecológicos. Para obter cristais de sangue – que podem ser conservados a longo prazo em recipientes de vidro ou porcelana hermeticamente fechados –, coloca-se sangue menstrual sobre um pires e deixa-se secar ao ar livre, sem contato com metais.

A água avermelhada – cheia de nutrientes, poder mágico e guardada no jarro vermelho – é usada para regar plantas, devolvendo-lhes a vitalidade; oferecer à Mãe Terra; colocar em um cálice no altar individual durante um ritual lunar; consagrar objetos mágicos ou abençoar-se, invocando o poder da sacralidade feminina. O jarro pode ser de vidro com tampa de rosca, envolto em uma capa de tecido vermelho, ou um vaso de cerâmica, também com tampa, pintado com símbolos (espirais, círculos, as fases lunares, penta e hexagramas, runas). Por ser um profundo e sagrado mistério feminino, ele não deve ser deixado ao alcance de outras pessoas, muito menos usado para fins profanos ou levianos do seu poder mágico. Devido às programações negativas incutidas durante a educação em uma cultura e sociedade patriarcais, que negam e desprezam a sacralidade do sangue menstrual, muitas mulheres sentem asco ou repulsa ao ver ou manusear o próprio sangue. Superar esse condicionamento negativo representa uma cura da mulher não apenas de possíveis traumas da sua vida presente, mas de dolorosas lembranças oriundas de outras existências.

Um exercício simples de associação de emoções com palavras pode ajudar a desvendar memórias antigas ligadas a medos, experiências traumáticas relativas a sangue ou simplesmente à rejeição do corpo ou da condição feminina. Após um curto relaxamento, escrever rapidamente, sem pensar, palavras associadas a *sangue*. Após preencher uma folha, formular uma frase com as palavras escritas, acrescentando apenas preposições e algum verbo. Reler a frase e meditar a respeito, procurando penetrar além do seu significado literal, usando-a como uma chave para abrir o cofre das lembranças femininas.

Outro exercício é meditar a respeito da primeira menstruação, lembrando e revivendo sensações e emoções pessoais e as reações das pessoas envolvidas (familiares, amigas, professoras). Anotar as reações e sua conotação: se foram positivas (alegria, comemoração, apoio, cumplicidade) ou, pelo contrário, negativas (indiferença, deboche, excesso de cerceamentos ou ênfase no desconforto e nas dores que vão acompanhá-la na sua vida de mulher). Após reviver a experiência, guardar as lembranças positivas e descartar e transmutar as negativas. Para isso, usar algum procedimento mágico, escolhendo entre queimar as anotações das impressões, fazer uma catarse na fogueira com tambor, purificações com banhos de ervas e defumações com sálvia, finalizando com a bênção e a reconsagração do ventre.

A meditação pode ser feita em comum, no círculo (livre ou dirigida), após a transmutação dos resíduos energéticos, como parte das vivências dos "Mistérios de Sangue". Ela será seguida por uma "roda da palavra" para compartilhar conceitos pessoais e atitudes atuais ligadas à menstruação. As integrantes do círculo que têm filhas pré-púberes ou adolescentes poderão se mobilizar para a celebração conjunta do ritual da menarca, para que as meninas possam se tornar mulheres seguras, confiantes e conscientes da sua essência sagrada e lunar.

Fortalecimento e consagração do ventre

> *No coração do meu ventre reside o meu poder e beleza. Mulher, Deusa, Rainha eu sou, no coração do meu ventre reside o meu poder e sabedoria.*
>
> – CD *She Walks with Snakes*, Marie Summerwood

O ventre da mulher é o portal da vida; se for honrado e respeitado, ele se tornará um centro de poder, criatividade, sabedoria e beleza; caso contrário, se transformará em um reservatório de dores, disfunções ou doenças.

A condição do ventre feminino reflete o estado mental, emocional e espiritual da mulher, pois ele é como um cofre de lembranças e programações criadas e guardadas ao longo da vida pelas experiências familiares, afetivas e sexuais. Infelizmente, inúmeras mulheres do mundo atual passaram e passam por situações de sofrimento físico, moral ou afetivo, que lhes provocam desequilíbrios e doenças. É necessário reaprender as práticas ancestrais de proteção do ventre contra agressões externas e internas e somatizações. O objetivo é transformar a mulher ferida em um Ser Sagrado e forte, substituindo o medo, a fraqueza e a inconsciência por força, criatividade e sabedoria.

O Caminho da Deusa oferece à mulher contemporânea o legado das suas ancestrais, lembrando-lhe o poder das visualizações e afirmações positivas; das práticas de purificação, cura e energização; da alimentação e do comportamento saudável; dos exercícios físicos adequados; da conexão com os protetores espirituais, animais aliados e arquétipos divinos. A mulher consciente da sua sacralidade vai defender o seu ventre de abusos, venenos, invasões e ações negativas e saberá anular os registros inadequados e nocivos do seu passado.

Fortalecimento do ventre

Para a cura e o fortalecimento do ventre, recomendam-se as práticas enumeradas a seguir, que podem ser utilizadas individualmente (durante 21 dias) ou ensinadas em uma vivência coletiva (em um fim de semana), como uma "jornada de cura feminina". Essas práticas auxiliam no alinhamento com as energias naturais e o Eu divino, atraindo energias cósmicas de cura para distúrbios menstruais, afecções uterinas e ovarianas e antigas feridas e traumas, além de criar uma aura de proteção.

- Banhos de purificação: um punhado de sal marinho, uma infusão de folhas de arruda, eucalipto e sálvia e nove gotas de essência de cânfora ou eucalipto. Usar, em seguida, incenso de uma das ervas citadas e massagear o ventre com óleo de amêndoas e essência de rosas.
- Banhos de assento: infusão de folhas de nabo, raiz de gengibre (ralada), raiz de salsa, um punhado de sal marinho, uma colher de sopa de vinagre de maçã.
- Chá regenerador: infusão de folhas de dente-de-leão, amoreira, framboesa, salsa e uma pitada de gengibre ralado. Beber bastante água, pelo menos dois litros por dia.

- Dieta vegetariana: pelo menos durante o ciclo menstrual ou evitando enlatados, embutidos, carnes vermelhas e de porco, ovos de granja, frutos do mar, doces, carboidratos refinados, gordura de origem animal, condimentos, álcool, refrigerantes, café. Consumir saladas cruas, brotos, carboidratos complexos (cereais integrais, tubérculos), hortaliças verde-escuras, legumes de raiz (cenoura, bardana, nabo), tofu, soja, azeite, amêndoas, castanhas, frutas frescas, sementes de gergelim, linhaça e girassol, iogurte com lactobacilos, sucos de clorofila (capim de trigo, couve).
- Suplementos: clorofila, espirulina, algas, óleo de linhaça, prímula e borragem (para evitar a TPM e distúrbios da menopausa), vitaminas C, E e do complexo B, sais minerais (cálcio, magnésio, zinco, selênio).
- Essências florais: por exemplo, uma combinação de: Alpine Lily, Pomegranate, Star Tulip, Angelica, Black Eyed Susan, Crowea, She Oak (entre outras opções), quatro gotas da mistura, três vezes ao dia.
- Exercícios respiratórios: respiração ritmada e completa (incluindo a contração das musculaturas perineal e abdominal) e o sopro do fogo: fazer quatro respirações profundas, levando o ar até o ventre; ao expirar, contrair o abdômen, no início devagar, depois rapidamente, como um fole, percebendo a sensação de calor no corpo.
- Exercícios pélvicos e de fortalecimento dos músculos do abdômen e do períneo (posturas de yoga, exercícios isométricos e Kegel). Uma prática simples que fortalece a conexão esquecida com o ventre é colocar uma pedra de tamanho médio, achatada ("colhida" em uma cachoeira), e fazer respirações profundas e ritmadas, contraindo os músculos abdominais.
- Massagem abdominal com óleo de amêndoas e uma destas essências: alecrim, lótus, sálvia, bétula, lavanda, eucalipto, canela, bergamota, jasmim. Associar com afirmações positivas e visualizações de cura.
- Pedras fortalecedoras (usadas no ventre durante a meditação, como pingentes, pulseira ou colar): pedra da Lua, ametista, granada, cornalina, turquesa, malaquita, turmalina, jade, jaspe sanguíneo, hematita, âmbar.

- ❀ Visualizações de cores: branco e verde (purificar), laranja (vitalizar), violeta (elevar a vibração), azul (acalmar), prateado (alinhamento com a energia lunar). Inspirar a cor e enviá-la mentalmente para o ventre, segurando alguns momentos. Exalar visualizando a eliminação de resíduos e energias negativas.
- ❀ Purificação dos centros enérgicos (chakras) associados com o ventre, ou seja: chakra abdominal (o "ventre do poder"), cardíaco (o "coração do ventre"), laríngeo (o "ventre da comunicação"), frontal (o "ventre da visão espiritual") e coronário (a "coroa do ventre"). Para a purificação, usam-se respirações rítmicas associadas a visualizações, mentalizando durante a expiração pessoas, eventos ou situações que feriram, ofenderam ou menosprezaram seus "ventres". Anotar em tiras de papel as lembranças, emoções e sensações e queimar depois os papéis, associando algum gesto de catarse (bater palmas ou sapatear, pular, gritar, sacudir o corpo). Relaxar depois e se acalmar com respirações profundas, liberando os resíduos da tensão (corporal, mental) e visualizando-os como se fossem penas flutuando no ar. Mentalizar as cores do arco-íris e as energias cósmicas e telúricas renovando e curando seus "ventres". Criar e repetir afirmações positivas para substituir condicionamentos negativos e limitantes, complementando, assim, a cura.
- ❀ Diálogo com o ventre: refletir a respeito das seguintes questões:
  - Quais são as doenças/disfunções/dores manifestadas pelo seu ventre.
  - Que recursos são usados para silenciar a voz e as dores dele (comida, bebida, drogas, sexo, consumismo, acomodação, trabalho, doenças).
  - Identificar e anotar os choques físicos e emocionais absorvidos pelo ventre e sua manifestação em dores, doenças, disfunções.
  - A primeira experiência sexual (idade, reação, consequências).
  - Sua atitude sexual (ativa, passiva, reprimida, indiferente, agressiva).
  - Se deu à luz, como foi a experiência e sua reação.
  - Perguntar ao ventre o que sente em relação aos homens que fazem ou fizeram parte da sua vida.
  - Quem ainda "permanece" no seu ventre e de que maneira sente e reage à lembrança.

- Quantos foram os homens que entraram no seu espaço sagrado, o que sentiu e ainda sente em relação a eles.
- Se sofreu algum tipo de abuso ou violência sexual e o que seu ventre ainda sente a esse respeito.
- Se faz sexo ou amor e qual é a reação do seu ventre a essa atitude.
- Pedir para o ventre "contar" a história dele e anotá-la.

O ventre fala e pode revelar acontecimentos e reações da nossa vida para auxiliar na cura. Para ouvi-lo, basta colocar as mãos abaixo do umbigo, relaxar respirando profundamente, falar suavemente com ele e pedir que ele revele as memórias que devem ser relembradas e transmutadas. Anotar as lembranças negativas em papéis que serão queimados na fogueira.

No final dos 21 dias ou da vivência coletiva, é necessário realizar um ritual de purificação (catarse na fogueira e banhos com plantas aromáticas) e harmonização, com visualizações de energias luminosas e afirmações curativas, até sentir-se em paz e curada. Repetir várias vezes esta afirmação – ou outra semelhante –, como se fosse um mantra ou canção: *Meu ventre é sagrado, livre, limpo, harmonioso e saudável, pleno de energia, amor, paz, vida, criatividade e prazer, sendo meu centro de vontade, força e poder.* Ouvir o som do ventre e cantarolá-lo ou tocar tambor e perceber a percussão no âmago do seu ser, como o pulsar da Mãe Terra lhe trazendo a cura.

Consagração do ventre

Além das práticas sugeridas nos meus dois livros anteriores, *O Anuário da Grande Mãe* e *O Legado da Deusa,* vou descrever duas meditações específicas de cura que podem ser feitas individualmente ou em grupo. As meditações grupais têm ressonância e efeitos muito maiores, pois cada mulher expressa aspectos diversos de um mesmo universo feminino. A reverberação do campo energético das experiências individuais ativa a mente grupal e amplifica a sintonia vibratória, que visa a objetivos comuns de cura, integração e fortalecimento.

Para essas meditações, usam-se imagens arquetípicas femininas, por exemplo, dois motivos ancestrais encontrados em inúmeros mitos e lendas, conhecidos como "a árvore do ventre" e o "cálice sagrado". Busca-se também a conexão com o animal aliado e a deusa lunar regente da fase menstrual ou lunar individual. Antes de iniciar a meditação – livre ou dirigida –, convém fazer um relaxamento profundo e a conexão consciente entre a mente e o ventre.

Para encontrar a "Árvore do Ventre" projete-se para uma clareira iluminada pela Lua, onde existe um pequeno lago em meio à neblina, de onde se ergue uma majestosa árvore prateada. Seu tronco é rosado e se divide em dois galhos cobertos com folhas e frutos vermelhos. Olhando para as águas azuladas do lago, percebem-se filamentos sutis que ligam as raízes da árvore ao seu ventre e à sua mente. No reflexo da Lua na água, percebem-se sombras fugazes, em que você reconhece seu rosto e sente a ancestral ligação entre a mulher, a Lua, o ventre e a mente. Torne-se consciente da energia lunar presente no seu ventre e na sua mente e conecte-se com sua presença do céu, representando a fase da sua Lua natal. Perceba essa conexão como uma confirmação do seu alinhamento lunar e uma bênção recebida da Deusa regente.

A "Árvore do Ventre" é uma adaptação lunar da "Árvore da Vida", símbolo universal da vida e da sabedoria; suas imagens simbolizam o útero, as trompas e os ovários, e o subconsciente é representado pelo lago, sede de energias criativas. Se durante a visualização a mulher pedir algo específico para seu bem-estar ou ativar sua criatividade, ela deverá fazer depois uma oferenda simbólica (uma maçã, sementes vermelhas ou o seu sangue menstrual), entregando-a sob uma árvore como gratidão à Mãe Terra. "Colher os frutos da Árvore" significa resgatar o conhecimento ancestral dos ritmos lunares e do ciclo menstrual, mas eles são defendidos pela serpente, símbolo de renovação e transformação. Ensinamento: a sabedoria contida nos frutos não pode ser obtida sem que se aceite pagar o preço pedido pela serpente, representado pelos desafios inerentes à vida da mulher e à sábia aplicação do seu poder para a regeneração e o renascimento.

Para receber o "Cálice Sagrado" é preciso procurar a Guardiã, que se apresentará de maneira diferente para cada mulher. Ela é encontrada no Castelo do Graal, onde a buscadora vai chegar após percorrer um longo caminho, no meio de uma escura floresta, ajudada por animais de poder e superando vários desafios. O cálice resplandecente contém o elixir de força e sabedoria que, ao ser bebido, permite à mulher que mereceu esse dom a ampliação da percepção intuitiva e o aumento da sua confiança e poder.

O preço exigido é reconhecer e honrar a sua essência feminina, aceitando seu corpo e sua natureza cíclica, empenhando-se para sua cura e a comunhão com todos os planos e seres da Criação.

Animais "lunares" de poder

Diferentes animais de poder (totens ou aliados) são associados aos atributos, aspectos e arquétipos lunares, oferecendo orientação e ajuda quando solicitados. Eles representam o nível instintivo, renegado no mundo moderno e científico, mas que pode ser reativado por meio da imaginação e da visualização. Os mais conhecidos são:

- borboleta – símbolo tradicional da feminilidade e da Lua; suas asas reproduzem a vulva e as fases lunares; quando estilizada, transforma-se na lábris, a machadinha de duas lâminas da cultura minoica. Representa a fertilidade da vegetação, o fogo do espírito e o renascimento.
- pomba – associada ao divino feminino, é símbolo de várias deusas, como Afrodite, Astarte, Deméter, Ísis, Inanna, Perséfone, Rhea, Sofia; foi preservada no cristianismo na enigmática imagem do Espírito Santo. É atributo da luz lunar, bem como da inspiração, da sabedoria, da gentileza, do amor, da sexualidade, da espiritualidade, da paz, da profecia.
- garça – considerada pelos gregos a guardiã da paciência e da vigilância; foi associada pelos celtas à mudança das estações e dos ciclos, aos estados de transe e aos dons da fase menstrual (magia e profecia).
- lebre – símbolo antigo de fertilidade, crescimento, vida, renovação, Lua, prazer, sexualidade, poderes de divinação e transformação. É associada às deusas Eostre, Freyja, Vênus, e com o Sabbat Ostara, que prenuncia o renascimento da vegetação e a fertilidade na primavera. Foi modernizada e "comercializada" como um doce e brinquedo para as crianças na Páscoa; devido à conotação sexual, foi escolhida como mascote da revista *Playboy* e das suas "coelhinhas".
- coruja – antigamente era associada à noite e à destruição, mas é mais conhecida pela ligação com as deusas Athena e Minerva, como símbolo de sabedoria. É encontrada nas lendas celtas com atributos ambíguos, de traição, sexualidade, sedução e maldição (no mito da deusa

Blodeuwedd). Mas ela representa o poder e a sabedoria do ciclo menstrual e a necessária transformação para propiciar a renovação.

- égua (branca) – ligada aos poderes da Lua, acredita-se que esse animal atraia sorte e proteção, simbolizadas pelas suas ferraduras (os cornos lunares). É associada à maternidade, à fertilidade e à soberania da terra, à energia vital, à profundidade emocional, à magia e à profecia. A tríplice deusa celta Epona e a galesa Rhiannon são associadas a éguas brancas e pássaros, enquanto as ondas eram chamadas de "éguas brancas da Mãe das águas primordiais". Ela representa os poderes dinâmicos da vida, a fertilidade das Luas crescente e cheia e os poderes de transformação da Lua negra.
- unicórnio – criatura pura, gentil e bela que simbolizava a iniciação feminina, a menarca e a primeira experiência sexual. Seu chifre tem as três cores da Deusa: branco na base, preto no meio e vermelho na ponta. Companheiro de Diana, protetor da floresta, o unicórnio podia ser capturado apenas por uma virgem, simbolizando o seu primeiro parceiro sexual ou a primeira menstruação. Jamais podia ser alcançado pelos homens, por ser símbolo dos poderes lunares e mágicos das mulheres. A conexão com as energias e qualidades desses animais de poder é alcançada por meio de meditação xamânica (com batidas de tambor) ou dirigida, precedida por um relaxamento no qual se visualiza a presença do animal.

Conexão com a Deusa regente da fase lunar, menstrual ou natal

Essa sintonia pode ser estabelecida por meio de oráculos, leituras, sonhos, percepções ou visões, ou durante uma meditação dirigida para essa finalidade. O acesso para Ela será favorecido se, precedendo a meditação, for feita uma conexão profunda com o ventre. Esse contato fortalece o centro de poder e permite o resgate de memórias e conhecimentos ancestrais necessários para a cura.

> Reserve alguns momentos para relaxar o corpo e acalmar a mente com respirações profundas. Observe seus pensamentos, distancie-se

deles e visualize-se penetrando no canal vaginal através da respiração, entrando no útero, recinto sagrado forrado de vermelho, iluminado por uma luz pulsante vermelha. Permaneça imersa nessa luz e procure perceber a energia do seu chakra básico, observando o seu movimento, a direção em que ele gira e a sua cor. Focalize o centro do chakra e observe a imagem ali existente, que representa o padrão energético da sua Kundalini. Ouça o som, alguma mensagem ou veja algum símbolo ou forma. Ainda relaxada e respirando profundamente, crie na sua tela mental a imagem da Lua, na fase do seu nascimento, vendo-a como os chifres de Ísis na sua fase ascendente, uma Roda de Prata quando cheia, o aro fino da nova ou o misterioso disco da Lua negra. Por meio dessa imagem projete-se além de palavras e conceitos intelectuais para abrir os véus e apenas contemplar a diáfana figura que está aparecendo na sua mente e cuja veracidade é perceptível nas batidas do coração. Peça-Lhe que diga Seu nome ou atributos, rogue-Lhe que a oriente e sustente, para que você possa usufruir melhor das energias e possibilidades da sua fase lunar natal.

Caso tenha dúvida quanto ao nome da Deusa que lhe apareceu, confira a informação no subcapítulo "Práticas Individuais e Grupais nas Fases Lunares", no qual encontrará uma relação de nomes, arquétipos e características relacionados às fases lunares.

Para a (re)consagração propriamente dita do ventre são necessários: um vidrinho com essência de rosas, um pouco de água do mar (ou água com sal marinho), um cálice com vinho e o altar lunar (descrito em seguida). Seja sozinha ou em grupo, no círculo, a mulher deve fazer previamente uma harmonização com batidas de tambor (percebendo sua ressonância no ventre), entoando o mantra *Máa* ou os múltiplos nomes das Deusas lunares e, em seguida, realizando uma meditação de cura, após um relaxamento profundo:

Projete-se para uma gruta nas entranhas da terra, onde encontrará um altar de pedras vermelhas e sobre ele um livro aberto. Neste livro estão contidos os registros da ancestralidade feminina e ele se abrirá na página relacionada a cada mulher. Olhe as figuras, leia o que está escrito e assim saberá de todo o seu legado familiar e ancestral relacionado às doenças, às dores, aos abusos, aos distúrbios, aos abortos, aos estupros, às operações, às mutilações, às discriminações e às perseguições por ter sido mulher no passado ou por ser no presente. Esses registros podem ser das ancestrais, de suas existências passadas ou da vida atual.

Permita que as lembranças – por mais dolorosas que sejam – aflorem na sua consciência e se materializem em gotas de sangue, que escoam misturando-se com suas lágrimas. Peça à Deusa lunar ou à Grande Mãe que cure as dores, as aflições, as ofensas, as violências e as injustiças que feriram a sua essência feminina. Sinta o amor e a bondade divina envolvendo você, secando suas lágrimas, apagando memórias de sofrimento e cicatrizando feridas. Receba com o coração agradecido e a mente aberta a bênção da cura e veja seu ventre banhado por uma luz prateada pulsante, que o renova e fortalece.

Volte devagar para o aqui e agora e molhe seu ventre com água do mar (ou a água com sal marinho). Afirme com convicção: *Com água eu lavo as lágrimas de dor e sofrimento, com sal me purifico e consagro*. Unte, em seguida, seu ventre e seus seios com essência de rosas, enquanto mentaliza a libertação da dor do passado e a cura e o fortalecimento no presente. Eleve o cálice com vinho e invoque o Poder Sagrado Feminino manifestado pela energia da Grande Deusa Universal, A Senhora do Oceano de Sangue ou uma deusa específica. Peça-Lhe que seu centro de poder seja renovado e reconsagrado e que você recupere e integre a sua sacralidade feminina. Mentalize que essa integração reúne os seus aspectos e as suas energias de menina, adolescente, mulher e anciã, tornando-a um ser perfeito, integrado, harmonioso, poderoso e sagrado.

Para merecer essas dádivas, ofereça seu perdão para todos os responsáveis pelo seu sofrimento, que usaram "o poder da espada" para ferir ou calar "a força do seu cálice", nesta vida ou em existências passadas. Visualize a energia curativa do perdão envolvendo-a em uma cúpula luminosa e sinta que os bloqueios, as amarras, as mágoas, as dores e os sofrimentos do passado estão se dissipando, até desaparecer. Perceba como essa libertação por meio do perdão do masculino lhe permite vivenciar a integração das suas próprias polaridades, ao resgatar a força do seu *animus* e o suave poder da sua feminilidade. Permaneça nessa sintonia até ter certeza de que a cura foi realizada, reconsagrando o seu ventre e devolvendo-lhe a pureza e o poder ancestral e intrínseco da sua essência feminina.

Altar lunar e sacola menstrual

Para realizar as meditações e práticas lunares, bem como a conexão com a Lua vermelha e a Deusa lunar regente, recomendo criar um altar adequado para essas finalidades. Por mais simples que seja, ele servirá como um centro coletor e canalizador das energias lunares, fortalecendo o poder pessoal. A sua arrumação pode ser fixa ou mutável, variando de um mês para outro e recebendo objetos, imagens e elementos necessários para as práticas. Dá-se ênfase aos materiais naturais como búzios, sementes, flores e penas vermelhas, pedras de cura (descritas anteriormente) ou furadas naturalmente, cabaça com argila para modelar símbolos, um potinho com pó de urucum para abençoar-se, essência e incenso de rosas. Além disso, poderá ser usada uma toalha vermelha (durante o ciclo menstrual) ou prateada (para a conexão com a Lua), vela vermelha ou branca, uma taça com vinho tinto, o "jarro vermelho" e a "Sacola Menstrual" (descrita a seguir). Complementa-se com imagens da Lua, de Deusas regentes do poder curador e regenerador do sangue menstrual (como Chang O, Freyja, Inanna, Ísis, Lilith, Kali, Pele, Tiamat) ou com atributos lunares (citadas no subcapítulo seguinte), bem como dos animais de poder descritos anteriormente.

Para confeccionar uma "Sacola Menstrual", basta costurar à mão uma bolsinha de tecido vermelho (algodão, cetim, veludo), amarrá-la com um cordão e eventualmente pintá-la ou bordá-la com motivos lunares. Depois de purificá-la com fumaça de sálvia, coloque nela pedras semipreciosas nas seguintes cores (uma ou três de cada cor): branca (pedra da Lua, opala, calcita, selenita, cristal de quartzo leitoso), vermelha (granada, cornalina, jaspe sanguíneo, coral) e preta (hematita, obsidiana, quartzo enfumaçado).

Acrescente três sementes de urucum, um búzio pequeno, um punhado de ervas secas (pétalas de rosas vermelhas, artemísia, framboesa, hibisco, arruda, alecrim, sálvia) e um pouco de resina de sangue de dragão (ou mirra, benjoim, breu). O último item a ser colocado é um pedaço de pano branco pintado com seu sangue menstrual ou com a resina "sangue de dragão" dissolvida em óleo de linhaça. Os símbolos pintados representarão o poder pessoal intuído na meditação.

É aconselhável meditar com frequência no altar pessoal, seja durante a "Lua vermelha", seja na fase lunar do seu nascimento, colocando-se a "Sacola Menstrual" sobre o *hara* (centro de poder localizado três dedos abaixo do umbigo). Para vitalizar e fortalecer esse vórtice energético é indicado um exercício respiratório, descrito a seguir. Repita esse exercício algumas vezes, pois ele contribui para criar uma proteção áurica e também concentra a energia vital, evitando sua dispersão:

- Inspire profundamente imaginando o ar entrando pela vagina.
- Visualize a subida do ar pela coluna até a nuca, de onde passa pela cabeça até um ponto entre as sobrancelhas.
- Prenda a respiração por alguns momentos, concentrando-se no chakra frontal.
- Expire devagar, guiando mentalmente o ar de volta até o centro abaixo do umbigo, "segurando" o ar por alguns instantes no hara e terminando de expirar pela vagina.

Continue a prática com uma meditação para a conexão com a energia da fase lunar (do seu nascimento ou daquele dia) e com a Deusa regente:

> Visualize a luz prateada da Lua e puxe essa energia para a sua aura, sentindo-a vibrando na mente e no ventre. Imagine que a ligação com a fase lunar se efetua através de um cordão prateado, que sai do seu umbigo e segue até a Lua, pulsando ao ritmo do seu coração. Procure perceber a conexão com a fase lunar (previamente definida) e peça à Deusa lunar que a rege que a abençoe e lhe revele algo que possa contribuir para a sua cura, sintonia e fortalecimento do seu poder.

Mesmo as mulheres que não menstruam mais podem criar seu altar e sua "Sacola Menstrual", meditando, de preferência, na Lua negra, direcionando o poder do ventre e o seu potencial criativo para descobrir, focalizar e manifestar ideias, sonhos, desejos ou projetos, nos níveis artístico, intelectual ou espiritual. Esse despertar criativo é favorecido pelo movimento, pelos sons ou pelo ritmo (bater tambor, ouvir música, dançar, cantar), pelo contato com as energias da Natureza, pelo enriquecimento e pela ativação da mente (com novos conhecimentos, imagens, teatro, festivais, obras de arte, visitas aos lugares históricos), bem como pelas práticas espirituais de cura com meditações, visualizações e rituais.

É muito importante que as mulheres pós-menopausa liberem e expressem sua criatividade, mantendo seu equilíbrio e usufruindo dos poderes do seu "sangue sábio" não mais vertido, mas retido, fortalecendo sua essência e beneficiando as demais.

Além de expressar o potencial inato (ativado pelas práticas citadas) por meio da inspiração artística ou literária, da habilidade manual ou do movimento corporal, existe outro canal para o seu direcionamento. Trata-se do seu uso na cura – pessoal ou para outras pessoas – por meio de passes magnéticos, reiki, irradiações de energias prânicas ou projeções cromáticas.

No nível sutil, a ampliação da percepção sutil e da intuição pode ser aproveitada de forma criativa e mágica nas artes divinatórias e na realização de rituais. Para os rituais coletivos da Lua vermelha, o altar será comunitário, criado com objetos das participantes, incluindo as "Sacolas Menstruais" individuais. O ritual para "a celebração dos laços de sangue" encontra-se no livro *O Legado da Deusa*. Veja aqui uma versão resumida:

> Inicia-se o ritual com uma harmonização preliminar por meio da visualização da energia e do pulsar da Terra, ressoando no ventre de cada participante, no ritmo das batidas do tambor. O altar deve ser comunitário, arrumado com objetos ou imagens trazidos pelas mulheres e que representem atributos do sangue menstrual, além das "Sacolas Menstruais" individuais, previamente preparadas. A toalha do altar, as velas, as flores, os enfeites e as roupas das mulheres serão da cor vermelha. No centro do altar, a Deusa será representada por uma estatueta de argila, a imagem de uma deusa,

uma concha gigante, uma cabaça com terra ou argila vermelha e um cálice com vinho tinto.

Nas invocações, serão usados atributos e ideias específicas:

- Para Leste: a Donzela, o frescor da juventude, o milagre do primeiro sangue.
- Para Sul: o pulsar do sangue fluindo no compasso da Lua, a alegria da adolescência, a liberdade da Amazona.
- Para Oeste: reverência à Mãe, a formação da vida do seu sangue, o mistério do nascimento.
- Para Norte: homenagear a Mulher Sábia, aquela que guarda seu sangue e o transforma em sabedoria.
- Para o Centro: invocação da deusa Chang-O, a guardiã da "ambrosia da imortalidade", ou seja, o sangue menstrual, que foi a sua dádiva para as mulheres.

O círculo é formado ao som de canções referentes à Deusa, à Mãe Terra, à Lua, à mulher, às ancestrais. As participantes devem formá-lo com as "Sacolas Menstruais" ou com lã vermelha enrolada na cintura de cada uma delas. Essa lã é depois cortada, e cada uma leva um pedaço dela consigo.

Depois de entoar o som *Máa*, a dirigente fala sobre os laços de sangue existentes entre todas as mulheres do mundo. Uma por uma, as mulheres acendem suas velas vermelhas como um ato de poder, para assumir conscientemente a dádiva e a responsabilidade de ser mulher. Em seguida, elas compartilham das suas vivências e experiências e finalizam com afirmações sobre seu poder, sua integridade, sua solidariedade, sua parceria e sua criatividade. Pode seguir uma meditação dirigida para buscar orientações da deusa Chang-O ou mensagens das ancestrais e dos seres aliados.

As mulheres se abençoam com urucum dizendo seu nome ou uma palavra de poder. Ao mesmo tempo, colocam a mão sobre o ventre e visualizam a energia lunar harmonizando seus ciclos e o poder da terra fortalecendo seu corpo. Tomam um gole de vinho tinto – ou de suco de uva – elevando primeiro o cálice para brindar à Deusa. Para finalizar, após cortar a lã, as mulheres criam um cesto entrelaçando suas mãos e se movimentam em ritmo suave criando uma dança circular, olhando-se nos olhos e permanecendo conectadas, de coração para coração. Direciona-se depois a energia criada para seus lares, suas famílias, as irmãs de outros lugares e para a Mãe Terra, ajoelhando-se e colocando as mãos no chão, selando a confraternização com um abraço grupal.

As mulheres que resgataram a "consciência lunar" podem contribuir para o despertar e a evolução espiritual de outras irmãs, compartilhando conhecimentos e práticas para viverem alinhadas e integradas com as energias e os ciclos naturais.

A compreensão do poder do ventre e a interação com ele proporcionam melhor qualidade de vida em todas as idades. Ao atrair e usufruir dos benefícios e das habilidades inerentes a cada fase – lunar ou vital –, reforçam-se os vínculos entre corpo, mente e espírito, e a "consciência lunar" atua como fio condutor no crescimento, no fortalecimento e na evolução de cada mulher.

Escudos protetores

Assim como a vibração da batida do tambor é sentida no ventre, outras energias também podem fazê-lo vibrar. Essa ressonância é benéfica para receber energias curativas e espirituais, mas torna-se prejudicial se a mulher absorver vibrações, formas mentais e astrais negativas. O primeiro sinal de aproximação de uma energia negativa (oriunda de pessoas, lugares, situações) é sentido no ventre, que é o centro de ressonância do nosso corpo. Quanto mais se aproximar a fase menstrual, maiores serão a sensibilidade e a vulnerabilidade da mulher. Para evitar os efeitos prejudiciais das vibrações negativas, é necessário construir um escudo protetor, nos níveis astral, psíquico ou material.

O escudo sutil é criado por meio de visualizações – como um envoltório luminoso, espelho refletor ou disco prateado –, rebatendo e mandando de volta as energias negativas para sua origem. Existem várias maneiras de imaginar uma aura de proteção; o importante é criá-la com convicção e firmeza e reproduzi-la exatamente da mesma forma, quando necessário. Se, por descuido, o escudo não for "colocado" antes que se entre em contato com pessoas, lugares ou situações impregnadas de energias densas e "nocivas", a purificação e remoção dessa captação serão feitas por meio de expirações profundas – mentalizando sua dispersão e absorção pela terra –, banhos de sal grosso e ervas, práticas bioenergéticas com catarse, passes magnéticos e visualizações de energias luminosas.

O escudo físico é a contraparte material da proteção sutil. Recomendo usar um arco de madeira (tipo bastidor) ou dobrar galhos trançados (de erva-cidreira, jasmim-estrela, trepadeiras, bambu), prendendo-os em formato circular. Sobre essa moldura estica-se e fixa-se um tecido de algodão molhado, preso com tachinhas ou com uma malha de barbante. Após deixar secar o tecido, ele pode ser pintado ou bordado com símbolos de proteção e decorado com penas coloridas, conchas e cristais, semelhante aos "filtros dos sonhos" (*dream catcher*).

Outro recurso material é o uso de talismãs confeccionados em metal, madeira ou cerâmica, gravados ou pintados com inscrições mágicas ou símbolos rúnicos de proteção. Uma opção mais simples é o uso de uma placa pequena de ágata (comercializada como suporte para copos), colada ou presa em um cordão fino de seda na cor vermelha ou violeta e usada na cintura, sob as roupas, principalmente durante a fase menstrual ou quando for preciso entrar em contato com energias negativas.

A representação física do escudo sutil lembra a necessidade permanente de proteção no período menstrual, quando a sensibilidade e a vulnerabilidade psíquica e emocional são maiores. Porém, nenhum objeto material vai funcionar *per si* se não for associado à mentalização de uma proteção sutil e energética e a uma oração ou pedido feito à Deusa, ao Anjo Guardião e aos protetores espirituais.

Antes de confeccionar o escudo, meditar e pedir à Deusa Mãe ou à Madrinha lunar uma orientação sobre os símbolos e as cores a serem usados. Para impregnar o escudo com o poder pessoal, riscar um sinal com sangue (menstrual) ou pintá-lo com tinta vermelha e colar alguns fios do próprio cabelo.

Diário dos sonhos

Para favorecer a diversidade e a recordação dos sonhos convém confeccionar um pequeno travesseiro com plantas aromáticas e usá-lo sempre ou apenas durante a fase menstrual ou da Lua natal. Em vez de comprar um comercializado, é melhor confeccionar e imantar o seu próprio travesseiro.

Para isso misturam-se quantidades iguais das seguintes ervas: artemísia, lavanda, macela ou camomila, verbena, manjericão, jasmim, verdadeira erva-de-são-joão (hipérico), erva da lua, mil-folhas e pétalas de rosas brancas. A mistura é colocada depois em uma capa de travesseiro feita com tecido de algodão ou seda, e o travesseiro pronto será exposto e imantado com a energia da Lua cheia (ou da fase lunar do seu nascimento), pedindo a bênção da Senhora dos Sonhos.

Como auxílio prático para lembrar os sonhos, aconselha-se colocar o diário ao lado da cama, com uma caneta e um copo de água. Repita mentalmente, nove vezes, uma frase – que represente um comando ao subconsciente –, para que os sonhos importantes sejam lembrados ao acordar e tornem-se mais nítidos depois de beber a água. Antes de dormir, ore para a *Guardiã do poço dos sonhos e das lembranças* e, após sentar-se na cama, faça a seguinte visualização:

> Transporte-se para um lugar sagrado e procure um antigo poço de pedra sobre o qual haja uma tampa com estes dizeres: *Este é o poço do subconsciente de... (seu nome)*. Após encontrá-lo, pegue uma folha de papel e uma caneta, que estão ao lado, e escreva a seguinte frase: *Eu... (nome) libero tudo o que me bloqueia e devo descartar e aceito o que preciso saber para me beneficiar por meio dos meus sonhos*. Date e assine o papel, dobrando-o três vezes; depois levante a tampa e o jogue no poço (tudo feito com segurança no plano mental). Continue a visualização vendo-se dormindo na sua cama, tendo um sonho vívido, observando os detalhes, acordando e anotando-o imediatamente, contente com a sua lembrança. Volte a dormir na visualização e na realidade.
>
> Deve-se ter cuidado para não adormecer antes de terminar a visualização, por isso é melhor fazê-la sentada e deitar logo depois.

Os sonhos também são reflexos de processos interiores e podem igualmente representar avisos e comunicações do mundo espiritual. Tanto as antigas tradições quanto as pesquisas atuais comprovam que os sonhos durante os dias de ovulação são considerados receptivos e passivos, enquanto na fase menstrual eles se tornam mais vívidos e ativos, acompanhados de imagens e símbolos correlatos. A mitologia e as lendas sobre a menstruação relatam aparições de uma figura masculina – o "amante lunar" ou o "parceiro sobrenatural". Seus atributos, com as qualidades afetivas associadas, indicam a direção das mudanças de consciência e estimulam o desenvolvimento psicológico e a integração pessoal.

Os sintomas pré-menstruais se agravam com a redução no tempo ideal de sono, devido à diminuição dos sonhos, muito necessários nesse período. Segundo a xamã Brooke Medicine Eagle, as informações recebidas nos "sonhos menstruais" vêm do *ventre do Grande Mistério*, que guarda os registros do passado e do futuro. Alguns povos nativos acreditam que exista um mundo paralelo com o da realidade física, chamado *Tempo dos Sonhos*, em cujo plano podem-se realizar curas e comunicações com outras pessoas, fazer pedidos e receber respostas. As mulheres de algumas tribos nativas se "deslocam" para essa dimensão durante sua permanência nas cabanas ou tendas lunares, no período da "Lua vermelha". As mulheres modernas também podem se beneficiar dos sonhos que precedem a menstruação e atingem seu auge na "Lua vermelha", na fase da Lua natal ou da Lua negra para as mulheres pós-menopausa. Esses sonhos são fontes preciosas de orientação interior e ressurgimento de lembranças ancestrais.

A psicologia junguiana considera os sonhos revelações dos aspectos inconscientes do Ser – a sombra –, cuja identificação e integração na dimensão consciente promovem e permitem a cura. Um arquétipo frequente e recorrente nos sonhos menstruais ou durante a Lua negra é o da Madona Negra e seus símbolos (felinos de cor preta, véus, mantos, água escura, grutas, fontes, redemoinhos, espirais, pássaros noturnos, floresta, cenas de sexo e magia), que representam os aspectos reprimidos da psique feminina.

O fator relevante na avaliação dos sonhos não é sua interpretação como avisos ou presságios, mas as lembranças de emoções e sensações causadas por eles. Para não afugentar essas vivências, evite mudar de posição na cama ou levantar-se bruscamente ao acordar, dando um tempo para que os sonhos possam ser "resgatados" e anotados logo em seguida. Sonhos significativos servem como temas de meditação, motivos de pintura espontânea ou explorações terapêuticas.

Um livro muito valioso para aprender a integrar as forças visíveis e invisíveis, os registros do consciente e do inconsciente, auxiliando na transformação e no crescimento espiritual – pessoal e grupal –, é *Dancing the Dream. The Seven Sacred Paths of Human Transformation*, de Jamie Sams. Esse livro pode ser usado nos estudos grupais, como está sendo feito por um dos grupos da Teia de Thea, com relevantes experiências e vivências de autoconhecimento, crescimento espiritual e expansão da consciência.

É possível que as mulheres que pertencem a um círculo sagrado, realizem rituais lunares ou menstruam na mesma fase lunar tenham sonhos semelhantes. Juntar fragmentos de sonhos individuais e explorar sua simbologia – ou usá-los como motivo para a meditação grupal – constitui uma maneira interessante e útil de aprofundar os "laços de sangue" e fortalecer a essência feminina.

Práticas menstruais individuais para a cura

Nossa natureza feminina é uma extensão da Mãe Terra, e o nosso corpo reflete sua receptividade, força e fertilidade. Por isso práticas simples ligadas a Ela, como as sugeridas a seguir, favorecem a purificação, o fortalecimento e a conexão com Suas energias de cura, quando se dedicam um pouco de tempo e energia para contrabalançar o estressante e acelerado ritmo cotidiano da mulher moderna.

- O oferecimento do primeiro fluxo menstrual (da menarca) e, depois disso, do fluxo mensal é uma homenagem e mostra de gratidão à Mãe Terra pela nossa vida, saúde, família, trabalho, sustentação e realização como mulher.
- A limpeza e a arrumação do altar menstrual é uma maneira de reproduzir o próprio processo de purificação – físico, mental, emocional –, que independe da menstruação em si, pois pode ser realizado mensalmente mesmo pelas mulheres na menopausa.
- A criação de um ritual mensal pessoal – seja durante o ciclo, seja na Lua negra – permite uma conexão mais profunda com o nosso ventre, com a qual perscrutamos mensagens sutis que o nosso corpo envia, transmutamos registros e emoções negativas e relembramos a nossa sacralidade.
- Passar algum tempo em contato com a Natureza, caminhando, tomando banho de rio, mar ou cachoeira (sem se deixar influenciar por proibições ou superstições), oferecer seu sangue diretamente

para a água ou a terra, olhar para a Lua e procurar dormir exposta à sua luz, meditar, relaxar, usar oráculos, escrever, pintar, cantar, dançar, tocar tambor, sonhar, celebrar.

- Para alívio da tensão nervosa e remoção das energias tóxicas absorvidas pelo ventre, recomenda-se massageá-lo com óleo de amêndoas, misturado com extratos ou essências de ervas aromáticas; durante a massagem entoe o mantra *Máa* ou medite ao som das batidas do tambor.

- Para o fortalecimento áurico, encoste seu corpo no tronco de uma árvore frondosa, primeiro de frente, depois de costas, e fale com a sua Irmã Árvore pedindo-lhe que a purifique, fortaleça e energize. "Funda-se" com o campo magnético da árvore, visualizando as impregnações negativas do seu corpo escoando através das suas raízes até o mundo subterrâneo, onde são absorvidas e transmutadas. Eleve os braços e visualize-os como galhos, absorva as energias celestes por eles captadas, sinta o fortalecimento da sua aura e dos seus chakras. Para finalizar, tome um banho de rio, cachoeira ou mar e conecte-se com seus aliados (minerais, vegetais, animais e espirituais), pedindo-lhes força, proteção e segurança.

- Para liberar emoções negativas – medo, raiva, culpa, desejo de vingança, inveja, memórias dolorosas –, use recursos simples com a ajuda da Mãe Natureza. Cave um buraco na terra, deite-se com a barriga em contato com o chão perto do buraco, fale e desabafe tudo aquilo que sente, pensa ou deixou de dizer ou fazer. Após se livrar de toda a "carga", agradeça à Mãe Terra por reciclar seu lixo, cubra o buraco e coloque sobre ele algumas sementes ou fubá, em agradecimento. Outra maneira é passar para uma pedra tudo aquilo que lhe pesa e que deseja descartar, seja mentalizando, seja falando em voz alta. Depois de sentir que esvaziou seu fardo energético, entregue a pedra à água corrente ou enterre-a, agradecendo aos seres da Natureza. No entanto, para a mulher que negou, reprimiu ou guardou por muito tempo emoções tóxicas – raiva, culpa e medo –, os recursos acima citados não são suficientes e precisam ser complementados com soluções terapêuticas e bioenergéticas.

A negação da raiva ou a sua repressão não resolve a causa que lhe deu origem; pelo contrário, consome energia e conduz à sua projeção como sombra. Para que a raiva não se transforme em sintomas psicossomáticos ou depressão, ela deve ser reconhecida e transmutada. Explorar a raiva é um processo difícil, pois ela desperta culpa e remorso, além de ter sido reprimida e condenada durante séculos pelas estruturas patriarcais. O mais importante é descobrir e reconhecer os fatores que provocam o sentimento de raiva e assumir a responsabilidade por senti-lo sem projetá-lo para outra pessoa nem acusar terceiros como causa. Reviver a raiva significa tornar-se consciente dos "gatilhos" que a desencadeiam e buscar o método adequado (terapêutico, xamânico, mágico) para sua transmutação. Dessa maneira a raiva não prejudica nem faz adoecer, mas se torna um incentivo e aprendizado para a autoavaliação e a decorrente transformação.

A outra emoção tóxica individual e coletiva – o medo – origina-se do passado feminino ancestral de perseguições, violências e punições, que é revivido e transmitido ao longo das gerações e continuamente ativado e catalisado por situações e circunstâncias da vida presente e do ambiente.

A gama de medos que nos afligem é extensa e variada, abrangendo todos os níveis de existência da mulher (violências físicas, abusos emocionais, desconsideração e perseguição profissional, traição, abandono, solidão, escassez de recursos, divórcio ou viuvez, perda de filhos, doenças, acidentes, morte, ataques psíquicos, entre outros). O medo resiste aos argumentos racionais porque existe desde antes da nossa habilidade do raciocínio lógico, tendo sido adquirido no ventre da mãe ou em outras vidas.

A compreensão da natureza e da origem dos nossos medos nos ajuda a lidar melhor com eles. Práticas para entrar em contato com nossa criança interior e ouvi-la, fortalecê-la, protegê-la e amá-la são recursos preciosos que podem ser usados durante as meditações da Lua vermelha ou negra. Encarar o medo é o primeiro passo para ir além dele. O medo atrai a nossa atenção para aqueles aspectos que necessitam de cura, geralmente da menina assustada que habita em todos nós. A nossa criança interior é curada quando reconhecemos seus medos, lhe asseguramos a nossa proteção e ajuda, enfrentando os desafios com a força e a sabedoria que temos no presente. A decisão de confrontar o medo e curar as nossas feridas infantis aumenta o nosso poder como mulheres adultas.

É muito comum que a mulher experimente antes e durante seu ciclo menstrual um sentimento de tristeza, muitas vezes sem causa ou explicação aparente. Do ponto de vista fisiológico, essa é uma emoção decorrente da eliminação do óvulo não fecundado, quando o útero se prepara para chorar "lágrimas de sangue" pela perda da possibilidade de gerar uma vida. No nível simbólico, por ser esse período adequado para descartar, liberar, limpar lembranças, energias superadas ou emoções desnecessárias, a sua egrégora é de luto – mesmo que inconsciente. Chorar por aquilo que passou, que não foi vivido ou realizado, por algo que "morreu" e deve ser liberado induz a um estado de nostalgia, típico da "tristeza menstrual". Além do conteúdo emotivo pessoal, devido à sensibilidade aumentada, as mulheres menstruadas entram em ressonância com dores e sofrimentos de outras mulheres e com a dor da própria Terra. Muito mais do que uma emoção individual, esse estado de tristeza é coletivo e cósmico, por sermos filhas de Gaia, irmãs de todas as mulheres, mães dos nossos filhos – gerados ou não – e daqueles que choram em todos os lugares, despertando o sofrimento da nossa criança interior.

Mesmo que não possamos passar a "Lua vermelha" chorando, é importante reconhecer a tristeza, chorar pela dor de todos e do Todo, entregar à Terra nossas lágrimas como oferenda sagrada. Depois disso, convém meditar a respeito das nossas perdas – afetivas, materiais, profissionais – e realizar um ritual para nos desligarmos delas. Após o descarte e a transmutação, estaremos preparadas para iniciar um novo ciclo, tendo em mente a imagem do útero pós-menstrual ou pós-parto que, após um período de repouso e renovação, estará novamente apto para gerar e nutrir um filho (do corpo, da mente ou do coração).

B. CICLOS, PRÁTICAS E ARQUÉTIPOS LUNARES

> *Se o ano é uma canção, a Lua é a batida do tambor que marca o seu ritmo com fases, variando a modulação em função dos signos, crescendo e diminuindo por treze vezes ao longo da sua trajetória circular.*
>
> – *Goddess Spirituality Book*, Ffiona Morgan

Ciclos e fases lunares

Todas as formas de vida seguem ciclos de renascimento, crescimento, morte e renovação, refletidos de forma plástica nas fases progressivas do ciclo lunar. Dependendo de conceitos culturais, filosóficos ou místicos, a trajetória de um mês lunar – que dura 28 dias e meio – pode ser dividido de cinco maneiras diferentes:

a) Dualista – composta de dois períodos: da fase crescente, que vai da Lua nova até a cheia, e da fase minguante (ou decrescente), que dura da Lua cheia até a Lua nova seguinte.

b) A divisão em três fases ou triangular considera as fases lunares ascendente, plena e minguante, correspondendo à tríplice manifestação da Deusa e às fases da vida da mulher como jovem/donzela, adulta/mãe e anciã/sábia. O primeiro período abrange os onze dias decorridos entre a Lua nova até três dias antes da cheia – tendo seu auge no plenilúnio –, o dia exato da oposição entre o Sol e a Lua que a caracteriza. O último período engloba os dias remanescentes, do décimo oitavo dia do ciclo em diante até a Lua nova, quando começa um novo mês lunar.

c) Na divisão em quatro fases ou quadrangular, os quadrantes ou quartos lunares correspondem às Luas nova, crescente, cheia e minguante, cada fase durando aproximadamente uma semana. Os símbolos correspondentes às fases ascendente (nova, crescente) e descendente (minguante, negra) têm forma de "chifres" ou "cornos" lunares que, ao serem acoplados ao símbolo da Lua cheia, representam a tríplice manifestação da Deusa (☽○☾). Se forem unidos entre si, reproduzem a ponta da lábris ⋈, a machadinha de duas lâminas das Amazonas e atual símbolo do movimento de fortalecimento e liberação das mulheres.

d) Na divisão em oito fases ou óctupla, os períodos são desiguais. A Lua nova corresponde ao primeiro dia do novo ciclo, quando o Sol e a Lua estão em conjunção, e a Lua é invisível; seguem quatro dias de Lua emergente, uma semana do quarto crescente, três dias e meio da fase convexa, antecedendo à Lua cheia, que acontece na metade exata do ciclo. Continua o ciclo com três dias de Lua disseminadora, uma semana de quarto minguante e três ou quatro dias de Lua balsâmica, antes da completa escuridão, que culmina com a Lua nova, precedida pela Lua negra. Na visão de algumas autoras, a Lua negra constitui uma nova fase separada do ciclo, correspondendo aos três dias que antecedem a Lua nova, considerada o auge da escuridão.

A divisão óctupla corresponde aos estágios sucessivos e detalhados do desenvolvimento de todas as formas de vida. O processo começa na Lua nova, quando a semente – contendo a energia da intenção inicial – germina na escuridão. A luz das fases emergente e crescente auxilia os brotos a irromperem na superfície da terra e a criarem raízes que permitem a formação do caule e das folhas. A promessa da intenção se concretiza com o florescimento durante a fase convexa e culmina na cheia, quando o propósito é totalmente iluminado e impregnado com significado. A frutificação corresponde à fase disseminadora que espalha a visão alcançada para o mundo, enquanto na minguante se realiza a colheita e se assimilam as realizações. A essência da conquista é condensada em uma semente que é enterrada na terra durante a fase balsâmica e preparada para renascer. A ideia por ela representada será nutrida e fortalecida ao longo de um novo ciclo.

A energia da Deusa lunar é representada no ciclo das lunações pela relação entre fases, aspectos ou atributos, seja na divisão quadrangular, quando é acrescentado mais um aspecto à Deusa tríplice (variando entre Guerreira, Amazona, Matriarca ou Rainha e precedendo a Anciã), seja na divisão óctupla, como é descrito no *Anuário da Grande Mãe*. Resumindo, são estas as regentes das fases lunares:

– Deusa Escura, regente da Lua nova.
– Deusa do Mar, regente da Lua emergente.
– Deusa da União, regente do quarto crescente.
– Deusa da Sabedoria, regente da Lua convexa.
– A Grande Mãe, regente da Lua cheia.
– Deusa da Natureza Selvagem, regente da Lua disseminadora.

– Deusa Górgona, regente da Lua minguante.
– Deusa da Compaixão, regente da Lua balsâmica.

e) Na divisão nônupla, a Lua negra é diferenciada da Lua nova e recebe outros atributos e regentes, criando-se a classificação detalhada a seguir.

A Lua nova representa o começo da vida, o início da jornada, o encanto com novas experiências, a espontaneidade, o ato de agir instintivamente. Ela revela apenas um fino aro de luz e é regida pela Deusa jovem ou a Donzela, plena de vitalidade, entusiasmo e confiança.

A Lua emergente irradia um pouco da luz lunar e representa a energia da Amazona, mais experiente e segura do seu poder, convicta do seu sucesso e sempre pronta para agir. Traz a energia necessária para romper os padrões do passado, mobiliza recursos para afirmar-se em uma nova direção e criar o próprio caminho.

A Lua crescente (primeiro quarto) tem uma metade de luz e outra de sombra e é símbolo da Amante, plena de amor e irradiando sensualidade, sem preocupações ou peso das responsabilidades, dona de si mesma, livre para fazer escolhas e definir suas prioridades; ela descarta antigas estruturas e cria novas, lida ativamente com as energias liberadas na crise, busca e concretiza mudanças.

A Lua convexa (ou corcunda) tem apenas um pouco de sombra e três quartos na luz. Ela simboliza a Sacerdotisa, que conhece os mistérios da Lua e do sagrado feminino, tem dons proféticos, mas revela as verdades apenas para quem aceitar e superar os testes e as lições do caminho iniciático para quem busca introspecção, conhecimento, autoaperfeiçoamento e deseja o crescimento espiritual.

A Lua cheia resplandece na luz do ápice do ciclo, irradia a energia fértil e nutridora da Mãe, compartilhando amor, otimismo e esperança no mundo, com promessas de beleza, magnetismo, realização e iluminação.

A Lua disseminadora (ou divulgadora) repete o desenho da convexa, mas na posição contrária, pois prenuncia a diminuição da luz. A sua regente é a Mestra, que ensina as lições da vida, a alternância da alegria e da dor, do progresso e do recolhimento. Ela partilha com os outros as suas descobertas, tem necessidade de ajudar e orientar e empenha-se em divulgar ideias, conceitos e recursos para a evolução espiritual.

O quarto minguante (último quarto) mostra a ampliação da escuridão que preenche metade do disco lunar, prenuncia desafios e mudanças para reorientar os pensamentos, as crises de consciência, a focalização de novas ideias e o afastamento das antigas expressões. A sua energia pertence à Avó, que ensina a ambivalência das experiências da vida e apoia e incentiva a superação dos medos ao enfrentar as sombras.

A Lua balsâmica é dominada pela sombra que alcançou três quartos do disco lunar e anuncia o final do ciclo. Regida pela Anciã, ela simboliza o poder da verdade, o peso da responsabilidade e o conhecimento do bem e do mal, da vida e da morte, do necessário desapego (para abrir espaço para o novo), da sabedoria do ciclo concluído e da necessária preparação para enfrentar o novo. Observa-se e analisa-se o passado para beneficiar o futuro com o aprendizado decorrente dos erros e sucessos.

A Lua negra é o auge da escuridão e pertence à Tecelã ou à Deusa Escura, da Morte e da Transformação, que compartilha os aprendizados das fases e os aspectos precedentes por ter vivido e superado desafios e lições. Ela transformou o poder da Anciã em sabedoria mágica, tem o conhecimento do declínio, da queda, da morte e da regeneração, da magia e dos assuntos ocultos. Ela mescla "o todo" de maneira complexa e contraditória e incentiva o silêncio, o esvaziamento e a transmutação.

Mandala das 13 lunações

Uma divisão interessante dos arquétipos é a mandala relacionada com as treze lunações, proposta pelas autoras Elisabeth Davis e Carol Leonard no livro *The Women's Wheel of Life*. Fundamentada nos Mistérios Femininos, nas fases da vida, na cruz das quatro direções e no ciclo das estações, a mandala reúne arquétipos e mitos femininos de várias culturas, colocando-os em um contexto contemporâneo. Em lugar de um sistema linear e rígido, o padrão escolhido é circular, reforçando o simbolismo do eterno ciclo da vida, da morte e do renascimento e a sequência das etapas. Cada fase da vida da mulher engloba três estágios: iniciação, integração e transformação. Mesmo que os estágios se sucedam em um fluxo coerente, é possível que alguns desses estágios retornem à vida de algumas mulheres, processo amparado e orientado pela energia existente no centro do círculo de doze divisões, representada pela "Transformadora". A mandala expressa o aprendizado e o crescimento feminino, embasado na sua própria natureza, dos ciclos, das fases e dos padrões: de crescimento, expansão, declínio e transmutação. Os arquétipos não precisam ser vividos literalmente, mas de maneira metafórica – o estágio da mãe pode representar a concepção e a realização de um projeto –, assim como algumas fases podem ser defasadas em relação à idade. Ofereço aos círculos de mulheres o resumo dos raios da mandala como inspiração e motivação para expandir e vivenciar as ideias do livro mencionado.

Imaginando a mandala como um círculo dividido em quatro quadrantes, cada setor tem uma palavra-chave e três subdivisões, seguindo o sentido horário e a marcha do Sol.

1. Leste: inocência, estágios da Filha, Donzela, Irmã.
2. Sul: nutrição, estágios da Amante, Mãe, Mestra.
3. Oeste: poder, estágios da Amazona, Matriarca, Sacerdotisa.
4. Norte: sabedoria, estágios da Maga, Mulher Sábia, Deusa Escura.
5. Centro: A Transformadora.

Cada estágio da mandala tem atributos, características, aprendizados e possibilidades diferenciadas e que podem ser associadas a rituais, vivências e práticas específicas. Serão resumidos os tópicos essenciais seguindo a ordem cronológica, cabendo aos grupos escolher os arquétipos e as cerimônias adequadas.

- Filha: Lua emergente, infância, pureza, busca da individuação, início da vida, começo da primavera, novos projetos.
- Donzela: quarto crescente, adolescência, rito de passagem da menarca, despertar da sexualidade, desejo de aventuras e novas experiências,

época de conflitos: entre a ânsia pela independência e afirmação e as responsabilidades decorrentes.

- Irmã: Lua crescente, primavera, extroversão, socialização, amizades com moças da mesma idade ou com propósitos comuns.
- Amante: Lua convexa, a busca do parceiro, o amor para uma pessoa ou objetivo, a entrega, o fascínio da união, promessa de realização e felicidade, gravidez ou criação de um projeto. Esse arquétipo é o que menos depende da idade, podendo ser vivido em qualquer época.
- Mãe: Lua cheia, verão, o rito de passagem da maternidade, o conflito entre entrega, apego e controle, nutrição, manifestação do amor materno, amadurecimento, preocupações familiares, culminação de planos e plantios.
- Mestra: Lua disseminadora, capacidade de confiar na intuição, suspender pensamentos racionais e lineares, interesse nas artes curativas ou no mundo dos negócios, expansão dos dons de nutrição e cuidados maternos além do núcleo familiar, direcionamento do poder pessoal.
- Amazona: necessidade de cuidar de si, buscar novas formas de expressão e realização, fortalecimento interior, confiança nas escolhas e nos propósitos, retorno à independência e à liberdade dos estágios anteriores, explorar novos horizontes e relacionamentos. Esse arquétipo também independe da idade.
- Matriarca: outono, assumir a liderança pela maturidade, poder, autonomia, autoridade, enfrentar novos conflitos e dificuldades. É um tempo para colher o que foi antes plantado, corrigir erros, fazer descobertas interiores, buscar novos projetos, participar em grupos de mulheres, celebrar rituais, realizar serviço comunitário. Não depende da idade.
- Sacerdotisa: quarto minguante, outono, pré-menopausa (climatério), abrir mais espaço para a vida interior, buscar apoio de outras mulheres, cuidar da família, interesses ocultos e cerimoniais, estudos místicos, dedicar-se ao serviço espiritual.
- Maga: Lua balsâmica, transição da menopausa, assumir seu poder mágico e espiritual, habilidade de transmutar, renovar e integrar, amor transpessoal e incondicional, contato com as ancestrais, lidar

de forma sábia com as vicissitudes da vida. Ela é representada por Hécate, Cailleach e Cerridwen, e o seu símbolo é o caldeirão. Esse arquétipo pode ser ativado por uma crise existencial, um acidente ou uma doença.

- Anciã: Lua negra, inverno, rito de passagem da Mulher Sábia, compartilhar a sabedoria das experiências próprias, uso de discernimento para abordar problemas, aconselhar pelo exemplo. Em qualquer idade podemos agir atraindo a sabedoria da Anciã para a tessitura da nossa existência.
- Deusa Escura (a Mãe Negra): auge do inverno e da escuridão, Lua nova, a Rainha das Sombras que existe além dos desejos, no final da vida. Ao passar da Anciã para a Mãe Negra encontramos a "Ceifadora Implacável", que guarda o portal entre vida e morte. Ela é Kali, a "Negra Mãe do Tempo", que finaliza tudo o que já foi vivido e cujo símbolo é a foice. Precisamos iniciar a nossa preparação e transição para o desconhecido, aprendendo sobre o desapego, a libertação e a transformação. Vivenciamos sua energia quando damos um salto no escuro, assumimos riscos, perdemos o controle ou temos que enfrentar perdas, medos, finalizações, acidentes, doenças, o desconhecido.
- Transformadora: Ela está no centro da mandala, mas interage e flui entre todos os estágios. Representa a Fonte, o vazio, o ventre cósmico, o refúgio, o silêncio e a cura após a transposição do portal da morte, à espera do renascimento para uma nova existência. Sua energia se manifesta em cada transição da nossa vida, independentemente da idade, e nos guia para a troca de pele e para a libertação do passado. As imagens associadas são o ovo, a borboleta, a serpente, a fênix, o caldeirão.

Assim como os ciclos biológicos da mulher são regidos pela Lua, sua mente, suas emoções e sua psique também sofrem as influências das fases e marés lunares. Por representarem marcos na sua existência, as fases lunares devem ser conhecidas, respeitadas e celebradas pelas mulheres conscientes, contribuindo para o resgate do poder sagrado feminino e a conexão com os aspectos e arquétipos lunares. As mulheres que observam a trajetória lunar e a celebram com meditações, práticas ou rituais descobrem uma nova força, maior harmonia e plenitude na sua vida, tanto nos níveis físico, emocional e mental quanto no aumento de sua autoestima e no reconhecimento do seu valor ancestral, inato, sagrado.

Pelas exigências e cobranças das estruturas familiares, profissionais e pessoais típicas do mundo solar atual, é muito difícil e desafiador para a mulher moderna observar e celebrar todas as fases lunares, principalmente as da divisão óctupla. Por isso é recomendável concentrar os rituais e as práticas nos dias exatos das Luas nova (ou negra) e cheia, quando são mais perceptíveis as alterações do campo eletromagnético da Terra e das marés (físicas, biológicas, emocionais e espirituais). Esses "pontos de poder lunar" são adequados para vivências espirituais (meditações, rituais, oferendas) e medidas terapêuticas (mudança de hábitos emocionais, visualizações e afirmações para a autoajuda, uso de florais, cristais, fitoterapia, cromoterapia, psicoterapia). Um recurso valioso e prático é conhecer e aplicar as fases e os trânsitos lunares ao mapa natal, principalmente a passagem da Lua nos "pontos-chave" individuais.

O ciclo das fases lunares reflete o padrão mutável do "relacionamento" entre a Lua e o Sol, além das modificações da aparência da Lua no céu noturno vistas da Terra. Enquanto a Lua transita por um signo solar (ou seja, atravessa um setor definido no zodíaco e com características próprias a ele conferidas), influencia ocorrências, necessidades, possibilidades e reações (mentais, emocionais, psíquicas, físicas) que combinam com a natureza do signo e do elemento que o rege. Conhecer as características de cada signo propicia um melhor aproveitamento das suas qualidades durante a trajetória lunar, bem como a necessária precaução quanto às influências negativas. O mapa individual também sofre influências dos trânsitos lunares, que energizam certos setores e bloqueiam ou dificultam outros. Ao descobrir os "altos e baixos" lunares, pode-se fazer um planejamento mais eficaz das atividades (mundanas ou espirituais), aumentando a produtividade ou a amplidão dos efeitos e reduzindo o estresse e os contratempos.

Eventos lunares especiais

Um fenômeno que deve ser levado em consideração é a chamada "Lua fora de curso" ou "Lua vazia", conhecida principalmente pelos praticantes da astrologia, mas que está sendo cada vez mais divulgada por meio de almanaques e da internet. Esse ponto corresponde ao momento em que a Lua, por estar no fim de um signo, não mais forma aspectos com os planetas em trânsito, até sua entrada no signo seguinte. Com duração de meia hora até um dia e meio, ela é considerada um momento de repouso, em que não se devem iniciar novas atividades nem tomar decisões, com risco de perder, fracassar ou errar. Na Lua vazia, recomenda-se relaxar, refletir, meditar para diminuir o ritmo, fazer menos e sentir e perceber mais. Ao "esvaziar" determinados setores energéticos, prepara-se o terreno para a renovação.

A Lua fora de curso é propícia para assuntos espirituais, não materiais, bem como para relaxar e cuidar de si. Se isso não for possível e você tiver que trabalhar, é melhor ater-se à rotina e não começar nada novo. Considere a Lua vazia um pequeno feriado, quando "o cosmos se retira e vai repousar".

O que evitar durante o período em que a Lua estiver fora de curso ou no vácuo:

- Não assinar contratos nem fazer acordos, pois eles poderão ser modificados posteriormente ou se revelar sem efeito (nulos ou vazios).
- Não iniciar trabalhos, pois os resultados não serão perceptíveis ou não se manifestarão.
- Não tomar decisões nem fazer compras, pois elas não serão realistas ou adequadas.
- Durante a Lua vazia, a criatividade assume rumos imprevistos; o julgamento fica menos preciso e sujeito a erros ou falhas. Se iniciar uma viagem, os planos podem ser alterados, e podem surgir imprevistos, experiências estranhas, atrasos e frustrações.

Existe outro "acontecimento" lunar que detém um lugar importante nas celebrações dos círculos femininos. Trata-se da *Lua azul*, a segunda Lua cheia que ocorre no mesmo mês, fenômeno que se repete a cada dois anos e sete meses e é causado pela presença de treze lunações em um ano solar. Essa diferença é decorrente da substituição do antigo calendário lunar (com treze lunações) pelo solar (com doze meses). A Lua azul representa um plenilúnio imbuído de maior força magnética e que propicia melhor conexão espiritual, por amplificar a intensidade das energias lunares. É considerada um tempo mágico que abre portais de comunicação profunda com outras dimensões, energias, seres e planos sutis, tornando os rituais mais poderosos, as vivências mais abrangentes e acelerando a realização dos efeitos mágicos. Por isso requer-se muita cautela na escolha dos objetivos e pedidos feitos nesse momento, direcionando-os para fins comunitários e não apenas pessoais, para celebrar a plenitude espiritual, além da material, e agradecer a ela.

Menos conhecida e pouco divulgada é outra Lua especial, denominada *Lua violeta*, que acontece quando ocorrem duas luas novas no mesmo mês (semelhante à Lua azul). Esse período de três dias – que antecede a segunda Lua nova – proporciona energias purificadoras e transmutadoras e, portanto, proporciona as condições ideais para a introspecção e a meditação ampla e profunda, bem como a reavaliação de valores, atitudes e objetivos e o decorrente redirecionamento.

Práticas individuais e grupais nas fases lunares

1. As influências da Lua nova, da Lua cheia e dos eclipses

As pesquisas científicas contemporâneas comprovam a veracidade das sabedorias ancestrais segundo as quais ocorrem modificações perceptíveis no ser humano durante as Luas nova e cheia. Devido ao alinhamento dos luminares (Sol e Lua em conjunção na Lua nova e em oposição na cheia), os efeitos gravitacionais são mais potentes, determinando alterações químicas, físicas, glandulares, mentais, psíquicas e emocionais que influenciam o comportamento humano.

Enquanto a fase ascendente (da Lua nova à cheia) favorece o início de novos projetos e atividades, mudanças e decisões, a fase decrescente (da Lua cheia à nova) predispõe à celebração, à contemplação, à gratidão e à consolidação das iniciativas, das transformações e dos projetos iniciados.

A Lua nova, portanto, representa a fase da renovação e da remodelação, propícia para novas experiências, direções e orientações pessoais, profissionais e emocionais. O desafio consiste em definir o caminho certo, tomando decisões ponderadas para mudar as áreas insatisfatórias e empreender novos começos. Permanecendo centrada e tendo uma perspectiva ampla da realidade a ser mudada, será mais fácil para a mulher agir de forma equilibrada e imparcial e usar o discernimento e o bom senso, sem se deixar levar pelos impulsos ou pelas pressões externas.

Do ponto de vista astrológico, a Lua nova ocorre um dia e meio antes de ser visível no céu. A conjunção exata do Sol com a Lua acontece no auge da escuridão, no meio do intervalo da chamada "Lua negra", momento mágico mais adequado para finalizar, descartar, desligar, banir.

As práticas mágicas da Lua nova estimulam o crescimento e os começos, e suas energias são ideais para semear, planejar, criar, iniciar, inovar. Até a Lua cheia, o período é dinâmico e expansivo, favorável à concretização dos sonhos em realidade. Cada Lua nova é temperada com as características do signo astrológico em que ela se encontra, fator que vai influenciar na escolha dos elementos mágicos e nos procedimentos.

No mapa astral individual, a Lua nova irá estimular a casa zodiacal onde estiver localizada, e seus efeitos dependem também dos aspectos que faz com outros planetas (em trânsito e natais). A Lua nova traz um acréscimo energético aos planetas e às configurações natais por ela ativadas, que, devidamente conhecido e utilizado, aumenta as possibilidades de sucesso e realização dos objetivos a elas associados. Portanto, o conhecimento do mapa natal – mesmo superficial – é um auxílio precioso para aproveitar os influxos favoráveis das Luas novas. Alcança-se, assim, o alinhamento consciente da atividade lunar com os ritmos individuais (mentais, emocionais, físicos e psíquicos) e as energias espirituais, convergindo-os para a mesma direção. O Sol e a Lua estão juntos no mesmo signo, o que aumenta as energias, as vivências, as possibilidades, os desafios e as dificuldades representados por essas energias planetárias. Por isso é importante "limpar o terreno" antes de plantar novas sementes ou ideias, iniciar algo novo ou decidir a mudança. Convém reservar o período da Lua negra para finalizar assuntos, remover resíduos e energias que não são mais úteis ou desejados, provenientes do ciclo anterior. Quando a Lua nova aparecer de forma visível no céu noturno – passando de um fino semicírculo prateado para os "cornos lunares" da crescente –, convém realizar trabalhos mágicos, reverenciar a deusa regente dessa fase, fazer pedidos e – após a devida introspecção – decidir ou escolher. Recomenda-se usar símbolos e elementos adequados para representar o crescimento, a ampliação e realização dos projetos.

As antigas crenças afirmavam que *desejos expressados no momento exato da aparição da Lua nova no céu se realizavam com facilidade e rapidez, e as decisões tomadas tinham maior duração.* Nas antigas culturas e tradições, a Lua nova era honrada com rituais, festivais, uso de oráculos, oferendas e magia simbólica para atrair e assegurar prosperidade e fertilidade.

Atualmente, nos trabalhos grupais (menos frequentes do que os realizados durante a Lua cheia), usam-se principalmente visualizações e práticas de transmutação e purificação, seguidas de afirmações positivas e compromissos (individuais ou coletivos) para renovação e expansão, mesclando e fundindo as qualidades das Luas negra e nova.

Para um ritual grupal, depois da preparação inicial do espaço e a harmonização das participantes, arruma-se um altar adequado com caldeirão, pastilhas de cânfora e ervas secas, velas e flores brancas, incenso de jasmim e água de chuva, fonte ou mineral. Após o centramento por meio de respirações ritmadas e a entoação de mantras, a dirigente conduzirá uma visualização para que cada participante identifique aquilo que precisa remover ou transmutar na sua vida para iniciar um novo ciclo. As energias prejudiciais serão direcionadas para o caldeirão (com gestos, palavras ou impregnando as ervas secas com suas imagens) e depois ritualisticamente queimadas e eliminadas (com sons, batidas de tambor, palmas). Em seguida, realiza-se a visualização das novas energias, que serão atraídas e plasmadas com afirmações positivas; depois elas serão anotadas para serem guardadas no altar pessoal e mentalizadas – ou lidas diariamente – até sua concretização. Finaliza-se com a bênção individual com água (ou essência de jasmim) e a oração de agradecimento às deusas lunares invocadas.

Se o círculo optar por fazer rituais separados para a Lua negra e a Lua nova, a ênfase na Lua nova serão os encantamentos de atração de crescimento da luz, visando a novos objetivos, situações ou possibilidades, e sua concentração em algum objeto, símbolo, imagem, essência, vela, sementes, escritos, fitas ou cordas. Um ritual específico da Lua nova é o fortalecimento dos elos grupais e a canalização das energias individuais para um objetivo ou uma finalidade comum, previamente estabelecida.

Para rituais individuais, a Lua nova é favorável aos encantamentos e às meditações que visam a um novo emprego ou progresso financeiro, a um novo relacionamento afetivo ou à renovação do atual, ao aumento da sabedoria, da criatividade, da fertilidade, da vitalidade ou à recuperação das energias após uma doença, ao começo de uma viagem, projeto, relação, estudo, atividade, compromisso.

OBSERVAÇÃO: é bom lembrar que não basta fazer um ritual ou uma prática mágica se o "terreno" interior não for devidamente preparado. É preciso, antes, finalizar ligações ou situações anteriores, fortalecer a autoestima e a confiança no valor e na capacidade pessoal, reprogramar conceitos limitantes e descartar hábitos prejudiciais, entre outras reformas e remodelações pessoais. E, acima de tudo, e sempre, manter a conexão com os valores da sacralidade feminina e com as manifestações correspondentes da Grande Mãe, o aspecto jovem da Deusa Tríplice ou as deusas lunares.

Os arquétipos regentes dessa fase lunar são as Deusas Donzelas, os aspectos jovens da Deusa, que simbolizam o despertar do potencial da vida e da Natureza.

As Deusas Donzelas mais conhecidas são Ártemis, Arianrhod, Athena, Bast, Britomartis, Blodeuwedd, Chalchiutlicue, Donzela do Milho, Diana, Eir, Flidais, Flora, Gefjon, Hebe, Kore, Ninlil, Pallas, Perséfone, Pele, Proserpina, Sarasvati, Sar-Akka, Saule Meita, Yuki One.

A Lua cheia representa uma poderosa ocasião para a recepção e o direcionamento das energias solilunares. A Lua e o Sol estão em signos opostos, fazendo oposição entre si, uma configuração astrológica de complementação ou divergências, mas que maximiza o efeito gravitacional conjunto.

A Lua cheia reflete o aspecto materno da Deusa, cujo amor e plenitude revelam e inspiram as melhores qualidades das Suas filhas. O momento é de realização e manifestação, de colher o que foi plantado, de assumir as responsabilidades pelas opções e de expressar sem medo o potencial e o poder pessoal inatos. A energia da Lua cheia aumenta a percepção psíquica, aprofunda as meditações e os sonhos, favorece os encantamentos de fertilidade, criatividade, nutrição, prosperidade, sensualidade, ampliação e a frutificação de dons, recursos, conquistas.

Para os círculos femininos, as práticas espirituais realizadas nos plenilúnios são muito significativas e produtivas. A receptividade mental e a percepção são ampliadas, o que melhora a clareza das mensagens (interiores ou dos planos sutis) e facilita a sintonia e a conexão com os outros seres da Criação. Processa-se uma fusão temporária dos níveis consciente e inconsciente da mente, o que leva ao fortalecimento e à ampliação da consciência lunar e dos laços ancestrais com a Deusa, a Terra e todas as outras mulheres. A Lua rege o signo de Câncer, representando as águas primordiais, o útero materno, a família, a herança materna e familiar, a ancestralidade. A Lua também revela os aspectos múltiplos da Deusa, principalmente os maternos, no auge da luz, como *A Senhora e Rainha da Noite, a "Magna Mater"* celeste.

O desafio desse poderoso vórtice eletromagnético é saber lidar com a exacerbação das tensões psíquica e física criadas pelo confronto entre as energias solares e lunares e o estresse energético decorrente. Apesar de antagônicas, as energias solilunares serão integradas se direcionadas para objetivos compatíveis com sua essência.

Nas meditações grupais buscam-se a conexão e a atração da energia luminosa da "Roda Prateada" com o ritual tradicional de "Puxar a Lua" (*Drawing Down the Moon*) e a preparação da "água lunarizada" (descritos no *Anuário da Grande Mãe*). O enfoque das meditações é a recepção de inspiração, a clareza das mensagens e das orientações recebidas dos planos sutis, visando à harmonização e à integração interior, e a entrega para um profundo mergulho na luz, no amor e na nutrição da Grande Mãe. Informações específicas para as celebrações dos plenilúnios encontram-se na terceira parte deste livro, nos subcapítulos "Roda de Prata" e "A Mandala das Treze Matriarcas".

A energia da Lua cheia é fértil, alegre, abundante, de celebração da colheita (das realizações, dos sucessos e das dádivas recebidas) e de comunhão amorosa, irmanada, solidária. Sendo o auge do poder lunar e da maré cheia, essa fase lunar é o momento perfeito para rituais de natureza feminina, ritos de passagem, práticas mágicas, irradiações de energias e orações de paz, plenitude e amor para o mundo. A Mãe oferece suas energias nutrizes, a Deusa está no ápice do Seu poder e glória, a luz lunar afasta as ameaças das sombras e revela os mistérios guardados na noite dos tempos.

No nível individual, a energia da Lua cheia facilita as dinâmicas psicológicas pessoais, a cura dos conflitos e das feridas na relação mãe-filha, a descoberta e a solução de lembranças e de processos dolorosos da condição feminina ligados à menarca, à gravidez, aos abortos, à esterilidade, à menopausa, à velhice e às relações familiares. Assim como foi mencionado anteriormente, na Lua nova, o conhecimento e a exploração das configurações do mapa astral permitem melhor compreensão dos padrões mentais e emocionais estabelecidos e facilitam os ajustes necessários para alcançar equilíbrio e segurança. Os aspectos da Lua cheia com os planetas natais repercutem nos relacionamentos, na expressão da identidade pessoal e nas ações e atitudes do mundo exterior.

A Lua cheia favorece encantamentos e meditações para abundância, saúde, beleza, sorte, inspiração, comunicação, fertilidade, felicidade, intuição, amor, poder, proteção, sexualidade, parceria, sabedoria, bênção. As energias atraídas serão transferidas (assim como foi sugerido para a Lua nova) para objetos, imagens, água, velas, cordas, pedras (da Lua, calcedônia, calcita, selenita, madrepérola, pérolas), amuletos, talismãs, joias, imagens de Lua ou Deusas. Não esquecer que, além de pedir, a Lua cheia também é o momento propício para agradecer as dádivas recebidas: vida, saúde, emprego, família, proteção, caminho espiritual e o fato de ter nascido mulher.

As deusas regentes da Lua cheia são as Mães, Criadoras ou Ancestrais como Aditi, Al-Lat, Asherah, Asase Yaa, Amma, Akka, Anu, Baú, Chang-O, Ceres, Cerridwen, Cibele, Coatlicue, Danu, Devi, Deméter, Eurynome, Frigga, Gaia, Hera, Hina, Inanna, Ishtar, Ilmatar, Ísis, Hathor, Luonetar, Mader Akka, Mami, Mawu, Mokosh, Neith, Nerthus, Nu Kwa, Oduddua, Omamama, Ops, Parvati, Rhea, Sedna, Tellus Mater, Tethys, Tiamat, Tonantzin, Umaj, Iemanjá, Zemina.

Se a escolha for invocar apenas as deusas lunares, sem associá-las à tríplice manifestação, os arquétipos mais conhecidos são Aradia, Akka, Arianrhod, Anunit, Britomartis, Ártemis, Bendis, Bil, Chang-O, Coatlicue, Coyolxauhqui, Diana, Han-Lu, Hécate, Hina, Huitaca, Ishtar, Ísis, Ix Chel, Luna, Levanah, Mama Quila, Mawu, Selene, Tlazolteotl, Úrsula, Iemanjá.

Os eclipses lunares ocorrem durante a Lua cheia, de duas a quatro vezes por ano, e podem ser parciais ou totais, quando a Terra cobre integralmente o disco lunar. Eram temidos e respeitados pelos povos antigos, que oravam, cantavam, dançavam e faziam oferendas para impedir que "monstros" engolissem a Lua. A realização de rituais e práticas mágicas durante os eclipses aumenta sua potência, bem como a responsabilidade de quem os realiza. Eles marcam pontos de transição entre a escuridão e a luz, entre o fim e o começo, sendo propícios para desligamentos de lugares, pessoas, condicionamentos, situações, lembranças, limitações; desapego e descarte (daquilo que não mais é desejado, útil, benéfico, necessário); e reprogramações e afirmações positivas, visualizações e invocações de cura, renovação, renascimento.

Durante o progresso do escurecimento lunar trabalham-se a desintegração e a transmutação das energias negativas, substituídas pelas positivas à medida que a escuridão diminui e a luz aumenta. No final do eclipse, podem-se usar oráculos ou realizar meditações para o recebimento de mensagens espirituais ou orientações específicas.

No nível individual, deve ser levado em consideração o posicionamento do eclipse no mapa astrológico, pois a área afetada será foco de energias concentradas durante meses. Para equilibrar e integrar os assuntos das áreas influenciadas, recomendam-se trabalho interior e suporte terapêutico e espiritual adequados. Como ritual, convém procurar a assistência e a orientação de anjos, mestres planetários e divindades correlatas, usando-se atributos e elementos dos planetas e signos envolvidos em aspectos com o eclipse, para transmutar as sombras e depois celebrar a luz de um novo ciclo ou fase na vida.

Se a área de ação de um eclipse no mapa individual for localizada com antecedência, será possível fazer um trabalho preventivo para diminuir ou dispersar os bloqueios, a tensão ou a concentração energética, fortalecendo a mente e o equilíbrio psicossomático com uso de essências florais, relaxamento, visualizações, meditações e pensamentos positivos.

2. As influências da Lua minguante e da Lua negra

A Lua minguante representa um declínio e abre caminho para o desconhecido mundo das sombras, cujo auge é a Lua negra. As energias dessa fase são adequadas para rituais de desligamento, remoção e eliminação (de hábitos prejudiciais, padrões limitantes, condicionamentos negativos), para a finalização de relacionamentos inconvenientes ou ultrapassados e de situações ou trabalhos estressantes, entre outras possibilidades ou necessidades. Ela corresponde à maré vazante, ao fim dos ciclos, à morte que precede a renovação da vida, por isso é uma fase favorável para a liberação de conflitos, tensões, bloqueios, dores, sofrimentos. Constitui transição e preparação necessárias para a renovação que será trazida pelas Luas nova e crescente. Nessa fase pode-se atingir uma conscientização maior, um mergulho mais profundo no mundo interior. É imprescindível a aceitação dos finais para que novos começos possam ser gerados, reconhecendo-se que a morte e a vida são polos de um mesmo eixo, existente e permanente em toda a Natureza. A energia da Lua minguante fortalece a vontade e o poder para mudar, transformando áreas estagnadas, desequilibradas ou bloqueadas da vida pessoal e abrindo portais para a sabedoria inata e ancestral.

Na fase decrescente, a Lua "envelhece" e se encolhe, "morrendo" e sumindo durante os três dias de escuridão da Lua negra. As práticas mágicas realizadas nesse período são centradas na remoção de sombras e projeções negativas (individuais ou coletivas), na proteção (criando escudos materiais adequados ou mentalizando defesas energéticas e astrais) e na busca da sabedoria (inata, intuitiva ou ancestral).

À medida que a luz lunar diminui, aumenta a possibilidade mágica das práticas e dos rituais para banir obstáculos, energias e situações negativas. Esse período favorece a reflexão, a introspecção e a conexão com energias espirituais ou ancestrais. O fechamento de ciclos ou situações que caracteriza essa fase proporciona novas aberturas e a renovação pela transmutação.

No ciclo da Deusa Tríplice, o último quarto – da Lua decrescente – engloba as fases minguante e a Lua negra, sendo regido pela face Anciã da Deusa.

No ciclo quádruplo, a quarta fase – a Lua negra, ou seja, os três dias de total escuridão no final da minguante – pertence à Deusa Escura, a face Ceifadora da Grande Mãe, a Madona Negra.

A Lua negra dá acesso ao mundo dos mistérios, revelando as verdades ocultas e as sombras, o que provoca o medo do seu poder desconhecido, mas também facilita as projeções astrais, as meditações xamânicas, o transe espontâneo e o uso de oráculos.

A escuridão manifestada no plano material – a ausência da luz lunar e as sombras da noite – facilita a introspecção, o trabalho místico e mágico, a jornada para os meandros do labirinto interior. Essa jornada na escuridão auxilia a reconstrução e a complementação do poder pessoal pela descoberta e integração das sombras pessoais, que, ao serem reconhecidas e aceitas, perdem sua ação nefasta e destrutiva.

O trabalho – individual ou coletivo – durante a Lua negra visa confrontar a sombra, conhecê-la, assimilá-la e aprender com ela. Ao revelar o "espelho negro interior", ele vai refletir a verdade intrínseca do ser, contribuindo para o fortalecimento pessoal. No plano material, esse período é adequado para confeccionar e consagrar o espelho negro individual, para que seja usado posteriormente em práticas de contemplação e ampliação da percepção sutil e visão interior.

O aspecto menos compreendido da Grande Mãe – e por isso o mais temido – é a Sua Face Escura, a Deusa Negra, a Ceifadora. Assim como a Donzela, a Mãe e a Anciã regem etapas do eterno ciclo da vida (nascimento, amadurecimento, declínio), a Deusa Negra finaliza o ciclo e representa a inevitável decomposição e a morte. Como Ceifadora, Ela é a destruidora de tudo o que esgotou seu tempo, cumpriu sua finalidade e não serve mais. É Ela quem limpa a terra após a colheita, para o repouso necessário à germinação de novas sementes. O seu poder é o da Lua negra, dos mistérios ocultos na escuridão, do vazio e do silêncio que antecedem o surgimento da luz, o raiar do dia e o começo de um novo ciclo. Como Mestra da Escuridão, Ela orienta e conduz ao encontro da "sombra", o aspecto perturbador e renegado do próprio Ser. Se pedir a ajuda Dela e tiver a coragem de mergulhar nas profundezas do seu mundo interior – para descobrir, reconhecer e aceitar a sombra –, você encontrará a autêntica identidade, livre das máscaras da personalidade.

O ato de confrontar, contemplar e assimilar o poder da sombra individual representa a verdadeira iniciação nos mistérios da Deusa Escura e da Lua Negra, iniciação que exige mudanças, transformações e novos rumos. Sem morte não há renascimento, sem fim não pode haver um novo começo, sem a dissolução do velho não há renovação. Somente ao se aceitar como realmente é – mescla de luz e sombra, dor e alegria, medo e coragem, conquistas e perdas, sucessos e fracassos, acertos e erros – a mulher poderá resgatar o completo e verdadeiro poder feminino, sagrado e eterno.

Para as culturas e tradições antigas, o arquétipo da Deusa Anciã e Escura era a mais poderosa manifestação da Deusa, por isso foi o mais perseguido, denegrido e banido pelas sociedades e valores patriarcais. A Senhora da Morte tornou-se o espantalho que sintetizava todos os medos humanos – da doença, da velhice, da solidão e da morte. Quando se admitiram, na teologia cristã, apenas os aspectos virginais e maternos de Maria, excluiu-se a polaridade divina, telúrica e natural do eixo vida-morte. O cristianismo negou o renascimento após a morte física e assim excluiu o elo vital da Anciã, Senhora das Sombras, Deusa do Submundo e Mãe Negra. A civilização moderna dissimula a morte do mesmo modo que tenta ignorar ou maquiar o envelhecimento, protelando ou negando a inexorável passagem do tempo e da vida.

Competem aos círculos sagrados femininos resgatar, honrar e celebrar a Face Destruidora da Deusa, além da Criadora e Preservadora, nas suas manifestações como Anciã Sábia, Poderosa Maga, Bruxa ou Feiticeira, Velha Senhora, Tecelã e Transmutadora, Rainha da Escuridão e Guardiã do Além.

Os arquétipos da Deusa Anciã e Negra não podem ser diferenciados, pois eles compartilham atributos e características. Os mais conhecidos são Asase Yáa, Acca Laurentis, Befana, Baba Yaga, Cailleach, Coatlicue, Ereshkigal, Goga, Haumea, Hécate, Hel, Kali, Lilith, Mara, Menat, Medusa, Morrigan, Nekhbet, Némesis, Nephtys, Ran, Rhiannon, Pele, Perséfone, Sati, Sedna, Sekhmet, Sheelah na Gig, Skadhi, Tuonetar, Uks-Akka.

Eles podem ser invocados, reverenciados e cultuados nos rituais das Luas minguante e negra; na comemoração das Ancestrais no *Sabbat Samhain*; nos ritos de passagem da morte, viuvez e perdas; na "coroação" das mulheres sábias, no ritual da menopausa; nas celebrações das Matriarcas e nos círculos e conselhos de Avós.

Existe um aspecto intermediário entre a Lua minguante e a negra, a chamada fase da Lua balsâmica. Conhecida como Rainha, Imperatriz, Guerreira ou Matriarca, essa Face da Deusa rege a fase do ciclo da vida feminina contida entre a maternidade e a velhice, o auge da maturidade. Nesse ponto da trajetória da mulher, ela ultrapassou – ou negou – os encargos e deveres maternos, mas ainda está na plenitude da sua expressão, afirmação e capacidade de realização, sem ter atingido ainda a sabedoria da Anciã ou o poder oculto da Mãe Negra. Na fase do pré-climatério e prenúncio da menopausa, entre 40 e 50 anos ou mais, a mulher percebe as mudanças físicas no corpo, a inquietação mental, a sensibilidade exacerbada, a percepção aguçada. É um período de desassossego e aparentes contradições; de mudanças de gostos, interesses e atitudes; de busca de algo indefinido nos campos afetivo, profissional ou espiritual. Surgem temores em relação ao futuro, o medo do desconhecido, a preocupação com o envelhecimento, apesar de ainda existir vigor físico, poder atrativo e magnético. Dependerá da própria mulher a escolha: passar por essa fase com sofrimento ou com a alegria de quem cumpriu deveres, superou etapas e venceu batalhas ao longo das quais acumulou aprendizados e experiências. Assim ela vai alcançar a paz e a realização interior, à espera da futura sabedoria, mágica e oculta.

Ao se conectar e reverenciar a Deusa no aspecto de *Matriarca* na Lua balsâmica, a mulher recebe sustentação do seu fogo interior, sendo capaz de retomar sonhos do passado ou projetos inacabados e de encontrar e realizar metas espirituais com maior motivação e dedicação. A Matriarca vai lhe ensinar a tecer seus dons de beleza, sensualidade, inspiração e a capacidade de trabalhar e perseverar em uma harmoniosa tessitura que beneficiará a ela mesma e a todos ao seu redor. Por ter aprendido a seguir os ritmos e as marés, será fácil, para ela, adequar o tempo-espaço, evitando perdas de energia e usando seu poder com graça e sabedoria.

A Matriarca é a Senhora do outono que completa a roda quádrupla das estações da vida, na qual a Donzela rege a primavera; a Mãe, o verão; e a Anciã, o inverno. O aspecto jovem da deusa – a Donzela – corresponde à Lua crescente, ao desabrochar juvenil do seu potencial, ao florescimento da sua sexualidade e feminilidade, celebrado no primeiro rito de passagem dos Mistérios do Sangue, a menarca, o ritual que honra a primeira menstruação. A Mãe é a Rainha do calor e da plenitude do verão, a regente da Lua cheia, da fertilidade e da gestação; seu rito de passagem é o parto, uma profunda iniciação que lhe permite vislumbrar o lado oposto da vida, coexistindo com a morte. A Matriarca é a Senhora da Colheita, que avalia as recompensas do trabalho e dos esforços, que equilibra seu poder no mundo exterior com sua força interior. Ela ensina a antiga tradição, orienta as experiências dos círculos de mulheres ligadas pelos laços de sangue e é a representante dos conselhos das Matriarcas e Mães de Clãs ancestrais. A Anciã já passou pelo rito de passagem da menopausa, conhece o poder da contemplação e do silêncio e compartilha com os outros a sabedoria que acumulou ao longo dos anos, acompanhando com aceitação e confiança o movimento da Roda da Vida, à espera do último rito, da passagem pelo portal entre os mundos.

3. Confecção do Espelho Negro

Para aquelas mulheres que desejam confeccionar seu próprio espelho negro, enumerarei resumidamente o procedimento básico, finalizando com a Oração da Deusa Escura.

Material necessário: um vidro redondo (com diâmetro de treze centímetros), tinta preta brilhante (tipo verniz), rolinho de espuma ou pincel médio, ervas secas (artemísia, arruda, angélica, sálvia, manjericão, alecrim, eucalipto), uma vela branca, incenso e essência de artemísia.

Prepare a infusão (para ervas frescas) ou decocção (para ervas secas), acrescentando depois nove gotas da essência de artemísia; use-a para lavar o vidro e aspergir um pouco sobre o lugar onde vai trabalhar.

Preparação: crie um círculo de proteção com visualização e um mantra, acenda a vela branca e o incenso. Invoque a deusa Hécate ou outra Deusa Escura e peça Sua permissão, proteção e bênção para a confecção do espelho negro. Passe a fumaça do incenso pelo vidro, imponha as mãos sobre ele e faça uma oração de dedicação para o objetivo ao qual ele vai servir (abrir a percepção psíquica, melhorar a concentração, ativar e desenvolver o hemisfério direito do cérebro). Pinte, em seguida, apenas um lado do vidro, cuidadosamente, para que não fiquem bolhas de ar ou espaços vazios. Depois de seco, se precisar, dê uma segunda demão de tinta e prepare o ritual de consagração.

Altar: toalha preta, os elementos mágicos e seus objetos de poder, vela preta ou violeta, incenso de artemísia (dama-da-noite ou jasmim), uma imagem e um símbolo da Deusa Madrinha (Hécate ou outra da sua escolha).

Ritual: reforce o círculo de proteção, invoque os Guardiões dos elementos e as Senhoras das direções, faça uma oração para a Deusa e para a Matriarca da Lunação correspondente ao mês em que está sendo feito o ritual (veja detalhes na terceira parte do livro, no subcapítulo "A Mandala das Treze Matriarcas").

Procedimento: unte a face pintada do espelho com a essência do seu signo, desenhando um símbolo sagrado (pentagrama, hexagrama, *triskelion*, lábris, espiral, runa), enquanto entoa um mantra ou uma canção para a Deusa. Faça uma visualização para que seu espelho seja "aberto" magicamente, tornando-se um objeto de poder. Sopre sobre ele (sopro quente) nove ou treze vezes para lhe "dar a vida" e batize-o com um nome mágico. Agradeça às forças invocadas, desfaça o círculo mágico e guarde o espelho em uma bolsa de tecido preto.

Uso: na fase de Lua minguante ou negra, crie um círculo de proteção e coloque uma vela branca acesa por trás do espelho, de tal forma que você não veja simultaneamente o espelho e a chama. Imponha as mãos sobre o espelho, pronuncie o nome mágico do espelho três vezes. Relaxe o corpo e silencie a mente, olhe para o espelho com o chamado "olhar suave", ou seja, com os olhos semicerrados, sem forçar a vista, mas deixando-a deslizar pela superfície do espelho, sem se fixar nela. Formule a pergunta ou o pedido de orientação e aguarde para observar alguma imagem que apareça no meio de uma "névoa" que se forma dentro do espelho. Se nada vir, não desanime; permaneça calma e preste atenção às suas sensações, percepções e formas mentais, mas sem se fixar em nenhuma delas. Mais importante do que "ver" é treinar a concentração, a introspecção e a percepção interior. Outra maneira é cobrir a si mesma e ao espelho com um véu em um cômodo na penumbra e fixar o olhar no espelho. No fim da prática, agradeça às forças espirituais invocadas, abra o círculo, passe a mão sobre o espelho, no sentido anti-horário, para "apagar" as imagens e desfazer as energias. Purifique-o com incenso de arruda e depois o guarde na bolsa preta.

Assim como existe o "Mandamento da Deusa" (compilado por Doreen Valiente de antigas orações, mencionado no *Anuário da Grande Mãe*), direcionado para rituais da Lua cheia, há também um equivalente contemporâneo para a fase escura da Lua, cujos dons são a transmutação, o fortalecimento e a sabedoria.

Mandamento da Deusa Escura da transformação

Ouve-me, criança, e conhece-me assim como Eu sou.

Acompanho-te desde que nasceste e ficarei ao teu lado até voltares a Mim, no fim do crepúsculo. Sou a amante sedutora e apaixonada que inspira os sonhos dos poetas. Sou Aquela que te chama no fim da tua jornada. Meus filhos encontram o merecido repouso no Meu abraço, após terminarem suas missões. Sou o ventre que dá vida a todas as coisas, mas Sou também o túmulo sombrio e silencioso. Tudo retorna a Mim para morrer e renascer no Todo. Sou a Feiticeira indômita, a Tecelã do tempo, o próprio Mistério dos Tempos. Eu corto os fios para trazer os meus filhos de volta a Mim. Eu degolo os cruéis e bebo o sangue dos impiedosos. Engole teu medo e vem a Mim para descobrir a verdadeira beleza, força e coragem. Sou a Fúria que descarna a injustiça, sou a forja incandescente que transforma teus demônios interiores em ferramentas de poder. Abre-te ao Meu abraço e supera as tuas resistências.

Sou a espada brilhante que te protege do mal. Sou o cadinho em que todos teus aspectos se fundem no arco-íris da união. Sou as profundezas aveludadas do céu noturno, as névoas rodopiantes da meia-noite que guardam todos os mistérios. Sou a crisálida que reflete aquilo que te atemoriza e da qual tu vais emergir, vibrante e renovada. Procura-me nas encruzilhadas e serás transformada, pois, uma vez que olhares Minha face, não mais poderás retornar. Eu sou o fogo cujo beijo desfaz as correntes. Eu sou o caldeirão em que todos os opostos crescem para se conhecerem mutuamente. Sou a Teia que liga todas as coisas. Sou a Curadora de todas as feridas, a Guerreira que endireita tudo o que está errado ao longo dos tempos. Transformo os fracos em fortes, os arrogantes em humildes, levanto os oprimidos e dou poder aos desesperados.

Eu sou a Justiça temperada com Compaixão. Mas, acima de tudo, criança, Sou parte de ti e existo dentro de ti. Procura-me dentro e fora e te tornarás mais forte. Conhece-me. Ousa caminhar na escuridão para que despertes para o Equilíbrio, a Iluminação e a Integração.

Leva Meu Amor contigo para toda parte e encontra o Poder para seres aquela mulher que tu queres e podes ser.

C. CONEXÃO COM AS FACES DA DEUSA

Arquétipos e mitos

> *Eu sou a Natureza, a Mãe Soberana, Senhora de todos os elementos, a primordial Progenitora de todas as eras, a Suprema Divindade, a Rainha dos mortos, a primeira dos Seres Celestiais, a Universal representante das Deusas, que todo o orbe venera, sob muitos nomes, multiformes manifestações e inúmeros rituais.*

– "A Deusa de infinitos nomes", hino a Ísis de Apuleio

> *A Deusa vive no eterno murmúrio do mar e dos riachos, brilha e cintila nos cristais e pedras preciosas, ri e sussurra no farfalhar das folhas, mora nos raios do Sol e nas misteriosas sombras da noite. Ela é o céu e Seus filhos são as estrelas, Ela é o crepúsculo e o portal entre os mundos, o silêncio dos recantos escondidos da Terra. Ela vive no amor, na alegria e no prazer de mulheres e homens, e pode*

> *ser encontrada em tudo aquilo que permite perceber Sua existência. Ela reside no brilho prateado das fases da Lua, no frescor do ar e no rodopio do vento, Ela é a majestosa beleza das montanhas e a suave ondulação das colinas verdejantes. Ela é Aquela que sustenta as almas e fortalece o espírito e que é encontrada no âmago de cada ser. Ela é a Senhora dos Mistérios e a Luz na escuridão, que conduz e ilumina aqueles que A procuram.*
>
> – *Circle of Isis*, Ellen Cannon Reed

Para que possamos acessar e aplicar na nossa existência e nas nossas celebrações os conceitos, os aspectos e os significados da Deusa, precisamos antes compreender o significado e a importância dos Seus arquétipos, mitos e símbolos.

Quando mencionamos o termo "arquétipo", pensamos logo nos estudos de Jung, pois foi por meio deles que esse conceito foi resgatado e integrado nas práticas psicológicas, com o do "inconsciente coletivo".

O inconsciente individual, repositório das nossas memórias, dos nossos sonhos, desejos, medos e instintos, representa uma fina camada da psique apoiada sobre um substrato mais profundo, de natureza transpessoal, inato e presente em cada ser, denominado inconsciente coletivo. Esse reservatório psíquico e cultural é formado por arquétipos, estruturas fundamentais específicas, padrões internos inatos com efeitos poderosos e dominantes que representam possibilidades latentes ao alcance de todos os seres humanos. Relacionados com os mitos, os arquétipos têm características diferentes, que variam em função das condições e mudanças históricas e culturais; apresentam-se como reações a situações típicas e aparecem como símbolos nos mitos ou nos sonhos.

Existe uma diferença entre arquétipo e imagem arquetípica. O arquétipo existe como um campo energético autônomo (semelhante aos campos morfogenéticos de Sheldrake), enquanto a imagem arquetípica é a personificação psíquica dessas energias. Segundo Patricia Reis, autora de *Through the Goddess*, à medida que imagens arquetípicas entram na nossa consciência, elas passam a fazer parte da nossa história pessoal e coletiva.

O historiador e escritor Joseph Campbell define os mitos como sonhos coletivos e impessoais, cujos personagens arquetípicos expressam qualidades, instintos, traços e aspectos singulares das experiências da nossa vida que revelam facetas do nosso potencial oculto, nos auxiliando nas mudanças e transformações. Os mitos se referem sempre às realidades arquetípicas – ou seja, às situações e fases que todo ser humano vive ao longo da vida (nascimento, crescimento, amadurecimento, envelhecimento, morte) –, aos ritos de passagem e às transformações a eles associadas.

Verdadeiras metáforas que ocultam verdades universais, os mitos nos permitem enxergar e compreender nossa vida de uma perspectiva diferente. Os mitos descrevem as forças arquetípicas universais, criadoras das estrelas e dos planetas, da Terra e do oceano, e nomeadas como deusas e deuses, devas, orixás, *kashinas*, titãs, gigantes, bem como relatam a evolução de plantas, animais, seres humanos. Eles expressam de maneira poética e dramática as leis físicas e espirituais da Natureza e as relações entre os componentes físicos, psicológicos, sociais, mentais e espirituais do nosso mundo. Explorando mitos de várias culturas, percebemos os temas universais que refletem a nossa herança mítica ancestral.

De acordo com Jung, os arquétipos femininos são representados por deusas e heroínas, *cujas atávicas e poderosas energias exercem amplas e profundas influências sobre nossos processos psicológicos* (Roger Woolger, *A Deusa Interior*). Como padrões internos individuais, os arquétipos determinam as principais diferenças entre as mulheres, modificando-se em função de situações externas ou processos internos.

O conhecimento dos mitos e arquétipos das Deusas proporciona às mulheres um meio eficaz de se conhecerem melhor, compreender seus relacionamentos com homens e mulheres, abrir portas para a exploração do seu mundo interior e fornecer informações valiosas sobre seus conflitos reprimidos ou suas dificuldades psicológicas e comportamentais. A descoberta de um padrão mítico pessoal aprofunda o autoconhecimento e a compreensão da própria história, indicando caminhos para o crescimento e a realização material, emocional, mental e espiritual.

O mito pessoal estrutura a consciência e aponta a direção adequada para seguirmos. Segundo Stanley Krippner, autor de Mitologia Pessoal, "se não estivermos familiarizados com o conteúdo da nossa mitologia pessoal, seremos arrastadas por ela de maneira inconsciente, o que nos leva a confundir as situações objetivas externas com imagens subjetivas internas". De acordo com a definição desse livro, "o mito pessoal é uma constelação de crenças, emoções e imagens organizadas ao redor de um tema central". Ele orienta o desenvolvimento individual, os relacionamentos sociais e as aspirações espirituais, organizando a realidade em função de influências culturais e familiares, experiências ao longo da vida, características do temperamento e dos modelos fornecidos por figuras importantes. Se o tema de um mito permanecer inconsciente, a sua mensagem será revivida repetidas vezes, pois o mundo exterior reflete o interior. Descobrir um mito que representa o nosso sistema pessoal de crenças nos auxilia a descobrir bloqueios e desajustes, permitindo-nos reescrever a nossa própria história.

Interiormente, as mulheres são influenciadas por arquétipos divinos femininos e, externamente, por estereótipos sociais e culturais. Desse conflito resulta o predomínio de alguns padrões arquetípicos e a repressão de outros. Cada mulher tem dons específicos "concedidos" pelas deusas, que ela deve reconhecer com gratidão, assim como também deficiências (chamadas de *chagas das deusas* por Roger Woolger), que ela deve descobrir, reconhecer e superar.

O desequilíbrio psicoespiritual da nossa cultura e sociedade atuais ocorre devido à desarmonia entre as energias arquetípicas fundamentais – os polos feminino e masculino –, que são as forças vitais que geram, nutrem e inspiram a todos nós. O cristianismo impôs o culto e o reconhecimento de um Deus Pai Supremo e se empenhou em proibir e apagar a existência e reverência à Mãe Divina, Cósmica, Celeste ou Telúrica. Tendo apenas um Pai longínquo e severo para nos orientar, tornamo-nos endurecidos e privados da proteção e segurança que a Mãe amorosa nos proporcionava, sendo afastados e alienados do "Paraíso perdido".

Um arquétipo isolado tem um poder que desvirtua e desequilibra a totalidade; por isso a imagem de um Pai Supremo e onipotente distorceu e enfraqueceu a expressão da essência feminina. A civilização ocidental foi marcada pelo arquétipo do Pai e a exclusão da Mãe, pela reverência, obediência e submissão exclusivas ao princípio paterno e a valorização do poder masculino. Esse fato ocasionou graves danos à saúde física e psíquica das mulheres, no nível individual e coletivo, e restringiu ou suprimiu a manifestação da *anima* masculina, criando, assim, a dicotomia do ser e a separação das polaridades e dos gêneros.

No entanto, arquétipos e imagens femininas pré-históricas permaneceram no inconsciente coletivo e na imaginação mítica e religiosa dos nossos antepassados, ocultados em lendas, contos de fadas, superstições e tradições nativas. As inúmeras estatuetas, inscrições e vestígios dos cultos da Deusa e do respeito pela sacralidade do corpo feminino – revelados nas escavações das entranhas da terra – são metáforas do atual processo filosófico, espiritual e terapêutico, que procura desvelar as camadas arcaicas da psique feminina, individual e coletiva. Essas antigas memórias nos levam de volta ao passado ancestral, mas ao mesmo tempo nos conduzem a uma futura conscientização e revalorização da sacralidade feminina. Estamos presenciando um crescente surgimento de imagens e lembranças das antigas tradições e cultos matrifocais nos sonhos e nas visões, nas terapias, nas poesias, nas canções, nas pinturas, nos livros, nas meditações e nas vivências (terapêuticas, xamânicas, regressão espontânea) das mulheres contemporâneas. Essas evidências comprovam que o "retorno à Deusa" está se tornando uma experiência real, abrangente e onipresente no universo feminino.

Não é a Deusa que está retornando, pois ela jamais se afastou de nós; somos nós que estamos retornando aos Seus cultos e rituais, resgatando as nossas memórias e tradições antigas e o poder da sacralidade feminina.

Para facilitar e ampliar esse processo, as mulheres modernas precisam ter acesso a mitos e imagens arquetípicas que vão nutri-las com os elementos da riqueza, da beleza, da diversidade, da profundidade e dos mistérios da sacralidade feminina. A linguagem da psique é formada de imagens, e por isso temos que ampliar o nosso conhecimento mítico e simbólico, substituindo os registros exclusivos do divino masculino a nós impostos, incutidos, ensinados e reforçados nos últimos milênios e que deram origem aos condicionamentos limitantes e aos padrões negativos inconscientes. Necessitamos de rituais que evoquem a capacidade criadora, nutridora e protetora feminina; que relembrem as correspondências com os ciclos do Sol, da Lua, da Terra; e que honrem a coragem, a criatividade, a sabedoria, a resiliência, a paciência, a tenacidade, a intuição, a compaixão, a proteção, a nutrição, o amor e a paixão, atributos intrínsecos a todas as deusas, mulheres e heroínas. Precisamos de mitos, lendas, contos e histórias do universo feminino – divino, sobrenatural e humano – que descrevam situações, experiências e realizações fortalecedoras e curadoras para as mulheres contemporâneas.

No livro *Os Mistérios da Mulher*, a autora Esther Harding define as deusas como "princípios e forças psicológicas intrínsecas ao ser humano que, ao serem projetadas para o exterior, foram personificadas nos arquétipos dos 'mistérios femininos'". O reconhecimento de que as figuras femininas que aparecem nos sonhos, nas visões, nas meditações e nas vivências são expressões dos arquétipos permite a abertura para níveis novos e sutis de percepção e a sintonia com os registros do inconsciente individual e coletivo. As deusas representam portais interdimensionais que nos permitem descobrir e atrair as múltiplas manifestações, atributos e facetas do feminino arquetípico. Considerando os arquétipos como campos energéticos autônomos, eles podem ser alterados em função de modificações conceituais, culturais e sociais, expandindo a gama de possibilidades criativas e realizadora das mulheres.

A conexão com a Deusa – como presença imanente, transcendente e permanente – é facilitada pelo reconhecimento das Suas manifestações, existentes na Natureza, na mitologia, na literatura, no folclore, nos contos de nossa memória e aspirações, nos nossos aspectos de força e fragilidade, de luz e sombra. Sabendo que a chamada "dimensão feminina" da psique foi analisada e descrita pela imaginação e conceituação patriarcal e masculina, é vital para as mulheres que estudam e praticam a Tradição da Deusa reformular e redimensionar a interpretação de mitos e lendas. O desafio consiste em redescobrir as verdades originais, retirando as camadas de distorções e interpretações tendenciosas que reforçam regras, restrições e limitações comportamentais impostas às mulheres ao longo dos tempos.

O poeta e escritor Robert Bly, divulgador de uma nova visão da masculinidade, considera as deusas como *arquétipos transformadores*, pois elas surgem e atuam nas fases de mudança, transmutando sentimentos, percepções, valores e comportamentos. Partindo dessa premissa e adotando a proposta do casal Jennifer e Roger Woolger, descrita no livro *A Deusa Interior,* de que "o comportamento e a estrutura psicológica de toda mulher são determinados por combinações entre vários arquétipos", é fácil compreender a importância do reconhecimento das deusas dominantes. Como fontes de padrões emocionais, mentais e comportamentais, os arquétipos divinos atuam como forças modeladoras espirituais e vitais em todas as fases da vida e nos pontos de mutação.

Deve ser levada em conta a "departamentalização" das deusas, ou seja, a divisão em vários arquétipos. Enquanto nas culturas antigas a *Deusa Mãe de muitos nomes* era a divindade suprema, que continha em Si todas as possibilidades e polaridades de manifestação, a Sua fragmentação – como consequência da política religiosa patriarcal de "dividir para dominar" – deu origem a arquétipos diferenciados e com atributos específicos e antagônicos entre si. É esse o processo de surgimento das *chagas das deusas*, que levou ao enfraquecimento dos princípios psicoespirituais por elas representadas. Ocasionados durante longa batalha religiosa, cultural e psicológica para impor a supremacia patriarcal e masculina, esses "ferimentos" se refletem até hoje na vida interior e exterior das mulheres e até mesmo na *anima* dos homens.

No livro *A Deusa Interior*, publicado pela Editora Cultrix, encontram-se sugestões de trabalho psicoespiritual para fortalecer e integrar as funções e as características das deusas *vulneráveis* ou *ausentes*, após a identificação dos arquétipos individuais. As práticas descritas, complementadas por meditações e rituais, são valiosos recursos para que os círculos femininos estudem e interajam com a "Roda das Deusas". O objetivo é buscar e aprofundar a conexão com a Grande Mãe, curando a fragmentação da unidade primordial e suas consequências nefastas na psique, bem como a plena realização do potencial feminino. Perceber e aceitar a multiplicidade e diversidade da tessitura arquetípica intrínseca a cada mulher permite a cura das "chagas" e a integração de luz e sombra, corpo e mente, matéria e espírito, Sol e Lua, Yin e Yang.

Nas meditações individuais e coletivas, é importante refletir sobre vivências e relacionamentos pessoais associados com cada arquétipo, descobrindo a Deusa que se "sobressai" e a que está "ausente". É necessário identificar os padrões da vida exterior que foram estabelecidos como reflexos e consequências do desequilíbrio interno. Avaliar a "Roda das Deusas" no nível pessoal – para constatar e analisar as "chagas" e os "ferimentos" na sua vida – torna possível a cada mulher criar seu próprio ritual de cura e transformação. O objetivo é encontrar a Deusa "ferida" ou "ausente", estabelecer diálogo com ela (sozinha ou em grupo) e polarizar a energia criada para reintegrá-la à psique e à vida. Conceder às deusas menos presentes ou atuantes a oportunidade de "se expressar" e narrar suas histórias, ouvindo com compaixão e respeito relatos sobre feridas e mágoas, é o grande passo para a reconciliação completa – externa como mulheres, interna como seres integrados. O diálogo em grupo permite a "reunião das deusas", no nível individual e grupal, quando se exploram os padrões e conflitos na vida e nos relacionamentos. Dessa maneira, a "Roda das Deusas" atua como um poderoso instrumento de cura e integração feminina, reconhecendo que as divergências e rivalidades provêm das "chagas das deusas", infligidas quando elas foram destituídas do seu verdadeiro poder pela instauração e supremacia do panteão patriarcal e masculino.

Ao estender os princípios da "escuta ativa" e da "consciência do coração" para o trabalho transmutador e curador com os arquétipos divinos, será fortalecido o espírito de solidariedade e irmandade entre as integrantes do círculo. Resultam desse processo uma ampliação da compreensão e tolerância com outras mulheres (mães, filhas, irmãs, colegas e companheiras) e a parceria na luta para curar o planeta com a energia do amor e da compaixão.

Outra abordagem – terapêutica e espiritual – é encontrada no livro *As Deusas e a Mulher*. A autora, Jean Shinoda Bolen, considera as deusas como "representações daquilo com que as mulheres se assemelham, sendo padrões inerentes ou arquétipos que podem modelar o curso da vida da mulher".

A vida das mulheres é fundamentada nos papéis permitidos e nas imagens idealizadas de determinada época e cultura. A ativação de determinadas deusas depende da combinação de vários elementos: sociais, culturais, religiosos, familiares e circunstanciais. Portanto, os estereótipos de mulheres são imagens positivas ou negativas de arquétipos de deusas.

Dependendo da sociedade e da cultura – passada e presente –, certas expressões da natureza feminina – como independência, assertividade, autossuficiência, inteligência, sexualidade, criatividade, plenitude, beleza, sabedoria – são negadas, distorcidas ou reprimidas, o que leva ao desaparecimento ou à anulação de alguns arquétipos. Quando padrões específicos são amparados ou incentivados pela cultura e pela sociedade, as mulheres sentem-se livres para seguir a orientação interior e receber a aprovação exterior. Se forem excluídos, eles se manifestam em sonhos, visões, frustrações, conflitos interiores, inadequação na vida ou profissão, depressão e somatizações. Se as alterações hormonais – na puberdade, na gravidez, na menopausa – exaltarem alguns arquétipos, poderão surgir conflitos interiores e desajustes familiares (se não forem aceitos ou compatíveis com as condições externas). Às vezes, uma deusa é "ativada" por um acontecimento ou relacionamento, e os padrões antigos devem ser substituídos pelas novas prioridades. As circunstâncias adversas ou traumáticas podem despertar os aspectos negativos de um arquétipo – a chamada "sombra" –, expressados como raiva, vingança, compulsão, inveja, culpa, agressividade, violência, carência, submissão, levando aos desajustes comportamentais ou a desequilíbrios psíquicos e emocionais.

Por outro lado, as deusas podem ser evocadas e fortalecidas por meio de práticas específicas, meditações e rituais. Ao perceber que determinado arquétipo, aspecto ou qualidade não está presente ou atuante na sua vida, a mulher poderá despertá-lo ou ampliá-lo por meio de visualizações, invocações, orações, rituais, oferendas e conexão diária. Conhecer os mitos e padrões arquetípicos vai facilitar a escolha daquela deusa que está precisando ser "acordada", reconhecida e trazida à luz da consciência.

A descoberta e a manutenção da conexão com a essência feminina tornam-se mais profundas e seguras em um círculo sagrado. Em vivências e encontros, as mulheres descobrem a alegria de serem mulheres, aprendem a nutrir e a apoiar umas às outras, a dançar, a cantar, a criar, a chorar, a rir, a ver seu valor reconhecido e seu poder fortalecido e, portanto, a dar à luz a si mesmas. Compartilhar percepções, sonhos, emoções, informações e vivências amplia e aprofunda as experiências e enriquece a expressão dos dons femininos. O apoio recíproco auxilia nos momentos de perdas e mudanças, possibilita assumir o poder pessoal e cuidar das próprias necessidades. Tomando consciência das situações de codependência familiar e da acomodação na submissão e na inércia, evitam-se sacrifícios impostos pelos padrões herdados e habituais, alimentados e mantidos por culpas e medos.

O fortalecimento da mulher depende do reconhecimento dos seus dons e da maneira como pode expressá-los e compartilhá-los, nutrindo a sua alma e mantendo a conexão com a Mãe Divina e suas manifestações multifacetadas.

Encontro com a Deusa

> *O caminho para a Deusa está dentro de você, é lá que Ela reside, mesmo se você se esqueceu de procurá-La. Busque no seu âmago e você sempre A encontrará.*
>
> – *The Goddess Path*, Patricia Monaghan

> *A Grande Mãe não está no céu, nem em outro lugar. Ela é sempre visível e presente, ao nosso redor e alcance, pois Ela é a Terra onde a humanidade vive e é o universo refletido no brilho do céu. A Deusa não está em um nível superior ou inalcançável, porque Ela representa a tessitura espiritual, psíquica, intelectual, emocional e física existente em todos nós.*
>
> – *Return of the Great Goddess*, Burleigh Mutén

O movimento da espiritualidade feminina é chamado também de *o retorno da Deusa*. Na verdade, Ela nunca desapareceu, sempre esteve presente e viva; mesmo nas religiões que a excluíram, Ela se manifestou nas figuras das Santas e *bodhisattvas*, na arte e nos sonhos, nas orações e nos rituais, na Mãe Natureza que nos nutre e cerca. Fomos nós que esquecemos como encontrá-la, mas Ela está à espera para iluminar, fortalecer e ampliar a nossa vida com Seus múltiplos significados.

Não existe um caminho certo para seguir a Tradição da Deusa; não há uma igreja, uma crença, uma doutrina, um dogma, uma bíblia, um curso universitário ou uma especialização que ofereça credenciais para saber como honrar a Deusa, seja de modo solitário, seja em público. A Tradição da Deusa foi criada por mulheres e para mulheres com o propósito de honrar a sacralidade feminina – na Natureza e em si mesmas.

A antiga árvore dos cultos da Deusa foi podada, mas ela está renascendo das mesmas raízes antigas, mas com novas flores e frutos. O seu caminho é variado. Para algumas é uma busca intelectual; para outras, vivências emocionais, artísticas ou cura; para muitas, uma prática diária de meditação, conexão, oração e gratidão. Existe a reverência individual e oculta dentro de casa, mas também existem os rituais públicos e as cerimônias comunitárias.

Mesmo que possam ser encontrados atalhos, auxílios e sinais de orientação externa, o verdadeiro caminho está dentro de cada mulher. Para isso, além de buscar informação e aprendizado, a mulher que procura a Deusa precisa desenvolver seus recursos interiores, sua intuição, seu equilíbrio e discernimento, abrindo a mente e o coração para perceber e confiar na própria verdade.

Para facilitar o nosso caminho de volta à Deusa, precisamos definir se Ela é única ou multifacetada. Na atualidade, sabemos por diversas fontes históricas que não há registro de uma religião monoteísta da Deusa. Em todos os lugares onde existiram Seus cultos, estes eram politeístas, pois cultuavam vários aspectos de uma única Fonte Criadora e Ceifadora chamada A Grande Mãe. Descrita por uma multiplicidade de atributos, formas, imagens, nomes e aspectos, a Grande Mãe regia sobre a vida, a morte, o renascimento. Ela existia em todos os reinos e planos, sendo imanente e transcendente. A energia divina imanente está dentro de nós, bem como na Natureza, em que cada ser (árvore, rocha, planta, animal) é imbuído por Sua energia. A manifestação transcendente é representada por uma força natural e existente no próprio universo, fora de nós.

Na prática, percebemos a Deusa tanto como um fenômeno *imanente*, presente na nossa essência, quanto *transcendente*, nas energias e forças naturais, nas manifestações arquetípicas e míticas e nas suas representações.

O caleidoscópio de mitos, descrições, imagens, formas e nomes de Deusas torna mais complexa a tarefa das mulheres de escolher ou sentir o "chamado" de um arquétipo regente ou correlato com seus propósitos ou necessidades. Na Antiguidade, as mulheres percebiam à qual divindade iriam servir, pois Ela se manifestava nos seus sonhos e visões, nas premonições oraculares, na designação por uma sacerdotisa ou seguindo uma tradição familiar. Atualmente, no sobrecarregado e acelerado mundo moderno, dificilmente as mulheres percebem esse chamado ou se sentem "escolhidas" por determinada Deusa.

Para que a mulher contemporânea tenha acesso à complexidade dos arquétipos e perceba a sua ressonância com um deles, ela precisa definir qual critério de escolha vai adotar. São muitas as possibilidades: em função de determinada cultura, tradição, correspondências (regência das forças naturais, estações, elementos, fases da vida, ritos de passagem), a afinidade com determinado caminho espiritual previamente percorrido (catolicismo, religiões afro-brasileiras, tradições orientais, ocultistas, mágicas, indígenas, xamânicas) ou participação em um movimento (Wicca, druidismo, umbanda, ecofeminismo, neopagão, Santeria, Vodu, Asatrú). O interesse acadêmico, intelectual ou artístico por uma civilização (egípcia, hindu, greco--romana, eslava, celta, nórdica, asteca, nativa), uma necessidade ocasional ou um objetivo momentâneo de um ritual, estudo ou prática mágica também podem nortear as escolhas.

Tanto as narrativas e descrições – seja no contexto religioso, mitológico, histórico, antropológico, cultural ou literário – quanto as imagens e os relatos de outras mulheres facilitam a familiaridade e a aproximação das buscadoras com os valores e o poder da sacralidade feminina. Aos poucos, as mulheres que iniciam a sua redescoberta da Antiga Tradição aprendem a entrar em sintonia com a Deusa, a usar seus símbolos e elementos para preparar altares e rituais, e a tornar essa conexão um momento importante e fortalecedor das sua rotina cotidiana. Atualmente, existem inúmeros livros, publicações, informações e comunicações pela internet que facilitam o acesso à vasta e rica *tealogia* antiga ou contemporânea.

Um modelo muito usado na abordagem de arquétipos de diferentes origens e características baseia-se na antiga triplicidade da Deusa como Donzela, Mãe, Anciã ou na representação quádrupla moderna como Amazona, Amante, Rainha (Mãe) e Sábia (ou Maga). Busca-se a identificação com uma dessas faces e consideram-se as outras como aspectos enfraquecidos, ausentes, problemáticos ou "sombras", que precisam ser corrigidos e integrados para o equilíbrio perfeito.

Outra divisão encontra-se no livro *The Goddess Workbook,* em que as autoras, Jill Fairchild e Regina Schaare, dividem os aspectos da Deusa em quatro categorias, cada uma delas correspondendo a determinadas qualidades, atributos, arquétipos divinos e experiências da vida feminina. São elas:

1. Criadora e Sustentadora, regente das qualidades mais sagradas e poderosas das antigas culturas. A Deusa cria nova vida, nutre, protege e sustenta o que já criou. Palavras-chave: força primordial, sabedoria universal, sacralidade, poder, nutrição, devoção, amor, determinação, abrangência, proteção. Exemplos de deusas: Gaia, Ísis, A Mulher (ou Avó) Aranha, Yemayá (ou Iemanjá).
2. Manifestadora, que traz forma e foco ao mundo e direciona a nossa atuação. Ela está permanentemente orientando ou desafiando nosso lugar ou trabalho no mundo. Palavras-chave: forma, foco, criação, direção, ativação, ensino, projeção, estrutura, desafio, mudança. Exemplo de deusas: Athena, Ártemis, Brigid, Héstia.

3. Transformadora: após ter gerado, nutrido e projetado energia no mundo, o Seu poder transformador serve para desvelar e compartilhar a sabedoria oculta dos mistérios femininos, explorando as conexões internas e externas. Ela promove mudanças no nível psicológico, filosófico, mitológico e espiritual. Palavras-chave: mudança, processo, evolução, transição, cristalização, ciclo, amadurecimento, metamorfose, desenvolvimento, individualização, alquimia. Exemplos de deusas: Afrodite, Eva, Hera, Psique.
4. Libertadora e Renovadora: esses aspectos da Deusa completam o ciclo de transformação e a transição para o estágio de mulheres idosas e sábias, favorecendo a conexão com as ancestrais e promovendo a preparação e a iniciação nos mistérios da morte e da renovação. Palavras-chave: libertação, sabedoria, objetividade, isolamento, reflexão, complementação, regeneração, desapego, catarse, ressurreição, transcendência. Exemplos de deusas: Deméter, Hécate, Ishtar, Perséfone.

Podemos considerar essa divisão como uma roda, em cujos quatro quadrantes podem ser incluídas várias outras deusas além das citadas, cada uma com origem, mitos, atributos, qualidades e desafios específicos, mas tendo em comum as características do respectivo quadrante. A busca da identificação e a conexão podem ser feitas no nível individual, mas seus efeitos e resultados são muito mais amplos e profundos nos encontros dos grupos de estudos, nos rituais e nas vivências cerimoniais coletivas. No livro citado, para cada Deusa de determinado setor são descritos elementos e altares, correspondências e orientações, seu mito, sua manifestação e significados atuais.

A escritora e sacerdotisa cerimonial Caitlin Matthews, no livro *Os Elementos da Deusa,* propõe uma cosmologia diferente da Deusa, útil para a compreensão e utilização da Sua complexidade multifacetada. Adotei esse livro em Brasília nos grupos de estudo, com ótimos resultados cerimoniais e práticos, que permitem e incentivam a parceria criativa na elaboração dos rituais.

A mandala proposta pela autora é uma constelação com nove partes, dividida em tríades, cada uma delas composta de aspectos com funções e qualidades específicas. Sem entrar em detalhes, vou resumir os aspectos principais, que servem também como um roteiro de estudo ampliado, incluindo outras Deusas além das indicadas no livro, que diversificam e ampliam as possibilidades de conexão e celebração. Recomendo a mandala descrita a seguir para que os círculos de mulheres possam expandir e enriquecer as descrições teóricas com rituais belos e vivências variadas, acrescentando recursos pessoais e grupais, espirituais e artísticos.

Os aspectos são:

1. Energizadora – movimenta e ativa as situações.
2. Medidora – define os limites.
3. Protetora – protege esses limites.
4. Iniciadora – aprofunda e recria eventos e situações.
5. Desafiadora – questiona e destrói o velho.
6. Libertadora – traz a libertação.
7. Tecelã – proporciona uniões.
8. Preservadora – alimenta e sustenta.
9. Empoderadora – dá poder e traz sabedoria.

Esses aspectos focalizam as mais amplas e diversas faces e funções da Deusa e abrangem inúmeros arquétipos e mitos existentes em diferentes culturas, sem que necessariamente uma Deusa pertença apenas a uma só categoria.

O Anuário da Grande Mãe oferece descrições de arquétipos e celebrações das Deusas para estudos e rituais dos círculos femininos em cada dia do ano, nas mais diferentes culturas ao redor do mundo antigo. No livro *O Legado da Deusa* são apresentados rituais específicos para as transições da vida feminina, mencionando também as deusas correlatas. Em *Mistérios Nórdicos*, publicado pela Editora Pensamento, há descrições detalhadas das deusas nórdicas e seus elementos. (*Vide* Bibliografia.)

Em *Mistérios Nórdicos*, encontra-se uma classificação simplificada dos aspectos básicos das Deusas nórdicas ancestrais associados às Suas atribuições, critério que pode ser adaptado para outras mitologias:

- "Senhora dos Animais", incluindo as Guardiãs das florestas, dos viajantes e lenhadores e dos animais domésticos.

- "Senhora dos Grãos", englobando as deusas da fertilidade, as regentes dos mistérios de sangue e dos ritos de passagem, as protetoras das mulheres e crianças, as "Matronas" e as "Mães".
- "Senhora do Fuso e do Tear", as Tecelãs, que regem as atividades domésticas, artísticas e artesanais, os encantamentos mágicos. Um grupo especial é o das "Senhoras do Destino" e das ancestrais.
- "Senhora do Lar e da Lareira", representada pelas Guardiãs do fogo, da alimentação e da nutrição, da proteção da família e das casas, da educação e da cura.
- "Senhora da Vida e da Morte", representando a Face Criadora e Ceifadora da Grande Mãe, incluindo deusas protetoras da saúde, das ervas e dos meios de cura, as guardiãs dos moribundos e condutoras das almas (para reencarnar ou partir), as padroeiras dos guerreiros e doentes.

Em um *workshop* para mulheres que fiz em Brasília chamado "Vivências com as Nove Faces da Deusa", elaborei uma divisão nónupla de algumas funções, facetas e atributos da Grande Mãe. Escolhi o número nove pelo seu simbolismo mágico: "o poder de três vezes três", mas a multiplicidade das Faces da Deusa supera, muitas vezes, mais esse número, sabendo que *todas as deusas são uma só Deusa*. Com cada raio dessa mandala associei práticas de acordo com qualidades energéticas e espirituais, como introspecção, conexão, transmutação, danças, criatividade. Na mandala incluí algumas subdivisões para alguns raios.

1. A Grande Mãe, representando a Terra e a sacralidade feminina, o poder criador, nutridor e destruidor, o eterno ciclo da vida e da morte, o alinhamento com a fonte divina, os Mistérios Femininos. Propicia a cura das feridas da essência feminina (nos níveis pessoal, ancestral e global). Seu símbolo é o caldeirão da inspiração, da regeneração e do renascimento, o mistério da criação alquímica. A Sua cor são o branco e o preto. Exemplos de Seus atributos: Asherah, Baba Yaga, Cibele, Cerridwen, Coatlicue, Danu, Devi, Ereshkigal, Hel, Hécate, Inanna, Ísis, Kali, Gaia, Mami, Mawu, Oduddua, Sheelah na Gig, Tellus Mater, Tuonetar.

2. A Senhora da Natureza simboliza o processo completo de desenvolvimento, os ciclos, as fases (da Lua e da mulher), as estações. Ela aparece na manifestação tríplice como Donzela, Mãe e Anciã, cujos aspectos descrevem os ciclos de evolução feminina, o potencial em cada fase da vida, a fertilidade dos ciclos, das estações, da terra, dos animais e das criações humanas. A Sua cor é o verde. Exemplos dos Seus atributos:

   a) a Caçadora, Protetora dos animais e da floresta, o aspecto jovem da Deusa. Qualidades: liberdade, espontaneidade, independência, autossuficiência, contato permanente com a Natureza. É representada como "Senhora dos Animais", Ártemis, Diana, Flidais, "Mulheres Árvores", Sedna, "Senhoras Verdes", Vila, Vir-Ava, as deusas guardiãs e defensoras das florestas e dos animais silvestres;

   b) a Mãe dos grãos e dos ciclos rege os festivais da colheita, os ritos de passagem, o reconhecimento da sexualidade e seu direcionamento. É descrita como as deusas das flores e dos frutos, as regentes das estações, da abundância das colheitas e da prosperidade. Exemplo: Anna Perena, Bona Dea, Danu, Deméter, Flora, Frigga, Freyja, Fulla, Gaia, Habondia, Hera, as Horas, Lakshmi, Nerthus, Ops, Pacha Mama, Pandora, Perséfone, Pomona, Tellus Mater, Tailtu;

   c) a Senhora das águas: dos rios, da chuva, das fontes, do mar e do oceano. Ela ensina a fluir com suavidade, contornar perigos, manter o rumo no meio das tormentas, buscar a riqueza oculta, ampliar a fertilidade (física, mental). Exemplos: Afrodite, Anfitrite, Anahita, Brigid, Ísis, Ix Chel, Mere Ama, Mnemosine, Oxum, Salacia, Sarasvati, Sedna, Sulis, Tiamat, Yemayá;

   d) a Curadora Sábia exerce sua vontade, sabe como usar a energia da terra e como distribuí-la, ensina a honrar e a usar os elementos e os recursos da Natureza para cura, fortalecimento e harmonia. Sua missão é preservar a riqueza dos recursos da terra, compartilhar a sua sabedoria, promover a cura, guardar e transmitir tradições e histórias. Exemplos: Angitia, Airmid, Brigid, Carna, Eir, Ewa, Ísis, Hygeia, Minerva, Panaceia, Saga, Salus, Sofia, Vila.

3. A Tecelã simboliza a escolha e a preparação dos fios e seu entrelaçamento em padrões diversos. Ela é o princípio organizador e criativo feminino que tece os padrões da vida diária, do simples ao complexo, que cria laços de amor, mas os corta no momento oportuno. Confere às mulheres a habilidade de escolher e diversificar o padrão da tessitura, avaliar as amarras e as cordas que as limitam, dando-lhes o direito de cortar os fios, refazer ou criar uma teia nova e diferente. Sua cor é o preto. Representantes: as deusas Athena, Ariadne, Arianrhod, Frigga, Mulher Aranha, as Musas, Matronas e Disir, as Senhoras do Destino (Moiras, Nornes, Parcas) e as Fadas Madrinhas.

4. A Protetora nas batalhas, com os aspectos de Guerreira, Estrategista e Justiceira. As características da Guerreira são: coragem, objetividade, saber lutar, enfrentar perigos externos e internos, avaliar e agir com responsabilidade. O dom de saber evitar conflitos desnecessários e planejar táticas diferentes pertence à Estrategista. A necessidade de perdoar é a dádiva da Justiceira ou A Mãe Justa. Ela representa a ternura que não é suprimida pelo julgamento e que deve ser unida com a objetividade, dando a certeza de escolher o melhor, sem se deixar influenciar pelas emoções, convicções e crenças limitantes. As qualidades desses aspectos são: coragem, persistência, paciência, precisão, estratégia, astúcia, negociação para evitar a violência, a retaliação, o conflito aberto e as armadilhas masculinas ("guerra verbal") e usar a justiça com discernimento e compaixão. Sua cor é o vermelho. Exemplos: Athena, Concórdia, Dike, Durga, Frigga, Freyja, Gefjon, Justitia, Maat, Maeve, Macha, Morrigan, Rhiannon, Skadhi, Themis, as Valquírias, Victoria.

5. A Guardiã do Fogo e a Senhora da Lareira representam a escolha e a definição do espaço para viver, cuidar e usar a energia do fogo, conduzindo as energias criadas tanto no plano físico quanto no energético e espiritual (fogo ritualístico e da celebração). Elas ligam o plano tangível ao invisível usando símbolos e ações adequadas em cerimônias e rituais como os *Sabbats*, ritos de passagem, fogueiras de purificação, regeneração, cura. Sua cor é o laranja. Exemplos: Brigid, Feronia, Fjorgin, Hlodin, Kupalo, Héstia, Oyá, Pele, Vesta, Walburga.

6. A Rainha da Noite, a personificação do poder e das forças que existem além do limiar do dia e do consciente. Seus poderes são primitivos, mágicos, ligados à noite e à escuridão, e podem ser usados para melhorar a qualidade da vida. As forças escuras não podem ser suprimidas, mas ordenadas e mantidas sob controle. A sua capacidade de metamorfose é associada com a Lua, que lhe transfere o movimento das suas fases e marés. Ela confere o poder de enfrentar e lidar com o desconhecido e as sombras, usando a percepção sutil, o estado de alerta, o equilíbrio, a proteção e a intenção consciente. Sua cor é o violeta ou azul-escuro. Exemplos: as deusas celestes (Aditi, Nut, Nott, Nyx), estelares (Astarte, Ísis, Ishtar, Plêiades, Zorya) e lunares (Arianrhod, Ártemis, Bil, Chang-O, Ishtar, Ísis, Ix Chel, Hécate, Selene).
7. A Deusa da Beleza e do Amor tem muitas faces e representa a possibilidade múltipla de expressão, que requer intenção, poder pessoal e conexão contínua com um arquétipo, sentindo sua beleza, força, luz fluindo para dentro de si. Cada mulher deve encontrar o seu próprio modelo de beleza, realçando seus atributos naturais e seu brilho interior, que não depende de idade, cor, peso, corpo, artifícios, buscando a plena expressão da personalidade e do caráter. Sua cor é o rosa. Exemplos: Afrodite, Flora, Freyja, Gerda, Gefjon, Graine, Hathor, Hera, Inanna, Maeve, Oxum, Parvati, Sif, Sjofn, Sunna, Shakti, Vênus.
8. A Senhora da Dança e da Mudança, que se expressa pelo movimento, nas cores mutáveis da luz, dos gestos, das palavras e dos sons, no giro das estações e das fases da vida da mulher. A existência de cada ser se desenvolve como uma sinfonia, cuja música e ritmo apenas aquela pessoa ouve. Precisamos aprender a coreografar nossa vida em função do som e do fluxo das mudanças. Para isso necessitamos de equilíbrio, alerta e coordenação, em todos os níveis do nosso ser. Sua cor é o azul. Exemplos: as Cárites (Graças): Aglaia, "a brilhante"; Euphrosine, "a alegre"; Thaleia, "a plena", representando a harmonia de três forças diferentes da criação – iniciar, resistir, unificar. Além delas, podem ser citadas *Changing Woman* ["A Mulher Mutante" – ou "que muda"], Eurínome, as Musas, Rhiannon, as deusas serpentes (Anuket, Shakti, Ua Zit).

9. A Mãe da Luz aparece na nossa vida de três maneiras diferentes, expressando a relação entre o feminino e a luz, nos níveis geral e coletivo, como uma força polarizada e como a luz interior, individual. Ela detém o poder da transformação, que exige mudanças no próprio ser e no comportamento, para realçar e irradiar a sua luz, sem prejudicar – a si ou aos outros – pelos excessos. Sua cor é o amarelo. Exemplos: Anunit, Bast, Brigid, Hathor, Ísis, Lucina, as deusas solares (Amaterassu, Grainne, Sunna), Sekhmet, Tara, Thea.

Para representar as nove faces da Deusa, as mulheres que pertencem ao círculo podem confeccionar em uma vivência conjunta – dedicada a esses arquétipos divinos – um colar de pedras semipreciosas coloridas correspondendo às cores dos aspectos. No ritual final, elas vão abençoar o colar e a si mesmas, sentindo-se como *pérolas de luz do colar da Grande Mãe.*

As energias arquetípicas existem como correntes de energias elementais que animam o mundo natural. Quando iniciamos o caminho da sacralidade feminina, expandimos nossa percepção, ativamos nossa imaginação e podemos explorar a nossa própria natureza sutil. Para experimentar o feminino arquetípico não diferenciado precisamos estar em contato com as energias e forças da Natureza. Sem nos preocuparmos com a origem histórica ou mitológica, nome ou apresentação das deusas que regem locais ou forças naturais, podemos sentir Sua presença e estabelecer uma conexão estando no seu hábitat, com a mente e o coração abertos.

Podemos considerar como arquétipos universais: *A Grande Mãe, a Senhora do Oceano primordial, a Deusa das águas que correm* (rios, cachoeiras), *a Mãe das Águas* (do mar, lago, fonte), *a Deusa Pássaro, a Mãe Terra* (das montanhas, colinas, campos, florestas, árvores, pedras, ervas), *as Senhoras:* dos vulcões, das geleiras, da chuva, do vento, do trovão, do arco-íris; *as Regentes:* da Lua, do Sol, das estrelas, das nuvens, do céu, da noite, do tempo, do destino; *as Mães:* dos grãos, do plantio, da colheita, dos frutos e flores; *as Guardiãs:* das estações, direções, elementos, animais; *as Padroeiras:* da ordem, justiça, guerra, paz, sabedoria, beleza, amor, sexualidade, música, dança, arte; *as Doadoras:* da fertilidade, prosperidade, proteção, harmonia, criatividade, inspiração, memória, inteligência, coragem, sucesso, vitória; *as Protetoras:* dos caminhos, do lar, da família, das crianças, da gestação e do parto, da união e dos acordos; *as Soberanas:* do céu, da Terra, do mundo subterrâneo, dos mundos sutis, do ciclo da vida, da morte, do renascimento; *a Condutora dos Mortos, a Guardiã das Almas, a Mãe da Natureza* e tantos outros aspectos que representam Suas facetas, Seus atributos e Suas qualidades.

Conexão com um arquétipo

Essa sintonia poderá ser:

- Intuitiva, quando a mulher percebe que existe uma afinidade e identidade espontânea com determinada Deusa ou por ter tido algum sonho, visão, sinal, mensagem, presságio;
- Induzida, por meio de meditações dirigidas, em uma regressão de memória ou terapia cognitiva;
- Proposital, em consequência de um interesse especial (filosófico, cultural, intelectual, artístico);
- Circunstancial, para desenvolver um dom, ativar determinada área da vida em uma época específica (como gestação, maternidade, afirmação pessoal ou profissional, busca de independência, mudança ou transição), problemas financeiros ou de saúde, superação de condicionamentos, finalização de um relacionamento, fase da vida, reforçar a sexualidade, a criatividade, a eficiência, lidar com perdas, morte, fases difíceis, abençoar um projeto;
- Uso de um oráculo que permita a escolha fortuita de uma Deusa, para explorar Sua natureza ou revelar a existência da "Deusa interior", que tem a mesma frequência vibratória com a buscadora. Existem atualmente disponíveis no mercado inúmeros oráculos, com belíssimas ilustrações, que auxiliam nas meditações e visualizações e também podem ser usados para fins oraculares por meio dos seus significados. Se for usado um oráculo para a escolha das "Madrinhas", cada mulher do círculo – na ordem decrescente da idade – vai escolher uma carta, intuitivamente. No final serão feitos agradecimentos às deusas que se fizeram presentes, e as "afilhadas" podem honrar, cultuar e reverenciar suas Madrinhas, aprofundando sua conexão por meio de meditações, rituais e oferendas, durante o prazo estabelecido (geralmente um ano).

No início das minhas atividades com grupos de mulheres, por não dispor ainda de um oráculo pronto, confeccionei um "artesanal" contendo breves descrições das características e atributos de inúmeras deusas, palavras-chave e afirmações. Tanto esse como os demais que adquiri posteriormente foram usados como presságios anuais, nos quais cada mulher "recebia" a sua "Madrinha" daquele período, escolhendo aleatoriamente uma carta. Os oráculos, como outros meios divinatórios, podem ser utilizados como orientações em situações específicas de confrontos, indecisões, bloqueios, transições e busca de proteção. Como cada símbolo rúnico é regido por uma ou mais divindades, podem ser usadas também as runas como oráculo, buscando depois a Deusa regente correspondente (conforme descrito no livro *Mistérios Nórdicos*).

Para criar as condições externas favoráveis à conexão com a Deusa (independentemente de qual foi a forma escolhida), convém seguir as mesmas recomendações anteriores na preparação de um ritual: tempo-espaço sagrado, purificação e preparação prévia (defumação e harmonização), arrumação de um altar com os elementos mágicos, imagens e objetos da(s) Deusa(s). Cria-se o círculo de proteção (com sons, palavras, gestos), entoa-se um mantra, usam-se cantos ou batidas de tambor para formar a egrégora e invocam-se a(s) Deusa(s), de maneira geral ou especificando Seus atributos e Suas correspondências. No final, é necessário agradecer à Deusa e desfazer o círculo.

Se for usado um oráculo para a escolha das "Madrinhas", cada mulher do círculo – na ordem decrescente de idade – vai escolher uma carta, intuitivamente. No final, são feitos agradecimentos às deusas que se fizeram presentes, e as "afilhadas" passam a honrar, cultuar e reverenciar suas Madrinhas, aprofundando sua conexão por meio de meditações, rituais e oferendas, durante o prazo estabelecido (geralmente um ano).

As técnicas de visualização e meditação dirigida, após a contemplação de uma imagem da Deusa (de um oráculo, Tarô, estatueta, pintura ou gravura antiga, desenho rupestre, arte nativa ou pintura espontânea), evocam antigas memórias e trazem à tona preciosas informações de sabedoria oculta. A simples meditação e introspecção revelam imagens internas, oriundas da própria mente, do coração, do corpo e do espírito, permitindo o afloramento de intuições e percepções sutis. Se uma conexão for almejada, mas sem que se tenha uma prévia referência oracular ou um propósito específico, a meditação ou visualização seguirá um trajeto preparado ou definido anteriormente (com base numa determinada cultura ou tradição). Outra opção é mostrar o "caminho" para um local na Natureza ou para o Templo Interior individual. Apesar de ser um método mais autêntico para "o encontro com a Deusa", ele é mais difícil, pois a nossa mente ocidental precisa de referenciais ou imagens específicas. Porém, o contato espontâneo com um arquétipo, sem que ele seja orientado ou induzido, torna-se uma experiência inesquecível, ressonando no âmago de uma mulher, que recebe, dessa maneira, a mensagem clara de ter sido "escolhida" como afilhada ou sacerdotisa por determinada Deusa.

As visualizações conduzem as participantes a um encontro direto com um arquétipo divino, cuja presença e símbolos vão deixar profundas impressões no subconsciente. Canalizando e direcionando essas energias pela força de vontade, é possível influenciar o nosso espaço psíquico e modificar as circunstâncias pessoais. Cada arquétipo proporciona experiências diferentes, cujos efeitos se manifestam no nível espiritual, emocional, mental e físico e estimulam os recursos interiores para autodesenvolvimento e cura. Da mesma maneira atuam as visualizações para alcançar objetivos específicos: apela-se não apenas para uma Deusa correlata, mas mobiliza-se também o Eu Superior.

Caso haja necessidade de desvelar aspectos escuros e obscuros da psique (as "sombras") e transmutá-los em recursos de energia criativa, invocam-se as deusas consideradas a "Face Negra" ou "Ceifadora" da Grande Mãe (como Baba Yaga, Cailleach, Durga, Hécate, Hel, Kali, Morrigan, Nekhbet, Pele, Sedna, Sekhmet, Sheilah na Gig, Ua Zit). A dirigente ou a mulher que conduz a visualização deverá estar muito atenta para que esse contato não ative ou traga à tona conflitos ou desequilíbrios latentes de uma ou mais mulheres do círculo.

Outra dificuldade muito comum é a queixa de mulheres reprimidas, inseguras ou medrosas de que "não veem nada" durante a visualização. A técnica mais segura a ser usada para facilitar a percepção, a sensação ou a visão é a imaginação ativa (antiga prática metafísica "redescoberta" por Jung), em que se escolhe uma imagem, fixada na mente, e concentra-se a atenção nela, respirando profundamente. De modo espontâneo ou conduzido, seguem-se – ou criam-se – as alterações dessa imagem, que refletem processos psíquicos inconscientes, mas com base no material consciente. Uma série de ideias se desenvolve, e o consciente e o inconsciente unem-se em um só fluxo, criando um enredo que permite vislumbres intuitivos e a expansão da consciência.

Antes de começar a visualização, é recomendável que se façam um relaxamento sensorial e mental e uma harmonização por meio de respirações profundas. Imagina-se a absorção de luz dourada (branca ou prateada), direcionada por meio da respiração para todo o corpo, preenchendo os órgãos e irradiando-se para o campo de energia sutil que envolve o corpo físico e forma um invólucro protetor.

A imaginação ativa serve como caminho seguro para explorar o mundo interior. Todavia, implica o risco de encontrar energias reprimidas ou forças inconscientes e latentes. Para prevenir qualquer susto ou consequência desagradável, existe o método proposto pelo astrólogo Edwin Steinbrecher, no livro A *Meditação dos Guias Interiores*. Sem considerar as equivalências por ele estabelecidas em relação aos mapas natais e às formas arquetípicas correspondentes, aconselho usar uma simplificação dessa técnica. Assim, entra-se em contato primeiro com a(o) Guia interior, cuja presença evita os perigos ocultos e orienta o caminho e a interação com os arquétipos. Nesse livro, sugere-se a conexão com os Arcanos Maiores do Tarô, mas nos trabalhos com grupos de mulheres recomendo usar as diretrizes apenas para o encontro de uma Mestra, Guia, Xamã, Mulher Sábia, Guardiã ou Protetora Interior. Muitos caminhos espirituais ensinam o contato com os guias interiores, que se manifestam por meio da intuição, dos sonhos, de sinais e presságios e acompanham cada ser desde o nascimento (ou de outras vidas).

Para ter certeza de que o Guia é verdadeiro, certifique-se de que emana dele uma irradiação de amor e aceitação irrestrita; os falsos guias inflam o nosso ego com elogios, corroboram ideias e idiossincrasias pessoais e não contribuem para a transformação e o crescimento individual. Muitas vezes as "canalizações" muito lisonjeiras ou vagas, com excesso de informações, previsões, conselhos e julgamentos (bom/mau, certo/errado), que suscitam dúvidas ou mal-estar, são características de falsos guias, que assumem feições de figuras históricas, santas, mestres famosos, ancestrais, seres extraterrestres. O autor recomenda jamais aceitar como guia uma figura viva ou morta que se conheça ou se tenha conhecido, pois o guia verdadeiro está sempre dentro de nós durante a nossa vida, nunca fora. Uma comunicação de um guia verdadeiro acrescenta valores positivos a quem a recebe e permite encontrar a Deusa cujo contato se procura, ou a Sua representante, a Sacerdotisa.

A sequência sugerida para o contato com o Guia interior é:

- Percorra um caminho (iniciado em um lugar na Natureza: gruta, praia, colina, mata, floresta, clareira, topo de montanha, ruínas de templos antigos).
- Siga em frente, dobre à esquerda e depois à direita (jamais o contrário). O importante é ter uma vivência sensorial, a sensação de estar "dentro da paisagem", e não apenas a observando, como se fosse um filme.
- Após dobrar à esquerda e depois à direita, aparecerá uma abertura ou passagem (porta, arco, portal, escada, ponte, túnel), que deverá ser atravessada.
- Continue caminhando até encontrar outra paisagem totalmente diferente (ou um templo, círculo de pedras, lago, tenda, *kiva*, pirâmide, câmara subterrânea, ilha).
- Solicite a presença do seu animal de poder ou totêmico, que a conduzirá à presença do Guia (é comum que o Guia seja uma figura masculina, o *animus* – oposto ao seu gênero –, mas, se não for essa a sua vontade, procure até encontrar o equivalente feminino). Após estabelecer um contato com o Guia (observando sua apresentação, suas feições, as emoções que desperta em você), certifique-se de que o Guia é verdadeiro, sentindo se dele irradiam amor, aceitação e proteção. Com essa certeza, peça a ele que a conduza para aquele aspecto da força divina que você quer encontrar, ou para o templo, reino ou morada de uma deusa específica.

Às vezes, a resistência do ego às mudanças necessárias para a sua transformação e evolução cria bloqueios no caminho que conduz ao Guia ou à Deusa, interpondo paredes, rochas, precipícios, florestas escuras, barreiras, animais perigosos, figuras desconhecidas. A recomendação é que a mulher os ignore e atravesse os obstáculos, pois eles vão se desintegrar se ela pedir a proteção do seu animal de poder e entoar um mantra, o nome do Guia ou da própria Deusa. O Guia verdadeiro encoraja e apoia tudo o que for necessário e útil ao crescimento espiritual, mas sem interferir no livre-arbítrio ou na liberdade pessoal, muito menos incentivando algo destrutivo ou que ameaçaria a integridade ou o bem-estar individual ou coletivo.

> OBSERVAÇÃO: existe uma diferença entre a fantasia ativa, que é produto da intenção e da intuição, e a passiva ("sonhar acordada"), originada de um processo inconsciente. Segundo Jung, "a fantasia ativa é uma das mais elevadas formas de atividade psíquica, porque nela a mente consciente e a personalidade inconsciente fluem juntas, formando um produto comum, em que ambas se encontram unidas" (*Mitologia Pessoal*, de Feinstein e Krippner). No entanto, esse tipo de meditação não encoraja uma postura passiva, conformada ou distante do cotidiano; ela favorece a conscientização das dificuldades pessoais e mobiliza o ego para a cura por meio do contato com a energia divina. Um exemplo de imaginação ativa ou visualização dirigida (individual ou coletiva) é a busca do Santuário (ou Templo) Interior, descrita a seguir.

Após um relaxamento, fazem-se várias respirações profundas e ritmadas. A sequência xamânica é a mais fácil: contar quatro tempos para inspirar, quatro tempos para segurar a respiração com o pulmão cheio, quatro tempos para expirar e mais quatro tempos segurando a respiração com o pulmão vazio. Associando-se a mentalização de uma cor específica – ou das cores associadas aos chakras –, aumenta-se o efeito do centramento e da absorção de energia vital. A mulher escolhida para conduzir a visualização vai falar com voz firme e pausada, intercalando pausas entre as imagens descritas. As integrantes do círculo assumem postura confortável, mas sem se deitar para evitar adormecer (o grande desafio das meditações conduzidas!). Se essa prática for adotada posteriormente, para o uso individual e solitário – em ocasiões em que se precisa de orientação ou fortalecimento –, as imagens podem variar, sendo enriquecidas com mais detalhes ou mudanças na paisagem, mas sem que se desviem do propósito inicial e da sequência descrita a seguir:

> Imagine-se caminhando por um campo florido, em um dia claro de verão, com borboletas voando, pássaros cantando, insetos

zunindo. À sua esquerda, você percebe um pequeno riacho, aproxima-se, tira os sapatos e molha os pés ou tira as roupas e mergulha para se refrescar e purificar. Permaneça por alguns instantes imersa na beleza e na paz desse ambiente. Vista depois suas roupas ou coloque uma túnica que você encontra à margem do riacho e continue caminhando na direção de um bosque. De repente, à sua frente aparece um animal (andando, voando ou rastejando); perceba sua energia e suas características, para ter certeza de que ele é seu aliado. Peça-lhe que a conduza ao seu Guia – ou à sua Mestra, Protetora, Guardiã, Xamã Interior – e siga-o no meio das árvores, até que ele faça uma curva para a direita. Na sua frente você vê um arco formado pelos galhos perfumados de pinheiros ou eucaliptos, depois um portal de pedras antigas cobertas de musgo, uma ponte ou uma escadaria com sete degraus gastos pelo tempo. Com o animal, atravesse a passagem e continue caminhando, apreciando a natureza ao redor, observando as mudanças na vegetação e no clima, até perceber uma figura humana ao seu lado. Pare e estabeleça contato visual e verbal com ela, sentindo o seu campo energético, até ter certeza de que está junto do seu verdadeiro Guia.

Acompanhada ou não pelo animal e conduzida pelo Guia, siga adiante até ver surgir na sua frente o Seu Santuário. Ele pode se apresentar como uma clareira, um círculo de menires, um *cairn*, uma pedra gravada com runas, uma câmara subterrânea ou gruta, uma fonte, um lago, uma árvore antiga e imensa ou uma construção com um estilo característico (templo antigo, pirâmide, tenda nativa, cabana de troncos, palácio de cristais, choupana ou antigas ruínas). Qualquer que seja a sua forma, observe-o com atenção e aproxime-se devagar, procurando um lugar para se sentar ou algum símbolo gravado em uma porta, que lhe assinale a permissão de entrar.

Continue em silêncio e oração até o cenário mudar e surgir uma Sacerdotisa que a oriente sobre o que fazer. Siga suas orientações para encontrar o arquétipo divino que você veio procurar. Reverencie a Deusa diante de você flutuando no meio de uma névoa azulada, em pé ao lado de um altar ou sentada. Ajoelhe-se e exponha-lhe sua questão, dúvida ou problema, ou simplesmente permaneça em oração silenciosa até Ela lhe falar, entregar um objeto, símbolo ou mensagem ou tocar uma parte do seu corpo que precisa de cura. Após certo tempo, você sente uma leve brisa, e a névoa azulada se torna mais densa, ocultando a Deusa até Ela desaparecer. Prepare-se para retornar, percorrendo o mesmo caminho, despedindo-se do seu Guia e animal de poder e agradecendo a eles. Receba deles um sinal, uma senha, um símbolo ou a certeza de que poderá voltar sempre que precisar. Atravesse o riacho, deixando a túnica à sua margem, vista suas roupas e volte para o aqui e agora. Mexa os pés e as mãos, alongue o corpo e abra devagar os olhos, fazendo três respirações amplas e profundas.

Anote a viagem em um diário e compartilhe – se quiser – as revelações e sensações percebidas com suas irmãs de círculo.

A meditação do Santuário ou Templo Interior pode se tornar um elemento importante no estudo das Deusas de diferentes culturas e tradições e passar a fazer parte do roteiro dos encontros. Ela também poderá ser a base para as meditações diárias de cada mulher, que poderá modificar o percurso, o cenário ou o arquétipo, de acordo com a necessidade do momento.

Simbologia da Deusa

Os arquétipos do inconsciente pessoal se expressam por meio de símbolos nos sonhos individuais, enquanto os arquétipos do inconsciente coletivo são descritos pelos mitos (chamados de "sonhos coletivos"). Os símbolos variam de uma cultura, época ou pessoa para outra, pois, apesar de os arquétipos serem os mesmos, eles são modificados pelos filtros familiares, pessoais, educacionais, culturais, sociais e circunstanciais.

Os símbolos ultrapassam a lógica e a compreensão intelectual, pois são imbuídos de significados complexos, às vezes múltiplos, apreendidos por associações de ideias. A resposta emocional que um símbolo desperta nem sempre pode ser traduzida em conceitos racionais, pois ela se origina no nível inconsciente, e seu significado é captado gradativamente.

Os símbolos, portanto, são expressões de diferentes energias arquetípicas, que, ao serem contatadas para orientação e auxílio, beneficiam e fortalecem a vida de quem as busca.

Trabalhar com mitos e sonhos, recuperando a arte de criar e contar histórias, dançar e cantar, escrever, bordar, desenhar e modelar são alguns meios para acessar as energias do mundo inconsciente. As antigas divindades devem ser novamente reconhecidas e honradas, devolvendo ao mundo suas imagens, seus mitos e seus símbolos e dando vazão aos aspectos reprimidos e ocultados dos nossos seres. Para isso acontecer, as visualizações e meditações dirigidas devem ser orientadas tanto para o mundo superior (do espírito e dos reinos celestes) quanto para o mundo subterrâneo (o reino das Deusas escuras e dos registros inconscientes).

A mitologia é um mapa da psique humana composto de várias personagens, imagens, histórias e símbolos; nela, as figuras humanas são aspectos dos princípios masculino e feminino, e os animais aliados representam nossa natureza instintiva. Todos eles podem atuar como guias, guardiões, mensageiros ou mestres; mesmo se a mensagem ou o simbolismo não for evidente, a sua presença é significativa.

O símbolo, independentemente de ter natureza concreta ou abstrata, representa a força criadora da alma humana, "traduzida" na forma de arquétipos para o consciente. Ele é acessado sempre que o nosso consciente precisa "religar-se" com uma experiência atávica e acrescentar a compreensão simbólica às vivências da realidade. Os símbolos podem ser coletivos e individuais, porém sempre embasados em formas arquetípicas fundamentais. Quanto mais profundo e arcaico for um símbolo, tanto maior será a sua força mágica e mais próximo estará da força arquetípica que o originou. Se ele for mais elaborado, estará mais perto do consciente e menor será a sua força de atração. Qualquer que seja a natureza do símbolo, ele tem caráter curador e transmutador, dissolvendo bloqueios psíquicos e ligando mente e espírito, razão e emoção, consciente e inconsciente, unificando e integrando nossos polos opostos.

A Grande Mãe é o símbolo feminino primevo que representa o espaço cósmico, o mar primordial, a Terra (planeta e elemento), a Lua, a Natureza, a própria vida. Ela é a Grande Tecelã que fia a eterna tessitura, englobando e conectando todos os níveis e seres da Criação.

Determinadas formas, como as circulares, arredondadas, ovoides, ondulantes, espiraladas, o ziguezague e o losango, eram consideradas "assinaturas" do feminino desde o período Paleolítico. Milhares delas foram encontradas gravadas ou pintadas em paredes de cavernas, rochas e pedras, nas estatuetas, nos vasos de argila e na cerâmica, em pedras funerárias e como inscrições sagradas.

A pedra, o mais antigo e sólido aspecto da vida sobre a Terra, foi, desde sempre, a imagem da Mãe Terra; as formas redondas descreviam Seu ventre; as linhas ondulantes sobre ela gravadas eram as águas que fertilizavam a terra; enquanto as espirais retratavam trajetos de energias vitais que percorriam o seu corpo, cujos vórtices eram marcados por menires e círculos de pedras para assinalar os "locais de poder".

A associação da Lua com os ciclos e as fases da vida da mulher deu origem a inúmeros mitos, lendas e costumes. O ritmo, que é uma característica principal do feminino, aparece nas linhas ondulantes das ondas e das marés, na trajetória do Sol, da Lua, dos planetas e da Terra, na dança das estações e fases da vida.

O mar, assim como a Lua, é a antiga imagem da Mãe cósmica, o ventre primordial do qual emergiu a vida. Inúmeras deusas foram associadas ao mar, desde a antiga Suméria e a Babilônia, onde o oceano cósmico era a Grande Mãe personificada por um dragão ou uma serpente. Em muitos mitos e histórias, os tesouros se encontram submersos na água – do mar, do lago, do rio, da fonte – e eram guardados por serpentes ou dragões.

Do simbolismo do corpo da Grande Mãe – reverenciado como receptáculo gerador, protetor e transformador da vida –, evoluíram outras imagens encontradas na Natureza ou feitas por mãos humanas.

A gruta, desde os tempos mais remotos, foi considerada o próprio ventre da Mãe Terra, lugar sagrado e misterioso, onde eram realizados ritos de passagem e cerimônias de iniciação. Com o passar do tempo, a noção do espaço protegido e seguro foi expandida para outros locais que poderiam se tornar santuários, como as clareiras nas florestas, o topo das colinas, o círculo de menires, o templo, a *kiva*, a cabana, a tenda, a igreja ou a própria casa.

Certos símbolos são associados aos alimentos e à nutrição, como vasilhas, cabaças e cestos para preparar e guardar comida, ânforas e bacias para transportar água e o caldeirão em que eram cozidos os alimentos e que depois foi transformado em receptáculo alquímico e mágico.

Uma importante imagem da simbologia feminina é a floresta, motivo comum nos contos de fadas e que descreve a jornada da alma representada pelo herói (o buscador) que enfrenta desafios e perigos, sendo testado no encontro com velhas feiticeiras (as ancestrais e mulheres sábias) e ajudado pela sabedoria de algum animal, mago, velho ou jovem donzela (o guia).

Em inúmeras tradições a Árvore da Vida ou do Mundo era um símbolo da Deusa, aparecendo como pilar dos Seus templos, Eixo cósmico, representação dos planos e mundos sutis ou dos frutos do conhecimento sagrado e ancestral. Reproduzia também a tradicional postura de oração e invocação de bênçãos, os pés vistos como raízes fincadas no chão, os braços elevados como galhos para o céu.

Formas e metáforas dos mitos foram inspiradas na Natureza (frutos, flores, espigas, sementes), enquanto cristais, metais e pedras preciosas simbolizavam os tesouros ocultos do ventre da Mãe Terra e eram usados em rituais e para a cura.

Desde o período Paleolítico, diversos animais simbolizavam aspectos da Grande Mãe, expressando Seu poder e Seus atributos. Nos mitos e contos de fadas, esses animais servem como guias ou mensageiros, do mesmo modo nos sonhos e nas visões. Por ser um assunto extremamente vasto, vou mencionar de maneira sucinta as mais conhecidas imagens da "Senhora dos animais". Para os círculos femininos que desejarem se aprofundar no seu simbolismo, recomendo os livros *Lady of the Beasts*, de Buffie Johnston; *The Woman's Dictionary of Symbols and Sacred Objects*, de Barbara Walker; e um belo tarô de animais com características femininas (*Animal Spirits Knowledge Cards*), pintado pela artista Susan Seddon Boulet, sua última obra antes da passagem para o mundo das ancestrais.

- Insetos: assim como os outros habitantes do mundo natural, os insetos eram considerados pelos povos antigos como seres imbuídos de energias mágicas, em permanente conexão com a terra, e também formas intermediárias de evolução da alma e súditos de determinadas divindades, atuando como companheiros ou guias das almas.
- Abelha: honrada como a alma das sacerdotisas de Ártemis, Afrodite, as Melissas, cujo símbolo era o favo de mel. As sacerdotisas da deusa Deméter – chamada "A Rainha Abelha" – e da cretense Britomartis –

"Doce Donzela" – realizavam os rituais de casamento e abençoavam a "lua de mel".

- Aranha: intermediária entre os animais da terra e do ar, ela tece sua casa com o fio do próprio corpo. Sua identificação com as mulheres e as Deusas é devida aos poderes de fertilidade e à tessitura mágica dos encantamentos. Seu aspecto positivo enaltece a paciência e a perseverança, mas o sombrio alerta sobre o apetite devorador, a mente astuta e perigosa. Para os hindus ela é Maya, o aspecto maternal da deusa tríplice; para os gregos é a personificação da maestria de tecelã de Athena, enquanto a Mulher Aranha é reverenciada como Criadora pelos indígenas hopi ou temida como Le-hev-hev, o monstro devorador dos mares do Sul. Em vários mitos antigos, a deusa tríplice do destino tinha o poder de fiar, medir e cortar o fio da vida, guardando as almas na teia por ela tecida.

- Borboleta: *psyche* em grego, designava tanto a borboleta quanto a alma, devido à crença de que as almas esperavam uma nova encarnação em forma de borboleta. O romance mítico de Psique e Eros era a alegoria da união e separação da alma e do corpo. Uma borboleta de jade era o emblema essencial do amor para os chineses, o presente ideal para o futuro marido dar à noiva.

- Escorpião: simboliza a energia vital humana que pode ser transmutada em essência divina. Os indígenas da América Central e do Sul acreditam que a Mãe Escorpião recebe as almas na sua morada no fim da Via Láctea. Na Amazônia, existe o mito de Ituna, uma deusa escorpião que rege o mundo subterrâneo e cuida das almas que esperam renascer. Várias deusas antigas, como a egípcia Selket e a babilônia Ishatara, são associadas à constelação e ao signo astrológico de Escorpião. Selket é a deusa que liga o mundo dos vivos e mortos e representa a ressurreição após a morte física. Na tradição esotérica, o escorpião é considerado um ser espiritual devido ao seu dom de automolação e renascimento, o seu veneno contendo o próprio antídoto.

- Formiga: era consagrada à "Mãe da Colheita" devido à sua incessante atividade de carregar sementes e cuidar dos descendentes. Seus movimentos serviam como presságios oraculares interpretados pelas sacerdotisas.

- Pássaros: eram vistos por muitas culturas antigas como símbolos das almas, mensageiros dos céus ou guardiões de segredos. Aprender a linguagem dos pássaros era a metáfora para a iluminação e voar como pássaro era o equivalente do transe, pré-requisito das iniciações. Muitas divindades (Blodeuwedd, Donzelas Cisne, Freyja, Garudi, Hathor, Morrigan, Mut, Nekhbet, Rhiannon), as Valquírias, as Fadas celtas e os Anjos cristãos têm características de pássaros. As penas fizeram parte dos trajes de sacerdotes e xamãs da Sibéria até a América do Sul, sendo vistas como símbolos da espiritualidade. No folclore, os pássaros representam o elemento ar, os guardiões da morada dos espíritos e a essência divina.
- Andorinha: anunciava a primavera e o renascimento da Natureza, sendo consagrada às deusas Ísis e Vênus e aos rituais de Maio.
- Abutre: era o símbolo da "Mãe Terrível", a Senhora da Morte, mas também do renascimento. A deusa abutre egípcia Nekhbet devorava diariamente o Sol poente e o "dava à luz" na manhã seguinte. A palavra egípcia para "mãe" era o hieróglifo do abutre, e, para avó, o abutre com insígnias reais, confirmando a importância da linhagem materna. Acreditava-se que todos os abutres eram fêmeas de pássaros que concebiam por intermédio do ar. No *Livro Egípcio dos Mortos*, a Deusa Abutre – representada por várias deusas (Mut, Nekhbet) – é a guardiã do mundo subterrâneo. As "Mães Abutres" cuidavam dos faraós mortos e eram também reverenciadas pelos persas e alguns povos nativos, que deixavam os mortos para serem descarnados por elas antes de enterrá-los ou cremá-los.
- Cegonha: considerada um psicopompo (condutora das almas), o que deu origem à crença de que ela trazia os bebês, que ficavam à espera do nascimento nos pântanos onde as cegonhas moravam. Seus ninhos eram muito bem-vindos quando apareciam na primavera nos telhados das casas europeias, sendo augúrios de prosperidade, boa sorte e filhos sadios.
- Cisne: nos mitos indo-europeus encontram-se descrições das Donzelas Cisnes, aparentadas com as ninfas celestes hindus, as Apsaras, que flutuavam no meio das nuvens brancas. Os cisnes representavam ainda as Musas e também eram pássaros sagrados de

Afrodite e Brigid. As Valquírias usavam mantos de penas de cisne e podiam neles se metamorfosear, assim como a deusa Freyja.

- Coruja: era associada ao aspecto Anciã da Deusa e representava sabedoria; era totem das deusas Anath, Athena, Blodeuwedd, Lilith, Mari e Minerva. Para os indígenas algonquin, a coruja era o pássaro do inverno e da morte. As palavras latinas *strix/striges* significavam "curandeira" e "coruja", posteriormente dando origem ao termo *strega*, bruxa. A coruja foi considerada a "filha de Lilith", detentora de poderes maléficos, mensageira das desgraças e temida pelos cristãos.

- Corvo: consagrado às deusas celtas Rhiannon e Morrigan, regentes do mundo subterrâneo e da morte. Suas penas eram usadas nos mantos das Valquírias, quando elas recolhiam as almas dos guerreiros nos campos de batalha. Os corvos eram respeitados como mestres da magia e das profecias, aliados e mensageiros do deus Odin; por isso foram denegridos pela igreja cristã como pássaros agourentos, com as corujas.

- Ganso: a deusa Hathor era designada como a Gansa do ovo de ouro que deu à luz o Sol, o venerado ovo de ouro (cujo hieróglifo era o mesmo do embrião). Os celtas consideravam o ovo de ganso sagrado e por isso não o comiam nem matavam gansos no inverno, para não enfraquecer o Sol.

- Pavão: era o animal sagrado das deusas Hera e Juno, bem como de Sarasvati, a Rainha védica da sabedoria. As suas penas reproduziam os olhos da Deusa ou o Seu céu estrelado. Nas procissões de Juno, as sacerdotisas usavam leques de penas de pavão para simbolizar a eterna presença e bênção da Deusa.

- Pomba: símbolo da Deusa na Ásia menor, representada por inúmeros nomes (Ishtar, Astarte, Afrodite) e presente nas suas joias, gravuras, moedas, estatuetas. A imagem de uma pomba nascendo da boca do golfinho (cujo nome, *delphos*, significava "ventre") representava a renovação cíclica da Deusa e da Natureza (a Donzela "nascendo" da Anciã). As Plêiades, "As sete irmãs ou as sete pombas", eram aspectos de Afrodite como Pleione, a Rainha do Mar. Por ser um símbolo profundamente enraizado na memória dos povos, os cultos patriarcais foram obrigados a absorvê-lo, surgindo a imagem cristã do

Espírito Santo, uma pomba envolta por sete raios. Sete era o número de Sophia, o princípio gnóstico do sagrado feminino, representado como uma mulher com asas e envolta por raios de luz. A deusa romana Vênus Columba foi canonizada como Santo Columba, e a imagem da bênção de paz da Deusa foi preservada como "a pomba da paz" (levando o ramo de oliveira, antiga árvore sagrada da deusa Athena) e o símbolo cristão representando o Espírito Santo. A crença sobre "o voo das almas como pombas" confirma o antigo conceito sobre a essência feminina de todas as almas.

- Animais: existem abundantes evidências em todo o mundo sobre o respeito que os homens tinham em relação aos animais, vistos como criaturas sagradas ou divindades. Os sacerdotes de deuses e deusas usavam máscaras dos animais totêmicos e imitavam seus movimentos em danças sagradas. O zodíaco e algumas constelações preservaram imagens e nomes de diversos animais sagrados, que prevalecem sobre as figuras humanas.

- Baleia: como a metamorfose da deusa babilônia do mar – Derceto –, engoliu e depois regurgitou o deus Oannes, dando origem à história bíblica de Jonas. "Ser engolido pela baleia" significa um rito de iniciação que leva ao renascimento. O gigantesco ventre da baleia – ou de outro animal marinho – representa o receptáculo ctônico e marinho da Deusa do mar primordial, a escuridão da noite cósmica, o reino dos mortos.

- Cavalo: alado ou não, simbolizava a jornada da alma para a Lua, o Além ou a morada dos mortos, onde o viajante iria aprender os segredos da vida, da morte e da magia, dali retornando com o dom da sabedoria e profecia, como está descrito nas lendas de vários magos celtas. No festival nórdico Majfest, era escolhida a "Rainha de Maio", representando a deusa Freyja com sua carruagem puxada por cavalos brancos. As procissões anuais de uma sacerdotisa nua cavalgando um cavalo branco, abençoando a terra e as colheitas, deram origem à lenda da Lady Godiva e à supressão dessas festividades, vistas como obscenas pelos cristãos protestantes. Na Idade de Ferro, na Grã-Bretanha, as deusas Epona e Rhiannon eram reverenciadas na manifestação de éguas brancas; sua imagem foi gravada em uma colina em Uffington, situada sobre um vórtex energético, depois chamada de Uffington White Horse. Epona era equivalente da Leukippa, o aspecto equino diurno de Deméter, enquanto a égua negra Melanippa representava a Sua face destruidora, noturna, que também aparece como título de Hippolyta, a Rainha das Amazonas, apelidada de Égua Vingadora. Supunha-se que as magas nórdicas se metamorfoseavam em éguas que causavam pesadelos nos inimigos (em inglês, *nightmare* – "égua noturna" – significa pesadelo), e as sacerdotisas cretenses usavam máscaras com cabeças de éguas.

- Cão: acredita-se que foram as mulheres que domesticaram o cão, por ele ter sido acompanhante da Deusa Mãe em muitas culturas antigas, desde o Neolítico. Na Babilônia, era símbolo da deusa do destino, Gula, a Grande Curadora, que podia curar ou trazer doenças. Cachorros negros acompanhavam Hécate e várias deusas celtas. Os cães lunares que conduziam os mortos nos mitos nórdicos eram filhos de Angurboda, a Giganta da Floresta de Ferro. Devido à sua permanente associação com deusas da morte, foi atribuído aos cães o dom de enxergar espíritos e fantasmas. Com o declínio dos cultos da Deusa, o cão foi demonizado com outros animais, as palavras "cachorro" e "cadela" tornando-se insultos. Muitas vezes, a própria Deusa foi denominada "A grande cadela" pelos seus perseguidores, enquanto as sacerdotisas de Ártemis e Diana, chamadas de "cadelas de caça". As cadelas de pelo preto eram temidas por serem auxiliares de Hécate, portanto associadas aos perigos da escuridão, ao mundo subterrâneo e à magia negra.
- Corça: personifica atributos da Lua e da água, sendo um emblema do renascimento devido à perda e à renovação anual dos seus chifres. A corça era o animal totêmico de Ninhursag, a deusa suméria do nascimento e da renovação, das deusas Ártemis, Diana, Flidais, regentes lunares, padroeiras das florestas e dos animais.
- Gato: era reverenciado como uma criatura sagrada pelos egípcios, cuja deusa solar Bast era padroeira dos gatos e da cidade sagrada Bubastis. Por ser consagrado também às deusas Ártemis e Diana, denominadas Rainhas das bruxas, na Idade Média, o gato, principalmente o de cor preta, passou a ser relacionado à bruxaria e à magia

negra. A carruagem da deusa nórdica Freyja era puxada por gatos dourados; devido aos seus atributos de sensualidade e poder mágico, Freyja foi denegrida pela igreja cristã como sendo uma bruxa traiçoeira e perigosa.

❈ Golfinho: seu nome grego, *delphinos*, era associado ao ventre (*delphos*) e ele era o totem de Deméter – como A Senhora do Mar – e de Amphitrite, cujas ninfas – as nereidas – cavalgavam golfinhos para atravessar as ondas e falavam a língua deles.

❈ Lebre: era um antigo símbolo lunar associado às deusas Eostre e Ostara, regentes do despertar da natureza na primavera. Por ser a fertilidade o atributo dessas deusas, surgiu a crença de que a lebre – sendo o seu animal totêmico – trazia ovos (o potencial da geração) no equinócio da primavera, o Sabbat celta de Ostara (celebrado próximo à Páscoa Cristã).

❈ Leão: associado ao Sol, representava Hathor – como a Esfinge com cabeça de leão – e Sekhmet, a deusa solar leonina. A carruagem de Cibele era puxada por leões e imagens antigas da Deusa a apresentam nua, cavalgando um leão. Gravado sobre amuletos de jaspe ou granada, o leão atuava como símbolo mágico de cura e de saúde. O arcano X do Tarô – A Força – é representado por uma mulher abrindo a boca do leão com as mãos nuas (descrição do poder pessoal e do autodomínio).

❈ Lobo: na Europa pré-cristã foi um dos mais populares totens de clãs, e seu nome permanece em muitos sobrenomes escandinavos, alemães, eslavos, romenos, italianos e portugueses. Usando máscaras de lobos nas danças e cerimônias, os sacerdotes e xamãs absorviam seus poderes, o que deu origem às histórias dos lobisomens. A manifestação totêmica da deusa romana Lupa ou Ferônia era chamada de Mãe dos lobos, sendo a progenitora de Rômulo e Remo, os fundadores de Roma. Na sua manifestação como a deusa Acca Larentia, Ferônia era cultuada como a Mãe dos Lares, os espíritos ancestrais protetores dos lares. No festival anual Lupercalia, as sacerdotisas chamadas Lupae se vestiam com peles de lobo e uivavam para a Lua pedindo proteção para a cidade.

❈ Peixe: simboliza o poder de geração, renascimento e sabedoria feminina. Antigos mitos representam a Grande Mãe como "Deusa Peixe" e seus símbolos são a *yoni*, o losango, o *vesica piscis*. O peixe era um sinal genital feminino; losangos com um ponto central – reproduzindo a forma de peixe – fazem parte de inscrições neolíticas; e vasos gregos, usados como amuletos de fertilidade. O losango era associado às deusas Afrodite, Atargatis, Ártemis, Deméter, Ísis, Ishtar e com inúmeras deusas do mar, como Mariamne, Mari, Myrrhine, Myrrha, Stela Maris. O símbolo astrológico do signo de Peixes é formado por dois crescentes lunares, reforçando a apresentação da Deusa como a Fonte de todas as águas. Devido à sua associação com Afrodite, os peixes eram considerados comidas afrodisíacas e consumidos nas sextas-feiras, o dia consagrado à Deusa. Atribuía-se ao peixe a missão de conduzir as almas; para os celtas, existia uma relação sagrada entre a água, o peixe e a sabedoria, e o salmão era honrado como animal sagrado e renomado pela sua sabedoria. No Egito e em Malta, símbolos de peixes eram usados em ritos funerários devido à sua ligação com a ressurreição. A deusa Ísis era denominada O Grande Peixe Abismal e era do seu ventre que as almas renasciam. Como elemento de regeneração, o peixe foi adotado pelo cristianismo e atribuído a Jesus.

- Porca: na cerâmica neolítica, a Mãe Terra era apresentada como uma porca, englobando atributos de fertilidade, abundância e prosperidade. A Porca Branca era uma das formas mais comuns de representação da Deusa, como Astarte, Cerridwen Deméter, Freyja, a deusa de Malta (que tinha 13 tetas que simbolizavam as lunações); Marici, a Porca de Diamante, a Grande Deusa hindu gloriosa e brilhante, era representada sentada sobre um lótus e atendida por sete porquinhos. A porca era associada à Deusa no Seu aspecto de Ceifadora, em cujos cultos as sacerdotisas usavam máscaras de porcas; usada como oferenda nos rituais dedicados às deusas dos grãos, era considerada a intermediária entre vivos e mortos (contendo em si o mistério do renascimento). Nos rituais gregos da colheita, eram feitos sacrifícios de leitoas para a deusa Deméter nas crateras da terra, que simbolizavam a vulva da Mãe Terra. Existiam também rituais de purificação em que a porca detinha um papel importante, como no festival grego Thesmophoria. O brilho da "Porca Branca" divina era representado pela superfície perolada do búzio, chamado pelos romanos de *porcella* ("porquinha"), origem da palavra "porcelana".

- ❉ Sapo: no Egito era considerado um augúrio de fertilidade por aparecer no início das inundações do rio Nilo. Amuletos que o reproduziam eram colocados junto das múmias para garantir o seu renascimento, por ser consagrado à parteira dos deuses – a anciã Hekit (precursora de Hécate). Os sapos eram temidos por serem "familiares" das bruxas, imbuídos de poderes mágicos, usados em feitiços negativos (vingança) e positivos (para invocar a chuva).
- ❉ Serpente: antigo animal sagrado e mágico envolto em mistério, é uma das mais poderosas imagens totêmicas, englobando graça, beleza, rapidez, olhar hipnótico, silêncio, veneno e o dom da transmutação. É encontrada no mito da deusa Eurynome como símbolo de ouroboros (a serpente que morde sua cauda) e nas estatuetas das deusas neolíticas (como mostra uma das representações da Senhora dos Animais. Foi honrada como ídolo pré-helênico, utilizada em motivos ornamentais e nas imagens de inúmeras deusas, representadas com traços ou formas de serpentes. São deusas serpentes: Anat, Atargatis, Dea Syria; a deusa de Creta; as egípcias Anuket, Neith, Uazit; as gregas Athena, Buto, Deméter, Eileithya, Medusa, Python; as astecas Coatlicue, Coyolxauhqui, Ix Chel; as orientais Devi, Kadru, Kali, Kundalini, Nu Kwa, Shakti. A serpente era sagrada também em várias outras culturas (escandinava, celta, africana, nativa norte-americana e australiana), mas foi denegrida e perseguida na tradição judaico-cristã. A letra S é um dos mais antigos e difundidos símbolos da serpente, tanto na forma como no som, e representava o poder feminino. A serpente – assim como a mulher – era sagrada na civilização grega pré-clássica por conter em si o poder da vida; atribuía-se à serpente a imortalidade, por se renovar trocando de pele. As sacerdotisas oraculares da deusa Gaia, chamadas pitonisas, recebiam a inspiração de Python, a serpente subterrânea, cuja morada era o templo de Delphos (palavra que significava o "ventre da Terra"). No Oriente Médio, os povos antigos consideravam a serpente o símbolo da sabedoria e da iluminação. Eva foi a versão bíblica da Deusa em forma de serpente que devia ser erradicada da memória

cristã. As primeiras seitas gnósticas continuavam a honrar a serpente como um princípio feminino espiritual e benevolente, que ensinou os mistérios para Adão e Eva. Várias outras mitologias têm uma "Árvore da Vida ou do Conhecimento" guardada por uma serpente sagrada e servindo à Deusa. Os místicos gnósticos transformaram a serpente em Ouroboros, o grande dragão que vive nas entranhas da Terra. O cristianismo denegriu e perseguiu a serpente, tornando-a um ser demoníaco, mas sua imagem permaneceu na nossa cultura como símbolo mágico, transmutador e curativo, preservado até hoje como emblema na medicina.

- Tartaruga: uma das mais antigas crenças orientais era a sustentação da Terra sobre o casco de uma tartaruga gigante, cujo corpo ficava escondido no abismo dos mares e sob as montanhas, lá colocada como guardiã pela deusa Nu Kwa, a Criadora primordial da humanidade. A mesma crença existe na mitologia dos nativos norte-americanos, que honram a tartaruga como um animal sagrado e que assegura a estabilidade da Mãe Terra; para invocar seu poder e fertilidade, as mulheres realizam danças sagradas usando chocalhos feitos do seu casco.

- Ursa: sempre inspirou reverência e fascínio por personificar tanto o espírito selvagem quanto o dom maternal; a hibernação é como prenúncio do renascimento. Cerimônias dedicadas à Grande Ursa datam do Paleolítico, e no Neolítico as vasilhas de água eram em forma de ursa, decoradas com losangos e linhas ondulantes. Cultos para a Mãe Ursa existiram de Malta à Sibéria, e a constelação Ursa Maior era a sua personificação. Na Grécia, essa constelação era dedicada a Ártemis Calliste, a guardiã da Estrela Polar, ou *axis mundi*. Apesar de Ártemis ter sido uma deusa com várias metamorfoses de animais, a ursa era a sua representação mais difundida, reverenciada como Ártio na Suíça, sendo o totem da cidade de Berna. Os guerreiros nórdicos chamados *berserker* – que vestiam pele de ursos e lutavam em estado de transe – cultuavam a Grande Ursa para Dela receberem a mesma força e coragem destemida com a qual ela defendia seus filhotes. Como Ártemis Brauronia, no seu templo em Attica, era servida por meninas vestidas como "ursinhas", enquanto em Creta havia um culto às Ursas para a proteção das crianças. Os celtas reverenciavam as deusas-ursas Dea Artia e Andarta, e os nomes Artio e Arthur significavam "urso". Com a cristianização, surgiu a figura da Santa Úrsula, oriunda da deusa saxã Ursel (A Ursa), e um dos títulos gregos de Maria é "Panagia Arkoudiotissa" (A Grande Mãe Ursa).

- Vaca: em muitos mitos antigos a Mãe Cósmica – na sua apresentação de Vaca Celestial – criou o universo; o seu leite formou a Via Láctea, e ela paria diariamente o Sol. Na Índia, até hoje a vaca é sagrada, reminiscência do culto de Surabhi, a "Vaca Celestial". A identificação de Hathor com a Vaca Celeste é refletida na arte egípcia, e existem inúmeros mitos sobre a veneração da vaca, assim como inscrições desde o período Paleolítico. Apesar do aspecto viril, a cabeça com chifres do touro era um símbolo feminino, representando o útero e as trompas. Imagens de Hathor com cabeça de vaca datam de 3.100 a.C., existindo também imagens semelhantes das deusas Ísis, Nut e Neith. Hera, a poderosa deusa grega, regente da Lua e da Terra (antes da distorção patriarcal dos seus amplos atributos e de sua diminuição ao papel de esposa ciumenta de Zeus), era chamada de "Deusa com grandes e meigos olhos de vaca", cujos chifres eram os cornos lunares. "A Mulher Búfala Branca" é reverenciada até hoje pelos indígenas norte-americanos pelo mistério do cachimbo sagrado que ela doou à humanidade. Parvati, uma das formas benévolas de Maha Devi, a Grande Mãe hindu, é associada à vaca e aos chifres lunares, enquanto Durga, o seu aspecto destruidor, vence um demônio disfarçado de búfalo. O animal oferecido tradicionalmente como sacrifício à Negra Mãe Terra, ou Kali, era o búfalo, e, em troca, a Deusa concedia vida e renascimento para todos. No mito nórdico da criação, a vaca primordial Audhumbla alimenta com seu leite a raça antiga dos gigantes, enquanto em outros mitos o universo surgiu do mar primordial de leite da Criadora, no Seu aspecto de Vaca Divina. Na Grécia, a deusa lunar Io, a Vaca Celeste de três cores – branco, vermelho, preto –, representava a triplicidade feminina, cujos filhos eram as estrelas. Outro nome da "Vaca Lunar" era Europa, que deu origem ao continente e significava "Lua Cheia".

As formas geométricas têm associações simbólicas em diversas culturas e tradições; a estilização dos motivos pode variar, mas elas preservam sempre o seu significado. A seguir, apresento uma relação resumida de vários motivos e sua correlação na Tradição da Deusa:

- Motivos redondos e ovais – são típicos da cosmologia feminina, por fazerem parte do eterno entrelaçamento de vida e morte, sombra e luz, céu e terra. Os mais conhecidos são círculo, auréola, ovo cósmico, roda – solar e xamânica (quatro e oito raios) –, ferradura, sinal do infinito (um oito deitado), anel, rosácea (mandala em forma de rosa, antiga representação da Deusa no Oriente, adotada pelo cristianismo como sendo o "espírito de Maria"), esfera, espiral. Motivos orientais: mandala (diagrama com simetria radial), mandorla ou *vesica piscis* (representação da *yoni*, o órgão sexual feminino), o símbolo de Yin-Yang (emblema chinês da conjugação e alternância cíclica das polaridades masculino/feminino, luz/sombra, nascimento/morte, céu/Terra), entre outros.
- Motivos tríplices – o triângulo representava a unidade triúna da Deusa sob várias formas (cores, aspectos, nomes, princípios, fases da vida, ciclos lunares) e foi diversificado ao longo dos tempos em formas mais elaboradas. Entre elas, existe o triângulo simples ou *yoni yantra* (representando Shakti, a Deusa interior); o triângulo duplo (usado no tantrismo, semelhante ao yin-yang); o olho do dragão – um triângulo tríplice consagrado às Deusas Tríplices (como as Nornes, as Moiras, as Parcas,), às nónuplas (Musas, Morgens) e às Valquírias. Outros símbolos: o trevo; o Sol com três raios; a estrela de três pontas; os três círculos entrelaçados (representando as Deusas do Destino); *triskelion* e *tryfuss* (desenhos com três braços ou pernas); triquetra (três mandorlas ou *vesica piscis* entrelaçadas).
- Motivos quádruplos – originariamente eram ligados aos quatro elementos, aos ventos, às direções, às estações da Roda do Ano ou ao centro de um círculo (na forma de X). Os mais comuns são o losango ou o "diamante da Terra" (consagrado à Mãe Terra, Sophia e Hel, a Senhora nórdica do mundo subterrâneo); o quadrado cortado ao meio (representando a Terra, o Tao, a Mulher Aranha, Criadora

dos indígenas pueblos). A suástica tinha diversas variantes: a lunar, de Knossos (com símbolos lunares em sentido anti-horário), a solar (os traços terminando em círculos), a romana (braços dobrados), a simples (oriunda da Índia 10.000 a.C., um conhecido símbolo de sorte), a rúnica (da Escandinávia, mais elaborada), a nativa norte-americana (com serpentes em lugar de linhas retas). Outras suásticas eram estilizadas, como o gamadion (braços curtos, usado como ornamento da Deusa na Grécia em Chipre), o tetrascele ou *tetraskelion* (com braços humanos ou cabeças de animais). O trevo de quatro folhas era um símbolo solar pagão que pertencia à deusa da Fortuna e depois foi dedicado a Maria. O "nó das bruxas" (*witch charm*) era formado por quatro *vesica piscis* entrelaçadas e usado para fins mágicos e cerimoniais.

- Motivos múltiplos – os desenhos com cinco, sete, nove ou mais pontas – simetricamente colocados ao redor de um centro – sugerem mistérios ocultos por trás das aparências. Esses padrões radiais ou entrelaçados eram usados para repelir as forças negativas e proporcionar a iluminação. Entre eles, fazem parte o trevo de cinco folhas (dedicado a Afrodite); o pentagrama e o pentáculo (símbolos da Mãe Terra e das deusas celtas, usados para invocações e bênçãos) e suas variantes entrelaçadas como pétalas ou anéis (representando as fases da vida feminina: nascimento, menarca, maternidade, menopausa, morte); a estrela de seis pontas (símbolo das deusas Juno e Ana Perenna); a "flor de Afrodite" composta de seis *vesica piscis* unidas entre si por arcos (usada como amuleto pelas mulheres da África e da Arábia durante a gravidez); o hexagrama (antigo símbolo hindu da união sexual entre Shiva e Kali, do fogo e da água, antes de ser adotado pelos hebreus; uma variante mágica recomenda traçar o hexagrama com uma linha contínua, e não como dois triângulos invertidos); a "estrela das Musas" com nove pontas (formada de três triângulos entrelaçados) ou da "Deusa nônupla" (traçado feito com uma linha contínua que forma as nove pontas); a "teia de Penélope" (uma mandala de dez pentagramas entrelaçados ao redor de uma estrela central de dez raios, poderoso símbolo de proteção e preservação); a "estrela das Sete Irmãs", associada com as Plêiades, as Sete Mães do Mundo, as Sete Hathors, os sete Altares de Sofia (usada para preservar segredos). O entrelaçamento de doze pontas era relacionado aos signos zodiacais; o sinal do mundo subterrâneo (um círculo dividido em cinco setores) era dedicado às deusas Ereshkigal, Hekate, Hel, Maat, Nephtys. As trigramas do I Ching eram antigos símbolos de Nu Kwa, a criadora primordial.

Além dos símbolos gráficos, inúmeros objetos sagrados e ritualísticos têm significado simbólico. Podem ser mencionados:

O *Ankh*, antiga imagem da união da Deusa, simbolizada pela união da *yoni* e o falo; o *aegis*, o peitoral com serpentes e cabeça da Medusa que pertencia à deusa Athena; o barco (associado com a jornada diária do Sol, consagrado às deusas solares); as bonecas de palha (*Corn Dolly*) confeccionadas de palha de milho, trigo, aveia e centeio, usadas nos rituais da colheita em gratidão às Mães do Milho, Cailleach, Ceres, Deméter, Tailtu; o caldeirão, representando o ventre da Grande Mãe, a reencarnação e a transformação; a cariátide (coluna de templo esculpida em forma de mulher); a chave, símbolo do conhecimento místico e dos mistérios, usada nos encantamentos; o chifre, associado com a Lua e as deusas arcaicas lunares; a corda (que aponta o caminho no labirinto e é usada nas iniciações e práticas mágicas para "amarrar" ou proteger); a cornucópia (o chifre da abundância das deusas da Terra e da colheita usado para invocar fertilidade e bênçãos); o espelho ao qual se atribuía o poder de refletir espíritos ou abrir portas interdimensionais; a espiga de trigo (exibida nos rituais de Astarte e nos Mistérios Eleusíneos para a contemplação mística nas iniciações); os fios e a teia, emblemas das Deusas do Destino (Moiras, Parcas, Nornes), das Deusas Tecelãs (Athena, Mulher Aranha) e da magia dos encantamentos; a foice, relacionada com a fase minguante da Lua, a colheita e a morte, sendo símbolo de Rhea Cronia, a Mãe do Tempo que "devora" seus filhos (transformada depois na imagem do deus Cronus-Saturno e na metáfora da morte), e de Hécate; a fonte, o portal para a morada das deusas do mundo subterrâneo, atributo de rejuvenescimento, cura, criatividade e profecia, associado à deusa Brigid; o Graal, uma variante do caldeirão celta da transformação, sendo o cálice sagrado que contém o sangue mágico da vida; o jarro com água, representando a fertilidade, o emblema de *Ma*, a Mãe primordial; o labirinto, que representava a jornada da alma no mundo subterrâneo à espera do renascimento; o lábris, a machadinha com duas lâminas consagrada a várias deusas (Ártemis, Gaia, Rhea, Deméter) e usada pelas Amazonas; a lamparina, dedicada a Juno Lucina e a Diana Lucífera; a lareira, o centro da família e da vida tribal, consagrada às deusas Hestia, Vesta, Brigid, como foco ritualístico; as moedas, que faziam parte do culto da deusa Juno Moneta; os nós, como símbolos gráficos, servem para contemplação; feitos com fios são usados nos encantamentos femininos (muito temidos pelos homens); o *omphalos*, a pedra sagrada do templo de Delfos que significava o "umbigo do mundo" (dedicado à deusa Gaia, antes da sua apropriação por Apollo); o pente (objeto feminino associado aos espíritos da água e às deusas Afrodite, Thetis, Thalassa, Mari-Anna, Oxum, Yemanjá); o pote de barro, antiga representação da criadora suméria Mami ("Mãe"), que criou a humanidade de argila, e por isso visto como metáfora do corpo e quebrado nos enterros para libertar a alma; o sino (antigamente reproduzindo o corpo da Deusa e anunciando a comunicação espiritual); o *sistrum*, chocalho egípcio consagrado a Hathor Ísis, Nephtys; o *sri yantra*, desenho gráfico para meditação baseado na forma da *yoni* e do lótus; a taça (receptáculo do sangue doador de vida e do vinho dos rituais); o trono, cuja esquematização fazia parte das coroas de Ísis, Maat, Nephtys; o *uraeus*, o símbolo em forma de cobra representando a Criadora egípcia Uazit; o *Utchat*, o "olho de Maat" transformado depois no "olho de Hórus ou Rá" (no Egito pré-patriarcal, Maat era a Mãe da Verdade, o "Olho que tudo via", e os amuletos com olhos eram usados como proteção desde 3.500 a.C. na Suméria e na Síria, dedicados às deusas Mari e Isthar; na Grécia eram chamados de "olho de Medusa" e usados contra mau-olhado; a vassoura (objeto mágico usado nas purificações de templos, casas); o véu, atributo da Deusa Anciã (o nome da deusa celta Cailleach significava "A Velada"), que ocultava o futuro e a morte (os "sete véus" representavam as sete esferas planetárias que velavam a verdadeira face da divindade).

As dádivas da Mãe Natureza, como árvores, plantas, flores, cristais e pedras preciosas, eram respeitadas e honradas pelos povos antigos como sendo seres vivos, impregnados com *mana* ou energia vital, moradas de devas, orixás, divindades, seres da Natureza, elementais, por isso a eles consagradas. Por ser um assunto extremamente vasto, vou citar apenas alguns desses "símbolos naturais" existentes no Brasil. Recomendo às interessadas em pesquisa e estudo o tratado de Barbara Walker, *The Woman's Dictionary of Symbols and Sacred Objects*. (*Vide* Bibliografia.)

- Árvores: acácia, dedicada à deusa egípcia Neith; freixo, associado às Nornes; cipreste, totem das deusas do mundo subterrâneo; pinheiro, ligado a Pithys, deusa e ninfa; louro, dom das deusas da vitória; figueira e palmeira, que pertenciam a Ishtar; salgueiro, pertencente a Arianrhod e Ártemis; o bosque, considerado o templo de Asherah, Ártemis, Diana e Flidais. Várias deusas foram chamadas de "Mães da floresta" ou "Senhoras verdes", e as ninfas que moravam nas árvores e cuidavam delas receberam nomes diferentes em cada cultura (dríades, Bushfrauen, fadas). A "Árvore do Mundo" ou "da Vida" aparece em vários mitos da criação e representa sabedoria, força e nutrição, sendo a sede das Nornes, as Deusas do Destino nórdicas, morada das almas à espera do renascimento e pilar sagrado dos mistérios dos mundos e da linguagem (alfabeto Ogham e rúnico).
- Frutas: maçã, dedicada às deusas Afrodite, Idunna, Hel, Hera e Morgen e a Eva; figo, consagrado a Juno, Hera e Vênus; azeitona, símbolo de Athena; noz, associada a Hera, a Maria, às deusas donzelas; laranja, associada às deusas da fertilidade, do amor e solares; pêssego, pertencente a Hsi Wang Mu e a Vênus; romã, associada a Deméter, Juno, Hera, Hécate, Maria e Perséfone; uva, consagrada a Libera, Pomona e Shakti.
- Flores: consideradas mensageiras do amor e símbolos da beleza, eram usadas em rituais e cerimônias para expressar alegria, gratidão, união, contemplação e realização. Cada uma é consagrada à Deusa que sintetiza sua beleza ou poder. Alguns exemplos: amaranto, a Ártemis; anêmona, a Myrrha e Maria; lírio, a Astarte, Juno, Lilith e Maria; íris, a Íris, deusa do arco-íris; lótus, a Kwan Yin, Hathor, Lakshmi e Padma; amor-perfeito, a Vênus e Afrodite; papoula, a Deméter, Perséfone, Hera, Hécate; rosa, à Grande Mãe e seus múltiplos aspectos; madressilva, à Grande Mãe; girassol, às deusas solares; violeta, a Afrodite e Flora; "sapatinho-de-vênus" e "brinco-de-princesa" pertencem às deusas do amor.
- Ervas: alecrim, dedicado a Hera, a Vênus e às fadas; artemísia, a Ártemis; arruda, a Hécate; manjericão, a Athena, Vênus e fadas; melissa, associada às deusas lunares e do amor; sálvia, associada a Perséfone, Saga, "A Mulher Aranha" (*Spider Woman*), à deusa criadora

dos indígenas hopi e às Musas; trevo, consagrado a Brigid, a Morgen, às deusas lunares e tríplices; tomilho, a Héstia; verbena, a Frigga, Freyja, Vênus.

Além do aspecto benéfico, protetor, nutriz e criador do Divino feminino, existe também o seu polo oposto e complementar, o poder da destruição e dissolução da "Face Terrível" da Deusa. A impotência da humanidade perante os poderes destruidores da Natureza deixou lembranças terríveis nas memórias raciais e ficou registrada nas diversas mitologias. A imagem atávica das forças naturais destrutivas – como atuação da Mãe Terrível – é trazida à tona em todas as situações que ameaçam a vida. O próprio destino e a sorte foram sempre retratados como Deusas. Independentemente da natureza benévola ou destrutiva do feminino arquetípico, todos os seus símbolos são importantes na mesma medida para podermos compreender os nossos sonhos, quando a alma nos fala na linguagem primeva dos símbolos. Somente poderemos nos relacionar com as dimensões sutis se compreendermos a linguagem simbólica que elas usam para se comunicar conosco. Ao nos familiarizar com os símbolos, descobrindo seus significados por meio de meditações e contemplação, poderemos equilibrar a relação entre mente e espírito, mudando nossos conceitos, nossos valores, nossa vida e nossa cultura, até a humanidade alcançar um nível mais elevado de consciência.

II.III. MAGIA DE GAIA: CURAR-SE PARA CURAR A TERRA

> *Gaia, Mãe de todos, fundação que sustenta o mundo, a mais antiga das divindades, a Ti eu dedico minha canção; Rainha da Terra, a Tua riqueza nutre todos os seres, que caminham, rastejam, correm, nadam ou voam. Felizes são aqueles que te honram, pois tudo eles terão, colheitas abundantes, pastos verdes e casas repletas de boas coisas que a Tua generosidade lhes dá.*
>
> – "Hino a Gaia", Homero, 2500 a.C.

O culto da Mãe Terra existiu em várias culturas antigas, desde a Pré-história, quando foi a primeira expressão religiosa da humanidade e estava presente nos locais favoráveis à Sua presença ctônica, como grutas, fendas na terra, montanhas cônicas, florestas, campos, vulcões e fontes. Para os antigos gregos, Gaia representava tanto a grande Deusa da Terra quanto a forma física da terra, permitindo que a mente fluísse livremente do sagrado ao profano e reconhecendo que a Mãe que nutria o mundo era também a terra que fornecia os alimentos.

Na evolução da história humana, identificam-se três estágios. No primeiro estágio – da integração e participação –, a sociedade era centrada no culto da Deusa e da Natureza, baseada na caça, na colheita e na agricultura. A Natureza e a humanidade não se opunham, mas estavam intrinsecamente ligadas, pois todas as criaturas eram filhos da Mãe Divina e faziam parte da mesma teia, sem hierarquia. O segundo estágio – da separatividade – foi iniciado com os mitos de deuses detentores do poder da palavra, e não do ato da criação. A Natureza não era mais vista como sagrada, e o homem afastou-se dela como consequência da polarização: o mundo interior, do espírito, e a realidade externa, da matéria. Por ser desprovida de essência espiritual, a Natureza podia ser subjugada e explorada pela humanidade. O período atual – que começou com o feminismo, os movimentos ecológicos e a "consciência de Gaia" – está permitindo outra visão, de integração pela imaginação, para transformar a noção contemporânea de separação do homem da Natureza com atos conscientes e imagens sagradas que reconectem o indivíduo ao todo. Para isso, é necessário criar uma nova simbologia que use o mito de Gaia e o seu reconhecimento como Grande Mãe Terra *que dá e tira a vida e que nutre a todos*. Segundo os filósofos gregos, as leis naturais de Gaia são afetadas pela ética e moral humanas; portanto, a ordem natural pode ser desequilibrada pelo comportamento errado do homem. Citando o filósofo grego Hesíodo: "Quando os homens têm a conduta certa, suas cidades florescem e não existem guerras ou fome, pois a Terra traz abundância e felicidade a todos".

Para contribuir para essa nova parceria do homem com a Natureza, os círculos de mulheres precisam resgatar e fortalecer a ancestral – mas esquecida – conexão com a Mãe Terra, lembrando e vivendo a sua sacralidade e redescobrindo a antiga sabedoria, as quais contribuem para o restabelecimento da ordem natural nas mulheres e em tudo que está ao redor.

A linha mestra das práticas espirituais e dos caminhos centrados nos conceitos, valores e mitos da Deusa são o reconhecimento e a aceitação irrestrita da Terra como Deusa, Mulher e Mãe. Partindo desse enfoque geocêntrico, o mundo físico e telúrico é visto e honrado como base para a evolução do espírito, e não como um peso ou entrave que deva ser dominado ou sublimado. Revertendo dogmas abusivos da supremacia patriarcal, as mulheres que pertencem à Tradição da Deusa estão preparadas para honrar, valorizar e impor a sacralidade dos seus corpos e dos seus atributos. Ao se identificar com a Deusa no seu aspecto Terra e afirmando a sua reconsagração individual, a mulher consciente não mais permitirá abusos ou violências nem em relação a si mesmas, nem em relação às suas irmãs ou à própria Terra. Por reverenciar o corpo da Mãe Terra como se fosse o seu próprio, as mulheres vão sentir as agressões, as poluições e as devastações do planeta como mutilações e violações pessoais e se empenharão em combater esses atos e contribuir para o equilíbrio ecológico.

Assumindo o arquétipo da "Mulher Mutante" (*Changing Woman*, a Mãe Terra dos nativos norte-americanos), será mais fácil para as mulheres perceberem as próprias mudanças internas e seus ciclos biológicos. Compreendendo o significado e a importância dos pontos de mutação da Roda do Ano (solstícios, equinócios) e das fases lunares, a sua celebração se tornará lógica e natural como consequência da sintonia entre a Terra e a mulher.

Para ajudar na recuperação e na renovação de toda a tessitura de Gaia, nós, Suas filhas, devemos reaprender a nos comunicar com Ela e com todos os seres dos outros planos da criação. Ao restabelecermos a conexão com nossa Mãe primordial, sentimos uma ligação diferente com o mundo que nos cerca e com todas as complexas formas de vida e seres que nele habitam; essa sintonia vai nos impulsionar a nos fazer descobrir novos meios para garantir a sobrevivência deles, assim como a nossa. Certas práticas xamânicas, celebrações, meditações, rituais ou atos mágicos são maneiras eficientes para a cura de Gaia e para o nosso próprio bem-estar. Mudanças de comportamento, pequenos atos de preservação e cuidado, maior responsabilidade nas ações e nas escolhas e a conscientização das suas consequências podem fazer parte de nosso cotidiano e contribuir para a energia global. Não podemos mudar o mundo, mas podemos proteger, auxiliar e preservar aquilo que está ao nosso alcance.

Somente uma espiritualidade ligada aos valores de Gaia vai permitir o resgate da verdadeira identidade do ser humano, ao reconhecer e integrar o princípio sagrado feminino e expressar essa fusão em atos de reverência, compaixão, proteção, respeito, preservação e amor à vida. A premissa básica para ouvir o *Chamado de Gaia* e nos mobilizar para buscar a cura – a Dela e a nossa – é reconhecer que não existe separação entre Sua existência e sobrevivência e a nossa. Por sermos seus reflexos microcósmicos, as feridas dela são nossas também; portanto, devemos ir além da ilusão da separação e participar ativamente das mudanças da mentalidade atual, em busca de uma nova filosofia de vida, saúde e paz pessoal, global, planetária. Para realizarmos essas mudanças, precisamos assumir e cumprir compromissos em vários níveis da nossa existência.

No nível individual, o principal enfoque das *filhas de Gaia* é cuidar do seu próprio ser, em todos os aspectos e planos. Por ser o corpo a morada da nossa alma – o veículo que nos permite as experiências e os aprendizados na jornada terrestre –, somos as responsáveis pelos danos que lhe causamos, bem como pela sua cura. Cuidar do corpo significa envolver-se num processo complexo que abrange: alimentação sadia e equilibrada; atividade física adequada; reconhecimento e transmutação de comportamentos, hábitos e condicionamentos nocivos ou limitantes; equilíbrio psicofísico (por meio do yoga, do relaxamento e da meditação); diminuição de poluentes externos e internos (evitando álcool, drogas, tabaco, alimentação pesada, uso exagerado de remédios, filmes e ambientes violentos, discussões). Recomendam-se terapias e remédios naturais, recreações saudáveis, atividades criativas e espirituais e participação em projetos ecológicos e comunitários. Faz parte da *higiene mágica* a autodefesa psíquica com visualizações e afirmações positivas, fortalecimento do campo áurico por meio do contato com a Natureza, práticas de purificação, vitalização, harmonização, alinhamento e conexão sutil (com os elementos, as direções e os seres da natureza, as estações e os ciclos naturais).

No nível comportamental, as mulheres conscientes de sua missão e responsabilidade, como tesoureiras de Gaia, vão procurar diminuir o consumo excessivo de todos os Seus recursos (água, alimentos, papel, eletricidade, combustível) e se empenhar em reciclar, reduzir, recuperar, renovar e, principalmente, não poluir. Os desafios da mulher contemporânea – consciente e responsável – são resistir ao consumismo; começar a praticar a simplicidade voluntária, vivendo de maneira minimalista e sem desperdícios; encontrar novas maneiras de pensar, sentir e agir. Além de buscar uma vida natural, ecologicamente correta e saudável, as mulheres que fazem parte de círculos sagrados precisam reservar um tempo para se conectar com Gaia, "ouvir" Sua voz e perceber Suas mensagens. Caminhar descalça, sentar-se no chão, sentir os raios do Sol e a brisa no rosto, perceber a beleza da Natureza ao redor e agradecer por ela, meditar e buscar contato com os seres elementais e os animais aliados são métodos simples, porém eficientes, para haurir forças e sustentação mesmo no ritmo cotidiano, acelerado e urbano.

É importante lembrar-se de honrar, agradecer, abençoar as dádivas que a Mãe Terra nos oferece diariamente, em todas as circunstâncias, ocasiões e momentos, nem sempre como prêmio, às vezes como aprendizado ou solução.

No nível coletivo, para que as mulheres possam atuar como *guardiãs de Gaia,* elas precisam demonstrar, como disse Dalai Lama, que "o senso de responsabilidade para a preservação do meio ambiente é baseado em amor, compaixão e percepção clara".

> *Somente há beleza interior se você sentir amor verdadeiro pelas pessoas e por tudo o que existe na Terra. Com esse amor vem um tremendo senso de consideração, respeito, cuidado, paciência e responsabilidade.*
>
> – Krishnamurti

Ao se perceberem fazendo parte da "Teia Cósmica", com o coração pulsando no ritmo da Mãe Terra, os círculos de mulheres vão conseguir levar para o mundo exterior os valores, os princípios e as atitudes de suas práticas espirituais. Para *consagrar o cotidiano,* elas vão procurar interagir de forma amorosa, entre si e com os outros, pois somente o amor transpessoal permite a aceitação da diversidade e incentiva a tolerância e a compaixão. O poder do amor é terapêutico e renovador; ele transmuta medos e sombras, cura as feridas da alma e possibilita a gratidão. Atingindo essa consciência mais ampla, as Filhas de Gaia se dispõem a auxiliar os outros, de acordo com seus conhecimentos e suas possibilidades, praticando a "escuta ativa" e "ouvindo com o coração aberto". Participar individualmente ou em algum grupo ou trabalho voluntário em benefício da Mãe Terra ou de seus filhos menos favorecidos, manifestar-se contra a destruição do ecossistema, da biodiversidade e da violência contra mulheres, crianças e animais são atitudes conscientes, benéficas e dignas de todas as mulheres que acreditam na importância do *ativismo mágico*. Aliam-se, assim, as ações ritualísticas de reverência a Gaia com medidas práticas que comprovem a gratidão pelas Suas dádivas e bênçãos, como plantar árvores, oferecer apenas sementes e água a pássaros, abençoar a terra e todas as criaturas, honrar e divulgar tradições ancestrais e nativas, favorecer os pequenos produtores, se opor aos alimentos modificados geneticamente e combater o tráfico de animais silvestres e as caças ou carnificinas de animais indefesos ou em extinção, entre outras possibilidades.

Para tornar-se parte da Magia de Gaia, é preciso uma percepção ampla e contínua do sagrado em cada momento e lugar, nos pequenos gestos e atos cotidianos, nos encontros e nas descobertas, nas metáforas e nos aprendizados que a vida nos apresenta.

Ouvir a voz de Gaia

> *Eu, que sou a beleza do verde sobre a Terra, da Lua branca entre as estrelas, do mistério das águas e do desejo no coração dos homens, falo à tua alma: desperta e vem a Mim, pois sou Eu a alma da própria Natureza, que dá a vida ao universo. De Mim nasceram todas as coisas e a Mim tudo retorna...*
>
> – "O Mandamento da Deusa", compilado por Doreen Valiente

Gaia, ou Gea, é um arquétipo da Grande Mãe universal que criou do seu ventre a Terra, tornando-se a Deusa dos nascimentos, da fertilidade, da agricultura e da cura. O ventre é o receptáculo da vida, lugar de geração, crescimento, transformação, evolução e nascimento. No ventre materno, entramos em contato com o pulsar de nossa mãe – carnal e telúrica – que sustenta a nossa vida, um reflexo da Mãe Divina. Quando nosso coração para de bater, termina nossa ligação física com Gaia, a Mãe Terra, mas o nosso invólucro material volta a Ela – de uma maneira ou de outra –, e o nosso espírito é acolhido pela Mãe Divina. Quando somos crianças, a nossa ligação com Gaia é forte e presente, mas, à medida que crescemos, nós nos esquecemos das memórias telúricas que pulsam no nosso sangue e nos nossos ossos. Precisamos retornar para Gaia para nos curar e fortalecer, para "incubar" ideias, alimentar sonhos, manifestar visões, nos transformar e renovar.

Os indígenas hopi, chamados de "o povo da paz", dizem que, no "Grande Círculo", em que cada parte é uma expressão de essência divina – completa em si, mas interligada às outras –, a observação das leis naturais e o respeito a elas são indispensáveis para o equilíbrio e a preservação da vida. O ser humano saiu desse círculo quando começou a se considerar superior aos demais seres da criação e passou a usá-los segundo a sua vontade e seus interesses. Antigas lendas de várias tradições prenunciam um tempo futuro em que o equilíbrio perdido será restabelecido, e os povos vão se reunir e colaborar em paz. Para contribuirmos com o equilíbrio da Terra, precisamos nos ver novamente como partes do todo, sem divisão ou separação. Por isso, fazer parte de um círculo sagrado nos auxilia a resgatar o espírito comunitário, a recuperar o nosso lugar no "Grande Círculo" e a fazer parte da teia cósmica e planetária.

A Mãe Terra representa o poder da matéria que constitui o nosso corpo físico e o recebe de volta no final de cada encarnação. Seus ciclos e suas estações deram origem aos mais antigos rituais, e, quaisquer que sejam as divindades celebradas, no final é a Terra que recebe as energias criadas e as oferendas. Mesmo que a terra simbolize o fim da vida, ela representa também o poder que a sustenta, sendo o elemento que nos liga à nossa Mãe Terra e que conecta a todos os seres, seus filhos, dos vários reinos da criação.

A Terra é uma entidade viva e pulsante, cuja voz está sempre presente ao nosso redor. Precisamos reaprender a ouvi-la no farfalhar das folhas tocadas pela brisa, no murmúrio dos riachos e no ritmo das ondas, nos zumbidos dos insetos ou nos cantos dos pássaros, no barulho da chuva ou nos sons dos animais. Ela nos convida a voltarmos novamente para o seu ventre em busca de força, cura e sabedoria. Precisamos seguir o seu chamado e relembrar os antigos rituais e segredos mágicos, as verdades e tradições ancestrais. Abrir-se para "ouvir a voz" de Gaia, no intercâmbio com árvores, plantas, pedras e animais, torna as experiências mais profundas e as conexões com o mundo ao redor mais significativas. Gaia está nos enviando mensagens e sinais o tempo todo, evidentes ou sutis, alguns como alerta, outros como auxílio, aprendizado ou conselho. Basta silenciar a mente e abrir o coração para ouvir e perceber o ritmo sutil, mas sempre presente, da Mãe Natureza e alinhar o nosso ser com o pulsar materno de Gaia. Para restabelecer essa conexão, podem-se fazer alguns exercícios simples, como práticas diárias ou ocasionais, individualmente ou nos encontros de vivências grupais.

Práticas para o alinhamento energético

Cada passo que eu dou é um passo sagrado, cada passo que eu dou é um passo curador. Eu curo, eu curo, eu curo o meu corpo, juntas curamos a Mãe Terra com amor.

– Canção tradicional dos círculos femininos norte-americanos

Encontro com Gaia

Imagine-se levantando voo e flutuando acima da Terra, no espaço. Observe o globo azul-esverdeado girando entre as nuvens; veja oceanos e continentes, cadeias de montanhas e desertos, florestas, rios e lagos. Tente perceber algum lugar específico: os picos dos Himalaias, dos Alpes ou dos Andes; a bacia do Nilo, do Danúbio ou do Amazonas; as pirâmides do Egito ou do México, as florestas tropicais; as calotas polares; os aglomerados das construções humanas. Admire tudo o que vê e saúde Gaia, reverenciando sua beleza. Lembre-se de que Ela é um ser vivo que sente seus pensamentos e suas emoções e projete para Ela respeito, amor e gratidão em forma de energias coloridas que alcançam seu cerne e estabelecem um canal de comunicação entre vocês. Irradie amor para Gaia; veja esse amor irradiando do seu coração como uma chama rosa e envolvendo a terra, levando seus pensamentos de cura para os pontos de discórdia do planeta. Mentalize agora energia verde para a preservação dos recursos naturais; azul para limpeza das águas; branca para pureza do ar; dourada para expansão de consciência dos dirigentes. Concentre-se em algum país, lugar, cidade, área, objetivo, necessidade local ou global e projete energia branca luminosa.

Após alguns momentos, agradeça a Gaia por tudo o que você e sua família receberam dela, despeça-se e volte para o "aqui e agora". Reflita sobre um compromisso de colaboração com Gaia que você possa assumir e cumprir nesse período da sua vida, em benefício de todos e do Todo.

Expansão dos sentidos e fusão com Gaia

Procure um lugar tranquilo e seguro em meio à natureza. Sente-se no chão, encoste-se no tronco de uma árvore, relaxando o corpo e se distanciando das suas preocupações habituais, totalmente imersa no "aqui e agora". Sinta os raios do Sol e a brisa tocando seu rosto; explore com as mãos o que está à sua volta (textura das pedras, a grama, a casca rugosa da árvore, a temperatura ambiente). Escute o vento, concentre-se nos sons, procure separá-los, ouça o zumbido dos insetos e o canto dos pássaros, o balanço dos galhos, algum barulho distante. Perceba os diferentes aromas que estão à sua volta, o cheiro da terra e da grama, das flores. Relaxe mais ainda, feche os olhos e tente combinar todas as sensações, ampliando sua conexão com Gaia, procurando identificar a Sua presença em cada célula e órgão do seu corpo. Sinta-se amalgamada com a essência de Gaia, fundindo-se no seu ser, com o coração batendo no mesmo ritmo que o Dela. Invoque-a como Mãe Terra e peça-lhe uma orientação ou mensagem para o seu fortalecimento, equilíbrio ou cura.

Permaneça receptiva por alguns momentos, abrindo sua mente e intuição para captar as palavras ou imagens enviadas por Gaia. Medite a respeito da maneira como poderá doar seu tempo, sua energia, seu amor ou seus recursos materiais para colaborar com os filhos menos favorecidos de Gaia (projetos comunitários ou assistência a crianças carentes, a organizações que cuidam de doentes, a idosos, a órfãos, a mulheres violentadas, a animais abandonados ou à proteção da Natureza). Agradeça e volte a consciência para o presente, mexa o corpo e abra os olhos devagar.

Conexão com as energias do céu e da terra

Deitada ou em pé, contraia e depois relaxe todos os músculos e libere as tensões; deixe a mente solta, aprofunde a respiração, feche os olhos e conecte-se com o pulsar de Gaia. Imagine um fluxo de energia verde fluindo Dela e penetrando pelos seus pés, depois subindo pelas pernas até a base de sua coluna. Visualize como essa energia percorre e revitaliza todos os seus chakras, até alcançar o topo da cabeça; dali ela retorna para a terra como uma cascata luminosa. Continue respirando e torne-se receptiva a outra corrente de energia, branco-azulada, que flui do espaço, trazendo vibrações celestes, estelares e planetárias. Ela penetra pelo seu chakra coronal, atravessa toda a coluna e se mescla com a energia telúrica no *hara* (o ponto de poder situado três dedos abaixo do umbigo), refazendo e ativando a ligação com suas origens cósmicas e telúricas como filha do Pai Céu e da Mãe Terra. Seu corpo torna-se um canal de passagem de energias divinas para nutri-la, protegê-la, fortalecê-la, curá-la.

Use seu poder de vontade e crie mentalmente um escudo de proteção como um invólucro colorido ao seu redor formado com as duas energias, a verde próxima ao seu corpo, a branca ao redor da aura. Absorva e guarde essa imagem em sua mente, continue a respirar profundamente, depois abra os olhos devagar. Você pode refazer rapidamente esse casulo sempre que precisar, apenas se lembrando dessa mescla de energias que fluem da terra e do céu e a envolvem, para fortalecê-la e protegê-la de qualquer perigo ou influência negativa.

Entrega do seu "lixo" a Gaia

A terra é receptiva e transformadora; ela acolhe e neutraliza qualquer lixo (físico, emocional, mental, astral, psíquico) e o transforma em "composto", substrato material e energético para nutrir sementes, ideias ou projetos.

Permaneça em silêncio por algum tempo refletindo a respeito daquilo que precisa ou deseja descartar para beneficiar a saúde, o equilíbrio e o bem-estar tanto seu quanto de Gaia. Mentalize tudo o que não mais é necessário, que se tornou ultrapassado e nocivo, que está cristalizado ou é prejudicial, que interfere de maneira negativa na sua vida ou atua como bloqueio. Quando tiver decidido o que "sacrificar", visualize isso envolto em luz violeta e envie-o flutuando no ar, como uma entrega a Gaia, que o recebe e incorpora em seu composto para transmutação. Mentalize, em seguida, o que pretende colocar nesse espaço "vazio" como substituição e renovação (um novo hábito, projeto, atividade, relacionamento, comportamento, ação em benefício dos outros ou de Gaia). Plasme com convicção essa troca, veja sua concretização e agradeça a Gaia por essa oportunidade, ofertando-lhe algo em troca (plantar uma árvore, adotar um animal, limpar o lixo de ambientes naturais, participar de projetos ecológicos ou humanitários, doar coisas que não usa mais, fazer uma oferenda ou oração para os espíritos e seres da Natureza).

Alinhamento com as energias dos elementos

Procurem um lugar tranquilo e com boas vibrações em meio à natureza. Caminhem um pouco, percebendo a presença dos elementos no calor do Sol, no toque da brisa, na aspereza do chão, na seiva das folhas. Façam algumas respirações profundas, relaxem, encontrem o equilíbrio (físico, emocional e mental) e depois criem o círculo de mãos dadas. Visualizem uma chama dourada no centro do círculo e direcionem a energia de cada coração para a chama. Imaginem a mescla das energias de todos os corações com a chama e puxem de volta o fluxo para si. Sintam como a energia circula no grupo, saindo pela mão direita (palma para baixo) e voltando para a esquerda (palma para cima). Percebam a corrente dourada circulando e fortalecendo cada elo e o grupo todo. Após alguns momentos, armazenem a energia recebida nos seus centros energéticos e vejam a chama do centro esmaecendo e sumindo.

Respirem profundamente, sentindo a passagem do ar pelas narinas até os pulmões. Segurem por alguns instantes o ar e expirem suavemente. Visualizem uma brisa que dança ao redor do círculo, formando bolhas de ar que entram com a respiração e se movimentam com a corrente sanguínea, renovando os órgãos, nutrindo as células, liberando memórias, ativando pensamentos e ideias. Percebam novos projetos e propostas emergindo nos seus campos mentais e soluções claras se apresentando (para questões pendentes ou dúvidas existentes).

Permaneçam respirando por alguns instantes e imaginem que a cada expiração começa a se formar um pequeno riacho sob seus pés, com água límpida e refrescante. Visualizem o riacho subindo pelos pés, pelas pernas, pelo abdômen, pelo peito, pelas costas, pelos ombros, pelos braços, preenchendo suas células, purificando suas emoções, nutrindo seu coração. Ao perceber a água cobrindo-lhes a cabeça, sintam-se imersas no ventre da Mãe primordial, cobertas pelas Suas mornas águas vitais. Sintam como a paz, a calma e a harmonia curam seu corpo, apagando lembranças dolorosas, cicatrizando feridas. Após algum tempo, permitam que a água desça, fluindo de volta e levando consigo dores, preocupações, desajustes, que se dissolvem e somem dentro da terra.

Inspirem profundamente e conectem-se agora com a energia do coração que pulsa no peito de cada uma. Puxem essa energia pulsante para baixo e vejam como ela se espalha pela terra, enraizando vocês. Visualizem agora a subida da energia terrestre de volta para cada uma de vocês, tornando a pele áspera e rugosa como cascas de árvores e criando galhos, folhas, flores, frutos em seu corpo. Vejam-se como lindas e fortes árvores, em cujos ramos pousam pássaros e se abrigam animais. Sintam os nutrientes da terra lhes trazendo saúde, energia vital e segurança, e suprindo suas necessidades minerais e cristalinas. Deixem-se envolver por sensações de tranquilidade, segurança, proteção. Aos poucos, liberem as energias para que fluam de volta para o ventre da Mãe Terra, levando consigo possíveis resíduos negativos, dores ou bloqueios energéticos.

Dedicação grupal a serviço de Gaia

Antes de realizar um ritual para a dedicação, é preciso refletir sobre as condições necessárias para serem colaboradoras saudáveis, equilibradas e preparadas para servir a Gaia e cumprir compromissos. São esses os requisitos básicos:

1. Higiene mágica: para sermos canais eficientes e adquirir poder mágico, devemos nos manter saudáveis, fortes, positivas e assertivas em todos os sentidos e níveis. Precisamos nos lembrar sempre de que as energias – mentais, emocionais, psíquicas – atraem vibrações semelhantes. Por isso, temos que praticar a autodefesa psíquica com escudos sutis e visualizações, permanente contato com a Natureza, banhos de purificações, pensamentos construtivos, afirmações positivas e atitudes firmes.
2. Pirâmide mágica: formada pela vontade, pela imaginação, pela fé, pelo silêncio. A vontade é a força motriz, apoiada pela clareza e pela poder mental, fortalecida pela fé e pela confiança e protegida pelo silêncio e pela introspecção.
3. Conexão com a mente global: realizar rituais sincronizados com outros grupos em datas específicas (plenilúnios, cerimônias da Roda do Ano, dia da Terra, irradiações de cura em situações de calamidades naturais). Direcionam-se energias e imagens criadas e ativadas conscientemente para os objetivos escolhidos.

Ritual

As participantes formam um círculo de mãos dadas ao redor do altar, colocado no centro, depois de uma purificação (com plantas aromáticas frescas, incenso, vela, água de chuva e essências) e harmonização (sons, respiração, mentalização). Cada mulher do círculo abençoa um cristal de quartzo, enrolando ao seu redor uma trança feita com três fios de lã verde, untando-o com essência de eucalipto e passando-o nos elementos do altar correspondentes às direções: vela, incenso de sândalo, cálice com água, uma drusa de cristais de rocha e o pentagrama no centro.

Segue uma meditação dirigida para perceber e definir a melhor maneira – individual e coletiva – de servir a Gaia. As mulheres se apresentam por ordem de idade e declaram sua intenção de servir com sinceridade, lealdade e responsabilidade a Mãe Terra, usando a ética mágica, para não prejudicar ninguém, e visando ao bem de todos e do Todo. Elas selam o compromisso traçando o sinal de pentagrama para cada direção e pedindo a ajuda e proteção dos guardiões. Consagram o cristal com uma oração para Gaia, tocando a terra e visualizando a Sua bênção.

Se o objetivo for individual, escrevê-lo em papel reciclado com um lápis verde, dobrar o papel e prendê-lo na trança, com o cristal, guardando-o depois em um saquinho de algodão, no altar pessoal, até a sua realização (quando será entregue em algum local limpo da natureza e substituído depois por outro objetivo).

Se o propósito for coletivo, a dirigente redigirá o compromisso grupal e os cordões com cristais serão amarrados uns aos outros e guardados no caldeirão do altar (ou outro local sagrado e seguro).

Harmonização com os elementos

Este exercício visa tanto à harmonização dos desajustes individuais quanto aos de Gaia em relação aos elementos e poderá ser feito individualmente ou em grupo, dentro de um círculo de proteção.

Avalie o seu "ar interior" representado pelos problemas mentais (agitação, inconstância, falta de clareza ou concentração, bloqueios ou excessos de ideias, dificuldades de comunicação) que criam desequilíbrios na sua vida. Sem se censurar ou se culpar, apenas constate o que precisa harmonizar e curar, sabendo que existe uma relação entre os desajustes pessoais e os coletivos. Respire e concentre-se no desejo e na intenção de encontrar o equilíbrio necessário, expirando o problema e inalando a cura. Visualize a manifestação do ar, como brisa ou vento, imagine silfos dançando, imite-os e dance, funda-se com essa energia pura, sinta-se solta, leve, feliz. Crie agora uma conexão entre o seu ar interior e o exterior e mentalize soluções para os problemas coletivos ou globais relacionados ao ar. Mentalize sua intenção de cura como uma nuvem luminosa sendo levada pelo vento para os recantos da terra, limpando, purificando, substituindo a poluição pela renovação. Crie uma canção ou dança que represente esse objetivo, como se já estivesse realizado.

Proceda do mesmo modo em relação ao fogo, refletindo sobre seus problemas pessoais causados pela sua deficiência (falta de motivação, coragem, energia vital ou criativa), ou pelo contrário, o excesso que leva à "combustão" (irritação, estresse, agressividade, raiva, violência, mau uso da energia sexual). Veja a relação com os desequilíbrios coletivos e a consequente formação de um campo energético planetário desarmônico. Faça a respiração descrita anteriormente, expirando sofrimento e inspirando cura. Visualize imagens positivas com o fogo (chama sagrada, lareira, raios solares vitalizadores, fogueiras dos conselhos de paz, danças das salamandras, rituais de celebração). Mentalize a luz dourada da energia do fogo sagrado, do Eu divino, se espalhando sobre a Terra, criando uma conexão entre o fogo interior e exterior, proporcionando soluções para os problemas ígneos de Gaia (secas, incêndios, erupções vulcânicas, aquecimento global, mau uso da energia nuclear, manipulação genética, extinção de espécies, guerras e violência).

Em relação à "água pessoal", avalie seus problemas e conflitos emocionais, as doenças psicossomáticas, os distúrbios de comportamento. Encare a "poluição interior" (dependências tóxicas, depressão, medos, compulsões) como um reflexo no nível global (escassez ou excesso de chuvas, secas ou enchentes, poluição dos rios e mares levando à morte de espécies vegetais e animais marinhos, diminuição de recursos de água potável no mundo, desperdícios humanos). Repita o processo de cura usando imagens de água límpida, chuva purificadora, rios e mares limpos, ondinhas flutuando na espuma branca das ondas, fertilidade nos plantios e nos campos; e então visualize abundância no abastecimento, paz, harmonia e projete-as sobre a Terra.

Ao avaliar o elemento terra, observe com coragem e honestidade como cuida do seu corpo e dos seus recursos materiais (alimentação errada ou em excesso, compulsões, dependências, consumo de álcool, drogas, fumo, falta de exercícios, consumismo, apegos materiais, egoísmo, mesquinhez, rigidez, cristalização). Pense na poluição da Terra com resíduos industriais e excesso de lixo; no desmatamento; na extração desenfreada de minérios e petróleo; na ganância humana, que leva à devastação; nos desequilíbrios ambiental e social; nas guerras, na extinção das espécies, na manipulação e nas deformações genéticas, nas epidemias, na profanação e destruição de lugares sagrados. Visualize a Terra purificada, coberta pelo manto verde e florido de Gaia, colheitas e recursos abundantes para todos, sociedades igualitárias, ressacralização da Terra, encontros de paz, colaboração entre os povos e o restabelecimento da harmonia natural, humana e planetária.

Use, em seguida, afirmações e imagens positivas para suprir o elemento deficiente ou em excesso na sua própria estrutura energética e na vida, assumindo maior responsabilidade em relação às causas desses desequilíbrios, ativando sua motivação e determinação para buscar e pôr em prática as necessárias soluções.

Reconhecimento e respeito à sacralidade do próprio corpo

Na Tradição da Deusa, o corpo é respeitado e honrado como o receptáculo do espírito, o lar da alma e a manifestação física da energia sagrada feminina. Reconhecer o corpo como um templo pessoal é uma milenar recomendação, existente em várias tradições e caminhos espirituais. Templos e corpos se assemelham pela diversidade de materiais, formas, estilos, tamanhos, cores, estruturas. No entanto, exigências culturais, sociais e os modismos atuais estão impondo às mulheres cânones exagerados que procuram moldar sua aparência em detrimento da saúde e do bem-estar natural. Em vez de as mulheres olharem seu corpo como templos da alma, dádivas divinas que refletem a sua individualidade nesta encarnação, elas o estão submetendo a sacrifícios, dores e mutilações em nome da moda, da competição com outras mulheres, dos gostos, das preferências e exigências masculinas.

Dificilmente uma mulher está contente com sua aparência; mesmo as mais bem dotadas dos encantos de Afrodite têm queixas e procuram retoques em sua aparência natural. Essas atitudes de insatisfação, revolta ou desgosto desconectam a mulher contemporânea do seu corpo e da sacralidade feminina. Compete às mulheres que seguem a Tradição da Deusa cultivar o respeito pelo seu corpo, honrando-o como sagrado e dando maior valor ao seu bem-estar, à sua saúde e ao seu equilíbrio, aceitando que tudo na natureza está sujeito às inexoráveis leis do tempo, da gravidade e das mudanças.

Se fizer diariamente um breve relaxamento e uma introspecção, será mais fácil *ouvir o que seu corpo fala*, ampliando sua percepção e conscientização e tornando-se capaz de criar novos padrões de autoaceitação. Para isso, use este exercício, que alia a respiração, o sorriso e afirmações positivas, repetindo casa frase três vezes, inspirando durante a primeira parte, expirando e sorrindo durante a segunda.

- Consciente do meu corpo eu inspiro, sorrindo para o meu corpo eu expiro.
- Aceitando o meu corpo eu inspiro, sorrindo com aceitação eu expiro.
- Respeitando o meu corpo eu inspiro, sorrindo com respeito eu expiro.
- Amando o meu corpo eu inspiro, sorrindo com amor eu expiro.
- Sabendo que a Deusa vive em mim eu inspiro.
- Agradecendo a presença da Deusa na minha vida eu expiro.

As frases podem ser adaptadas com outras qualidades, aspectos, imagens, seguindo-se a mesma sequência.

Para reconhecer e honrar a presença da Deusa – em si e nas suas irmãs –, é necessário avaliar como você cuida e trata do seu corpo, como as suas atitudes e ações atraem – ou não – o respeito dos outros, como vive aquilo em que acredita e que fala e como manifesta a beleza, a confiança e a segurança interior na sua vida. Por ser a baixa autoestima a principal inimiga da mulher, é importante refletir sobre a origem dos conceitos que a criaram: mensagens negativas (de familiares, parceiros, amigas, amigos), acontecimentos ou situações do passado, pessoas que continuam reforçando-as no presente. É necessário reconhecer também como "colabora" com os condicionamentos limitantes e permite a atuação da "sabotadora interior".

Em uma vivência grupal ao redor de uma fogueira, após a harmonização e o centramento por meio de meditação dirigida, cada mulher vai queimar um papel em que anotou previamente as imagens, os conceitos limitantes e as programações negativas em relação à sua aparência, à sua capacidade, à sua competência, ao seu talento e à sua expressão pessoal. Ao jogar o papel nas chamas – com um punhado de ervas secas –, as mulheres devem passar por uma catarse e desimpregnação energética proferindo palavras; fazendo gestos; gritando; fazendo movimentos; sacudindo os pés, as mãos e o corpo; sentindo e afirmando a libertação das amarras do passado. Elas completam a purificação tomando um banho com pétalas de flores (jasmins, calêndulas, hibiscos, rosas e sementes de erva-doce) e massageando o corpo com óleo de alecrim, bétula ou lavanda, para integrar a cura física e energética. Agradecendo à Gaia a vida, a saúde e a oportunidade de cura, elas abençoam e aceitam amorosamente cada parte do corpo, "fazendo as pazes" com os aspectos antes rejeitados ou difamados.

Após um período de silêncio e harmonização com batidas de tambor, cada mulher escreve a sua *Declaração da Nova Mulher*, com frases curtas e claras, e imagens positivas, dando ênfase àquilo que quer ser, revelar e realizar, usando os verbos no presente. Por exemplo: *eu me sinto segura, contente comigo mesma, gosto de mim; conheço, confio e mostro o meu valor e exijo que ele seja reconhecido pelos outros*. O papel é abençoado com uma essência (rosa, gerânio, jasmim), e finaliza-se a vivência orando para Gaia e pedindo-Lhe coragem, motivação, constância, tenacidade, amor e respeito por si, além de renovação e sabedoria para buscar e aplicar os meios necessários para manifestar a Nova, Bela e Sábia Mulher.

Cada mulher dá continuidade a essa prática relendo diariamente a declaração, reafirmando e reforçando sugestões e afirmações positivas; durante a meditação, plasmando mentalmente as mudanças e vendo-as se materializar. Se pensamentos negativos, pessimistas ou derrotistas cruzarem sua mente, elas não devem lhes dar atenção nem se deixar prender na sua trama. Devem observá-los, descartá-los e manter a mente focada no objetivo, usando a respiração profunda e algum mantra para reforçar a concentração. Convém também vigiar sua maneira de pensar e falar e evitar imagens e expressões negativas ou limitadas sobre si mesma, sem permitir que outras pessoas continuem a usá-las. É muito importante praticar o perdão em relação a si, às pessoas que as magoaram, prejudicaram ou feriram, invocando a deusa da compaixão Kwan Yin para lhe ajudar nessa difícil, mas necessária, etapa. Abram o coração, perdoem e depois mentalizem raios de luz rosada envolvendo a si e aos outros.

Transcrevo a seguir a *Declaração da Nova Mulher* escrita por uma das mulheres no final de uma jornada xamânica de cura, em nome de Gaia e com a magia Dela. Que ela possa servir de estímulo e inspiração para outras irmãs escreverem a sua declaração.

"Eu, nova mulher, sei fluir como água, sei me lançar e me entregar ao meu próprio caminho sem medo, pois sei me desviar de qualquer obstáculo. Nada me impede na minha jornada rumo à plenitude. Eu não temo mudar, sou rio, sou vapor, sou chuva, sou cachoeira, sou mar, sou cristalina, pura e flexível. Eu sei me expressar, dou vazão aos fluxos do meu coração. Escuto e respeito minhas emoções, minhas lágrimas, de dor ou alegria. Sei nelas me purificar sem me apegar, para crescer e avançar.

Eu, nova mulher, sei bailar como o vento, sei tocar com leveza, fazer contato e prosseguir. Eu sei germinar, espalhar sementes, sei sacudir, movimentar, espiralar o que precisa de transformação. Eu sou música, dança, canção, poesia, inspiração. Sei transcender e sei ir além.

Eu, nova mulher, sei iluminar e aquecer, sou fascinante, atraio as pessoas e troco energias. Mas sei preservar os meus limites e queimar se for necessário, não para ferir, mas para proteger ou transmutar. Eu sei os segredos alquímicos, dentro e fora de mim. Vivo a minha criatividade, fertilidade e sexualidade com plenitude. Faço brilhar a minha luz e amo a luz, a minha, dos outros, da chama infinita.

Eu, nova mulher, sei nutrir como a terra, sei cuidar da vida; eu respeito os ciclos e os vivo em mim, conheço e honro o poder do meu sangue. Eu sei construir, tenho paciência, sabedoria e equilíbrio. Eu me sustento e sei sustentar, eu abrigo, cuido e acolho. Eu sei me curar e, por isso, aos outros ajudar. Eu sei viver, agradecer e amar, eu busco harmonia, abundancia, felicidade. Eu, Nova Mulher, sei ser, como Espírito e como Mulher".

(Adriana, 24 de outubro de 2004)

O xale sagrado

Desde a Antiguidade, o xale sempre fez parte do vestuário feminino, usado para proteger, aquecer, carregar filhos ou mantimentos, cobrir os doentes, envolver os mortos, em rituais para pedir bênçãos ou proteção e para marcar ocasiões especiais. Ele era tecido durante os longos meses de inverno ou costurado e bordado em círculos de mulheres que entremeavam histórias, receitas, risos, lágrimas, orações, conhecimentos de cura, relatos de sonhos, práticas mágicas e encantamentos para o seu fortalecimento.

Um círculo sagrado atual pode reunir suas integrantes para confeccionar xales que representem a cura feminina, comemorem um rito de passagem (casamento, gravidez, parto, menopausa, nascimento de um neto), marquem uma situação dolorosa de perda (morte de familiares, cirurgias, separação, viuvez) ou uma mudança, realização ou transição na vida de uma das participantes. Em um ambiente devidamente preparado, entoando bênçãos, canções ou mantras, cada mulher poderá impregnar a sua tessitura ou tecido com vibrações positivas e desejos de cura e renovação. Se o círculo tem a intenção de dar um xale ou uma colcha como presente para uma das suas integrantes, a sua confecção será feita de maneira ritualística, impregnando a trama ou os retalhos de tecidos com pensamentos amorosos, solidários e benéficos que reforcem as lembranças dos elos grupais e da teia de irmandade feminina. Se for uma colcha de retalhos, cada mulher do círculo vai trabalhar um dos quadrados de tecido, tecendo, pintando ou bordando, e, por último, todas farão os arremates finais em conjunto, entrelaçando bênçãos e vibrações positivas.

Os xales individuais serão feitos de acordo com a habilidade de cada uma, no tear; em tricô ou crochê; com retalhos, com tecidos pintados ou bordados, com miçangas ou contas coloridas, reproduzindo símbolos lunares, rúnicos ou mágicos. Eles serão usados em rituais para lembrar e honrar a linhagem ancestral feminina; nos momentos de dor ou aflição, como um abraço protetor, curador e acolhedor da Grande Mãe; para aquecer nas vivências ao ar livre ou cobrir o altar.

Para representar a transformação da "mulher ferida" na "Nova Mulher Sagrada", ofereço como sugestão uma prática realizada no final de um *workshop* em Brasília dedicado à Magia de Gaia e que incluiu a confecção de um xale de cura individual. Para completar a cura iniciada nas vivências, foi necessário seguir uma programação diária de desintoxicação, durante pelo menos 21 (ou trinta) dias.

Esse programa incluía os seguintes itens:

- Banhos de purificação com ervas sagradas e sal marinho.
- Banhos de assento (com folhas de nabo e salsa, raiz ralada de gengibre e sal marinho).
- Lavagens intestinais (para quem era habituada ou pelo menos uma vez no começo).
- Chá de ervas (dente-de-leão, amoreira, framboesa, mil-folhas, cavalinha).
- Suplementos minerais, vitaminas, suco de clorofila, sementes germinadas.
- Compressas de argila e folhas de couve no ventre.
- Alimentação vegetariana com cereais integrais, tubérculos (inhame, bardana, cará, raiz de lótus); brotos (alfafa, trevo, trigo, lentilha, moyashi, girassol); sucos de verduras e frutas; sementes (linhaça, gergelim, abóbora, girassol); castanhas (macadâmia, caju, castanha-do-pará, amêndoas); frutas secas (damasco, passas); soja (flocos, tofu, missô, shoyu, leite, iogurte); chá verde, vermelho ou branco e pelo menos dois litros de água por dia. Evitaram-se bebidas alcoólicas, café, tabaco, bebidas, frituras, comidas congeladas, alimentos processados, refrigerantes. Mesmo depois do término do programa, era recomendável abolir da alimentação enlatados, embutidos, carne vermelha, doces, queijos processados, condimentos, frituras, corantes, conservantes, refrigerantes, bebidas alcoólicas e diminuir o consumo de café.
- Exercícios respiratórios, yoga, tai chi.
- Alguma atividade física diária moderada.
- Meditações e visualizações para alinhamento e integração com as energias e os elementos de Gaia.
- Bênção diária (com essência de seu signo astrológico ou da sua afinidade), tocando os chakras ou apenas a testa, o coração e o ventre, pronunciando uma oração tradicional ou usando as próprias palavras.

Como sugestão, ofereço a seguir uma bela oração, escrita por Adriana, da Teia de Thea:

"Ó Grande Senhora, Grande Mãe do mundo,

Abençoe-nos, Mãe, com a capacidade de amar, de compartilhar amor com verdade e fé! Toque o nosso coração, Mãe, despertando o sentido profundo do perfeito amor e da perfeita confiança! Que possamos trabalhar, Mãe, para fortalecer e curar a irmandade entre as mulheres e entre todos os seres! Para que saibamos que estamos indefectivelmente juntos como uma grande família! Dê-nos força, ó Deusa, para ver a beleza, nossa beleza, que é toda Sua, mesmo nos momentos difíceis. Traga-nos a luz para enfrentarmos os conflitos, vendo-os como fontes de crescimento e ancoradas na coragem para Ser. Liberte-nos da vaidade, do medo, da mágoa, para seguirmos adiante, cuidando do que é sagrado, desatando nós e usando os mesmos fios para fazer arte, ressignificar e enfeitar o encontro, até que a tessitura precise ser refeita novamente... e novamente... cada vez mais bela, mais livre, mais plena! Ilumine nossos ventres, Mãe, para que não se cansem de recriar a vida. Ilumine nossas mentes, para que não nos aprisionemos na ilusão de que a obra algum dia estará pronta e perfeita, para que possamos fazer o nosso melhor, sem culpa e com alegria! E ilumine nossos corações, para se lançarem à dança da paz, abrindo as asas para o Teu Amor, que flui e flui e flui rumo à inteireza de seu Mistério Infinito.

Ofereço-lhe, Mãe amada, minha eterna gratidão e meu profundo amor!"

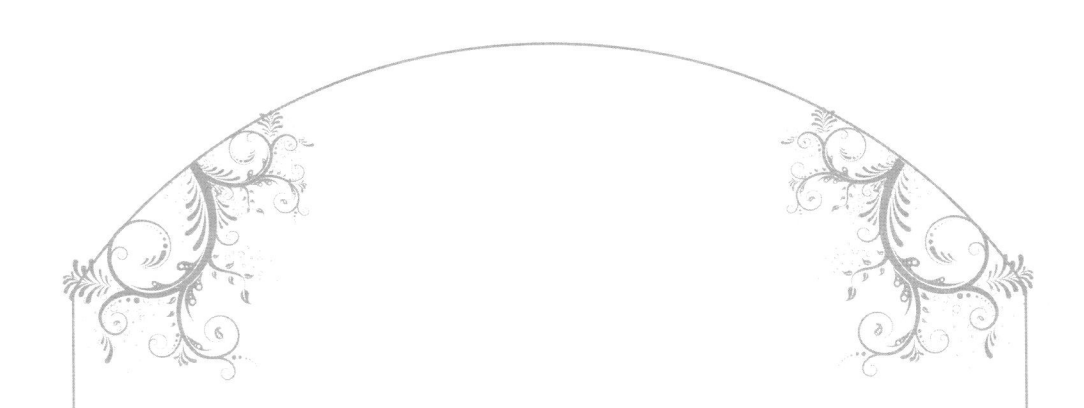

TERCEIRA PARTE

RODAS SAGRADAS

Espiralando para o centro, o centro da roda, nós somos as tecelãs, somos a tessitura, somos as sonhadoras, somos o sonho.

– Canção tradicional dos círculos de mulheres norte-americanas

O simbolismo da roda é onipresente nas religiões antigas. O universo era visto como uma roda gigante, cujo giro se manifestava nos ciclos planetários e nas mudanças das estações. Os mortos eram enterrados com pequenas rodas que reproduziam o cosmo. As rodas eram usadas como símbolos mágicos de proteção, gravadas sobre elmos, escudos, armas, joias, portas e lápides. Os altares eram decorados com rodas; os xamãs siberianos usavam nas suas vestes duas rodas metálicas representando o Sol e a Lua, os luminares, chamados pelos egípcios de *olhos do céu*.

Várias Deusas tinham rodas como emblemas ou símbolos de poder. A deusa hindu Kali girava a *Roda do Tempo*, cujos raios significavam a eterna teia da vida. Na tradição celta, Arianrhod é a deusa guardiã da *Roda Prateada das Estrelas,* a imagem do tempo (semelhante à roda do karma de Kali). Essa roda foi criada pela Deusa Tríplice (que também criou a *Roda do Zodíaco*) e era por meio dela que as almas chegavam até a sua morada na Lua. O nome da deusa etrusca Vortumna, a Senhora da *Roda do Ano,* foi mudado pelos romanos para Fortuna, que girava a *Roda Celeste* e marcava as estações e a sorte dos homens. As Moiras, deusas gregas do destino (assim como as Parcas romanas), regiam a *Roda do Renascimento* e as transformações pela passagem do tempo. Esse conceito está presente na *Roda tibetana do Karma e do Dharma,* representado nas rodas de oração. O zodíaco era conhecido pelos hindus como a *Roda Eterna* e pelos gregos como a *Roda dos Animais*, base da nomenclatura atual dos signos. Com o passar do tempo, o significado sagrado da *Roda do Destino e da Fortuna* foi esquecido, preservado apenas no simbolismo do arcano X do Tarô. No mundo profano, passou a ser a imagem dos caprichos de *Lady Luck* ("Senhora Sorte") e do giro imprevisível da roleta dos cassinos.

As formas circulares, abrangentes e envolventes estão surgindo novamente na consciência e na vida humana, após séculos de predomínio dos conceitos estruturados e dos valores lineares das sociedades patriarcais, que enquadram, dividem, limitam e separam. O mundo moderno necessita recuperar a unidade essencial e a integração do homem com a Natureza na *Grande Roda da Criação*. Precisamos resgatar imagens, tradições e conhecimentos antigos, que ensinam os valores sagrados do círculo, da roda e da espiral. Para os círculos femininos, é extremamente importante lembrar a antiga sabedoria (conceitual e prática) das rodas sagradas, para usá-las em rituais, na criação do círculo mágico de proteção, no alinhamento com as energias dos elementos e das direções, nas danças, meditações, vivências e cerimônias.

No capítulo a seguir serão descritas algumas rodas sagradas, com seus atributos e suas correspondências.

III.I. RODA SAGRADA DA TRADIÇÃO OCIDENTAL

> *Pelo ar, que é Seu divino sopro, pelo fogo do Seu espírito brilhante, pelas águas cristalinas de Seu ventre e pela terra abundante e bela que é Seu corpo, abençoamos este círculo sagrado. Que o amor da Deusa nos abençoe e permaneça sempre em nossos corações.*
>
> – Bênção tradicional celta

A antiga filosofia grega preconizava a existência de quatro elementos (fogo, ar, água e terra), que constituíam a matéria – orgânica e inorgânica –, e de um quinto elemento, o éter, existente no espaço cósmico (posteriormente denominado *quintessência* pelos alquimistas medievais). Esse mesmo simbolismo é usado por outras tradições, caminhos espirituais e terapias (como o yoga, o budismo tibetano, a astrologia, a cabala, o Tarô, a alquimia) e na magia celta, nórdica e xamânica. No entanto, o conceito dos quatro elementos é muito mais antigo, pois ele já existia no período Neolítico, quando era usado nos ritos funerários (nas formas de dispor os cadáveres: cremação, enterro, lançamento na água e exposição às aves de rapina), para assim permitir a volta do espírito para a Grande Mãe, à espera do renascimento.

Muitas imagens e símbolos antigos das Deusas e da Mãe Ancestral são associados aos elementos. A Deusa hindu Kali Ma criou a vida usando sons relacionados aos elementos: *Lá* (terra), *Vá* (água), *Yá* (ar), *Rá* (fogo), aos quais Ela acrescentou Seu espírito, *Má*, mantra que significa tanto *Mãe* quanto *Inteligência*.

A teoria medieval dos humores e temperamentos usou a mesma divisão dos elementos e atribuiu o tipo melancólico à terra, o fleumático à água, o sanguíneo ao ar e o colérico ao fogo. Teve origem também na Idade Média a classificação dos espíritos elementais em gnomos (terra), salamandras (fogo), ondinas (água) e silfos (ar), bem como as imagens dos arcanos menores do Tarô – espadas para o ar, bastões para o fogo, taças para a água, moedas ou pentagramas para a terra. Na visão patriarcal, havia duas classes de elementos: o superior e masculino (fogo e ar, correspondendo ao espírito e à mente) e o inferior e feminino (terra e água, matéria/corpo e emoção), com conotações negativas de inércia, escuridão, frieza e desequilíbrio.

Associando o movimento ao significado do círculo, obtém-se a roda, considerada um símbolo solar em várias tradições e representada como a suástica hindu e nativa norte-americana, simbolizando sorte e sucesso, ou a roda solar nórdica e celta. A roda representa também o destino e os ciclos da vida no budismo ou a totalidade do cosmos, como a *Rota Mundi* rosa-cruz. Posicionando os quatro elementos na roda, obtêm-se o diagrama da manifestação das energias do ar, do fogo, da água e da terra, como um quadrado contido dentro do círculo. As qualidades de estrutura, estabilidade e equilíbrio do quadrado ordenam e harmonizam o movimento constante e incessante do círculo, permitindo a atuação das forças de expansão e contração e, como consequência, a criação da vida.

Dependendo da tradição ou do caminho espiritual, as direções e correspondências associadas aos elementos diferem entre si, por razões geográficas, culturais, mitológicas ou filosóficas. Nenhuma classificação pode ser considerada "certa" em detrimento das outras, pois há várias formas de percepção e compreensão dos fenômenos da vida e do mundo.

Na tradição ocidental esotérica, que inclui ensinamentos egípcios, gregos, celtas, cabalísticos, druidas, nórdicos e Wicca, a posição do ar é no Leste; do fogo, no Sul; da água, no Oeste; e da terra, no Norte. O centro representa a origem, o Grande Mistério, a fonte criadora, a força vital, o espírito. Do ponto central do círculo dos elementos e das direções, fluem energias, que se manifestam como polaridades: masculina (do fogo e do ar) e feminina (da terra e da água), que têm frequências vibratórias diferentes. A vida é composta desses elementos, que, ao serem honrados como mestres e aliados, podem nos ensinar seus mistérios se deles no aproximarmos com respeito e gratidão. Os poderes elementais eram tão sagrados para os povos antigos que os celtas os invocavam como testemunhos dos seus juramentos e atos ritualísticos.

Em todos os sistemas filosóficos e mágicos, atribui-se a regência dos elementos e das direções aos seres espirituais conhecidos e invocados em rituais como *Guardiões/Guardiãs* ou *Senhores/Senhoras* de energias elementais específicas.

O poder dos elementos existe tanto nos níveis exteriores do mundo material quanto nos sutis e interiores. Por meio da forma física dos elementos – com os quais interagimos diariamente –, podemos estabelecer contato com eles no nível interior, compreendendo melhor suas qualidades e atraindo-os para a nossa vida. Nas práticas ritualísticas e mágicas, quando nos referimos à conexão com os elementos, buscamos a sua frequência vibratória no nível interior, mesmo que, para criar a ressonância energética, lancemos mão da sua forma física materializada (como uma vela, um incenso, uma taça com água, um punhado de terra ou uma pedra).

As verdadeiras energias elementais são forças que atuam "além da forma", sendo matrizes para a manifestação física do seu elemento particular. Cada um dos elementos tem uma energia distinta, com características únicas, mas eles não permanecem isolados entre si, pois interagem e formam combinações múltiplas de formas e energias, em todos os níveis da vida (física, mental, emocional e espiritual). Todos os quatro elementos são essenciais e indispensáveis à vida humana, mas é o espírito que permeia todos eles e os une. Nós, seres humanos, nascemos do mundo espiritual para o físico e trazemos conosco a centelha sagrada da nossa essência.

Nossa tarefa na jornada terrestre é conseguir a interação e a integração da consciência entre os dois extremos, do espírito e da matéria. Para isso é necessário equilibrar os elementos da vida, tanto no nível interno quanto no externo. Por meio de um movimento criativo e consciente, podemos percorrer a roda dos elementos, percebendo energias em excesso, deficientes ou bloqueadas. Se usarmos recursos adequados (físicos, mentais, energéticos, mágicos, espirituais), é possível corrigir os excessos ou suprir as deficiências. A condição essencial para esse alinhamento é o conhecimento das características e atribuições de cada elemento e direção e a clara percepção do nosso estado energético em dado momento.

Diagramas das correspondências

Roda Sagrada usada na tradição celta, nórdica, Wicca

As informações a seguir complementam, de maneira sucinta, os conceitos mencionados na primeira parte (no subcapítulo "Roteiro Básico para Rituais").

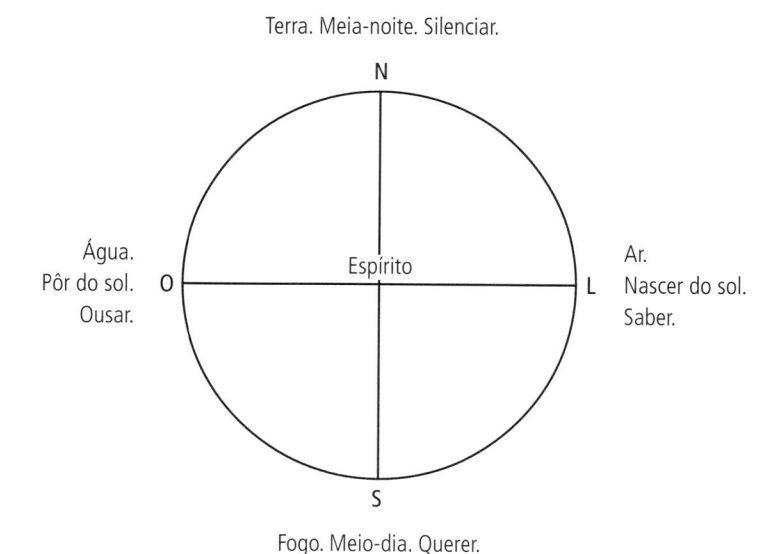

Terra. Meia-noite. Silenciar.
N

Água.
Pôr do sol.   O   Espírito   L   Ar.
Ousar.   Nascer do sol.
                                              Saber.

S
Fogo. Meio-dia. Querer.

Velhice/morte
Inverno/repousar/renovar.

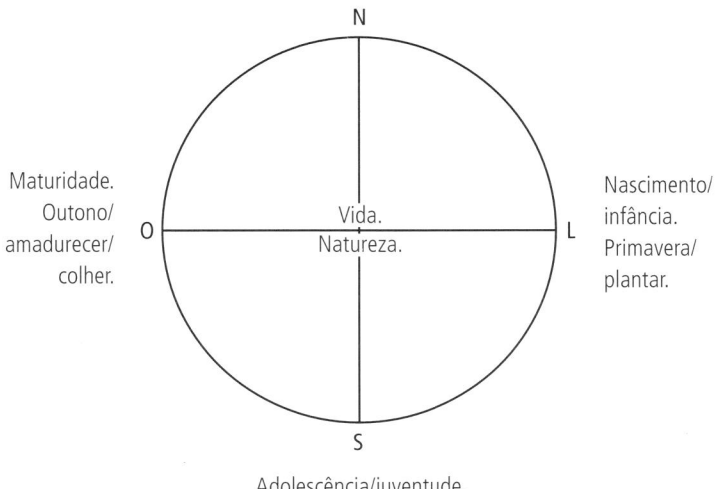

```
         N
Maturidade.              Nascimento/
Outono/      Vida.       infância.
amadurecer/  Natureza.   Primavera/
colher.   O         L    plantar.
         S
```

Adolescência/juventude.
Verão/crescer/florescer.

Gnomos. Pentáculo, tambor,
chocalho, escudo, pedras, ossos

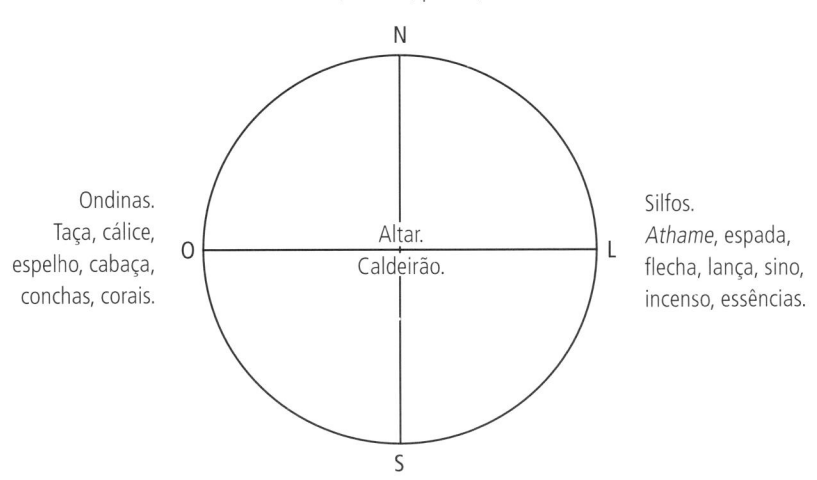

```
            N
Ondinas.                    Silfos.
Taça, cálice,   Altar.      *Athame*, espada,
espelho, cabaça, Caldeirão. flecha, lança, sino,
conchas, corais. O      L   incenso, essências.
            S
```

Salamandras. Bastão, cetro, cajado,
vela, tocha, lamparina, fogueira.

Terra. Melancólico. Sentidos, sensação.
Conexão. Fundação. Cores da terra.

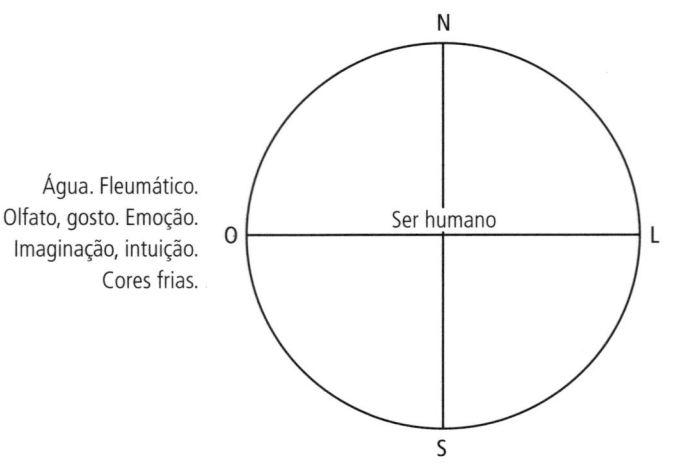

```
                    N
                    |
  Água. Fleumático.        Ar. Sanguíneo.
  Olfato, gosto. Emoção.   Audição. Percepção.
  Imaginação, intuição. O—Ser humano—L   Inspiração. Razão.
  Cores frias.             Cores claras.
                    |
                    S
```

Fogo. Colérico. Visão. Fé.
Compreensão. Cores quentes.

Terra.
Touro, Virgem, Capricórnio.
Vênus, Mercúrio, Saturno.
A Guardiã da Manifestação.

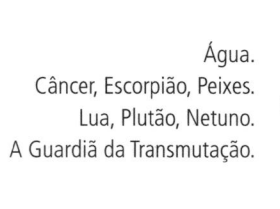

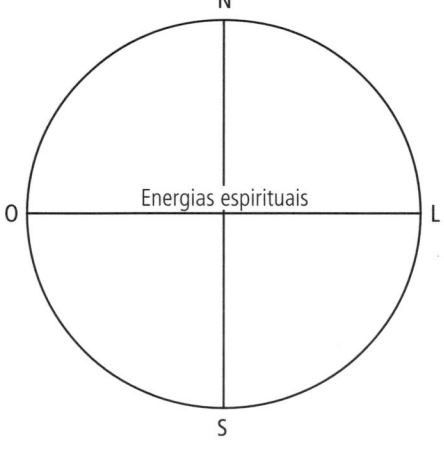

```
                    N
                    |
  Água.                     Ar.
  Câncer, Escorpião, Peixes. Gêmeos, Libra, Aquário.
  Lua, Plutão, Netuno.  O—Energias espirituais—L  Mercúrio, Vênus, Urano.
  A Guardiã da Transmutação. A Guardiã da Criatividade.
                    |
                    S
```

Fogo.
Áries, Leão, Sagitário.
Marte, Sol, Júpiter.
A Guardiã da Busca da Visão.

Atributos dos elementos

Ar

Qualidades: som, palavra, respiração, comunicação, mente (razão, lógica, análise), aprendizado, compreensão, discernimento, percepção, foco, clareza, inspiração, criatividade, pensamento multidimensional, expansão mental, iluminação.

Desafios: dificuldade de concentração e continuidade; uso inadequado da mente e das palavras; pensamentos repetitivos, negativos e derrotistas; superficialidade; inconstância; confusão entre o que é real e irreal, verdadeiro e falso.

Deusas: Athena, Avó Aranha, Brigid, Mnemosyne, as Musas, Ninlil, Nut, Saga, Sarasvati, Tsé Che Nako (A Mulher Pensamento).

Práticas recomendadas: atividades ao ar livre; meditação em movimento; dança sagrada; yoga; tai chi; exercícios de visualização e concentração; meditação dirigida; aromaterapia; canto; mantras e mudras; arteterapia; psicodrama.

Fogo

Qualidades: ação, impulso, entusiasmo, coragem, liderança, vitória, energia vital, força, poder pessoal, fé, verdade, confiança, fogo sagrado, sexualidade, magnetismo, criatividade, purificação, regeneração e renascimento, poder de vontade, paixão, expansão.

Desafios: respeitar os limites (próprios e alheios); evitar exageros; rebeldia; agressividade; saber usar o poder pessoal (criar e não destruir); praticar a paciência, a tolerância e a compaixão; buscar e seguir seu caminho espiritual.

Deusas: Amaterassu, Bast, Brigid, Durga, Freyja, Héstia, Lucina, Kali, Maeve, Morrigan, Oyá, Pele, Sekmet, Sunna, Suonetar.

Práticas recomendadas: correr, nadar, trabalhar a terra, artes marciais, power-yoga, bionergética, lutar por um objetivo, cerimônias na fogueira, práticas de centramento, relaxamento, desenvolver a criatividade, empenhar-se para seu desenvolvimento espiritual, orar, celebrar.

Água

Qualidades: emoção, sensibilidade, receptividade, intuição, maleabilidade, fertilidade, ternura, compaixão, nutrição, conexão com o subconsciente, purificação, renascimento, cura, empatia, amor transpessoal, sonhos, visões, voz interior.

Desafios: flutuações do humor, instabilidade emocional, sensibilidade exagerada, insegurança, timidez, vulnerabilidade, ressentimentos, mágoas, doenças psicossomáticas, depressão, relacionamentos problemáticos, excesso de fantasia.

Deusas: Afrodite, Anahita, Anfritite, Ísis, Ix Chel, Mari, Mere Ama, Oxum, Ran, Salácia, Sedna, Thetys, Tiamat, Yemanjá.

Práticas recomendadas: andar na chuva, nadar, rituais em cachoeiras ou no mar, celebração dos plenilúnios, observar e respeitar seus ciclos biológicos e as brechas emocionais, psicoterapia, essências florais, terapia de renascimento, participação em projetos sociais, cura, fortalecer seu poder de vontade e autoconfiança.

Terra

Qualidades: manifestação, paciência, resistência, responsabilidade, perseverança, estrutura, ordem, sabedoria prática, estar presente na realidade cotidiana, poder da realização e de prosperidade, simplicidade, disciplina, autossuficiência, força de criação e de mudança, segurança, proteção.

Desafios: inércia; teimosia; rigidez; cristalização; apego à matéria, às normas e às regras; dificuldade para expressar emoções; severidade; pessimismo; insegurança; isolamento; egoísmo; materialismo.

Deusas: Al Lat, Baba Yaga, Berchta, Bona Dea, Cailleach, Cerridwen, Coatlicue, Ceres, Danu, Deméter, Erda, Gaia, Hel, Hécate, Holda, Mawu, Nanã Buruku, Nerthus, Pacha Mama, Perséfone, Pomona, Ops, Sheelah na Gig, Tellus Mater.

Práticas recomendadas: caminhar, trabalhar com terra ou argila, contato com energias e seres da Natureza, atividades físicas, resgatar a sabedoria ancestral, ecofeminismo, celebrar ritos de passagem e a Roda do Ano, aprender coisas novas, mudar, contribuir para a preservação da Mãe Terra, agradecer e compartilhar.

Espírito

O elemento do espírito se reflete na nossa disponibilidade para despertar e manifestar nosso pleno potencial, afirmando dons que temos e assumindo a responsabilidade pela nossa vida. Ele se manifesta nos códigos das células cerebrais, que contêm memória e sabedoria, sendo cada uma delas semelhante a um cristal, que amplifica a conexão com o Espírito, a Natureza e o próprio Eu. A imaginação é a chave para a sabedoria; a sabedoria define o caminho para o espírito, revelado pela intuição.

Na Roda, o espírito representa o centro, o ponto de origem, onde começa e acaba a nossa existência. Precisamos sempre manter a conexão com o nosso próprio centro com práticas de enraizamento (que visam ao alinhamento energético e à conexão com a terra). Somente assim teremos uma visão maior e mais completa da realidade, compreendendo melhor a situação e encontrando soluções.

Centrar-se significa ter a consciência e a conexão com o centro, estando em equilíbrio e harmonia com todos os aspectos do nosso ser, representados pelos elementos. Para alcançar esse equilíbrio é necessário praticar o antigo lema filosófico e mágico: *conhece a ti mesmo*. Por meio de atenta autoavaliação, descobrimos os nossos pontos fortes e as nossas vulnerabilidades, os excessos e as deficiências relacionados aos elementos; além de definirmos nossos padrões pessoais (reações, atitudes, compulsões, dificuldades). Uma vez percebidos e avaliados, podemos mudá-los, alterando nossa vibração energética, suavizando excessos ou compensando lacunas. A maneira certa de conseguir a integração e a harmonização energética é usar as práticas recomendadas para cada elemento, além de meditações e rituais específicos para a prática individual ou grupal.

Nas cerimônias, o espírito é simbolizado pelo centro (do círculo, ritual, altar), pelas imagens e objetos da Deusa (madrinha do círculo ou regente da cerimônia), por cristais, mandalas, orações, canções, mudras, mantras, meios oraculares, práticas de meditação, introspecção, contemplação e centramento.

Todas as manifestações da Grande Mãe protegem e orientam a jornada espiritual, fortalecem a conexão com a chama sagrada e proporcionam a expansão da consciência. Além da Deusa, a energia espiritual pode ser representada por seres sobrenaturais, devas, orixás, anjos, seres da Natureza, Senhores e Senhoras dos elementos, mestres, matriarcas e ancestrais.

A seguir, um modelo de autoavaliação para descobrir a predominância de determinado elemento em dado momento da sua vida, por meio da frequência com que as afirmações abaixo descrevem o seu modo de ser. Atribua um valor à frequência com que cada afirmação se aplica a você: raramente = 1; às vezes = 2; e geralmente = 3. Some os pontos de cada elemento separadamente e compare os resultados, verificando qual é a influência predominante. Depois procure os meios que lhe ajudem a equilibrar os excessos ou as deficiências energéticas encontrados nessa avaliação (usando os elementos opostos ou complementares e as atividades a eles associadas).

Elemento Fogo
- Atrevimento e ousadia me impulsionam para conseguir o que quero.
- Afirmo minha própria identidade por meio de ações que exaltam minha coragem e determinação.
- Os detalhes não são tão importantes, pois tenho uma visão abrangente dos fatos.
- Gosto dos desafios; minha vitalidade faz com que tudo se torne uma conquista.
- Sendo dinâmica e automotivada, ajo pelos meus próprios impulsos, pois isso é o que conta.
- Não consigo ficar sentada e assistir a uma injustiça sem tentar corrigi-la.
- Não tenho paciência com pessoas lerdas nem com atividades demoradas.

Elemento Água
- Posso contar com outras pessoas para cuidar dos meus problemas.
- Emociono-me e choro com facilidade.
- Tenho pena de pessoas infelizes, animais e doentes.

- Desde criança tenho medos, seja de coisas que já ocorreram, seja do desconhecido.
- Quando estou aborrecida, não consigo fazer mais nada; minha mente apenas gira.
- Não consigo me esquecer das coisas tristes; lembro-me delas a toda hora.
- Prefiro abrir mão das minhas opiniões e não batalhar por elas.
- Deposito muita fé nos meus sonhos e intuições.

Elemento Terra
- Uma vez estabelecidas as metas, empenho-me para alcançá-las.
- Organização e disciplina são as chaves para o sucesso de qualquer empreitada.
- Não adianta tentar me mudar; eu sou assim mesmo.
- Não me apresse; com paciência eu chego lá.
- Sinto-me segura quando tenho o chão sob os meus pés.
- Não me deixo levar pelas emoções, eu as controlo.
- Somente acredito naquilo que posso ver ou sentir.

Elemento Ar
- Tenho muitas boas ideias, pena que não tenho tempo para realizá-las.
- Penso que a mesma coisa pode ser compreendida de várias maneiras.
- Procuro descobrir a verdade por trás das aparências.
- A rotina me aborrece; gosto mesmo é das coisas novas.
- Penso mais rápido do que consigo falar.
- Quero fazer muitas coisas, mas difícil é saber por onde começar.
- Acredito no sobrenatural, desde que seja comprovado.

Sugestões para rituais

Ritual em grupo para conexão com a Roda Sagrada

É recomendável realizar este ritual ao ar livre, delimitando um círculo com galhos, pedras, fios coloridos ou sal marinho. No centro do círculo, o altar terá elementos e objetos correspondentes às direções (velas na cor do elemento, pedras semipreciosas e cristais), além de imagens de deusas, orixás, devas, seres elementais, animais totêmicos ou de locais naturais. No centro do altar, coloca-se uma imagem ou símbolo da Grande Mãe, como um caldeirão com cristais, conchas, sementes, grãos, galhos verdes, flores, espigas de trigo ou apenas uma mandala para representar a origem e o Todo.

Depois da purificação das participantes com os quatro elementos e os objetos correspondentes (sino, bastão, búzio, chocalho), elas devem formar o círculo de mãos dadas. Em seguida, fazem a harmonização com práticas correlatas aos elementos: respiração polarizada, danças ou canções para o ar; exercícios de bioenergética, oração ou visualização da chama sagrada para o fogo; meditação e purificação com som de chuva ou de ondas para a água; movimentos e sons rítmicos, com chocalhos e batidas de tambor, para a terra. Depois, criam o círculo mágico de proteção com gestos, sons ou visualizações de chamas ou luzes coloridas, formando uma barreira energética ao redor.

A dirigente – ou voluntárias previamente escolhidas – faz(em) a abertura dos portais com invocações ou orações para as Senhoras e Guardiãs das direções, pedindo também a permissão e a presença dos seres elementais (silfos, salamandras, ondinas e gnomos). Pede(m) a bênção da Mãe Terra, ajoelhando e tocando o chão com as mãos, depois invocando a Grande Mãe ou a Deusa Madrinha (do grupo ou do ritual). Dependendo do propósito ou da finalidade do ritual, as mulheres realizam meditações para a conexão com as energias e os seres elementais, viagens xamânicas para o encontro das Guardiãs das direções e dos animais totêmicos, práticas mágicas direcionadas para um objetivo grupal ou comunitário, reverência e celebração de determinada Deusa ou da Mãe Terra. No final do ritual, as participantes agradecem às forças e aos seres invocados e desfazem o círculo mágico no sentido anti-horário, direcionando a energia criada para as próprias auras e oferecendo o excesso para a Mãe Natureza.

Ritual individual de energização com os elementos

Para compensar a ausência das energias da Mãe Natureza no nosso hábitat urbano, precisamos ativar nossos centros vitais (os chakras) com práticas energéticas e meditações. Se criarmos o hábito de reservar um tempo sagrado, no ritmo sobrecarregado da vida cotidiana, para recarregar nossas "baterias" energéticas, isso nos permitirá resistir melhor aos desgastes mentais, emocionais e físicos, facilitando também a conexão com nosso Eu divino e nossa voz interior. Após compreender a sequência abaixo sugerida, ela poderá ser feita com rapidez e facilidade, pela manhã ou à noite.

Se possível, tome primeiro um banho de purificação áurica com uma infusão de ervas (alecrim, sálvia, eucalipto, arruda, manjericão) e um punhado de sal marinho, acrescentando sete gotas de essência de sândalo. Após um curto relaxamento e centramento, fique em pé, com a coluna reta, e faça sete respirações amplas, profundas e ritmadas. Transporte-se mentalmente para o seu lugar preferido na natureza (escolhido como "seu santuário": na mata, na beira de um rio ou do mar, na montanha, em um campo florido). Continuando em pé e com as pernas ligeiramente afastadas, imagine que a energia da terra (verde, marrom ou colorida) está penetrando pela sola do seu pé direito, dando-lhe firmeza e sustentação, subindo depois ao longo da perna, da coxa, do quadril e da coluna, até se acumular no alto da cabeça. Concentrando-se agora no pé esquerdo, balance-o três vezes, imaginando que, pela sola, você está absorvendo a energia do ar, como uma suave brisa fresca na cor azul-claro; ela segue o mesmo trajeto até o alto da cabeça. Elevando o braço direito e abrindo a mão, visualize raios solares dourados penetrando pela ponta dos dedos, ativando a circulação (perceba isso como um ligeiro formigamento), subindo pelo braço, passando pelo ombro e pela nuca, até chegar à cabeça, unindo-se às outras energias em uma bola luminosa e pulsante. Proceda da mesma maneira com o braço esquerdo, mas estabelecendo, dessa vez, a conexão com a energia da água (chuva, cachoeira ou mar), cintilando sob os raios prateados da Lua.

Traga agora a consciência para a sua filiação divina e, abrindo sua mente e seu coração em oração, peça à Grande Mãe, a Fonte Criadora, Nutriz e Mantenedora da Vida, que permita o aumento da sua vitalidade, da sua saúde e do seu poder de realização, afastando energias e influências nefastas e fortalecendo seus escudos de proteção. Fique na postura de estrela (as pernas afastadas, os braços abertos e elevados, a cabeça erguida); centre-se e se perceba como uma representação viva do pentagrama, o sagrado símbolo de proteção, poder e alinhamento que reúne em suas pontas as energias da terra, do fogo, da água e do espírito. Essas energias elementais e naturais estão harmonizando seus campos sutis e se integrando na sua aura, alinhando todo o seu ser.

Agradeça à Grande Mãe pela vida, família, lar, saúde, trabalho, sustentação, amigas e irmãs de caminhada espiritual. Ofereça à Mãe Terra sua gratidão em forma de compromisso para contribuir, de algum modo, para a preservação dos seres vivos e dos recursos naturais (em benefício de todos os Seus filhos e do Todo) e para zelar pelo seu próprio equilíbrio e alinhamento energético.

III.II RODAS XAMÂNICAS

> *Sou semente no Leste, abrindo-me em verdes brotos... eu dou a volta na roda. Sou flor no Sul, com muitas formas e cores... eu dou a volta na roda. Sou fruta no Oeste, criando sementes dentro de mim... eu dou a volta na roda. Fico em silêncio no Norte, aguardando a minha libertação; sou sábia no Norte, e espero a renovação.*
>
> – "Circle Round the Wheel", canção composta por Elaine Peterson, cantada por Brooke Medicine Eagle

A tradição xamânica é um caminho espiritual cujos valores se baseiam no respeito mútuo, na harmonia e na cooperação entre todos os seres vivos. Tudo o que existe na Teia da Criação é conectado e interdependente; não existe conflito nem cisão entre espírito e corpo, energia e matéria, mundo real e "realidade não ordinária ou incomum" (os reinos sutis). Tudo é sagrado; tira-se da Natureza apenas o necessário e se repõe o que foi retirado, de uma forma ou de outra. A essência espiritual reside em todos os seres, independentemente de suas formas físicas.

"O caminho do xamã" visa à transformação, ao fortalecimento e à cura – individual, grupal, global. Os xamãs sabem como usar as energias com fins de transmutação e renovação e como se deslocar entre os mundos físico e espiritual em busca de auxílio, orientação, cura e sabedoria, para si, para seus irmãos ou para a comunidade.

Segundo Michael Harner (antropólogo, autor do livro *O Caminho do Xamã* e fundador da Foundation for Shamanic Studies, nos Estados Unidos), o verdadeiro xamanismo é o mais antigo e difundido sistema metodológico de cura do corpo e da mente. Segundo evidências arqueológicas e etnológicas, as técnicas xamânicas existiam há vinte ou trinta mil anos em várias partes do mundo, esquecidas ou condenadas pelas culturas contemporâneas, porém preservadas pelos povos indígenas. Atualmente, o xamanismo está se tornando tema de pesquisas científicas e é aceito, estudado e adotado como filosofia e prática por um número crescente de pessoas, no mundo inteiro. Após uma recusa ou resistência inicial às intromissões dos "homens brancos" nas tradições nativas, vários dirigentes e sábios tribais estão concordando em partilhar sua sabedoria, em razão da situação crítica do planeta e da necessidade premente de reaprender e praticar uma forma saudável e equilibrada de viver, conviver e sobreviver. O ressurgimento atual do xamanismo se deve, segundo Michael Harner, a vários fatores, entre eles:

- À busca por experiências extáticas e pela projeção astral sem a necessidade de substâncias que alterem a consciência (a "viagem xamânica" tradicional é realizada apenas com o som de batidas de tambor);
- À busca por abordagens holísticas da cura, em vista da decepção crescente com os recursos alopáticos e a medicina tradicional;
- À divulgação de antigas práticas de "ecologia espiritual", tão necessárias nesta atual e crescente crise planetária do meio ambiente. A reverência pela Natureza e a comunicação xamânica com outros seres vivos estão restabelecendo a conexão ancestral perdida entre os seres humanos, as forças espirituais e as energias naturais;
- À utilização do trabalho xamânico como um espelho em que são refletidos aspectos e qualidades que ignoramos, mas que nos pertencem e devem ser percebidos, reforçados, abolidos ou transmutados. A conexão com os totens do reino mineral, vegetal e animal, e com as divindades de vários panteões, permite experiências e interações que favorecem nossa transformação nos níveis físico, mental, emocional ou espiritual. Os seres sobrenaturais representam forças arquetípicas que nos auxiliam na cura de feridas, desequilíbrios e desajustes, favorecendo a nossa transmutação e renovação.

Existem várias tendências atuais para interpretar ou praticar os ensinamentos xamânicos, muitas vezes influenciados pelas interpretações, pelos valores, pelas crenças, pelas práticas, pelas ideias ou pelas preferências pessoais dos dirigentes de grupos, pelas vivências ou pelas atividades. Sem me aprofundar nos fundamentos filosóficos ou nas diferenças de conceitos, ensinamentos e procedimentos entre as várias tradições xamânicas, vou apenas descrever, de maneira resumida, correspondências e práticas da Roda Sagrada baseadas nos ensinamentos de Michael Harner, Sun Bear, Brooke Medicine Eagle, Sandra Ingerman e Kenneth Meadows (autor de *Medicine Way*, citado na Bibliografia), mestres a quem devo a minha iniciação e preparação nesse caminho e cujos livros recomendo para quem queira se aprofundar no assunto.

1. Roda Xamânica padrão

> *O ar nos movimenta, o fogo nos transforma, a água nos modela, a terra nos cura e assim mantêm-se o equilíbrio da roda que gira.*
>
> – Canção tradicional nativa norte-americana

Por considerarem o círculo a forma mais perfeita e sagrada que existe na natureza, os nativos norte-americanos o usavam de forma mágica, cerimonial ou no cotidiano (na construção de suas cabanas, saunas e túmulos). Eles se reuniam em círculo e Rodas Sagradas nos encontros ou conselhos, nas cerimônias ou rituais, quando dançavam ao som de tambores, também redondos. Quando os europeus chegaram ao continente americano, encontraram mais de vinte mil Rodas Sagradas, feitas com pedras toscas, de vários tamanhos e em número variável. Situadas nos pontos de maior vibração telúrica ou cósmica, essas Rodas eram consideradas, por várias tribos nativas, locais sagrados.

A Roda Sagrada representa a própria jornada da alma, vista como trajetória entre o nascimento e a morte, quando o espírito sai do círculo da vida e fica à espera de outro, em seu eterno movimento. A pessoa entra na Roda da Vida por determinado ponto, definido pela lunação em que nasceu e que estabelece o modo como ela percebe, de início, a realidade. No entanto, a permanência no ponto de partida limita o desenvolvimento, por isso é necessário que o homem busque a compreensão e o crescimento através do outros caminhos. Somente assim ele se torna um ser pleno e capaz de assumir as rédeas da sua vida, fazendo escolhas acertadas e agindo com consciência e responsabilidade.

Além de servir como espaço cerimonial para ritos de passagem, rituais, celebrações, orações e cura, a Roda Sagrada atua como um elo entre o ser humano, as forças da Natureza, o Pai Céu, o Vovô Sol, a Vovó Lua, a Mãe Terra, a Fonte Criadora e os aliados de todos os reinos. Na vida moderna, ela serve como um guia para o autoconhecimento e a transformação, por constituir um círculo de poder gerado pela mente que possibilita a conexão com forças cósmicas e telúricas e a harmonização entre a dimensão interior do ser e o ambiente externo.

"Viajar dentro da Roda Sagrada" significa entrar em contato com cada uma das quatro direções cardeais e seus significados, que representam caminhos para o centro do ser, onde pode ser estabelecida a ligação com o Eu superior e o Todo. Ao percorrer esses caminhos, a pessoa experimenta todas as energias da Roda e adquire o conhecimento para buscar mudanças ou soluções para os problemas cotidianos. Cada caminho é um método de autoconhecimento, descobertas e realizações, na busca do equilíbrio em todos os níveis e planos.

Na prática, pode-se construir uma roda maior, ao ar livre, ou menor, em cima de uma mesa, tábua ou cartolina (colando-se as pedras nela). Cada pedra representa um poder, uma força, uma qualidade, uma possibilidade, e tem atributos e totens característicos. Por meio de meditações (ao som de batidas de tambor ou de chocalho) ou de vivências (jejuns, saunas sagradas e a "busca da visão"), a pessoa se conecta com a pedra ligada à sua questão ou situação momentânea e capta as mensagens e informações vindas dos níveis inconscientes ou supraconscientes.

Roda Xamânica padrão com cinco pedras

O símbolo básico dessa Roda é a cruz dos elementos materiais contida no círculo do espírito – motivo encontrado em todas as antigas culturas e tradições esotéricas. O ponto central representam o espírito e o Eu superior; as quatro direções, os elementos e atributos associados são os caminhos que o buscador percorre nas suas meditações ou vivências.

Uma vez definido o lugar e o tamanho da Roda, escolhem-se cinco pedras com dimensões adequadas ao tipo de Roda e, se for possível, nas cores correspondentes às direções (amareladas para o Leste, avermelhadas para o Sul, pretas para o Oeste, brancas para o Norte, no centro uma pedra maior ou uma drusa de cristal). Após defumar o ambiente e as pedras com fumaça de folhas de sálvia, a praticante ou o círculo se purificam também e iniciam uma breve preparação (com uma dança, canção ou centramento).

Depois de formada a roda de pedras, devem-se fazer uma meditação para cada pedra e uma visualização dos seus atributos e totens. É importante lembrar que, tanto para construir a roda quanto para percorrê-la (física ou mentalmente), o movimento é sempre no sentido horário. Para representar os caminhos que ligam as direções ao centro, podem ser usadas pedras menores ou fitas coloridas. Antes de iniciar a construção da Roda é imprescindível conhecer as suas correspondências tradicionais.

Direção Leste. O caminho da visionária. O portal para o espírito. O poder da luz e da fé. A busca da iluminação.

Elemento: fogo. Reino: humano. Cor: amarelo-dourado. Estação: primavera. Tempo do dia: nascer do Sol. Sentido: visão. Corpo celeste: Sol. Qualidade: determinar. Atributos: clareza, discernimento, força, ação, expansão, dinamismo, novos começos, energia, vitalidade, vontade, coragem, paixão, fé. Clã: do falcão. Instrumento: *clicking sticks* (bastões de percussão). Objetos: flecha de oração (*prayer arrow*), bastão, tocha, vela. Animais totêmicos: águia, falcão, gavião, tigre, leão, onça. Espírito ancestral: Vovô Sol. Guardião: Wabun.

Questionamento: para onde estou indo? O que está impedindo o meu progresso espiritual?

Tarefas: avaliar e transmutar a raiva, a impaciência, a irritação, a ansiedade, a pressa. Sintonizar-se com o Sol.

Direção Sul. O caminho da criança e da aprendiz. O portal das emoções. O poder da confiança e do amor. A busca do verdadeiro Eu.

Elemento: água. Reino: vegetal. Cor: vermelha (do sangue) e verde (da seiva). Estação: verão. Tempo do dia: meio-dia. Sentido: paladar. Corpo celeste: Lua. Qualidade: dar. Atributos: sentimentos, confiança, inocência, espontaneidade, sensibilidade, amor, compaixão, fluidez, fertilidade, purificação, harmonização. Clã: do sapo. Instrumento: pau de chuva. Objetos: cabaça, conchas, espelho, taça. Animais totêmicos: camundongo, coiote, sapo, serpente, lebre, golfinho, gaivota, garça, enguia, salmão, baleia. Espírito ancestral: Vovó Lua. Guardião: Shawnodese.

Questionamento: quais são as minhas verdadeiras necessidades emocionais? O que preciso fazer para alcançar o equilíbrio emocional e curar as feridas da minha criança interior?

Tarefas: libertar-se dos medos e das dependências emocionais; conectar-se com as fases da Lua, com a água, com as plantas; usar chás, banhos, essências florais.

Direção Oeste. O caminho da cura. O portal para o corpo e a realidade material. O poder da transição e da transformação. A busca do sonho sagrado e de sua realização.

Elemento: terra. Reino: mineral. Cor: azul-escuro, marrom e preto. Estação: outono. Tempo do dia: pôr do sol Sentido: tato. Corpo celeste: Terra. Qualidade: segurar. Atributos: matéria, corpo, interiorização, introspecção, paciência, perseverança, transmutação, cura, silêncio, intuição, espíritos ancestrais. Clã: da tartaruga. Instrumento: chocalho, tambor, *didgeridoo* (flauta dos aborígines australianos) Objetos: pote de barro com terra, pedras, cristais, grãos, sementes, frutas, raízes, ossos, chifres, pêlo ou casco de animais, roda sagrada. Animais totêmicos: tartaruga, urso, lobo, cavalo, cervo, alce, castor, esquilo, aves de rapina, formiga, abelha. Espírito ancestral: Mãe Terra. Guardião: Mudjekeewis.

Questionamento: quais são as dependências, as compulsões, os hábitos, os condicionamentos que me causam sofrimento? O que precisa "morrer" para me desbloquear, transformar e curar?

Tarefas: refletir sobre as próprias amarras e bloqueios; buscar orientação para a transmutação, com o auxílio dos espíritos ancestrais ou protetores; meditar a respeito da morte.

Direção Norte. O caminho da guerreira. O portal para a mente. O poder do conhecimento e da força. A busca da compreensão e da sabedoria.

Elemento: ar. Reino: animal. Cor: branco e cinza. Estação: inverno. Tempo do dia: noite. Sentido: audição. Corpo celeste: estrelas. Qualidade: receber. Atributos: pensamento, aprendizado, respiração, inspiração, criatividade, comunicação, movimento, receptividade, libertação das ideias e crenças limitantes. Clã: da borboleta. Instrumento: flauta, assobio. Objetos: *talking stick* "bastão (ou objeto) da palavra", cachimbo sagrado, incenso, leque, penas. Animais totêmicos: libélula, borboleta, colibri, coruja, aranha, búfalo, corvo, raposa, macaco, elefante. Espírito ancestral: Pai Céu. Guardião: Waboose.

Questionamento: do que preciso me libertar para encontrar a verdade? Em que direção devo seguir para aproveitar melhor o meu potencial mental?

Tarefas: avaliar e transmutar os padrões mentais negativos e as crenças limitantes; meditar na Roda Sagrada ou deitada, em silêncio e com cristais colocados nos chakras.

Centro. A manifestação da espiritualidade. O portal de conexão e direcionamento de todas as energias para o contato com o plano divino. O poder mágico sagrado.

Elemento: éter. Reino: divino e sobrenatural. Cor: violeta, branco, dourado, o arco-íris. Estação: a Roda do Ano. Tempo: a eternidade. Sentido: intuição, visão interior e canalização. Corpo celeste: Universo. Qualidade: evoluir. Atributos: evolução, transformação, expansão da consciência, transcendência, iluminação. Símbolo: ovo cósmico, bola de cristal, labirinto, mandalas, imagens da Deusa. Animais totêmicos: todos. Seres espirituais: de todos os reinos, planos, dimensões cósmicas, celestes, telúricas, ctônicas. Guardião: a Madrinha individual ou grupal, a Matriarca da lunação.

Após percorrer a Roda e chegar ao seu centro, a pessoa percebe os desafios encontrados e os aprendizados deles decorrentes, associados a cada direção, e pode assumir, assim, a responsabilidade pela própria vida. No centro, todas as direções estão em equilíbrio, pois ele é o ponto onde se encontra o poder interior, onde se obtêm a perspectiva e a harmonização daquilo que é vivido e descoberto no mundo exterior. O centro simboliza a consciência do verdadeiro Eu, da individualidade; centrar-se significa poder entrar em contato com o Eu Superior, a mente universal, o inconsciente coletivo. Em outras palavras, o centro é o ponto de quietude e harmonia que permite a conexão com a nossa essência divina, onde aprendemos o amor por nós mesmas e pelos outros. O centro do nosso ser é considerado a sede da chama divina; ao visualizá-la, encontramos a origem de nossa essência. Na jornada xamânica, parte-se do centro da Roda para explorar os outros planos e mundos; o centro representa a realidade "ordinária", telúrica e comum, de onde a consciência se desloca para o mundo subterrâneo (ctônico) do subconsciente e para o mundo superior (celeste) do supraconsciente.

Para centrar-se, aconselho um exercício simples, que você pode fazer antes de sair de casa ou em situações de tensão ou insegurança. Nos encontros do círculo, é uma maneira rápida e eficiente para equalizar as vibrações individuais, antes de qualquer prática ou ritual.

> Coloque a palma da mão esquerda no centro do corpo físico (três centímetros acima do umbigo) e a mão direita por cima da esquerda. Nesse plexo nervoso, estão concentradas todas as energias absorvidas – ou geradas – e guardadas. Por meio dele você pode atrair a energia cósmica, que será concentrada através da intenção e projetada na direção de um alvo especial. Comece a respirar "pelo ventre", imaginando que o ar entra por esse ponto. Siga um ritmo uniforme em quatro tempos: conte até quatro para inspirar, para reter o ar nos pulmões, para expirar e para descansar com o pulmão vazio, por alguns minutos. Por meio desse padrão respiratório e mantendo a consciência fixada no seu centro, modifica-se a vibração, harmonizando-a com o pulsar rítmico do universo. Após alguns momentos, você vai perceber um estado de calma e relaxamento, mas a mente estará alerta. Se quiser, acrescente afirmações

e visualizações para alcançar um objetivo específico ou apenas para reforçar o seu bem-estar, reafirmar o controle sobre sua vida e a certeza de que tem o poder e os meios para manifestar seus sonhos e aspirações. Perceba sua energia se tornando mais vibrante e permaneça alguns instantes imersa nesse espaço de paz e renovação. Para finalizar, faça três respirações profundas, estique os braços e reassuma seus afazeres cotidianos, com novo impulso e mais confiança.

A Roda Sagrada material – criada com cinco pedras coloridas – serve como meio auxiliar para imprimir na sua mente os conceitos simbólicos a ela relacionados, por meio dos sentidos e das palavras que os definem. Porém, a verdadeira Roda Sagrada existe permanentemente ao nosso redor e pode vibrar na nossa mente por meio da imaginação, que atua como a chave para o sub e o supraconsciente.

Por representar os quatro elementos do mundo material, a Roda contém em si todo o poder de criação, pois os elementos estão ligados simbolicamente a todos os padrões energéticos. Portanto, com a ajuda da Roda Sagrada, da sua vontade (*força motiva*) e do seu desejo (*força emotiva*), a mente consciente transfere para o subconsciente o potencial de realização que vai se manifestar na realidade física. A visualização é extremamente importante na meditação xamânica, pois ao pensar em imagens acessamos o sub e o supraconsciente. Com a prática constante, essa habilidade torna-se mais fácil, principalmente se usarmos as batidas de tambor como "meio de transporte" do mundo real para os planos sutis (o tambor é o *cavalo do xamã*).

Roda Xamânica padrão com nove pedras

Em alguns locais ou em determinadas circunstâncias (nos ritos de passagem, na sauna sagrada, para a consagração do tambor ou na confecção da "flecha de oração"), precisamos conectar, invocar e atrair os poderes das direções cardeais intermediárias (nordeste, sudeste, sudoeste e noroeste). Essas direções representam o ponto de encontro e amalgamação de um elemento da Roda Sagrada com o seguinte, ou seja, ar e fogo, fogo e água, água e terra, terra e ar. Essas combinações energéticas contêm um relevante poder criativo, formando algo novo, relacionado a ambos os elementos, mas único. Nesse caso, constrói-se ou mentaliza-se uma Roda Xamânica com nove pedras, acrescentando ao modelo anterior mais quatro pedras, que correspondem às direções intermediárias. No plano humano, o encontro no nível interior dos elementos dá origem ao poder pessoal e à criatividade, atributos necessários para superarmos e aprendermos com desafios e adversidades.

Nordeste – o poder da mudança objetiva e planejada

Este portal dá acesso ao conhecimento universal e ao contato com mestres espirituais, permitindo realizar mudanças.

A mescla do ar (representando o movimento, a mudança, o começo) com o fogo (a vontade, a criatividade, a paixão) cria as condições energéticas necessárias para um novo começo, bem como para o crescimento e desenvolvimento daquilo que foi iniciado. A cor associada é o verde.

Sudeste – o poder dos ancestrais e do passado

Por meio deste portal, acessam-se experiências passadas e a história pessoal. Ele favorece o contato com os espíritos dos antepassados e a sabedoria ancestral.

A mescla do fogo com a água, da visão, da energia, da vontade, da ação, da coragem com a receptividade, a sensibilidade, a emoção e a introspecção reforça as qualidades de ambos os elementos e torna possível nutrir os sonhos e as visões com o poder de fogo criador. Alcançam-se níveis mais profundos de desenvolvimento pessoal e ampliam-se as habilidades da intuição e da criatividade. A cor associada é o azul.

Sudoeste – o poder dos sonhos e das aspirações

Este portal dá acesso ao poder do potencial místico revelado em sonhos e nas aspirações. Ele representa a busca do aperfeiçoamento pessoal e facilita o contato com os Mestres espirituais durante os sonhos.

A combinação da água com o poder silencioso, misterioso, sábio e sólido da terra estimula a manifestação das estruturas e facilita o crescimento das formas, com profundidade, segurança e fluidez. A cor associada é o rosa.

Noroeste – o poder do carma, da lei de ação e reação

Por meio deste portal, permite-se o acesso ao Livro da Vida e ao conhecimento do carma pessoal e familiar, dependendo do merecimento individual.

Quando o poder estruturado e sólido da terra se combina com o movimento instável do ar, novas ideias aparecem, e a sabedoria antiga se expressa com mais facilidade e rapidez. Os mistérios passam a ser revelados por palavras, a comunicação interdimensional é favorecida. A cor associada é o violeta.

"Flecha de oração" (*Prayer Arrow*)

Na tradição xamânica, a flecha representa mais do que uma arma de caça ou defesa; ela é uma ferramenta espiritual, usada como foco na meditação e como meio para direcionar pedidos e orações. Seu objetivo é imprimir em um substrato material o objetivo de cura, proteção, força, sabedoria ou evolução.

Para confeccionar uma "flecha da oração", procure um galho seco de uma árvore frondosa e use fios coloridos para "tecer" os atributos das direções, enrolando a lã ou linha no bastão. Para cada direção faça uma visualização das suas qualidades e correspondências e mentalize os objetivos pessoais sendo impregnados energeticamente por meio de uma oração e afirmação. Depois de pronta, você pode lançar a flecha na direção de maior relevância na sua vida pessoal (como busca ou necessidade) ou amarrá-la em uma árvore, entregando ao universo seu pedido.

Um círculo de mulheres pode preparar uma flecha grupal definindo previamente os aspectos que serão imantados e depois guardá-la no espaço das reuniões ou entregá-la ao poder de manifestação da Mãe Natureza e das forças espirituais.

2. Roda Xamânica de cura (*Medicine Wheel*)

Para os povos nativos norte-americanos, as Rodas Sagradas serviam como centros cerimoniais comunitários para observações astronômicas e como locais especiais de oração, meditação, contemplação, conexão com a Mãe Terra e transformação pessoal para cura. Além de serem situadas em locais onde as forças telúricas eram mais intensas, seu uso ritualístico ampliou essas correntes, tornando essas áreas verdadeiros vórtices energéticos.

Semelhantes às Rodas Xamânicas são os círculos europeus de menires e as mandalas da Índia, reminiscências do nosso passado, quando o mundo era guiado pelas leis da colaboração e interação harmoniosa entre os seres humanos e seus irmãos dos outros reinos (mineral, vegetal, animal e espiritual). O conhecimento e a prática dos ensinamentos da Roda Xamânica vão nos lembrar a conexão com todos esses aspectos do universo e auxiliarão no nosso aprimoramento e transformação pessoal.

Em função de sua data de nascimento, cada ser humano pertence a determinada posição na Roda Sagrada; porém ele não fica preso a ela, pois pode se deslocar ao longo da vida, para experimentar novas possibilidades e ensinamentos representados pelos outros pontos da Roda. Cada pedra representa aspectos e qualidades específicas. Ao nos aproximarmos de determinada pedra – na vida real ou na imaginação –, podemos atrair seus atributos e harmonizar áreas diferentes de nossa vida. Buscam-se novos aprendizados e vivências para expandir a consciência e ampliar as perspectivas do autoconhecimento e da realização pessoal.

O ato de "movimentar-se na Roda" não é obra do acaso, mas fruto da combinação de força de vontade, firme intenção mental, conhecimento dos atributos da Roda e motivação para atingir determinado propósito.

Para que os círculos sagrados femininos possam se beneficiar dessa antiga sabedoria e saber como construir uma roda de cura para meditações, vivências e rituais, seguem as coordenadas básicas para sua construção e uso. Descrições detalhadas dos totens, objetos mágicos e cerimoniais para *dançar na roda* podem ser encontradas nos livros de Sun Bear e seus colaboradores, principalmente *Dancing the Wheel, Dreaming with the Wheel* e *The Medicine Wheel*.

A formação tradicional de uma Roda Xamânica de Cura requer 36 pedras, dispostas da seguinte maneira:

- um círculo periférico com dezesseis pedras maiores;
- um círculo central com sete pedras diferenciadas;
- uma pedra maior, ou mais significativa, no centro;
- quatro raios formados por três pedras menores cada, ligando o círculo central com as direções cardeais do círculo periférico.

A pedra do centro representa a Fonte Criadora, o eterno ciclo da Criação, sem começo e sem fim, em contínuo movimento. Do centro se espalha a energia que cria e mantém integrado todo o restante da Roda.

O círculo central de sete pedras representa a fundação da vida, começando com a pedra da Mãe Terra no ponto ligeiramente ao sul da direção Leste. A Mãe Terra abriga, protege, nutre e sustenta todas as formas de vida. Continuando na direção horária (o sentido obrigatório para construir e se movimentar dentro da Roda), encontra-se a pedra do Vovô Sol, que desenvolve, aquece, vitaliza e promove o crescimento de todos os seres, seguida da Vovó Lua, a guia dos nossos sonhos, ciclos e visões. Seguem-se quatro pedras representando os clãs: da tartaruga (terra), do sapo (água), do pássaro do trovão (fogo) e da borboleta (ar), que ensinam os fundamentos básicos de toda a vida.

No círculo externo, as quatro pedras localizadas nos pontos cardeais simbolizam os Espíritos Guardiões: Waboose (Norte), Wabun (Leste), Shawnodese (Sul) e Mudjekeewis (Oeste). Eles dividem o círculo em quadrantes que definem os setores das lunações (as doze pedras restantes). As lunações mostram as correspondências entre estações, tempo, vida, totens dos três reinos e os guardiões para cada um dos doze signos astrológicos equivalentes às lunações.

Para completar a Roda, há os quatro caminhos, cada um formado por três pedras, os quais indicam as qualidades necessárias para ultrapassar a realidade cotidiana e atingir a dimensão do sagrado.

A verdadeira compreensão dos ensinamentos e das possibilidades oferecidos por uma Roda Sagrada (independentemente do seu tamanho ou localização) ultrapassa o nível intelectual e material, exigindo do buscador tempo, dedicação e perseverança nos estudos e nas práticas que envolvem meditações e visualizações dos seus atributos, energias e arquétipos associados.

Construção de uma Roda Xamânica de cura

O local da Roda deve ser escolhido com cuidado, de modo que a energia do ambiente tenha boa vibração; fique longe de casas, estradas, postes e transformadores elétricos, e em um terreno plano e limpo. O centro pode ser marcado por uma pedra especial, uma drusa de cristal, uma estátua, uma árvore perene ou um local para uma fogueira.

As melhores pedras para essa finalidade são encontradas na Natureza (no campo ou na beira de um rio). Devemos lembrar que, se formos retirar pedras do seu hábitat, a "etiqueta xamânica" requer que primeiro façamos uma oração pedindo permissão aos Guardiões e aos seres habitantes do local e deixemos no lugar delas uma oferenda de fubá, fumo, grãos, mel ou vinho. Se as pedras forem compradas, convém purificá-las primeiro com fumaça de sálvia branca. Uma opção que envolve a participação de todas as mulheres do círculo é pedir-lhes que tragam pedras para as posições na Roda com a qual sintam mais afinidade.

Antes de começarem a colocação das pedras, todas as participantes devem se purificar com fumaça de sálvia e se harmonizar com dança ou meditação ao som de batidas de tambor. Segue um breve ritual com invocações de permissão, ajuda e bênção das energias representadas pela Roda Sagrada. O perímetro da roda é marcado com um barbante amarrado em um galho, que serve como compasso. As pedras podem ser colocadas nos lugares pelas mulheres; mas, caso se peça a ajuda de outras pessoas, as pedras devem ser novamente purificadas no final.

Deve-se respeitar uma "hierarquia" na ordem dos posicionamentos: após a pedra central, demarca-se o círculo interno; depois, as pedras das direções (começando no Norte), as das lunações (iniciando também no Norte) e, por fim, as pedras dos caminhos, partindo do centro para a periferia. Antes de colocá-las no lugar (escolhido previamente em função do formato ou da cor da pedra), elas são "oferecidas" aos seis poderes universais (as quatro direções, acima, abaixo), depositando-se um pouco da oferenda no fundo do buraco e recitando-se uma invocação, oração ou afirmação. Não se deve esquecer que, para centramento, invocações, meditações, rituais de conexão e expansão ou oferendas, o sentido do movimento dentro da Roda é horário – seguindo a "marcha do Sol". O sentido anti-horário é usado apenas nos rituais de transmutação e banimento.

Consagra-se a Roda com pequenas oferendas (fubá, fumo, urucum, leite, vinho, água, mel, grãos e ervas), afirmações, cânticos, uma dança circular (ao redor das pedras), um fogo cerimonial (se no centro for o local da fogueira). Se no centro houver uma árvore, amarram-se "presentes" como tranças de fios ou fitas coloridas, cristais, "flechas da oração", "filtro dos sonhos", sacolas com sementes, símbolos de cura ou transmutação. Celebra-se com uma confraternização com frutas, pão, saladas e sucos.

Uma vez construída a Roda Sagrada, ela deve ser usada frequentemente para energização, meditações, oferendas, rituais, cerimônias e conexão com as energias por ela representadas. Em cada posição, alcançam-se novos *insights*, amplia-se a compreensão sobre a vida pessoal, percebem-se melhor os mistérios da Natureza e os ciclos da vida. Se o centro for uma árvore, ao tirar os sapatos e abraçá-la, cria-se pelo contato um canal condutor de energias celestes, telúricas e subterrâneas (ctônicas) que podem ser absorvidas pelos centros energéticos individuais, aumentando a força vital, a resistência e a segurança, favorecendo a cura e o equilíbrio.

Para os nativos norte-americanos, *medicine* significa "poder", a energia vital existente na Natureza (denominada também *chi, ki, önd, mana, prana, orgone* ou *axé*) e a sabedoria que permite ao buscador alcançar seus objetivos. Portanto, a *Medicine Wheel* simboliza um círculo de poder energético, que pode ser controlado e direcionado pela mente, e é uma ferramenta sutil que permite o alinhamento do ser humano com as forças cósmicas e naturais e a harmonização pessoal e do ambiente ao redor. Para uso individual, uma "minirroda" pode ser feita com pequenos seixos de rio ou pedrinhas coladas sobre uma tábua de madeira ou uma cartolina. Ela poderá ser usada nas meditações, colocada no altar pessoal ou representar o universo individual nas visualizações.

Correspondências e atributos da Roda Sagrada

É indispensável conhecer as correspondências e os atributos da Roda Sagrada para invocar, atrair, direcionar, movimentar e usar seus poderes em cerimônias e rituais, para fins mágicos ou terapêuticos.

O círculo interno

Centro. Fonte Criadora. Fundação.

Por representar o Grande Mistério de todas as coisas e do Todo, o começo e o fim da vida, a energia divina universal, o Deus e a Deusa, o Grande Espírito, a Fonte Criadora, a pedra ou o ponto central, não tem totens associados a ele. Todos os reinos, cores, elementos, seres, espíritos fazem parte da Criação. O seu ensinamento é sobre fé, poder criativo, sacralidade, inspiração, manifestação e sabedoria ancestral. Ao se conectar com o seu poder, obtêm-se orientações sobre o caminho espiritual, as mudanças necessárias e os novos valores e visões a serem alcançados.

A Mãe Terra

Sua pedra é a primeira a ser colocada no círculo interno, pois ela simboliza a energia fertilizadora, geradora, nutriz e protetora da nossa Mãe Terra. Ela ensina como podemos nos fortalecer por meio da conexão com suas energias, como receber *insights* para colaborar como os outros e no intuito de curar os desequilíbrios planetários, participando, de fato, sem permanecer apenas nas palavras, ideias e propostas.

Totens: cor verde, argila, minerais, cristais, cereais, milho, raízes, tubérculos, sementes, flores, frutos, a tartaruga e seu casco.

Vovô Sol

Em seguida, a pedra do Sol representa o princípio masculino e a energia ativa do universo, oferecendo o poder de crescimento, a coragem e a expansão. Para as mulheres é um incentivo para que defendam seus limites e entrem em contato com seu *animus* (sua contraparte masculina), opondo-se às pressões patriarcas e às dominações.

Totens: cor amarela, elementos fogo e ar, pedras amarelas (quartzo, citrino, âmbar), girassol, camomila, lagarto, felinos, águia.

Vovó Lua

A pedra seguinte do círculo interno honra as energias cíclicas da Lua, a conexão com o princípio arquetípico feminino, a intuição e a contemplação. Ela permite às mulheres melhor compreensão das emoções, dos sonhos e das visões, para superarem seus medos e curarem as feridas da alma.

Totens: cor branco-prateada, elemento água, pedra da Lua, prata, artemísia, pássaro mergulhão, coruja.

Os clãs dos elementos

Seus atributos diferem entre si, mas cada um deles oferece meios adequados para descobrirmos e desenvolvermos nossos dons e nossas habilidades.

Clã da tartaruga

Representa a terra, sendo o mais denso, estável e lento de todos os clãs. A sua influência se manifesta em senso prático, perseverança, firmeza, discernimento, ordem, organização, prudência e conexão com a Mãe Terra. As pessoas influenciadas por esse clã devem evitar a estagnação e a cristalização, a rigidez e a dificuldade de mudar, que podem torná-las inflexíveis, bloqueadas, frias, fechadas, obstinadas, insensíveis e manipuladoras. Se alguém perceber em si a existência de uma dessas características, recomenda-se que avalie os motivos que a determinaram e procure a conexão com outro clã para se desbloquear. Se, pelo contrário, a pessoa for muito aérea, dispersa, com dificuldade de se concentrar ou perseverar, o contato com esse clã favorecerá a sua transformação.

Totens: cores verde e marrom, madeira petrificada, junco, as lunações correspondentes aos signos da terra (Capricórnio, Touro, Virgem) e seus animais totêmicos (ganso da neve, castor, urso-pardo).

Clã do sapo

Associado ao elemento água, sua energia torna acessível o poder regenerador, rejuvenescedor e transformador; a fluidez; a capacidade de mudar, de refletir, de se purificar e ouvir a voz do coração. Essa posição na Roda concede empatia, sensibilidade, conexão com as fases e os rituais da Lua e sintonia com a água (beber, nadar, se purificar, meditar). O alerta é que a mulher permita o fluir das energias – dentro e fora de si – sem reprimir emoções e lágrimas. Os nativos desse clã têm a tendência de guardar memórias dolorosas, ressentimentos e mágoas, e de alimentar medos ou energias negativas que devem ser liberadas para propiciar a cura. A transmutação é favorecida pela introspecção, pela conexão com a Lua e pela confiança nas próprias habilidades psíquicas.

Totens: cor azul-esverdeado, quartzo verde e a pedra turquesa, seixos de rio, algas, samambaias, as lunações correspondendo aos signos zodiacais de água (Peixes, Câncer, Escorpião) e seus animais totêmicos (suçuarana, pica-pau, serpente).

Clã do pássaro-trovão

Por representar o fogo, esse é um clã de vitalidade e transformação, que provoca nas pessoas por ele influenciadas a tendência de se movimentar com rapidez e intensidade. Além disso, confere algumas características paradoxais, uma oscilação entre um comportamento radiante, caloroso, cheio de vitalidade e a tendência para a hiperatividade, a voracidade, o autoritarismo e a dominação. Os poderes do fogo são uma faca de dois gumes, pois podem agir como a energia benéfica provocada pelos raios solares ou como o relâmpago destruidor; como o calor agradável da fogueira ou como a erupção vulcânica (que também cria novas terras, mas pode destruir tudo o que a lava encontrar no caminho).

Quando as pessoas estão nessa posição da Roda, elas devem usar suas qualidades positivas, entre elas iniciar projetos, inventar, inovar, explorar e expressar sua coragem, seu magnetismo, seu carisma, seu otimismo, direcionando a intensa energia para o bem da Mãe Terra e dos seus filhos. Porém, elas devem saber como fazer suas escolhas e lidar com as consequências, evitando o mau uso do poder, os excessos e a manipulação dos outros em benefício próprio.

Totens: cor vermelha, lava e pedras vulcânicas, plantas com espinhos, as lunações correspondentes aos signos zodiacais do fogo (Áries, Leão, Sagitário) e seus animais totêmicos (falcão vermelho, salmão, alce).

Clã da borboleta

Representando o elemento ar e o movimento, este clã leva a mudanças e transformações. As pessoas influenciadas por ele são rápidas, ativas, graciosas, exuberantes e criativas; elas seguem ideias e visões, buscam evoluir e são adaptáveis e flexíveis. Gostam de se comunicar e servir, porém são dispersas e mudam facilmente de pontos de vista; também precisam aprender a discernir o falso do verdadeiro, identificar aquilo que precisa ser mudado realmente e saber como controlar seu comportamento instável e supersensível. Esse clã pode auxiliar quem precisa ser mais criativo e comunicativo, para aprender novos assuntos, inovar, ampliar as perspectivas, desenvolver o intelecto, modificar hábitos e maneiras de viver, explorar novos horizontes e promover união, harmonia e leveza.

Totens: cor azul-claro, pedras azuis (lazurita, lápis-lazúli), plantas da família das asclepiadáceas, lunações correspondentes aos signos do ar (Aquário, Gêmeos e Libra) e seus animais totêmicos (lontra, cervo, corvo).

Círculo externo
Os Espíritos Guardiães

Eles regem as quatro direções cardeais e revelam os poderes ligados a elas; estão associados às estações, às divisões do tempo, aos aspectos do ser humano e aos reinos sutis.

Waboose – O Guardião do Norte

O Norte é associado ao elemento ar e ao inverno, tempo em que a natureza no hemisfério Norte parece estar dormindo. Porém, na aparente quietude, as sementes cobertas pela neve começam a germinar, retirando da terra todos os nutrientes necessários. Nas antigas sociedades tribais da Europa, os homens se recolhiam durante o inverno, dedicando-se aos contatos com os seres ancestrais e espirituais e às atividades caseiras ou artesanais.

Waboose representa o fim e o recomeço, a morte e a vida, a avaliação das realizações, a prática da renúncia para alcançar o desapego e aceitar as restrições impostas pela idade. Pode ser visto como um período de paz, perdão, compaixão, busca e partilha da sabedoria encontrada. Para que essa partilha aconteça é preciso compreender e praticar o seu ensinamento: doação e desapego (*giveaway*). Nossa responsabilidade é compartilhar o que aprendemos na jornada terrestre e nos preparar para a transição da vida para a morte, acreditando em uma nova encarnação. Na lunação influenciada por Waboose, temos a oportunidade de contemplar os paradoxos da vida, ter paciência, praticar renúncias e desapegos, buscar centramento, ampliar nossa percepção intuitiva, curar-nos e cuidar do nosso corpo e agradecer à vida e suas dádivas.

Totens: as cores branca e azul, alabastro, búfalo branco, *sweetgrass* (erva aromática nativa usada para defumação), inverno, velhice e nascimento, as lunações do quadrante Norte da Roda correspondentes aos signos de Capricórnio ("da renovação da terra"), Aquário ("do descanso e da purificação") e Peixes ("dos ventos fortes"), os signos que, no hemisfério Norte, pertencem ao inverno.

Wabun – O Guardião do Leste

O elemento Leste é o fogo, e a sua energia é dos novos começos e do crescimento anunciados pela primavera. Wabun representa as promessas do renascimento e das novas descobertas, o entusiasmo, a criatividade, o despertar, a espontaneidade, a alegria e a expressão da verdade. As pessoas influenciadas por Wabun têm a capacidade de enxergar mais longe e com maior clareza, tornando-se mensageiros espirituais, missionários da Fonte Criadora. Ao se elevar como a águia acima da realidade cotidiana, elas percebem as situações de ângulos diversos, têm a visão ampliada e podem decidir melhor. Tudo se torna possível, cada momento pode ser um recomeço, a energia favorece o crescimento em todos os níveis e a realização de sonhos e aspirações.

O aprendizado consiste em respeitar os limites alheios, dar conselhos apenas às pessoas que pediram ajuda e acertar seu ritmo sem pressionar os outros ou atropelar projetos. Wabun incentiva compartilhar conhecimentos, eliminar mentiras e estimular a criatividade, o otimismo e a comunicação. O poder desse ponto na Roda reside na expressão da verdade, na abertura mental e na remoção dos bloqueios, para permitir o livre fluxo das energias renovadas, em busca de clareza e iluminação.

Totens: cores dourada e amarela e pedras de cor amarela, argila vermelha, águia dourada, tabaco, primavera, infância, as lunações do quadrante Leste da Roda correspondentes ao signo de Áries ("das árvores brotando"), Touro ("do retorno dos sapos") e Gêmeos ("do plantio de milho"), os signos que, no hemisfério Norte, pertencem à primavera.

Shawnodese – O Guardião do Sul

O elemento associado ao Sul é a água, a estação é o verão, e o seu poder também é paradoxal, semelhante a Wabun. Ao mesmo tempo em que representa crescimento rápido, escolhas impulsivas, ações energéticas e sem questionamentos, ele também alerta sobre as armadilhas e artimanhas trazidas pelo coiote, o arquétipo nativo do embusteiro ou trapaceiro, o mestre disfarçado e o mago da transformação. No Sul, busca-se a visão pedindo à Fonte

Criadora que aponte o caminho e a obtenção de energia, da leveza, do amadurecimento e da adaptabilidade. A armadilha do trapaceiro se oculta nas paixões súbitas e irrefletidas, baseadas apenas na atração física ou na codependência. Por isso, para evitar a "atuação do coiote", devem-se ter cautela e discernimento na escolha dos parceiros e namorados, pedindo a Shawnodese proteção, prudência, maturidade e a capacidade de valorizar mais o verdadeiro amor, e não apenas a paixão.

Shawnodese rege o coração e as emoções, por isso ensina a curar as feridas da traição e da decepção e a recuperar a confiança – em si, nos outros –, libertando-se do medo, da inveja, do ciúme, da raiva, da vingança, do rancor. Nessa posição na Roda, é possível compreender os problemas dos relacionamentos e saber como agir para superá-los. O poder de Shawnodese é o do amor compartilhado, do coração aberto, mas em cooperação com o discernimento e a razão. Ele ensina a diferença entre sensualidade e sexualidade, paixão e amor, e como aprender com os erros, empenhando-se para crescer e amadurecer.

Totens: cores vermelho e verde, serpentina (mineral esverdeado), coiote, sálvia, verão, meio-dia, adolescência, adulto jovem, as lunações do quadrante Sul correspondentes aos signos zodiacais de Câncer ("do Sol forte"), Leão ("dos frutos maduros") e Virgem ("da colheita"), os signos que, no hemisfério Norte, pertencem ao verão.

Mudjekeewis – o Guardião do Oeste

O elemento associado ao Guardião do Oeste é a terra, e a estação é o outono. Seu poder é da responsabilidade por si mesma, pela Mãe Terra e por todas "as nossas relações", com os nossos irmãos de Criação. Mudjekeewis traz as dores da maturidade, da experiência e maestria, ensinando os seres humanos a descobrir e a desenvolver suas habilidades para realizar aquilo que está ao seu alcance. Com a ajuda do totem animal – o urso-pardo –, a pessoa encontra soluções que beneficiam todos os que estão envolvidos, supera indecisões e usa seus recursos inatos. Mesmo que ela tenha atingido o auge da sua carreira, estabilidade emocional e familiar, se tornam evidente os limites impostos pelo tempo, o término de etapas e a inevitabilidade da morte.

Nessa posição da Roda, as meditações a auxiliam a descobrir como manifestar o poder espiritual na Terra, expandir o autoconhecimento e aumentar o potencial pessoal. Agindo com altruísmo e idealismo, você pode transitar entre os diferentes reinos da criação, compartilhar seus dons com os demais e usar todas as habilidades em benefício de todos e do Todo. Sabendo como se adaptar, ensinar e liderar, encontrando o equilíbrio entre pensamento e ação, visão e atitudes, será possível assumir responsabilidades e servir à Terra com coragem, graça e amor.

Totens: cores marrom e preto, pedra-sabão, urso-pardo, cedro, outono, crepúsculo, idade adulta, as lunações do quadrante Oeste correspondentes aos signos zodiacais de Libra ("do voo dos patos"), Escorpião ("do tempo frio") e Sagitário ("da neve prolongada"), os signos que, no hemisfério Norte, pertencem ao outono.

As lunações

As pessoas vivenciam os ensinamentos do círculo interior e dos guardiões das direções por períodos curtos de tempo, pois a maior parte de sua vida é governada pelas energias das lunações, determinadas pelo momento de seu nascimento. No entanto, quando alguém precisa buscar sua cura no nível mental, emocional ou espiritual, os poderes do círculo interno, da Fonte Criadora e dos Espíritos Guardiões proporcionam orientações preciosas e seguras para o seu crescimento em todos os níveis, para a jornada ao redor da Roda e para a conexão com as dimensões sutis.

Cada lunação tem totens associados que permitem melhor compreensão das suas características e dos ensinamentos. Seu conhecimento amplia a capacidade de aceitação das outras pessoas, ajudando você a superar incompatibilidades e a reforçar os pontos em comum. Os atributos das lunações diferem daqueles dos signos zodiacais, sendo mais concisos e focados nos aspectos xamânicos. Por serem muito específicos, não foram incluídos neste trabalho, mas recomendo às interessadas que busquem mais informações nos livros de Sun Bear ou na internet, nos sites norte-americanos de xamanismo.

No subcapítulo "Roda de Prata" resumi as características das doze lunações do calendário nativo, para que possam ser usadas como coordenadas na preparação das celebrações dos plenilúnios.

Os caminhos espirituais

Os caminhos espirituais são formados pelas pedras posicionadas desde o círculo central até cada Espírito Guardião. Eles representam as dádivas desses guardiões e ensinam as qualidades necessárias para nos deslocarmos do círculo periférico da Roda até o centro. Os caminhos fornecem mapas dos atributos físicos, mentais, emocionais e espirituais que auxiliam nossa transição da realidade comum para o espaço sagrado e a nossa conexão com a Fonte Criadora. Eles nos lembram tanto os nossos dons humanos quanto as responsabilidades que temos em relação a toda a teia da criação. Assim como acontece com as lunações, suas descrições são específicas e restritas aos trabalhos xamânicos, por isso não foram incluídas.

Diagrama da Roda Xamânica de Cura

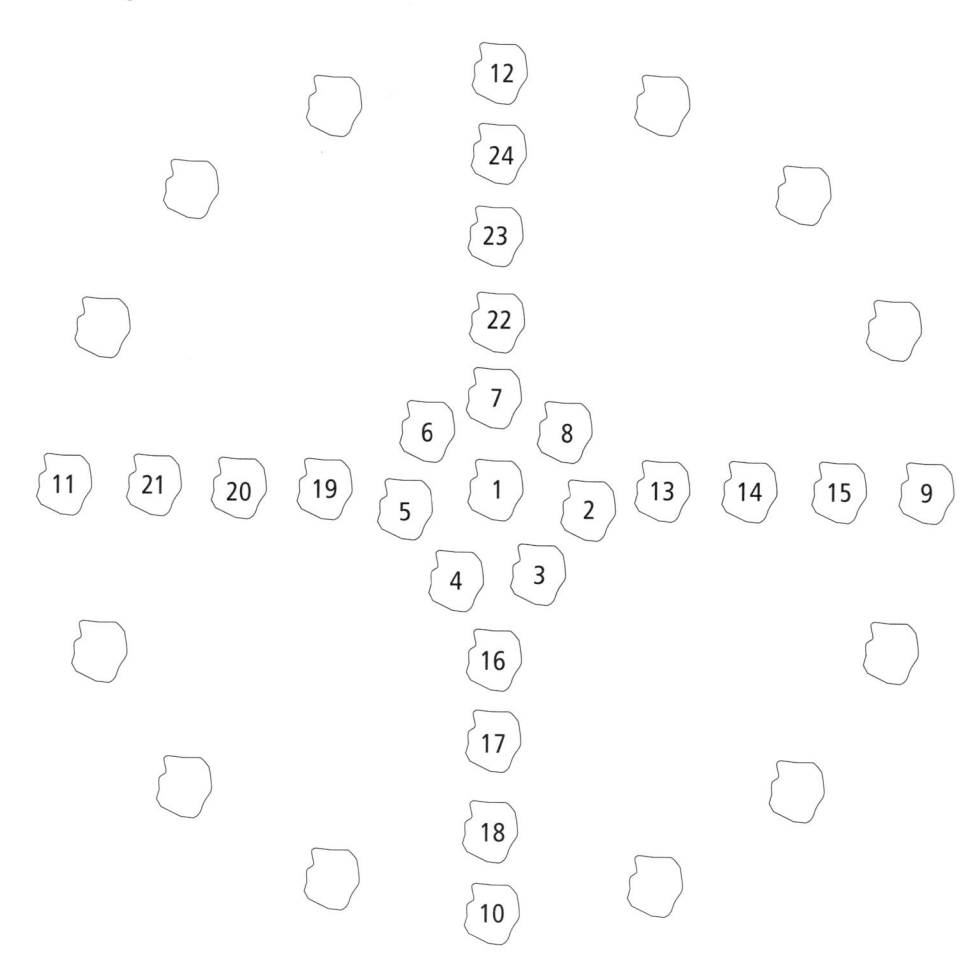

O CÍRCULO INTERNO

1. A Fonte Criadora
2. Mãe Terra
3. Vovô Sol
4. Vovó Lua
5. O Clã da Tartaruga (Terra)
6. O Clã do Sapo (Água)
7. O Clã do Pássaro-Trovão (Fogo)
8. O Clã da Borboleta (Ar)

OS ESPÍRITOS GUARDIÃES

9. Guardião do Leste (Wabun)
10. Guardião do Sul (Shawnodese)
11. Guardião do Oeste (Mudjekeewis)
12. Guardião do Norte (Waboose)

OS CAMINHOS ESPIRITUAIS

LESTE (clareza, comunicação, sabedoria, iluminação, renascimento)

13. Iluminação
14. Sabedoria
15. Clareza

SUL (confiança, crescimento, amor, relacionamentos, cura, rejuvenescimento)

16. Amor
17. Confiança
18. Crescimento

OESTE (responsabilidade, fortalecimento, amadurecimento, aprendizado, realização)

19. Fortalecimento
20. Aprendizado
21. Introspecção

NORTE (purificação, renovação, crescimento interior, transformação, integração)
22. Integração
23. Renovação
24. Purificação

Cerimônias da Roda Sagrada Xamânica

Na tradição xamânica, a cerimônia é a maneira pela qual os seres humanos se dispõem a devolver à Mãe Terra uma pequena parte das energias Dela que recebem constantemente. Há várias formas de demonstrarmos nossa gratidão à Mãe Terra: o canto permite a doação de energia pela voz; o tambor reproduz o pulsar da Mãe Terra; a dança combina a energia do céu e da Terra em nosso corpo e as direciona direto para a terra. Quando oramos, entregamos energia pelo coração, e, quando contemplamos a Natureza ao nosso redor, ela é abençoada por meio do nosso olhar. Combinando todas essas demonstrações de gratidão, obtemos uma cerimônia, a mais poderosa forma de doação energética.

Conhecedores da importância das cerimônias, os povos antigos celebravam ao longo do ano a mudança das estações, as épocas de plantio e colheita, as Luas cheias, os animais totêmicos (dança do urso, búfalo, alce, lobo) e o agradecimento pelas bênçãos recebidas.

Quando se participa de uma cerimônia, entra-se em um espaço sagrado, onde a realidade cotidiana perde a importância, o tempo adquire dimensão diferente, as emoções fluem livremente, e os participantes sentem-se preenchidos com uma energia vital que abrange e abençoa tudo ao redor. Existem cerimônias tradicionais, como a da sauna sagrada e a do cachimbo sagrado, transmitidas de mestre para discípulos e realizadas do modo como foram feitas ao longo dos tempos, sem nenhuma modificação. Outros tipos de cerimônias podem ser criados com base em orientações recebidas em sonhos ou meditações, ou nos ensinamentos de alguma tradição ou escola iniciática. O importante ao realizar uma cerimônia é ter consciência de que são a Fonte Criadora e os seres espirituais que proporcionam o auxílio e a cura, enquanto a dirigente é apenas a mediadora que canaliza e direciona as energias sutis para as participantes.

Cerimônia de purificação (*Smudging Cerimony*)

O método tradicional requer o uso de ervas sagradas específicas, queimadas em forma de bastões (por tradição, mantidos em uma concha de abalone) ou em misturas salpicadas sobre brasas, acesas em um recipiente de cerâmica. As ervas tradicionais são a *sweetgrass*, para o Guardião do Norte; o tabaco, para o do Leste; a sálvia branca, para o do Sul; e, cedro, para o do Oeste. Se faltar alguma delas, usar apenas a sálvia branca, encontrada agora também no Brasil (jamais use as varetas de incenso comum, que contêm produtos artificiais e servem mais como aromatizadores de ambiente). Enquanto as ervas queimam, convém abaná-las com uma pena, para que se mantenham acesas, e entregar as cinzas à natureza, depois.

Cada mulher é responsável pela purificação do seu campo energético, enquanto outra pessoa segura a vasilha. A fumaça é puxada com as mãos em concha, primeiro na direção do coração, depois da cabeça, dos braços, do corpo (frente e costas) e das pernas, tocando-se por fim ela deve tocar o chão, para entregar os resíduos à terra. Depois, segurando a vasilha, ela oferece a fumaça e uma oração para as seis direções: acima, para a Fonte Criadora; abaixo, para a Mãe Terra; e depois para os quatro espíritos guardiões. Depois que todas as participantes se purificaram, usa-se a fumaça para limpar o ambiente e os objetos que serão utilizados. A fumaça de ervas pode ser substituída pelo som do chocalho (ou sino), seguindo-se o mesmo procedimento.

Cerimônia de centramento

Independentemente do método usado, essa cerimônia é necessária para intensificar o propósito do ritual (se for usada na fase preparatória), para criar as condições necessárias para a meditação individual, e proporcionar harmonização e equilíbrio energético nos períodos de muito estresse ou excesso de atividades. Os métodos mais comuns são o uso das batidas de tambor, o chocalho ou o canto.

Para que um grupo atinja a harmonia vibratória e a sintonia rítmica com as batidas dos tambores em conjunto, cada mulher precisa, antes, praticar algum tempo sozinha, após purificar seu tambor, pintar nele símbolos ou imagens totêmicas e consagrá-lo. (O tambor é de uso individual, por isso não convém emprestá-lo.) A consagração é feita em grupo ou individualmente, com uma oração para as seis direções, para a Mãe Terra e para as Deusas Madrinhas. Depois é necessário treinar bastante, tocando o tambor em grupo.

Para centrar e concentrar a energia de um círculo de mulheres, pode-se usar um dos métodos descritos anteriormente (tambor, chocalho, canto), iniciando-se com um breve relaxamento e algumas respirações profundas. As participantes ficam em pé e de mãos dadas (palma esquerda para cima e direita para baixo), entoando um som ou uma canção em grupo e depois batendo o tambor.

O centramento com o tambor é feito após alguns minutos de silêncio, nos quais se procura perceber a batida do próprio coração. Em seguida, inicia-se a batida chamada *heart beat* [batida do coração], que reproduz o pulsar da Mãe Terra e do próprio coração. Permanece-se nesse ritmo por algum tempo, antes de passar para batidas ou compassos diferentes ou para acompanhar cantos. Finaliza-se com várias batidas rápidas, que assinalam aos seres espirituais o envio de orações, invocações ou agradecimentos, e o fim da prática.

Se for usado o canto para centramento, é importante lembrar que o verdadeiro canto xamânico é sentido no corpo todo, com a vibração de todos os centros energéticos. Cantar é uma maneira de absorver a energia da terra e enviá-la para o universo como pedido, louvação ou gratidão, sem que a necessidade de talento ou treinamento especial.

Uma das canções xamânicas mais antigas e tradicionais honra a Mãe Terra e reconhece nosso dever de cuidar dela, como descrito nesta singela frase:

> *A Terra é nossa Mãe, devemos cuidar dela com cada passo que damos no seu sagrado chão.*

Alguns cantos tradicionais usam apenas sons repetidos, como *Hey ya hey, yo hey,* em escalas variadas, ou imitam os sons dos animais. Um exemplo é a canção dos lobos, criada pela xamã Brooke Medicine Eagle, que pode ser cantada por homens e mulheres em tons diferentes, quando se celebra a união das polaridades, ou apenas por mulheres, que imitam o uivo das lobas na Lua cheia.

Outra forma de centramento é a dança xamânica para purificar e remover bloqueios e tensões (nos níveis físico, emocional e mental) e liberar o espírito para transcender a realidade material e elevar a vibração por meio da expansão da consciência. Ela não segue um padrão fixo; é espontânea, com movimentos livres ao som do tambor ou chocalho, e pode imitar o animal aliado ou totêmico.

Para finalizar uma cerimônia ou ritual, repete-se esse procedimento, e todas as mulheres se ajoelham e tocam o chão com as mãos (e a testa, se quiserem) para agradecer à Mãe Terra e doar a ela o excesso de energia gerada.

Cerimônia para conexão com os atributos da Roda Sagrada

O ideal é realizar essa cerimônia dentro de uma Roda Sagrada de verdade; no entanto, caso isso não seja possível, pode-se usar uma Roda em pequena escala, feita com pedrinhas coladas em uma tábua, um desenho sobre uma cartolina ou apenas uma Roda mentalizada durante uma visualização.

Após uma prévia preparação (purificação e centramento), comece a contornar a Roda Sagrada, sempre no sentido horário, primeiro percorrendo o círculo externo, depois o interno, seguindo cada caminho até a periferia da Roda e voltando ao centro pelo caminho seguinte. Após ter tocado e honrado cada pedra, permaneça no centro por alguns instantes, de olhos fechados, respirando profundamente (ou tocando tambor), procurando perceber a conexão com um poder específico (direção, guardião, caminho). Uma vez identificada a pedra que está "chamando" você (ou sabendo com antecedência qual o atributo ou ensinamento de que necessita naquele momento), encaminhe-se para a respectiva posição na Roda, faça uma pequena oferenda de fubá e depois continue em um estado receptivo, pronta para receber uma mensagem ou orientação necessária (por telepatia, clarividência, sensação, audição, intuição). Quando a interação com a energia ou o guardião dessa posição estiver terminada, agradeça e refaça o trajeto, caminhando ao redor da Roda, voltando ao centro e saindo pelo ponto onde começou. Se quiser, você poderá salpicar fubá ao redor de uma pedra, de toda a Roda ou apenas no centro, agradecendo a presença dos poderes da Roda Sagrada e as mensagens ou intuições recebidas. Se a conexão tiver sido feita mentalmente, procure fazer depois uma pequena oferenda para a Mãe Terra em algum lugar da natureza.

Você pode usar essa prática com frequência para explorar os atributos da Roda Sagrada, aumentar seus conhecimentos, fortalecer-se e expandir seu potencial. É importante anotar as percepções, as visões, as emoções ou os pensamentos ocorridos durante essa prática para futuras avaliações do seu progresso e crescimento espiritual. Se um grupo de mulheres quiser fazer esse exercício, será recomendável que a Roda seja percorrida simultaneamente por todas (se o tamanho permitir) ou em pequenos grupos, em silêncio e com concentração e reverência.

Cerimônia do fogo sagrado

Quando o centro da Roda é representado pelo lugar da fogueira, ela é usada apenas para rituais e cerimônias de reverência e gratidão ou transmutação. Para acender o fogo e alimentá-lo, convém usar apenas materiais naturais, como galhos secos, gravetos, pinhas, palhas, musgo, folhas secas, sabugos de milho ou casca de árvore. Jamais usar tábuas ou restos de construção, nem álcool ou jornais, para acender o fogo; não se deve colocar na fogueira nada além daquilo que faz parte do ritual. Costumam-se oferecer ao fogo tabaco (fumo desfiado), grãos de milho e algumas ervas aromáticas secas.

Antes de começar a cerimônia, deve-se fazer a devida preparação com purificação, centramento e harmonização do grupo, em círculo ao redor da Roda. Uma responsável ("a guardiã do fogo") deverá cuidar dele durante todo o tempo, para que não se apague. Se o propósito do ritual for a transmutação de um padrão limitante, um hábito prejudicial ou memórias dolorosas, as participantes anotam em papéis aquilo que querem descartar ou mudar na sua vida. Depois ficam perto da pedra cujos poderes vão invocar como auxílio e orientação, meditando e oferecendo-lhe um pouco de fubá.

A cerimônia se inicia com batidas ritmadas de tambor e cânticos para honrar o elemento fogo e o "Clã do Pássaro-Trovão". Uma por uma, as mulheres que esperam sentadas ao redor da Roda (dentro ou fora dela) dão uma volta, saudando os poderes das direções, as forças espirituais e os Guardiões, depois vão até o fogo, oferecem-lhe tabaco ou milho seco e pedem sua permissão para a sua purificação e renovação. Após entregar ao fogo o papel com seu pedido, elas contemplam as chamas e a fumaça da queima, mentalizam a transmutação da negatividade e sua substituição por energias positivas, visualizando a realização dos seus propósitos. Após anotar ou compartilhar a vivência, finaliza-se a cerimônia com outros cânticos ou danças no ritmo das batidas de tambores e os devidos agradecimentos às forças espirituais e à Mãe Terra. Espera-se até o fogo acabar de queimar e cobrem-se as brasas com cinzas ou terra, em respeito à Natureza.

Cerimônia para encontrar seu lugar na Roda

Uma Roda Xamânica – material (grande ou pequena) ou astral (criada na tela mental com visualização) – pode auxiliar a definir e a compreender a posição que alguém ocupa na Roda em determinado momento ou circunstância. Se você tiver dificuldade para identificar quais são os poderes que atuam em sua vida em dado momento, é mais fácil descobrir qual direção ou clã elemental exerce maior influência sobre você e aprender sobre seus totens.

Quando uma pessoa se desloca fisicamente ao redor de uma Roda, ela discerne melhor e mais rapidamente qual pedra ou caminho lhe atrai mais ou lhe produz alguma sensação (calor, frio, arrepios, formigamento). Pequenos sinais naturais encontrados (penas de pássaros, insetos, pedras e galhos quebrados com formas específicas) podem assinalar qual é a melhor direção a seguir. Outras vezes, a própria Natureza revela uma mensagem na forma de nuvens, aparições de pássaros, animais, insetos, vento, chuva e Sol. Na ausência física da Roda, pode-se viajar mentalmente visualizando todas as pedras e intuindo qual delas tem mais energia ou força de atração (ouvindo sons, vendo cores ou sentindo arrepios). Algumas mulheres têm revelações nas meditações ou nos sonhos com aparições de animais totêmicos, mesmo sem conhecer o seu significado. Ou podem sentir uma atração repentina por determinada cor, mineral, planta ou animal.

Prática individual ou grupal

Após a purificação, o centramento e uma curta meditação, entre na Roda (física ou mentalmente) pela pedra do Leste, pedindo a Wabun a permissão para começar um novo ciclo na sua vida ou ter melhor perspectiva atual. Dê pelo menos uma volta na Roda, abrindo sua percepção para identificar qualquer sensação diferente no seu corpo ou algum sinal no ambiente ao redor (calor, frio, formigamento, cores, sons, emoções, pensamentos, presenças sutis ou materiais). Continue caminhando até sentir com clareza qual pedra está ficando mais presente no nível sensorial (calor, formigamento) ou como atração vibratória. Dirija-se para ela e procure diferenciar em que plano ela está lhe influenciando (físico, mental, emocional ou espiritual). Peça aos aliados totêmicos associados a essa pedra para lhe revelar aquilo que você precisa saber em relação à sua vida, caminho espiritual ou realização pessoal. Anote as impressões, ofereça um pouco de fubá e contorne a Roda, saindo por onde entrou (a pedra do Leste). Essa conexão pode ser dividida em quatro etapas, repetindo-se o procedimento descrito quatro vezes, para cada um dos níveis (do físico até o espiritual). Lembre-se de agradecer e faça sua pequena oferenda a cada uma das pedras que "fez contato" com você.

Cerimônia de cura

O uso da Roda Sagrada para oração, meditação, contemplação e rituais de bênçãos tem contribuído para promover a cura, em todos os níveis do ser, de inúmeras pessoas que buscam as antigas tradições, visando ao realinhamento energético.

Essa cerimônia requer bastante tempo (de duas a três horas), entre a devida preparação e o ritual propriamente dito. Todas as participantes devem conhecer a estrutura e a simbologia da Roda, e a dirigente se responsabilizará por conduzir o ritual e providenciar o material que será utilizado (embora possa delegar algumas das tarefas a outras mulheres). É aconselhável dividir as participantes em dois grupos, para que um deles apoie o outro durante a cerimônia, com calma e segurança. O tambor representa uma parte importante, tanto durante a fase preparatória quanto em certas etapas, quando uma ou mais mulheres vão atuar como "guardiãs da batida do coração da Mãe Terra".

Material necessário: vários tipos de instrumentos além do tambor (chocalho, pandeiro, flauta, pau de chuva, sinos, apitos), aromas naturais (óleos essenciais, ervas secas ou resinas para queimar, velas perfumadas, chá de ervas aromáticas guardado em garrafa térmica), cristais e pedras semipreciosas, objetos sagrados individuais e uma esteira ou manta para cada participante se deitar. Esses elementos são importantes para envolver todos os sentidos e favorecer o relaxamento e a introspecção.

O ideal é que a Roda seja grande o suficiente para que as pessoas que irão receber a cura possam ficar deitadas no seu perímetro; se não for possível, basta formar grupos menores, de acordo com as dimensões da Roda. O espaço, as pedras e todo o material deverão ser purificados antes, com fumaça de sálvia. Em seguida, as participantes vão purificar a si mesmas usando o som dos instrumentos, que clarificam e purificam a vibração, facilitando a cura. Cada pessoa pode usar um instrumento para limpar a aura, da cabeça aos pés, na frente e nas costas, direcionando os resíduos energéticos para dentro da terra (tomando cuidado para não jogá-las sobre as vizinhas). Essa purificação com som pode ser estendida para toda a área, em todas as direções, dentro e fora do perímetro da roda, e ser feita em conjunto por todas as mulheres depois da limpeza individual. Acendem-se velas no centro e nas quatro direções da Roda, e as participantes entram na Roda, sentando-se em duplas sobre as esteiras. A dirigente faz as invocações para a Fonte Criadora e os poderes sutis da Roda pedindo sua presença, permissão e ajuda nos processos de cura, mencionando também as energias dos elementos dos totens (animais, vegetais e minerais). Para despertar os sentidos, a dirigente recomenda que as participantes olhem ao redor, sintam os aromas, bebam um pouco de chá aromático, ouçam os sons do ambiente e toquem o chão. Em seguida, as mulheres que vão receber a cura se deitam e fecham os olhos, relaxando com respirações longas e profundas e abrindo a mente e o coração em uma prece silenciosa.

As responsáveis pelas batidas do tambor começam a tocar no ritmo do coração, com suavidade, mas continuamente, durante toda a cerimônia (revezando-se, se preciso). As mulheres que vão auxiliar iniciam a preparação daquelas que estão deitadas, oferecendo óleos essenciais para que elas sintam o seu aroma. Depois colocam nos chakras, nas mãos ou em alguma parte do corpo que precise de cura um cristal de quartzo ou uma pedra semipreciosa. Em seguida, elas escolhem um instrumento para purificar com som todo o campo áurico, insistindo nos pontos indicados pela "paciente" ou ouvindo sua própria intuição. A dirigente inicia uma meditação dirigida para que cada mulher possa entrar em contato com as energias de cura de que necessita e que serão canalizadas por intermédio da irmã que está ao seu lado. A transferência energética de uma mulher para outra pode ser feita com a imposição das mãos, tocando certos pontos do corpo com um cristal ou usando o som (de mantras, instrumentos) para dissipar os bloqueios energéticos. É extremamente importante que haja um estado recíproco de entrega e doação, em um intercâmbio de amor e solidariedade, para que nada impeça ou bloqueie o fluxo de energia curativa. Esse trabalho de interação amorosa feminina proporciona oportunidades de cura recíproca, de ativação da intuição e, consequentemente, de expansão da consciência. Todas as mulheres sentem-se elos de um círculo sagrado e irmanadas como filhas de uma mesma Mãe Divina.

Quando a dirigente percebe que a energia curativa parou de fluir, ela conduz uma breve visualização para ajudar no "despertar" e no centramento das "pacientes", enquanto as "assistentes" podem ajudá-las com uma leve massagem nos pés e nas mãos. Se alguma mulher passa por uma experiência intensa (choro ou catarse), ela recebe mais atenção, e as outras assistentes a ajudam no restabelecimento do equilíbrio. Somente quando a harmonia de todas as "pacientes" é restabelecida ocorre a troca de lugares, para que as que atuaram como auxiliares possam também receber as energias de cura, com a repetição do mesmo procedimento. No final, a dirigente faz as orações de agradecimento para as forças espirituais invocadas; e pode-se fazer também uma "roda da palavra", para partilhar as experiências e vivências do grupo. O fechamento da cerimônia é feito com batidas ritmadas de tambor, agradecimentos individuais e pequenas oferendas para os poderes da Roda e a Mãe Curadora, em suas múltiplas manifestações. Após guardar o material usado (limpar os cristais e as pedras com água corrente e fumaça de sálvia), uma dança circular, seguida de confraternização com frutas, cereais, chás e sucos, ajuda no "aterramento" e na reposição das energias gastas.

> **OBSERVAÇÃO**: é importante alertar que o processo de cura individual pode continuar durante os sonhos – que deverão ser anotados – ou em comunicações durante as meditações, com orientações específicas sobre mudanças necessárias e novas formas de cuidar de si, assumindo maior responsabilidade sobre a causa dos problemas pessoais e as maneiras de solucioná-los.

III.III. RODA DO ANO

> *O ano é uma mulher dançarina, nascida no início da primavera.*
> *O ano é uma Deusa dançarina e sobre seu nascimento, crescimento*
> *e morte nós cantamos.*
>
> – "Ariadne's Thread", Shekinah Mountainwater

Durante milhares de anos, nossos ancestrais marcaram a passagem do ano com festivais que aprofundavam o senso de ligação entre as pessoas e o céu, a Terra, o Sol, a Lua, as estrelas e a Natureza ao redor. Essas festividades proporcionavam um alegre encontro da comunidade, em uma atmosfera de confraternização, além de reverência e religação com as forças naturais e os seres espirituais.

O ano era visto como o Grande Círculo, dividido em estações relacionadas à jornada do Sol e em meses marcados pela Lua. O Grande Círculo continha também a Roda da Terra, que representava a Teia da Vida, associada aos ciclos naturais e às energias cósmicas manifestados em doze divisões ou signos astrológicos. A Roda da Terra é fundamentada no ciclo natural do ano e nas quatro estações criadas pela órbita do nosso planeta ao redor do Sol. O movimento anual do Sol e o mensal, da Lua, condicionam as energias básicas da nossa existência e do nosso hábitat.

As antigas tradições honravam o Universo e a Natureza como um processo contínuo de manifestação material, mas cuja essência era espiritual e mental. A realidade material se originava nas dimensões sutis e continuava vibrando em um movimento de contínua mutação. Tudo o que existia no mundo físico era constituído de energia inteligente; nada era destruído, apenas transformado. Todas as manifestações da energia inteligente eram conectadas e interligadas por vibrações de sons, cores e luz. Os círculos e as rodas sagradas representavam modelos – na dimensão material – do funcionamento da mente universal e humana.

As expressões inteligentes e únicas da Fonte da Criação se manifestam como forças: de atração, eletromagnética, vibratória e da energia vital. Esse conceito antigo e universal foi representado graficamente como um círculo, contendo no seu interior uma cruz. Posteriormente foi criado um conceito mais complexo, de uma roda com oito raios. Conhecido como Roda do Ano, esse diagrama existiu em todas as antigas culturas e civilizações, conforme comprovam os inúmeros achados arqueológicos da Pré-história. Na mente arcaica – bem como no atual despertar espiritual e ecológico –, a Roda do Ano reflete a própria vida: humana, animal e vegetal, acompanhando a evolução, da concepção até a dissolução.

A Roda com oito raios é um símbolo sagrado com múltiplos significados e ensinamentos; a mais conhecida é a marcação de oito períodos durante o ano, que tornava possível e evidente a sintonia do homem com os ritmos e as marés da Roda da Terra. Os povos pré-cristãos do Norte da Europa e os celtas denominavam esses "momentos" cósmicos e telúricos de *Blots* ou *Sabbats*, que eram divididos em festivais solares e de fogo, ou *Sabbats* maiores e menores.

O círculo anual era dividido em quatro partes iguais – correspondendo às estações – por quatro *Sabbats* maiores, os festivais solares ou fixos (solstícios e equinócios), chamados pelos celtas de *quarter days* ("dias dos quadrantes"). Apesar das suas datas terem pequenas variações em função da aparente "entrada" do Sol nos signos zodiacais, os povos antigos os calculavam com precisão, como comprovam inscrições e círculos de menires megalíticos da Ilhas Britânicas (alinhados com os solstícios), bem como as pirâmides egípcias e astecas, as Kivas nativas norte-americanas, os templos da China e do Peru. Na Irlanda, Escócia e Bretanha (França), existem inúmeras câmaras mortuárias, subterrâneas (*burial chambers*), perfeitamente alinhadas com o Sol no solstício de inverno, onde era comemorado o renascimento do Sol no auge da escuridão do ventre da Mãe Terra, trazendo promessas de vida e calor.

Os festivais de fogo, ou *Sabbats* menores, marcam a metade do período entre os *Sabbats* maiores, sendo denominados pelos celtas de "dias do cruzamento dos quadrantes" (*cross quarter days*). Por não serem marcados de forma evidente por eventos celestes ou terrestres – como os solstícios e equinócios –, acredita-se que eles surgiram mais tardiamente na evolução da humanidade, sendo determinados por datas específicas do calendário agrícola europeu. No entanto, a sua importância é igualmente grande pelo fato de marcarem o auge de poder de cada estação, atingido na sua metade e por isso chamados de *pontos e portais de poder*.

Textos medievais descrevem a existência antiga de uma Roda do Ano com oito festivais, a mesma que é seguida atualmente pelos grupos de druidismo, Asatrú, Wicca, neopaganismo, ecofeminismo e seguidores da Tradição da Deusa. Por ser o hemisfério Norte a origem dos antigos conceitos e celebrações, pessoalmente discordo da inversão da Roda para o hemisfério Sul apenas para adaptar os princípios filosóficos originais à realidade geográfica, desprezando a força milenar e mágica dessa egrégora. Para respeitar a concordância entre as estações brasileiras e as datas tradicionais dos *Sabbats*, procuro colocar em evidência o arquétipo divino e os ensinamentos por ele representados, recomendação valiosa para as celebrações das mulheres contemporâneas e dos círculos sagrados (*vide* explicações detalhadas nas orientações e adaptações femininas deste subcapítulo).

A continuidade dessas antigas comemorações é importante hoje devido à conexão com forças e energias da Natureza que elas proporcionam, aos recursos disponíveis e acessíveis para a nossa harmonização, alinhamento, transmutação, vitalização e cura. Se realizarmos cerimônias nas antigas datas sagradas, entraremos em sintonia com os campos morfogenéticos existentes e nos harmonizaremos com os ritmos universais.

Os solstícios marcam a transição entre luz e escuridão, acompanhando o aumento da luz (a metade clara do ano, de Beltane a Samhain) e sua diminuição na metade escura (de Samhain a Beltane). Os equinócios são pontos intermediários entre os solstícios e marcam o equilíbrio entre luz e escuridão, com dias e noites iguais. As estações começam nos signos astrológicos cardinais (Capricórnio, Áries, Câncer, Libra) e atingem seu auge nos signos fixos (Aquário, Touro, Leão, Escorpião), que são os portais de poder.

Enquanto os festivais solares marcam o ritmo das energias naturais que crescem e diminuem, os portais de poder fornecem fluxos de energia sutis, que podem ser atraídos por práticas mágicas para recarregar nossos centros vitais por meio da abertura de portas interdimensionais. Os signos mutáveis (Gêmeos, Virgem, Sagitário, Peixes), que definem o final de cada estação, contribuem para modelar, aumentar, dissipar ou transformar energias, preparando a transição que precede as estações.

Comparando os festivais solares (solstícios e equinócios) com os ciclos da vida humana, podemos atribuir ao solstício de inverno o período antes do nascimento, o grande vazio uterino (divino e materno) em que se cria a vida. A luz é concebida na fria escuridão do inverno, o seu auge prenunciando a nova vida. O equinócio da primavera anuncia o desabrochar da vegetação, o renascimento da Natureza, as promessas e as esperanças da renovação. Coincide no hemisfério Norte com o Novo Ano Zodiacal, marcado pela entrada do Sol no primeiro signo zodiacal – Áries. No solstício de verão a luz e a energia estão no auge de seus poderes, a Natureza é impregnada com fertilidade e sensualidade, amadurecimento e complementação, paixão e celebração. A Mãe Terra começa o seu declínio no equinócio de outono, pronta para colher, avaliar e armazenar os frutos das experiências, dos esforços e dos sacrifícios, aumentando a nossa colheita, que será guardada para as próximas gerações.

Os festivais de fogo ou "dias do cruzamento dos quadrantes" estão localizados na Roda do Ano nos pontos de junção de duas influências (luz/escuridão, aumento/declínio). Diferentemente dos festivais solares (regidos pelo Sol), eles são associados ao ciclo da Lua. Samhain é regido pelas Deusas da Lua escura (Cailleach, Hécate, Morrigan, Sheelah na Gig); Imbolc, por Brigid, o aspecto jovem da Deusa e da Lua crescente; Beltane, pelo poder da Lua cheia e da Deusa adulta na sua plenitude e paixão (Epona, Maeve, Rhiannon, Rigantona); e Lammas é atribuído à Lua minguante e à colheita e regido pelas Deusas Mães da Terra (Ceres, Danu, Ker, Modron). Se relacionarmos esses festivais ao ciclo feminino, poderemos ver a associação de Samhain com a menopausa, Imbolc com a menarca, Beltane com a concepção e Lammas com o parto e a nutrição.

A Participação dos Homens

Ao longo dos anos em que dirigi as celebrações dos *Sabbats* na Chácara Remanso, em Brasília, alguns deles foram abertos para a participação de homens e contaram com a presença e a colaboração do meu marido. O meu propósito era divulgar os ensinamentos da Roda do Ano e estimular o interesse masculino, superando a costumeira reserva e dificuldade dos homens em aceitar e praticar rituais. Aos poucos, aumentou a frequência masculina, mas com bastante reticência e contenção nas danças, canções e práticas mágicas. Mesmo assim, acredito ser muito importante despertar – aos poucos e apenas em determinadas ocasiões ritualísticas – os homens para a sacralidade feminina, lembrando as belíssimas palavras de Dion Fortune citadas no livro *A Sacerdotisa da Lua*:

> *... Sou a estrela que surge no mar, o mar crepuscular.*
> *Trago aos homens os sonhos que regem seus destinos,*
> *Trago as marés lunares às almas dos homens*
> *Sou a eterna e Sagrada Mulher, Eu Sou,*
> *As marés das almas de todos os homens me pertencem*
> *As secretas, silenciosas marés que governam os homens*
> *Estes são meus segredos que pertencem a mim...*

Os círculos sagrados femininos que desejarem – e se sentirem preparados para realizar celebrações públicas abertas aos homens – podem seguir a Roda do Ano tradicional (celta ou nórdica), adaptando-a ou não para as estações brasileiras. Nesse caso, recomendo a leitura de livros existentes no mercado que descrevem detalhadamente essas celebrações, bem como as orientações mais sucintas do *Anuário da Grande Mãe* e de *Mistérios Nórdicos*. Mesmo assim, aconselho que reservem o *Sabbat* Imbolc apenas para a celebração feminina. Segundo mitos e lendas, tanto a Deusa quanto a Santa Brigid proibiam não apenas a participação, mas até mesmo a aproximação, dos homens em seus rituais; por isso as sacerdotisas e monjas vigiavam para impedir que os curiosos olhares masculinos profanassem os sagrados mistérios femininos.

Por ser o propósito deste livro a estruturação e a condução de círculos exclusivamente femininos, ofereço a perspectiva de uma *Roda do Ano na Tradição da Deusa* que leva em consideração as características das estações no hemisfério Sul e os arquétipos divinos correlatos e dá sugestões para rituais e festivais inéditos.

Roda do Ano na Tradição da Deusa

Nos unimos com a Terra e umas às outras, para celebrar as estações, para regozijar-nos na luz do Sol, para cantar a canção das estrelas, para cultivar a esperança, transmutar a dor e confiar no amor.

– Canção composta por Adriana e Natália, da Teia de Thea

Considero o Norte o ponto de partida e a primeira direção desta Roda (seus elementos são o fogo e a água), seguindo depois em sentido horário com os demais "portais de poder", direções e festivais.

Direção Norte. O Primeiro Portal de Poder

Na roda tradicional essa direção corresponde ao *Sabbat* Imbolc; na Roda da Deusa, ao Festival de Renovação, dedicado às Iniciações Femininas, regido pela deusa Brigid e comemorado no primeiro dia de fevereiro.

No capítulo "Cerimônias de Transição", descrevi alguns dos atributos de Brigid e as sugestões para a procissão que "abre" a jornada iniciática. As orientações que se seguem podem ser usadas quando o círculo não está preparado ou não decidiu assumir um compromisso formal com rituais de Iniciação, ou quando pretende fazer a celebração de Imbolc aberta ao público feminino, porém sem coincidir com os rituais de iniciação ou sobrepô-los.

Dos muitos atributos da deusa Brigid, os que mais são invocados em rituais são os seus poderes de inspiração e proteção. Assim como o fogo sagrado de Brigid insuflava a vida na terra árida e congelada do fim do inverno irlandês, Sua chama tríplice traz também a ativação da energia vital, favorecendo a cura, o fortalecimento da centelha sagrada e o despertar do fogo criador. O poder ígneo de Brigid não "desce" apenas para preencher a mente, como mostram as suas representações, em que chamas brotam da cabeça. Ele também "sobe" como a energia *Kundalini*, de baixo e de dentro; como as águas da fonte, que nascem das profundezas da terra e trazem riquezas e abundâncias ocultas.

a) Para atrair Sua ajuda e estimular a inspiração e a criatividade individual e grupal, Brigid é invocada no seu aspecto de Patrona de todas as artes e habilidades criativas (poesia, música, pintura, escrita, artesanato com metais e fios, artes manuais, dança, culinária, esportes, escultura, teatro) no ritual descrito a seguir:

Preparativos: coloca-se sobre o altar – uma mesinha coberta com toalha amarela – uma vela de cera (ou artesanal, inscrita com motivos celtas); um cálice com água; incenso (escolher entre cravo, canela ou noz-moscada; um talismã com *triskelion* (gravado sobre madeira, pintado sobre um disco de metal ou cerâmica); um sino; um prato com pão, manteiga e mel; um copo com cerveja ou sidra. A decoração é feita com flores amarelas, folhagens verdes, imagens de Brigid, objetos ou símbolos de criatividade (lápis, pincel, caneta, CD, pauta musical, livro, caderno, argila, lãs e fios, metais, martelo, flauta ou o tambor celta chamado *bodhran*). Usam-se como fundo musical: canções celtas, músicas instrumentais ou sons de pássaros. As participantes, usando saias ou vestidos, trazem uma vela amarela, comum, dentro de um copo de vidro; um *triskelion* (talismã, pingente, imagem); uma folha de papel e uma caneta; um pacote de velas amarelas ou brancas.

Ritual: a dirigente dá três voltas ao redor do espaço circular (em que as participantes estão sentadas), levando nas mãos a vela acesa e o cálice com água de fonte (ou mineral). Ela pede a todas para que visualizem o espaço delimitado por uma corda trançada com palhas e fitas cor de laranja. Nas quatro direções do espaço, mentalizam-se "cruzes solares de palha" (em forma de suástica) e, no centro do altar, a chama tríplice de Brigid que "acende" as centelhas sagradas das participantes. Em seguida são feitas (pela dirigente ou algumas voluntárias) invocações para as direções, com menção às correspondências tradicionais de Brigid:

- Leste: dom da respiração, o som da harpa, palavras de poder.
- Sul: o fogo da forja e a batida do martelo moldando os metais, para sua transformação em joias.
- Oeste: as águas sagradas das fontes trazendo purificação e cura;
- Norte: o perfume das macieiras em flor, o mel dourado, o poder soberano da terra.
- Centro: as qualidades de Brigid como Senhora das Artes, musa inspiradora, protetora e companheira das mulheres. A dirigente pede a Brigid que confira às Suas filhas clara visão, destreza da mente e das mãos, sabedoria para usar seus dons, proteção, força das suas insígnias (o manto, o cajado, a luz da Sua coroa flamejante) e poder da autoafirmação e independência.

Se o ritual foi programado antes, algumas mulheres presentes podem contribuir com uma poesia, canção, dança, oração, visualização ou mentalização.

Para a meditação, todas acendem suas velas, fixando o olhar na chama, e em silêncio e com muita introspecção buscam aprofundar sua conexão com Brigid. Formulam mentalmente, com clareza e firmeza, a questão ou o assunto para o qual necessitam da ajuda da Deusa. Para manter o foco, entoam dezenove vezes o nome de Brigid e depois aguardam em profunda introspecção para que sua mensagem, orientação ou palavra de poder apareça "escrita" na tela mental individual. As mulheres que costumam acender velas nos seus altares podem aproveitar o poder desse *Sabbat* e imantar o pacote de velas que trouxeram com a energia do fogo sagrado. As velas serão depois guardadas e acesas nos momentos de indecisão, problemas de saúde ou falta de inspiração, quando é pedida a ajuda da Deusa.

Finaliza-se o ritual com agradecimentos aos atributos e poderes invocados, "desfaz-se" o círculo de proteção "enrolando" mentalmente a corda plasmada no nível astral e "vendo-a" sendo absorvida pela terra. Volta-se ao aqui e agora com uma dança celta ou em espiral, e compartilha-se uma refeição que inclua alimentos consagrados a Brigid, como laticínios, batatas, pão de aveia, mel, maçãs, chás de ervas com especiarias ou suco de maçã.

b) Outra forma de reverenciar Brigid é honrar e invocar Seu poder protetor como guardiã da terra e do lar. Antigamente como Deusa, atualmente como Santa, Brigid preside as procissões feitas nessa data, quando imagens, objetos e símbolos são levados ao redor das propriedades ou das casas para atrair e espalhar Suas bênçãos de proteção.

Um antigo costume que ainda sobrevive em algumas áreas rurais da Irlanda é a confecção das cruzes de Brigid com palhas de aveia (colhidas à mão, sem cortá-las). As famílias se reuniam antigamente, na véspera de Imbolc, e trançavam as cruzes, seguindo um mesmo modelo familiar, passado ao longo das gerações, de mãe para filha. As cruzes eram colocadas depois nos telhados, nas portas das casas, dos estábulos ou acima das lareiras para impedir a aproximação de espíritos malévolos, mensageiros de doenças ou azares. No Brasil, a palha da aveia pode ser substituída por ráfia, sisal, palha da costa e os modelos variam entre *triskelion*, suástica ou *olho de Brigid* (comercializado erroneamente como *olho de Deus*).

Outro costume antigo na Irlanda era preparar a cama de Brigid na véspera de Imbolc (*vide* o subcapítulo "Jornada Iniciática"). Ao lado da representação de Brigid – confeccionada com espigas de trigo ou milho e vestida com uma túnica branca e um manto verde –, colocava-se um bastão feito de um galho de árvore sagrada e que representava os atributos de Brigid para proteger a terra: justiça, soberania, paz. As donas de casa abriam as portas – depois de feitas as orações e os pedidos – e falavam: *Sua cama está pronta Bride, pode entrar,* enquanto o restante da família dizia: *Bride, entre e nos abençoe, você é bem-vinda.* As cinzas da lareira eram "alisadas" com uma faca, e no dia seguinte se procuravam nelas riscos ou sinais, sinalizando a "passagem" e as bênçãos de Brigid.

Fazia parte da antiga tradição irlandesa confeccionar os "cintos de palha" – chamados *crios Brighde* –, que eram passados ao redor de cada pessoa para que recebesse a proteção de Brigid. As mulheres deixavam ao relento pedaços de pano verde ou vermelho durante a noite de Imbolc, para que ficassem impregnados com o orvalho curador da Deusa e fossem usados, sobre o corpo, em caso de doença. Esses antigos costumes podem ser aproveitados tanto durante as cerimônias de iniciação quanto em um ritual público de Imbolc, e ensinados a outras mulheres.

Altar: são usados os mesmos objetos do ritual anterior; as participantes trazem, além da vela, um *triskelion* pessoal (pingente, talismã ou imagem), um sapato (homenageando um dos seus símbolos de proteção e força) ou outro objeto em bronze ou metal e um xale laranja, amarelo ou vermelho, que será usado durante o ritual.

Ritual: após a criação do círculo de proteção e as invocações enfatizando os atributos de Brigid como protetora, companheira e guardiã das mulheres, as participantes entoam três vezes uma das Orações de proteção apresentadas no subcapítulo "Jornada Iniciática". Elas visualizam a Deusa como uma presença luminosa, que aos poucos assume feições mais nítidas e "sentem" o Seu toque suave quando Ela coloca o manto sagrado nos ombros de cada mulher. Esse manto é um símbolo de proteção que, ao ser visualizado, forma um invólucro de luz ao redor. A dirigente entoa a afirmação, e o grupo repete em voz alta e em uníssono:

> *Defendo-me de qualquer mal com o manto protetor e poderoso de Brigid. Perante a luz da Sua coroa flamejante, todas as sombras se afastam. Com o poder do Seu cajado sagrado transformo os males em bênçãos. Tudo o que é envolto pelo Seu cinto de fogo recebe a Sua proteção. Caminharei segura e firme, calçando Seus sapatos de bronze, e dormirei em paz e feliz na minha casa, por Brigid protegida e abençoada.*

Enquanto o grupo repete a frase três vezes, visualiza imagens adequadas que se "tornam" reais; as mulheres "sentem" o manto de Brigid nos ombros, "veem" a coroa Dela na própria cabeça, "percebem" o cajado na mão. Elas se "veem" criando com esse cajado um círculo mágico de proteção que engloba a si mesmas, suas casas e suas famílias, seus carros e seus trabalhos, os caminhos que percorrem diariamente, "calçadas" com os pesados sapatos de Brigid como se fossem tamancos metálicos. Elas sentem seu poder e sua força interior aumentando, suas auras se tornando mais luminosas, a confiança e a segurança interior se afirmando, notando a proteção de Brigid em todos os caminhos, trajetos e locais que frequentam, até chegarem seguras de volta aos seus lares.

Praticando diariamente essa visualização, ela vai se tornar um recurso rápido e automático de defesa para as situações de perigo, que não vão se concretizar, pois Brigid estará sempre ao seu lado em cada momento, em todos os lugares, como companheira, protetora e guardiã.

Direção Nordeste. Início do Novo Ano Zodiacal

Na Roda do Ano europeia, esta direção corresponde ao *Sabbat* Ostara, dedicado às deusas Eostre e Ostara. No Brasil, celebra-se o equinócio de outono (20-21 de março), que também é o início do Novo Ano Zodiacal universal, marcado pela entrada do Sol no primeiro signo do zodíaco, Áries. Apesar da inversão das estações no Brasil, honro, sigo e recomendo a egrégora milenar, considerando-a um Festival do Despertar e adotando sua antiga simbologia: o desabrochar das sementes (do potencial interior) e a ativação da vitalidade e da criatividade.

Ostara era uma deusa teutônica da aurora e da vitalidade, chamada *Madrugada Radiante*, regente do renascimento da vegetação na primavera e da fertilidade (vegetal, animal e humana) e equivalente a *Eostre*, a deusa anglo-saxã da primavera. Ambas eram celebradas com canções, danças e alegres processões de mulheres enfeitadas com guirlandas de folhas e flores. Elas recebiam oferendas de ovos tingidos, pintados ou decorados com símbolos tradicionais e pães e roscas doces em forma de lebres, animais associados à Lua e renomados pela sua fertilidade. Os seus nomes deram origem ao hormônio feminino (estrógeno), ao cio (*estrum*) e à denominação da Páscoa (*Östern* em alemão e *Easter* em inglês). Os seus atributos mágicos e os símbolos a eles associados foram adotados como objetos festivos e significativos na comemoração da Páscoa cristã, fato que perpetuou a antiga egrégora do *Sabbat* Ostara, sem que a Igreja explicasse a enigmática relação entre Jesus, os coelhos e os ovos. A sobreposição de símbolos pagãos e cristãos foi a maneira encontrada pela Igreja cristã para erradicar as antigas celebrações desse *Sabbat*, equiparando a ressurreição de Jesus ao simbolismo pagão do equinócio – do renascimento da terra na primavera –, preservando as imagens do ovo e inventando "o coelhinho da Páscoa", substituto da lebre.

Em vários mitos das antigas culturas da Ásia, da Polinésia, da África, do norte europeu e das Américas encontram-se descrições do nascimento do universo, nas quais ele sai de um ovo cósmico, atribuído à fértil força geradora feminina, a Grande Mãe. No Egito, a deusa Hathor se metamorfoseou na "Gansa do Nilo" e pôs um ovo dourado do qual nasceu Rá, O Sol. O hieróglifo egípcio para ovo é o mesmo do embrião humano. Os celtas também reverenciavam a "Mãe Gansa", e os havaianos acreditavam que sua ilha surgiu do ovo de um gigante pássaro. Na mitologia grega, Nyx, a deusa da noite, foi fecundada pelo vento e pôs um ovo prateado do qual surgiu a Terra. A lenda finlandesa atribui à deusa Ilmatar a criação do Sol, do céu e da Terra, a partir dos ovos postos em seus joelhos por um misterioso pássaro celestial. A deusa Ostara era representada como uma jovem coroada com flores, segurando uma cesta com ovos e cercada por lebres.

Um provérbio latino – *omnum vivium ex ovo* – resume a antiga sabedoria de que "toda a vida se origina do ovo". Os ovos têm sido símbolos milenares da fertilidade, do nascimento, da vida e da eternidade. Oferendas de ovos de argila foram encontradas em túmulos da Idade da Pedra na Rússia, na Suécia, nos países eslavos e mediterrâneos. Os antigos hebreus comiam ovos após os enterros, para garantir a continuidade da sua linhagem e simbolizar a vitória da vida sobre a morte. Com o passar do tempo, o ovo tornou-se símbolo da primavera, do renascimento da vegetação e também do Novo Ano para algumas tradições religiosas, mas sem referência à sua antiga origem. Detentor do potencial da energia criativa da vida, o ovo foi usado de forma mágica por vários povos, bem como nas práticas europeias e africanas de exorcismo e cura. Nos festivais de primavera dos povos nórdicos e celtas, os ovos eram oferendas tradicionais para as deusas Eostre e Ostara, assim como nos rituais do Oriente próximo para Astarte e Ishtar. Tingidos de vermelhos, eram enterrados no solo para fertilizá-lo. E ovos pintados eram presenteados às crianças para ativar seu crescimento. A gema do ovo representa a energia solar, o princípio masculino, enquanto a clara é a Lua e o eterno e sagrado feminino. Os desenhos tradicionais pintados nos ovos reproduzem o movimento da energia em forma de círculos, ondas, linhas, estrelas, nós, triângulos, rodas, espirais, flores, trevos, árvores. Eles serviam como pontos de fixação, para atrair energias de renovação, saúde, prosperidade e proteção. Na Ucrânia e nos países dos Bálcãs, a arte de pintar ovos (chamados *pessankas*) é muito antiga, reservada às mulheres e preservada até hoje. Na Romênia, os ovos eram tingidos com infusões vegetais – cascas de cebola, beterraba, salsa – (atualmente usam-se tintas) e pintados com formas geométricas estilizadas, simbolizando riqueza, fertilidade, amor, vida longa, proteção e felicidade, ou feitos de madeira e decorados de maneira mais rebuscada, com aplicações de contas minúsculas e coloridas.

Levando em consideração o antigo simbolismo universal do ovo e dos arquétipos divinos associados, proponho aos círculos femininos um ritual que realça os influxos planetários do Novo Ano Zodiacal, o equilíbrio das polaridades do equinócio e o despertar das sementes – latentes ou ocultas – do potencial interior. A celebração pode ser restrita às mulheres do círculo ou aberta para o público feminino.

Altar: coberto com uma toalha verde (cor do crescimento vegetal), com velas coloridas, flores, uma cesta de palha com ovos tingidos de vermelho (cor do sangue). Uma opção prática é cozinhar ovos de codorna em suco de beterraba. As participantes usam saias ou vestidos verdes ou vermelhos e trazem seus tambores (ou chocalhos), uma vela branca, um ovo de cristal de quartzo (de madeira ou pedra-sabão), um saquinho com sementes de girassol, um vidrinho com essência (jasmim, benjoim, canela) e a imagem de uma borboleta (brinco, pingente, broche ou desenho).

Propósito: harmonizar-se individualmente e criar um vórtice coletivo de energias positivas para impulsionar mudanças que levem à expansão e à renovação do potencial pessoal.

Ritual: após o alinhamento energético com uma dança, um mantra, um som grupal ou uma respiração polarizada, o grupo cria o círculo de proteção, visualizando um "ovo" de luz que englobe todas as participantes. Invoca as energias dos elementos, e a dirigente conduz uma reflexão, para que as participantes, em silêncio e individualmente, avaliem suas amarras ou seus bloqueios relacionados às direções.

- Leste: desvio ou desistência dos propósitos, falta de concentração, dificuldade de se comunicar e expressar dúvidas e indecisões.
- Sul: uso incorreto de energia, como impulsividade, pressa, agressividade, egoísmo, falta de coragem e de motivação.
- Oeste: instabilidade emocional, medos, padrões de comportamento negativos, compensações para fugir da realidade.
- Norte: incertezas e falta de confiança em si, desnorteamento quanto à direção a seguir, preocupação excessiva, avidez.

A dirigente pede, em seguida, que cada uma mentalize o rompimento dessas amarras e a libertação, que será acompanhada com palmas, gritos, batidas de tambor ou som de chocalho. Após um rápido centramento para a harmonização, acendem-se as velas, e cada mulher segura o ovo e o símbolo da borboleta, visualizando as qualidades e atitudes necessárias para a sua transformação e renovação, enquanto a dirigente (ou responsável) invoca os poderes das direções para essa finalidade.

- Leste: clareza, discernimento, concentração no objetivo.
- Sul: energia, confiança, coragem, determinação, fé.
- Oeste: equilíbrio emocional, paz interior, compaixão, intuição.
- Norte: perseverança, paciência, respeito (por si mesma, pelos outros, pela terra), observar os sinais, seguir os ciclos.

As mulheres se abençoam com a essência, tocando os chakras (os centros espirituais da visão, da fala, das emoções, da saúde, do poder e do prazer) e afirmando para cada um: *Abençoe-me, Senhora Ostara*. Mentalizam, em seguida, os objetivos ou projetos que querem (força motiva) e desejam (força emotiva) realizar.

Uma por uma, as mulheres fazem suas afirmações em voz clara, alta e firme: *Eu* (nome) *quero...* (toca a testa com a mão); *desejo...* (toca o coração) *e vou* conseguir... (estende o braço com o punho cerrado e diz o objetivo). Todo o círculo repete: (nome) *quer..., deseja... e vai conseguir!* Os mesmos gestos e palavras são repetidos por todas as participantes, e, no final, o grupo bate palmas ou tambores, visualizando a energia criada sendo concentrada e direcionada, manifestando os objetivos na realidade material.

Após uma breve harmonização, a dirigente conduz uma meditação, "levando" as participantes ao encontro da deusa Ostara, no meio de um campo de flores, sentada ao lado de lebres e ninhos com ovos. Por meio de palavras e imagens adequadas, as mulheres visualizam a Deusa as abençoando e despertando as "sementes" adormecidas do seu potencial interior.

As sementes de girassol levadas serão depois plantadas na terra como símbolo da intenção ou deixadas ao ar livre, para que os pássaros e os ventos as espalhem. O ovo de cristal (ou madeira) e a imagem da borboleta serão guardados nos altares individuais como pontos de atração, fixação e manifestação das bênçãos recebidas.

Para finalizar o ritual, é desfeita a cúpula ovoide de proteção e realizados os agradecimentos às forças espirituais invocadas. Compartilham-se depois os ovos de codorna (ingeridos ritualisticamente) e brinda-se com suco de frutas vermelhas para fortalecer os laços de sangue e a irmandade feminina. A cesta com ovos tingidos e as flores são levados como oferendas para a deusa Ostara e as "Mães-Pássaro", colocando-os em ninhos de palha sob árvores frondosas.

Direção Leste. O Segundo Portal de Poder

Na Roda do Ano celta, esta direção corresponde ao *Sabbat* Beltane, celebrado na noite de 30 de abril, que comemora a chegada do calor, o aumento da energia vital, o poder de fertilização, o casamento sagrado da Deusa com o Deus. O seu ponto central era representado pelo "Mastro de Maio" (*May Pole*), símbolo fálico fincado nas entranhas da Mãe Terra, ao redor do qual casais enfeitados com flores e folhagens dançavam trançando fitas coloridas e elegiam a Rainha e o Rei de Maio. Na tradição teutônica e nórdica, o *Blot* (correspondente do *Sabbat*) era formado por duas celebrações: *Walpurgisnacht*, na noite de 30 de abril, dedicada às práticas mágicas de purificação e exorcismo ao redor das fogueiras, seguidas no dia seguinte por uma cerimônia alegre de comemoração, a *Majfest*.

A *Noite de Walpurgis* ou de Walburga (antiga deusa da fertilidade da terra) "fechava" a metade escura do ano iniciada no Samhain e tinha como finalidade expulsar os resquícios de doenças e azares deixados pelos espíritos maléficos do inverno. *Majfest*, em compensação, celebrava os poderes da luz e da vida com alegres procissões para os bosques e danças ao redor do Mastro de Maio. Às vezes havia lutas simbólicas entre as divindades do inverno (Anciã, Rei) e da primavera (Donzela, Príncipe), seguidas de comemorações festivas. (Mais detalhes se encontram no livro *Mistérios Nórdicos*.)

Em muitas culturas antigas, o principal símbolo das celebrações do meio da primavera (início de Maio) era a "árvore da vida", representada com suas raízes penetrando o ventre da Mãe Terra e os galhos elevados para o céu (ou eternidade). Por milênios, as árvores foram reverenciadas como espíritos benéficos, doadoras de sombra, abrigo, nutrição, cura, resistência e longevidade. Inúmeros mitos se referem ao cosmos visto como árvore. Na cosmologia nórdica, a árvore sagrada *Yggdrasil* sustenta os Nove Mundos da criação, enquanto a Deusa Mãe hebraica Asherah se apresentava como árvore. Os nomes e atributos da Árvore Sagrada variam entre *Árvore Cósmica, da vida, do conhecimento, do paraíso, da paz; pilar celeste ou eixo do mundo*. Várias comemorações eram realizadas para honrar as árvores e as Deusas da Vegetação, como a *Florália* romana, as danças nativas norte-americanas, o festival japonês das flores, os festivais gregos de Adônis, Afrodite, Ártemis e Maia, além de *Fontinália*, dedicada aos espíritos da água. A igreja cristã dedicou o mês de maio a Maria, mas a Árvore da Vida foi transformada na cruz da morte, e as cerimônias pagãs de maio, condenadas e proibidas devido à sua conotação sexual. Reminiscências modernas dos antigos festivais permaneceram no feriado civil com desfiles do dia primeiro de maio e o Dia da Árvore, comemorado em alguns países, quando as pessoas são incentivadas a plantar mudas de árvores, necessidade crescente para a nossa sobrevivência.

Como ponto intermediário entre o equinócio de março e o solstício de junho, a data de 30 de abril preserva a riqueza e a força da antiga egrégora, sendo um dos "portais de poder" da Roda do Ano que facilita e intensifica a passagem da energia telúrica. Esse fluxo de poder pode ser atraído e direcionado para fins de fortalecimento da autoestima e da confiança, aumento de sensualidade, ampliação da realização individual nos níveis emocional, sexual e mágico.

Se essa celebração for reservada apenas para mulheres, pode ser denominada Festival de Plenitude, que honra, reverencia e afirma a sacralidade feminina, em um contexto de irmandade resgatada e de poder manifestado. Essa decisão não deve ser vista como exclusão ou negação da energia masculina – cuja presença nos rituais antigos era essencial na complementação das polaridades e na encenação do "casamento sagrado" –, mas como oportunidade única e poderosa para a cura das feridas da alma e do corpo feminino.

O propósito é honrar o poder sagrado do sangue menstrual e a fertilidade (física, mental, material ou artística); fortalecer a autoafirmação e a capacidade de atração (carisma, sedução, sensualidade); reconhecer em si mesma e nas outras irmãs os dons da Deusa; acreditar no direito de ser feliz como mulher e viver com harmonia, plenitude e segurança o amor compartilhado. Como regente do ritual, será escolhida uma deusa do amor: Afrodite, Erzulie, Flora, Freyja, Inanna, Ísis, Ishtar, Hera, Hina, Lilith, Maeve, Oxum, Radha, Rhiannon, Shakti, Turan, Vênus. Adaptam-se os procedimentos de acordo com o mito e os respectivos atributos da Deusa.

Ofereço como sugestão um ritual dedicado a Afrodite, destinado a atrair a plenitude do amor, e precedido da remoção dos bloqueios, condicionamentos e conceitos limitantes, e de medos e memórias dolorosas do passado. O ideal seria reservar um fim de semana para que o círculo possa aprofundar as etapas e vivenciá-las com intensidade. Se não for possível, as mulheres anotam com antecedência as suas crenças limitantes e os padrões repetidos que impediam sua realização afetiva no passado. Para isso, usam papel pardo, no qual desenham, escrevem ou rabiscam pensamentos ou emoções, considerando as representações como *máscaras do falso eu*.

Para essa vivência as participantes vestem saias ou vestidos vermelhos e trazem um cálice (ou taça), um coração de quartzo rosa (em uma corrente), um cinto dourado (tecido ou metal), seu espelho, uma folha de papel pardo, canetas ou lápis coloridos, um vidrinho com essência de rosas, uma vela e uma rosa vermelha, e, se tiverem, uma imagem de Afrodite.

Prepara-se uma fogueira ou um caldeirão grande para queimar os papéis. Cria-se previamente um círculo de harmonização, com som grupal e visualização de uma cúpula de energia rosa que envolve o ambiente e as mulheres. A dirigente, ou as voluntárias, invocam atributos e aspectos de Afrodite associados às direções, seguindo – ou não – os abaixo citados.

- Oeste: Afrodite Gorgo – transmuta raiva, vingança, ódio.
- Norte: Afrodite Pandemos – traz a cura para as feridas sexuais.
- Leste: Afrodite Urânia – confere dons artísticos e criativos.

- Sul: Afrodite Anadiômena, "a Dourada", nascida da espuma do mar – traz brilho, beleza, alegria e amor.
- Centro: as Cárites ou Graças conferem seus dons: Thaleia (florescer, abundância), Aglaia (brilho jovem, amor) e Euphrosine (alegria, deleite, prazer).

Reserva-se um tempo para reflexão e identificação das feridas ou marcas do passado causadas por abandono, traição, abusos ou violência física, que devem ser anotadas no papel. Se as anotações foram feitas com antecedência, as participantes podem segurar apenas os papéis, enquanto repassam mentalmente o que foi percebido e descrito. Confeccionam as "máscaras do falso eu" com o papel pardo desenhando, escrevendo, rabiscando as características prejudiciais, negativas, ultrapassadas que precisam descartar e amarrando depois, com barbante, as máscaras no rosto. Formando um círculo ao redor da fogueira, ou das chamas no caldeirão, as mulheres assumem a "identidade" da máscara e expressam a dor com gestos, sons, mímica, palavras, versos ou canção. As energias negativas são "exorcizadas", quando a máscara é jogada no fogo com os papéis das anotações. Seguem uma catarse com gritos de libertação e uma dança da "mulher selvagem", culminando com as mulheres jogando punhados de ervas aromáticas secas no fogo e se purificando com a fumaça.

Após o centramento e o alinhamento energético para restabelecer o equilíbrio, as participantes passam um pouco de sal marinho nos pontos do corpo que guardaram as "feridas". Entoam uma oração para Afrodite (podem usar a descrita abaixo ou criar outra), tocando e massageando o chakra cardíaco com a essência de rosas.

> *Senhora Afrodite, Mãe do amor total e profundo, eu Te entrego meus sofrimentos, pois permiti que fosse ferida e, com a minha dor, talvez tenha feito outras pessoas sofrerem. Estou pronta para me libertar das amarras, dos bloqueios e lembranças que me limitam e me fazem sofrer. Purifica-me e cura-me, Mãe, para que não seja mais um vaso de dor, mas um cálice de amor. Preencha o meu cálice com o Teu amor todo-abrangente, guia-me, Afrodite, para um novo caminho em que encontre o verdadeiro amor, plenitude e beleza, harmonia e paz. Que seja assim!*

As mulheres passam depois essência sobre o cristal rosa, o cordão e o cinto, pedindo a Afrodite que os imante com o Seu amor. Acendem a vela, colocam o colar e o cinto e seguram o cálice com a rosa dentro dele.

A dirigente conduz uma meditação para preencher o "cálice do amor" depois de terem esvaziado o "vaso da dor". Inicialmente é feita uma visualização da luz dourada de Afrodite, que envolve a aura de cada mulher e cura as feridas do coração. Aos poucos, a luz cálida e pulsante vai se ampliando e reforçando a confiança, o otimismo, a autoestima, o amor-próprio, o magnetismo pessoal, a segurança e a alegria. Mentalmente e com firmeza, cada mulher cria suas próprias afirmações positivas para melhorar a expressão pessoal, usando os verbos no presente. O cálice preenchido com a energia do amor todo-abrangente (por si, pela vida) aumenta a segurança pessoal para que ela viva visando aos próprios interesses, sem depender do parceiro ou esperar que ele supra carências e necessidades, superando, assim, dependências, acomodação e submissão. A dirigente faz as afirmações de autoaceitação, e todas repetem:

> *Eu me amo, por isso me aceito como sou,*
> *Eu me amo, por isso me liberto do passado,*
> *Eu me amo, por isso cuido bem do meu corpo,*
> *Eu me amo, por isso evito autocríticas destrutivas,*
> *Eu me amo, porque eu reconheço e afirmo o meu valor,*
> *Eu me amo, porque quero e mereço atrair e viver o pleno amor.*

Chegou o momento de pedir à Deusa que "envie" às mulheres, que abriram e preencheram "seu cálice de amor", parceiros que as amem, respeitem e apoiem, ou que aprofunde e fortaleça laços afetivos já existentes. Passa-se levemente o coração de quartzo sobre a chama da vela e eleva-se o cálice com água (ou vinho tinto) e a rosa, entoando esta oração:

> *Mãe Afrodite, Senhora do Amor, depois de ter-me purificado do passado e curado meu coração, estou pronta agora para me tornar um cálice de amor. Permite que o meu desejo flua e se espalhe como pétalas de rosas no universo e que eu me aceite como eu sou, que me admire e respeite e que honre em mim o Teu reflexo. Mãe, coloca-me no*

> *Teu altar, que é o universo, onde me ofereço como um cálice de amor. Eleva-me, Senhora do Amor Abrangente, ao Teu coração, abençoa-me e atenda o meu ardente desejo. Que seja assim!*

Cada mulher escreve agora três listas:

- uma enumerando as suas próprias qualidades;
- outra com as qualidades que deseja encontrar no parceiro;
- e a terceira descrevendo aquilo que espera do relacionamento.

Untam-se as listas com a essência de rosas e amarram-se com o cinto e o coração de cristal. Cada mulher guarda depois do ritual o talismã no altar individual, em uma bolsinha de cetim vermelho, com uma fava de cumaru, bastões de canela, pétalas de rosas, sementes de erva-doce, um pouco de urucum em pó e uma pedra magnetita.

Quando o pedido for atendido, queimam-se as listas e espalham-se as cinzas nas quatro direções, mas guardam-se o cinto (símbolo do poder de atração) e o coração de quartzo rosa no altar.

As participantes continuam o ritual com afirmações para curar em definitivo as feridas psicológicas infligidas pelos padrões e conceitos patriarcais. Cada mulher pega seu espelho e, fixando o olhar no meio da testa, diz com firmeza e convicção:

> *Eu me liberto de todas as palavras, ideias, conceitos, imagens e ações que me fizeram sentir culpa ou vergonha de mim como mulher. Eu perdoo a menina medrosa e tímida, a jovem reprimida e revoltada, a mulher humilhada, traída e sofrida. Eu celebro a guerreira que sou agora e a sacerdotisa que sempre fui e serei, reverenciando o poder sagrado de Afrodite e a força do amor, que cura as feridas do passado.*

Por ter sido o favo de mel o símbolo de Afrodite (cujas sacerdotisas se chamavam *Melissas)*, o ato de beber, ritualisticamente, um pouco de mel cria uma conexão com a Deusa, a quem será pedido o dom das palavras doces, o encanto da sedução, a graciosidade e leveza, a certeza da beleza individual e única, a realização como mulher. Finaliza-se o ritual com uma canção para

Afrodite (uma sugestão é *Abelha Rainha*), uma dança sensual ou do ventre e uma "refeição vermelha", para celebrar os laços e os mistérios do sangue que unem as mulheres. (Sugestão: sopa de beterraba, musse ou torta de morangos, ponche ou suco de frutas vermelhas.)

O arquétipo de Afrodite

Cultivar Afrodite é sinônimo de celebrar o amor, a beleza e a alegria. A mulher atual pode ativar o significado profundo desse arquétipo reaprendendo a gostar e a cuidar do seu corpo, sentir prazer sensorial e estético, amar o amor e a vida, reconhecer os reflexos de Afrodite nas outras mulheres (para resgatar a solidariedade feminina e eliminar rivalidades e competições). Afrodite não é somente a deusa do amor, mas também da compaixão; seu grande dom é abrir os corações, e não apenas unir os seres físicos ou proporcionar prazer sensual.

Resgatar Afrodite significa fortalecer o "ser mulher" desvinculado do erotismo trivial e da deturpação da sexualidade – dádiva sagrada da Deusa – e reconhecer a sacralidade do corpo feminino.

Invocar Afrodite significa ir além do pedido para a cura de feridas femininas e também se conscientizar da responsabilidade pela cura de males e dores causados à Terra e do propósito de amar a nós, aos outros e à Mãe Terra.

Uma poderosa meditação de cura consiste em visualizar a *reconsagração do templo profanado*, considerando a vagina um portal sagrado que pode ter sido aberto de forma violenta, "contaminado" ou "danificado". A restauração da integridade ou sacralidade do *templo interior* será feita pelo amor de Afrodite, que vai fluir como um bálsamo curador, purificador e renovador. A mensagem final da meditação será assumir a responsabilidade de cuidar, zelar e preservar a integridade e sacralidade desse *templo,* permitindo a entrada apenas de parceiros que demonstrarem respeito, amor e reverência, ao reconhecer na mulher a centelha sagrada de Afrodite. A meditação pode ser feita individualmente ou em grupo, conduzida pela dirigente. Esta seguirá sua intuição para escolher as imagens certas, que toquem as cordas do coração de todas as participantes e as leve a perceber o toque de Afrodite, perdoando os "invasores" e agressores, curando as feridas e fortalecendo seus seres.

Direção Sudeste

Na Roda do Ano, esta direção é marcada pela entrada do Sol no signo de Câncer (20-21 de junho), representando o solstício, que no hemisfério Norte assinala o auge do poder solar, do calor do verão e da luz, e era celebrado pelo *Sabbat* celta Litha ou o *Blot* nórdico *Midsommar*.

Nas mais diversas culturas, os solstícios sempre foram ligados à ideia de renovação do mundo, ou seja, à compreensão de que, a determinados intervalos, tanto a Natureza como as questões humanas alcançam um final e começam novamente. Os povos antigos acreditavam que os princípios que atuam no nascimento e na morte de culturas, civilizações e eras mundiais apresentam analogias com os começos e términos de ciclos naturais menores, como os solstícios, que são eventos cósmicos e terrestres e, ao mesmo tempo, símbolos dos processos de transformação da psique. Os solstícios eram momentos mágicos, ideais para reconhecer e celebrar a promessa do retorno da ordem e da luz (no inverno), ou a abundância de luz, mas prenunciando seu breve declínio (no verão). Em muitas culturas eram caracterizados pelos ritos sexuais e agrários para revitalizar a Natureza ou contribuir para a fertilidade da vida, celebrando os princípios cósmicos: feminino e masculino, céu e Terra, que, ao fazerem amor, deram origem ao Universo.

No hemisfério Norte, as antigas celebrações do solstício de verão incluíam vigília durante a noite mais curta do ano, para comemorar o nascimento do Sol, realizada nos círculos de menires (como Stonehenge na Inglaterra); as danças do Sol nas Rodas Xamânicas dos nativos norte-americanos e os rituais nas pirâmides astecas, maias, incas (*Inti Raimi*) ou egípcias. A observação ritualística do nascer do Sol favorecia a comunhão com os poderes da Natureza, e a gratidão era demonstrada com danças, canções, orações e fogueiras acesas durante toda a noite. Na antiga Grécia, procissões e libações de vinho e mel faziam parte das festividades, enquanto no Egito "o ritual das lamparinas" reverenciava a deusa Ísis e a estrela Sirius (*Sothis*). Em Roma, o dia era dedicado à deusa Vesta; o seu fogo perpétuo era apagado, abençoado e novamente aceso. Costumes e mitos encorajavam encontros amorosos de casais, para assegurar a fertilidade da Terra e a perpetuação das espécies. Resquícios das antigas cerimônias se encontram ainda nas festas juninas brasileiras e nos seus casamentos caipiras, nas fogueiras e nos pedidos aos Santos "casamenteiros".

Na visão feminina, esse *Sabbat* pode ser dedicado à Deusa Mãe, que alcançará sua maturidade no *Sabbat* Lammas (1º de agosto), entrando na menopausa no Mabon (22-23 de setembro) e se tornando anciã no Samhain (31 de outubro), para renascer no Yule (20-21 de dezembro). As mulheres que seguem a Roda do Ano e percebem as mudanças das estações e a alternância dos ciclos compreendem e aceitam a morte não como o fim, mas como parte de um processo contínuo de "eterno retorno". Fluir com os ciclos permite a conscientização e a valorização de cada etapa do caminho, de cada fase da vida, sem negar ou temer a velhice ou a morte, por fazerem parte do mesmo ciclo vital.

Em sintonia com a antiga egrégora solar, mas em concordância com o início do inverno no Brasil, proponho que se use nessas celebrações o arquétipo das Deusas solares e considero a data um Festival de Afirmação.

Um dos mais antigos conceitos da história da humanidade é a existência da centelha criativa da vida, contida no escuro ventre primordial, representada pelo ponto no centro do círculo, símbolo universal do Sol. A mais arcaica das manifestações de luz solar era vista como a irradiação brilhante ao redor da Grande Mãe. Devido ao poder gerador, procriador e vitalizante do Sol, que proporcionava a continuidade da vida na Terra, em várias culturas antigas o "astro rei" era reverenciado como Deusa. São conhecidos os cultos solares da deusa pré-islâmica Attar ou Al-Lat; da Rainha Celeste Arinna, da Mesopotâmia, e Wurusemu, na Anatólia; das hindus Aditi, Bisal Mariamna, Marici e Surya; da japonesa Amaterassu; das egípcias Bast, Satet e Sekhmet; e das gregas Helia e Thea. Existiram cultos das nórdicas Beiwe, Paivatar, Saule, Sol e Sunna; das eslavas Iarina, Koliada e Solntse; das celtas Brigid, Grainne, Olwen, Sulis; e das nativas norte-americanas Sun Goddesses (Sister, Woman). Outras culturas viam a Deusa como "Mãe do Sol", como no mito egípcio de Hathor e Ísis; da eslava Sundy-mumy; da grega Leto, mãe de Apolo; e das Mães Sol bálticas (Beiwe e Saule).

Uma contribuição relevante do atual movimento da espiritualidade feminina é resgatar, reconhecer e reverenciar as deusas solares. Durante séculos, teólogos, historiadores e antropólogos consideraram o Sol um Deus, reservando à Deusa a Lua, a Terra e a escuridão. Descartando os valores dualistas do sistema patriarcal (religioso, cultural e social), os círculos femininos podem – e devem – reclamar tanto a luz quanto o céu como atributos da

Grande Mãe cósmica. Apenas tardiamente na história da humanidade o Sol foi entronado como Deus e declarado o "astro rei". Originariamente, na cultura grega, Thea – a deusa da luz – conduzia a carruagem solar com o marido, Hyperion. Ela foi, aos poucos, substituída pelo seu filho Hélios, considerado, com o passar do tempo, o único deus da luz solar. Hélios era irmão de Selene, a Lua, e de Eos, a luz da alvorada e do crepúsculo, e pai de Hélia, deusa solar. Apenas em 100 a.C. surgiu Apolo, um desconhecido deus indo-europeu elevado à função de regente do Sol, mas sem ter um culto organizado. Com o passar do tempo, o Sol e o céu tornaram-se domínios dos deuses olímpicos e floresceu o culto do *Sol invictus*, baseado no mito e no simbolismo do deus persa Mithra. A apoteose masculina solar foi adotada como atributo divino dos reis, mergulhando as deusas solares na escuridão do esquecimento e na negação do seu poder. Ao redescobrir e cultuar deusas solares, a tradição da Deusa não separa os atributos intelectuais do Sol da intuição e da inspiração lunar, mas os une na eterna dança da luz e escuridão, dia e noite, vida e morte, integrando e complementando as polaridades.

Da profusão de arquétipos solares femininos existentes, escolhi a deusa japonesa Amaterassu para ser celebrada em um ritual de "descoberta da luz". De todas as religiões atuais, somente no xintoísmo japonês preservou-se uma divindade solar feminina: Amaterassu Omi Kami, o *Grande Céu Brilhante*, protetora do povo e símbolo da unidade cultural, cujo emblema – O Sol nascente – continua aparecendo na bandeira do país.

No mito é descrita a sua contínua briga com o irmão Susanowo, deus da tempestade, que matou Uke Mochi, irmã de Amaterassu, a provedora dos alimentos. Ele atuava de forma provocadora e agressiva, ofendendo a Deusa e suas sacerdotisas e destruindo seu palácio e templo. Revoltada com esses fatos, Amaterassu abandonou o palácio e se enclausurou numa gruta, privando o mundo da luz e do calor solar, sem atender aos pedidos para retornar. A deusa da alegria, Uzume, incentivou os oito milhões de divindades (*Kame*) a dançarem e gritarem até que, movida pela curiosidade, Amaterassu saiu da gruta e viu a própria imagem refletida em um espelho de bronze, previamente colocado por Uzume. Enquanto ela estava admirando sua beleza luminosa, os deuses trancaram a entrada da gruta, e Amaterassu voltou ao seu trono e reassumiu sua missão. Ela puniu Susanowo com a expulsão do céu, restabeleceu a ordem, e a luz voltou à Terra. O festival tradicional japonês *Setsu-Bun-O*, dedicado à deusa Amaterassu, celebra até hoje a vitória da luz sobre a escuridão com exorcismo dos maus espíritos, faxina nas casas, purificação das pessoas e procissões com lanternas para grutas e templos.

Usando como inspiração elementos do mito e do festival, ofereço como sugestão para comemorar Amaterassu o resumo de uma encenação ritualística. As participantes trazem objetos simbólicos: leques, varetas de incenso de sândalo, suas joias em uma caixinha, um espelho, uma pedra amarela (como citrino, topázio, olho de tigre) ou um cristal de quartzo, uma folha de papel de seda, um balão de cor escura, um vidrinho para fazer bolhas de sabão, uma tocha ou vela. Elas vestem um quimono ou algo no estilo oriental, usam sandálias havaianas com meias brancas e trazem um xale amarelo ou dourado.

Duas mulheres encenam o combate entre a luz (Amaterassu) e a escuridão (Susanowo). A escuridão prevalece (a luz é apagada), e Amaterassu desaparece atrás de um biombo. Segue a procissão das mulheres com as tochas (velas) acesas buscando a Deusa, que é trazida de volta com danças alegres, gritos, palmas. Ela se olha em um espelho grande, reconhece e louva sua beleza e convida as mulheres a fazerem o mesmo. Elas cobrem a cabeça com o xale e, em uma meditação dirigida e com sons de flauta de bambu, avaliam as marcas (mentais, emocionais, físicas) deixadas pela violência ou pela dominação masculina. Localizam essas feridas (ou seus reflexos) no corpo e passam sobre elas o papel de seda para absorver o "veneno"; esse papel é depois queimado em uma fogueira ou um caldeirão.

Seguem uma dança de libertação, na qual as mulheres sacodem os pés, as mãos e a cabeça, e uma purificação com água aromatizada com essências florais. Segurando varetas acesas de incenso de sândalo, elas se abanam com leques, colocam suas joias (trazidas em uma caixinha), se enrolam no xale e pegam seus espelhos. Olhando a chama da vela e sua imagem no espelho, visualizam a luz interior aumentando e brilhando, sendo vista, reconhecida e admirada pelas pessoas, e permitindo, assim, a manifestação das suas aspirações, qualidades e propósitos. Sabendo que o aumento do poder pessoal diminui a vulnerabilidade e a dominação alheia (*a força dele – ou dela – está na minha fraqueza*), as mulheres afirmam a expressão do "verdadeiro Eu" (sem enfraquecimento ou inferiorização, mas também sem ser inflamado pela arrogância, vaidade e prepotência).

Após as afirmações positivas, elas inflam (soprando com força) os balões de cor escura, imaginando que todos os resíduos de insegurança ou as lembranças de agressão são transferidos para eles. Concentrando o poder no *hara* (ponto energético abaixo do umbigo), por meio de respirações profundas, elas dão um grito e furam os balões, sapateando e batendo palmas para festejar a libertação. Celebram soltando bolinhas de sabão e mentalizando vibrações positivas irradiando para si, para os outros, para o planeta. Imantam atributos de poder e brilho solar nas joias e na pedra amarela (ou no cristal de quartzo). Criam um "cone de poder" dourado, repetem três vezes afirmações de *empoderamento* pessoal (o poder interior, sem prepotência), "erguem" o cone com gestos e visualizações, depois se soltam com gritos, risos e palmas.

Direção Sul. O Terceiro Portal de Poder

Seguindo a Roda do Ano europeia, o *Sabbat* celta Lammas ou o *Blot* nórdico *Erntefest* ou *Freyfaxi* comemoram a colheita, realizada com bênçãos da terra, das pessoas, dos animais e entregando oferendas para os deuses, em sinal de gratidão. Das primeiras colheitas de grãos (trigo, centeio, cevada, aveia, milho), antigamente assavam-se pães, que eram repartidos com alegria na comunidade. Essa é a origem do nome da celebração: *Loaf Mass* ou *Hlafmass* – "a festa do pão". Celebrado no primeiro dia – ou na Lua cheia – de agosto, era uma celebração de agradecimento pela colheita e pelo pão.

Fazer pão é uma das artes mais antigas que se conhece; restos calcificados de pão, feito com sementes esmagadas, foram descobertos em grutas da Idade da Pedra. A invenção da cerâmica revolucionou a preparação do pão, que foi assumindo uma enorme variedade de formatos e tipos de preparação, dependendo do lugar e da cultura de origem. Durante milênios, o pão foi a comida essencial e a base da sobrevivência física, tornando-se sinônimo de alimento e símbolo sagrado, ao qual se atribuíam poderes mágicos e curativos. Ele era usado para proteção contra ataques psíquicos; para curar doenças; firmar pactos e compromissos; selar juramentos; abençoar a casa e os campos; comemorar alianças, uniões e tréguas nos conflitos; e celebrar a paz.

A comemoração da colheita é um ato ancestral sagrado e uma oportunidade para reverenciar, no Festival da Gratidão, as inúmeras faces da *Deusa dos grãos*, conhecida como Astarte, Ashtoreth, Ceres, Chicomecoatl, Corn Mother, Deméter, Erda, Gaia, Habondia, Ísis, Ker, Mawu, as Mães e Donzelas do Milho, Modron, Nerthus, Ops, Perséfone, Sif, Tailtu, Tellus Mater.

A sacralidade dos grãos remonta aos primórdios da humanidade, por isso uma festividade muito importante e comum a todos os povos antigos era a festa da colheita. Honravam-se a morte na imagem do grão colhido e moído (e sua transfiguração como Deus sacrificial) e a vida no renascimento das sementes (brotando do ventre da Mãe Terra). Para agradecer às colheitas, nossos antepassados faziam oferendas à Mãe Terra e confeccionavam efígies de palha para materializar o espírito da Mãe da colheita. Chamadas de *Corn Mothers*, essas efígies eram levadas em procissão para abençoar as casas, eram guardadas nos altares durante o inverno e enterradas ritualisticamente nos campos antes do plantio, para garantir a fertilidade da terra e a abundância das novas colheitas. O pão – antes redondo – passou a ser enrolado em tranças e roscas (para substituir os cabelos que as mulheres costumavam ofertar à Deusa) e usado como símbolo de união entre os homens e as divindades. Muitos séculos antes da Eucaristia cristã e da adoção da hóstia, o pão era a representação da vida originada no ventre da Mãe Terra, por isso honrado como Seu filho (era um sacrilégio desperdiçar ou jogar fora o pão, não comê-lo até o fim ou usá-lo de forma pejorativa). O vinho representava o sangue da Mãe ou do Seu filho, personificado pelos grãos, sacrificado no ato da colheita e ofertado como doação para nutrir os seres humanos, que eram gratos por esse sacrifício sempre renovado. O mês de agosto (final do verão no hemisfério Norte) era consagrado à *Deusa que dá a vida e nutre a todos, que* correspondia à deusa romana Juno Augusta. Com o passar do tempo, o festival sagrado da colheita tornou-se uma comemoração mais profana, incluindo competições esportivas, feiras de produtos agrícolas, leilões de animais (às vezes até mesmo de noivas, em função dos seus dotes) e consultas oraculares.

Atualmente, pode-se fazer nos círculos femininos um ritual de celebração da Mãe Terra, na sua manifestação como *Mãe dos Grãos, Mãe do Milho* ou uma deusa específica, como Pacha Mama ou Gaia.

A seguir ofereço duas sugestões de rituais.

Ritual para a Mãe do Milho

*Mãe Antiga do Milho, venha a mim,
consagre meu caminho, preencha-me com beleza,
para que possa levar aos outros a Tua beleza.*

– "Corn Mother", canção de Lisa Thiel

O milho é uma das plantas mais cultivadas no mundo, encontrado do norte ao sul e do leste ao oeste dos continentes; portanto, em cada mês do ano, em algum lugar no mundo, há uma colheita de milho. Nativo do México, sua cultura se espalhou pelas Américas Central e do Norte, depois foi levado pelos colonizadores para a Europa e a África. Chicomecoatl era a deusa asteca do milho, e seu culto era muito antigo e importante. Para os indígenas hopi, a Mãe Natureza é representada pela Mãe Terra e a Mãe do Milho. Para eles, o milho é o símbolo da sua sustentação, objeto cerimonial, oferenda e oração, e sua essência física e espiritual permeia a sua existência. Eles cultivavam variedades coloridas de milho, cada cor com um significado cerimonial específico e regida por uma das "Donzelas do Milho", que correspondem às sete direções (sendo a Donzela do milho azul a mais bonita e cultuada). O milho deu origem aos nomes nativos de alguns meses: A Lua do plantio do milho ou quando nasce o cabelo do milho, a Lua do milho verde ou quando as mulheres colhem o milho, a Lua da Mulher Amarela ou da Mulher Velha que nunca morre.

Nas culturas europeias, nas celebrações da colheita, confeccionava-se uma efígie da Mãe dos Grãos com espigas de trigo formando uma mulher (que podia conter uma espiga menor na "barriga"). Os povos nativos faziam seus rituais reverenciando ora a Mãe, ora a Filha, com as efígies correspondentes. O plantio era marcado por orações, bênçãos e oferendas (para "alimentar as sementes"), e as colheitas, por danças de mulheres, rituais de gratidão e festas. O tema principal dos vários mitos era a aparição de uma linda mulher, com cabelos dourados, que se transformava no milho, ou o sacrifício voluntário de uma mãe que, ao ser arrastada sobre a terra – a seu pedido – pelos filhos famintos, fazia nascer o milho a partir do seu sangue e do seu corpo. O mesmo motivo – do alimento proveniente do corpo de uma deusa morta – é encontrado em outros mitos, japoneses, babilônicos, hindus, inuítes e nativos norte-americanos.

A *Mãe do Milho* era honrada por personificar o espírito vital da planta; sua representação material era uma boneca vestida em trajes típicos, "alimentada" com oferendas para ter força e crescer. Se o plantio não vingasse, a boneca era queimada, suas cinzas enterradas nos campos e ela era substituída por uma nova, guardada no altar e "fortalecida" com orações e oferendas.

Altar: uma mesinha coberta com uma toalha amarela, enfeitada com imagens de espigas coloridas de milho, uma vela, uma cabaça com água de chuva (ou fonte), uma cesta com oferendas (espigas ou milho em grão) e uma representação da Mãe do Milho, confeccionada pelo círculo com uma espiga, cabeça de sabugo, cabelos de lã amarela e vestida de camponesa. As participantes vestem roupas coloridas (vestidos ou saias) e trazem três fitas estreitas de cetim nas cores marrom (da terra), verde (dos caules) e amarela (dos grãos de milho).

Ritual: após uma harmonização ao som de batidas de tambor ou chocalho, as mulheres fazem uma dança – em espiral ou com movimentos sinuosos – ao redor de uma fogueira, que fica aos cuidados de uma responsável (*a mulher – ou guardiã – do fogo*), para que não apague. O fogo é alimentado com galhos secos, sabugos de milho e ervas aromáticas secas. A dirigente fala sobre os antigos mitos e rituais e invoca as sete direções correspondentes às Donzelas do Milho.

Eram estas as correspondências nativas entre as cores do milho e as direções. Norte: *milho azul;* Oeste: *milho amarelo;* Sul: *milho vermelho;* Leste: *milho branco;* acima: *milho multicolorido;* abaixo: *milho negro;* centro: *milho anão.* Entoam-se depois algumas canções ligadas à Mãe Terra (por exemplo, "*O Cio da Terra*") ou as mulheres batem tambor no ritmo do coração.

Três mulheres previamente escolhidas fazem as visualizações e invocações para pedir as bênçãos da terra, da água e do Sol, em benefício das lavouras, dos plantios e das colheitas. A dirigente conduz uma meditação – cujo enfoque é a gratidão pela colheita individual (saúde, emprego, moradia, família, relacionamento, segurança, realizações) –, e as mulheres trançam suas fitas. Em seguida é realizada uma visualização sobre a conscientização da necessidade de preservar, proteger e não desperdiçar os recursos da Mãe Terra (água, energia elétrica, combustível, papel, comida) e de evitar a poluição e a degradação das suas belezas e riquezas.

Fecha-se o ritual com os agradecimentos costumeiros e uma dança alegre ao redor da fogueira, na qual se ofertam grãos de milho como gratidão ao fogo que purifica, aquece e ilumina. Partilham-se pão ou bolo de milho e suco de uvas. As oferendas são levadas para um lugar bonito na natureza, e as tranças de fitas, amarradas em galhos de árvores como orações de gratidão e espalhadas pelo vento.

Ritual para Pacha Mama

> *Madre Tierra, Pacha Mama*
> *La Madre Tierra me calienta*
> *La Pacha Mama me alimenta.*

– Canção tradicional andina

Reverenciada como a Mãe Terra pelos incas, *Pacha Mama* continua a ser cultuada até hoje na Bolívia, no Peru, no Equador e na Argentina. Ela reúne em si os poderes maternos (como *Mama*) e é a doadora dos alimentos e dos atributos do tempo e do universo (como *Pacha*). De origem aymará, ela é a deidade suprema dos indígenas nativos, honrada como Mãe – das montanhas e dos homens, Senhora – dos frutos e dos rebanhos, Guardiã – contra pragas e geadas, Protetora – nas viagens e caçadas, Padroeira – da agricultura e tecelagem. Quando ofendida, Ela assume o seu aspecto vingador na forma de um dragão e pune aqueles que danificam a Natureza e ferem seus filhos humanos ou dos reinos naturais. Acredita-se que habita um local sagrado em uma ilha, que anda acompanhada por um cão feroz e usa víboras como laço. Os viajantes devem pedir sua permissão e bênção antes de subir as montanhas, para evitar se machucar ou ter mal de alturas.

Na tradição indígena, a mulher deve se conectar com a força da Terra (*Pacha Mama*) e da Lua (*Mama Quilla*) para abrir seus canais de percepção intuitiva e expandir sua luz própria e a capacidade de amar. Para restabelecer o contato perdido no mundo moderno com Pacha Mama, é recomendável andar descalça e deitar na grama ou na terra, atrair as energias telúricas mexendo com terra ou argila, ficar de cócoras e visualizar o campo energético da Mãe Terra mesclando-se com o seu, em um poderoso intercâmbio. Durante o mês de agosto, os povos andinos continuam realizando rituais para Pacha Mama pedindo saúde, trabalho, prosperidade e proteção. Para "alimentar" Pacha Mama, que está com "a boca aberta devido à fome", são feitas oferendas e cerimônias específicas, como defumação com pau-santo (*palo santo*) e copal, queima de *mesas* (oferendas com objetos simbólicos) e orações para a realização de pedidos.

Um ritual típico pode ser realizado, como uma oferenda grupal, com elementos tradicionais e uma fogueira.

Altar: coberto com uma manta peruana ou um tecido rústico e colorido, no centro uma mandala de espigas, frutas, flores e folhas, uma imagem de montanhas e outra de dragão, alguns objetos andinos (flauta, boneca, pedras pintadas, chocalho). No centro coloca-se uma estatueta ou imagem de Pacha Mama. No chão, ao lado, prepara-se uma *mesa*, coberta com papel de seda, e sobre ele vários fios coloridos de lã em círculo; as cores escuras na periferia, as outras em graduações para o centro, formando uma mandala. No centro da *mesa*, coloca-se um prato virgem de barro, e sobre ele folhas de café ou louro, para substituir as tradicionais, de coca. Cada folha representará uma oração para Pacha Mama, e as participantes vão arrumá-las em silêncio e com reverência. Ao redor do prato colocam-se balas e doces em forma de espiral, simbolizando o vórtice energético vindo do ventre da Mãe Terra.

Ritual: após uma harmonização prévia com respirações profundas ao som de flautas peruanas, cria-se o círculo de proteção, visualizado como um grande dragão enroscado ao redor do grupo Em seguida, algumas das mulheres – previamente escolhidas – saúdam e invocam os guardiões totêmicos de cada direção:

- Leste: Kondor Apu Chin, o condor
- Sul: Satchamamma, a serpente
- Oeste: Otorongo, o jaguar
- Norte: Kenti, o beija-flor

As integrantes do círculo depositam sobre a *mesa* sua oferenda de copal (ou breu) moído, no sentido horário, seguido de pau-santo (ou incenso) em pó, saudando e invocando os poderes e as bênçãos dos três mundos para a próxima colheita: *Uku Pacha* (subterrâneo), regido pela serpente; *Hanan Pacha* (superior), regido pelo condor; e *Kay Pacha* (do meio), regido pelo puma (ou jaguar). Acende-se a fogueira e invocam-se os poderes e as bênçãos do fogo. Em seguida, realizam-se algumas práticas relacionadas aos elementos: fogo (uma dança, da serpente ou espiral, ao redor da fogueira), ar (canções, visualizações com condor e estrelas), terra (batidas de tambor invocando Pacha Mama para a cura das mulheres e o fortalecimento do seu poder) e água (purificação com água de chuva ou uma infusão de plantas aromáticas). Após uma canção e dança típica andina dedicadas a Pacha Mama, embrulha-se a oferenda com o papel de seda, amarrando-a com um cordão verde ou vermelho. Uma por uma, as mulheres seguram a oferenda junto à testa, o coração e o ventre, agradecendo à Mãe Terra por tudo aquilo que Dela receberam e pedindo a Sua bênção para o próximo plantio e colheita (individual e coletiva). Entrega-se a oferenda ao fogo com um pouco de cerveja (no lugar da tradicional *chicha*, bebida fermentada de milho). A oferenda também pode ser enterrada em algum lugar limpo na Natureza, com conchas pequenas (cada mulher leva uma concha) que simbolizam o órgão genital feminino (divino e humano), a fonte da criação, e pede-se cura e proteção.

A confraternização inclui um lanche com pratos típicos andinos (batatas assadas, pamonhas, broa de milho, milho verde cozido ou assado), suco de milho ou chá de gengibre e hortelã. As flores, frutas e espigas do altar serão repartidas entre as participantes, depois levadas para os altares pessoais ou ofertadas na Natureza.

Noite de Hécate

Hécate, Mãe Escura, nos receba
Hécate, Hécate, nos ajude a renascer.
Héc, Héc, Hécate.

– Canção de Patricia Witt

Mesmo sem fazer parte da Roda do Ano, uma data muito importante do calendário sagrado feminino é a "Noite de Hécate", celebrada em 13 de agosto ou 16 de novembro por mulheres de vários países.

A mitologia de Hécate é envolta em mistério, e sua genealogia, controvertida. Algumas fontes a consideram parte dos Titãs (divindades gregas pré-olímpicas) e filha de Nyx, deusa da noite, e Erebus (ou Tártarus), deus das regiões subterrâneas. Outras a definem como filha de Astéria, a deusa das estrelas, e do Titã Perseu, ou uma adaptação grega em 600 a.C. do arquétipo da deusa egípcia Heqit, cujo culto como padroeira dos partos existia desde 4000 a.C. Heqit era representada com cabeça de sapo – que simbolizava o embrião – e era ela quem assistia ao "parto" diário do Sol, bem como ajudava na germinação das sementes. (As mulheres sábias, parteiras ou curandeiras eram chamadas de *Heq*.) Nos oráculos da Caldeia, Hécate era a mediadora entre os reinos e planos sutis, além de cultuada pelas mulheres da Trácia, da Tessália, de Creta, e da Grécia como padroeira das curandeiras e parteiras, Senhora das profecias e magias.

O nome Hécate tem vários significados: *Aquela que sabe usar a vontade*, *A distante* ou *A mais brilhante*. Mesmo sem fazer parte do Olimpo, Zeus confirmou a sua ancestral regência sobre o céu, a Terra e o mar. Às vezes, Ela é representada como deusa tríplice que segura uma chave, um punhal e uma corda – ou chicote –, no papel de condutora das almas, simbolizando a entrada para os mistérios do mundo subterrâneo, o corte das ilusões terrenas e o cordão do renascimento e da renovação. Outras vezes é descrita como parte de uma tríade de deusas: da terra, com Perséfone e Deméter; ou lunares, com Ártemis (Lua crescente), Selene (Lua cheia) e Hécate (Lua negra). À medida que o poder solar e patriarcal foi se afirmando e, portanto, diminuindo a importância dos arquétipos femininos, foram enfatizados os aspectos escuros de Hécate e atribuiu-se a Ela o domínio da Lua Negra. Como condutora e guardiã do mundo dos mortos, padroeira das parteiras e curandeiras, ela foi difamada pelo cristianismo durante séculos como personificação do mal, considerada Rainha das bruxas e representada como velha demoníaca e perigosa.

Atualmente, várias escritoras e historiadoras estão restabelecendo as verdades dos antigos mitos, devolvendo a Hécate os seus poderes como *Senhora dos Mistérios* (da noite, da Lua, do mundo subterrâneo, do inconsciente, dos sonhos, das experiências psíquicas, das visões), detentora da sabedoria (intuitiva, psíquica e ancestral), condutora das almas, parteira e curadora. Ela é a grande *Guardiã dos Portais* (entre luz e sombra, consciente e inconsciente, razão e intuição), dos caminhos e das transições (entre passado, presente e futuro, o mundo material e espiritual, a luz e a escuridão, a vida e a morte, a realidade telúrica e a do mundo subterrâneo, o *karma* e o *dharma*).

Na antiga Grécia, era reverenciada como *Hécate Trivia* ou *Triformis* (guardiã dos caminhos e das escolhas), nas encruzilhadas de três caminhos e antes de sair de casa, nos altares domésticos a Ela dedicados. Nas representações (estatuetas, baixos-relevos, pinturas), aparecia com três cabeças, como mulheres de idades diferenciadas, ou com características dos seus animais de poder (mais frequentemente o cão, a serpente ou a égua, o leão ou o lobo). Os seus seis braços seguram tochas e símbolos de poder (chave, punhal ou foice, corda ou chicote). A foice é mais específica e feminina que o punhal, por ser símbolo do aspecto ceifador – da colheita e da vida –, e sua forma está ligada aos cornos lunares (Luas crescente e minguante). A lâmina descreve o dom do discernimento, do saber o que cortar (hábitos prejudiciais, doenças, memórias dolorosas, fraquezas, medos, insegurança). Nas portas das antigas casas gregas, havia sempre uma representação ou símbolo seu para atrair proteção. Nas encruzilhadas, era fincado um pilar com três faces (ou rostos) – chamado *Hekterion* –, onde se faziam, nas noites da Lua negra, oferendas denominadas "sopas de Hécate", compostas de grãos, vinho tinto, romã, mel, carne e pelo de animais pretos a Ela consagrados.

Personificando a Anciã, Hécate reúne os poderes da Donzela e da Mãe, pois tem a visão do passado e do presente e a sabedoria para prever o futuro. Ela é a Iniciadora, a Protetora e a Mestra que nos conduz ao longo do labirinto dos testes e dos aprendizados; é a eterna *Senhora da Luz Velada,* que nos assiste no nascimento e nos recebe no final da vida, conduzindo-nos para o mundo espiritual e ensinando os mistérios da morte, da transmutação e do renascimento. Os círculos sagrados femininos precisam restabelecer e honrar o contato com Hécate como Libertadora e Guardiã das próprias sombras. Fomos condicionadas pelo sistema patriarcal a ignorar e temer a Deusa Escura, programação limitante que resultou da projeção do medo masculino perante os misteriosos poderes femininos. Hécate nos guia e auxilia para mergulharmos no nosso interior, encarar e integrar os aspectos sombrios para evitar sua manifestação nociva (depressão, inércia, estagnação, medo, raiva, compulsões, dependências, pesadelos).

Nos momentos de crise, Hécate é a Parteira que nos ajuda a superar os medos do desconhecido, a Mãe compassiva que cuida de nós e nos nutre para estimular o nosso crescimento pessoal. Como Ceifadora ela nos ensina a cortar os véus das ilusões, a despir as máscaras do falso eu, a romper as amarras dos condicionamentos limitantes, a vencer obstáculos e a descobrir recursos ignorados ou reprimidos do nosso potencial inato. Podemos invocar Hécate como Guardiã dos Mistérios do nosso próprio inconsciente, para que abra os recantos sombrios com a sua chave mágica e ilumine o nosso caminho com a luz de Sua tocha sagrada, para transmutação e renovação. Ela nos protege nas encruzilhadas da vida, nos orienta nas escolhas e nas decisões, nos dando a certeza de que, ao ouvirmos a voz da nossa alma e do nosso coração, saberemos escolher o caminho certo para a expressão e a realização do sagrado poder que a Deusa nos concedeu. Hécate é a verdadeira Guia do mundo oculto da alma, caldeirão mágico e receptáculo alquímico que recebe e transmuta processos psíquicos e resíduos energéticos nocivos, gruta sagrada onde precisamos entrar, silenciar, pedir a cura e aguardar o nosso renascimento (físico, mental, emocional e espiritual). No aspecto de *Pritania*, a Rainha Invisível, Ela ensina o poder do silêncio e da introspecção para nos conectar com *Kratais*, o seu aspecto de força, que sustenta na luta contra os "monstros". Como Deusa Tríplice, pode ser invocada na Lua crescente, para propiciar uma nova perspectiva em relação a um assunto ou uma situação (seu aspecto de Donzela); na Lua cheia, para oferecer proteção, força e sustentação (como Mãe); ou na Lua negra, para ofertar sabedoria, poder mágico e ocular (como Anciã). Independentemente dessas diferenças sutis dos seus atributos, Hécate pode ser invocada em qualquer fase lunar, quando precisarmos Dela. No Tarô, corresponde aos arcanos da Sacerdotisa, do Eremita e da Lua.

A simbologia de Hécate é complexa e pode ser resumida assim:

- objetos mágicos: chave, punhal/foice, corda/chicote, tocha, caldeirão, espelho negro, bola de cristal, oráculos;
- animais: cão (seu acompanhante) e gato preto, cavalo, leão, urso, serpente, sapo, répteis, dragão (que puxa Sua carruagem), corvo, coruja, morcego;
- plantas: álamo preto, teixo, cipreste, romã, amendoeira, alho, artemísia, aloé, dente-de-leão, papoula, lavanda, mandrágora e beladona. (Atenção: as últimas duas plantas são muito tóxicas, por isso jamais devem ser inaladas ou ingeridas, apenas ofertadas);

- aromas: incenso e essências de sândalo, mirra, cardamomo, açafrão, benjoim, olíbano, cânfora, cipreste, aloé;
- pedras: da Lua, ágata, opala e pérola negras, obsidiana, hematita, magnetita, quartzo esfumaçado;
- oferendas: ovos galados crus, queijo, mel, vinho tinto, cevadinha, sementes de papoula, cabeça de alho, pão de grãos, biscoitos em forma de semiluas salpicados com gergelim preto e sementes de papoula, vela preta;
- números: 3, 9, 13;
- amuletos: chave, pentagrama, olho grego, o "círculo de Hécate" (uma esfera dourada com uma safira no centro para ser girada durante a meditação ou uma mandala giratória sobre fundo preto), uma magnetita ou hematita em forma de coração;
- datas tradicionais para a sua celebração: 13 de agosto (para pedir a proteção das casas e das lavouras); 16 de novembro (reverência e gratidão); a Lua negra; o *Sabbat* Samhain; o último dia de cada mês ou do ano.

Ritual para Hécate

Para encontrar Hécate, é preciso aquietar, silenciar e escutar. Ela mora nas profundezas da alma, no silêncio da mente, no espaço liminar entre luz e escuridão. Sua voz ecoa nas reverberações dos seus sonhos, no relampejar das intuições. Se você quiser que Ela venha e fale com você, afaste-se do mundo exterior e abra sua percepção interior.

Das várias possibilidades ritualísticas, escolhi um ritual de louvação e pedido de proteção. Com base na minha experiência, aconselho que essa celebração seja reservada apenas às integrantes de um círculo de mulheres e jamais com a presença de homens. O arquétipo de Hécate é demasiadamente profundo e poderoso para que seja abordado de maneira superficial, sem a devida preparação, reverência e respeito. O círculo de poder que precisa ser criado representa o *ventre da Mãe Negra* e pode se tornar um verdadeiro vórtice sagrado, onde a energia feminina, concentrada e direcionada em conjunto, alcança e ativa níveis mágicos e espirituais.

Preparação

É recomendável que as integrantes do círculo se preparem antes de virem para o ritual, evitando alimentação pesada (carne, condimentos, estimulantes, álcool), ambientes densos, discussões e agitação. É recomendável que tomem um *banho de desimpregnação fluídica*: uma infusão de folhas de guiné, arruda, cipreste, acrescida de uma colher de sopa de vinagre de maçã e outra de sal marinho.

O material necessário para o ritual consiste em: xale (véu ou manto com capuz) de cor escura sobre vestido ou saia preta, vela preta (dentro de um copo de vidro), duas folhas de papel e duas canetas (uma preta, outra prateada), um símbolo de proteção (para si, seu carro ou sua residência), espelho negro ou um oráculo, oferenda (maçã, cabeça de alho, romã, incenso, vinho tinto, ovo galado). A dirigente providencia pastilhas de cânfora e carvão prensado, um caldeirão, um novelo de lã preta, uma tesoura, a mistura de ervas secas, sal marinho, uma tocha, uma corda, um chocalho, uma vassoura de galhos de cipreste.

O espaço circular é delimitado com a corda e varrido com vassoura de galhos para purificação; depois as mulheres circulam ao redor dele e o defumam com uma mistura de cascas de alho, mirra e benjoim em pó sobre o carvão aceso no caldeirão. Em seguida, elas purificam a si mesmas com a fumaça, puxando-a para a cabeça, o coração e o ventre, e finalizam tocando o chão. Para criar a atmosfera mágica, fazem uma dança em espiral, em silêncio ou apenas com o som das batidas de tambor. A mulher mais idosa do grupo desenha na testa de cada uma (na ordem de idade) o "selo de Hécate", uma Lua minguante feita com delineador preto. Em silêncio e na penumbra, o grupo se senta em círculo ao redor do altar, permanecendo em introspecção.

Altar: coberto com uma toalha preta, lisa ou com um pentagrama prateado pintado ou bordado no meio. Ao redor da imagem de Hécate (estatueta, imagem ou desenho), colocam-se uma taça com vinho tinto, uma vela (de cera ou preta) acesa, incenso de mirra, os símbolos tradicionais (chave, foice ou *athame*, corda), penas de coruja, pelo de cachorro preto, uma cesta com oferendas (romã, cabeça de alho, ovos galados crus, cevadinha em grão, ervas secas).

Procedimento ritualístico

O círculo de proteção é criado física (salpica-se sal marinho sobre a corda que delimita o espaço, passa-se com a vela e o incenso e sacode-se o chocalho), mental (visualizando uma luz prateada formando uma esfera energética, acima e abaixo do espaço circular) e magicamente (plasmam-se escudos de pentagramas nas sete direções: as quatro cardeais, acima, abaixo, no centro). As mulheres entoam o mantra sagrado *Hek, Hekas, Hekate* sete vezes, enquanto quatro voluntárias se posicionam nas direções cardeais segurando tochas ou velas, para fazer as invocações a seguir:

- Norte: Vem, Hécate, saindo das profundezas da terra e acompanhada pelos teus cães negros como a noite. Ouvimos o uivo das lobas ressoando na escuridão e Te saudando como Rainha da Lua negra. Vem e mostra-nos como mergulhar no silêncio e ouvir os segredos dos nossos corpos, para sabermos como fluir com os ciclos das estações e as fases da vida. Ensina-nos a ter paciência, tenacidade e confiança, para colhermos os frutos do nosso trabalho.
- Leste: Vem, Hécate, junto com o Teu cortejo de corujas e corvos mensageiros, rodopiando no vento que separa os mundos. Ouvimos o Teu sussurro na nossa respiração e a Tua magia ecoando na nossa mente. Clareia nossos pensamentos, orienta-nos para buscarmos conhecimentos e encontrar sabedoria. Compartilha conosco as antigas verdades que inspiram e conduzem nossas escolhas e sê a nossa eterna guia.
- Sul: Vem, Hécate, cavalgando no Teu majestoso leão, cercada dos gatos selvagens e fogosos. Traz-nos as chamas do Teu poder e ensina-nos a dançar no meio delas sem nos queimar. Mostra-nos como andar com coragem e determinação para conseguirmos nossos objetivos. Acende as centelhas da nossa criatividade, compartilha conosco o Teu poder transmutador.
- Oeste: Vem, Hécate, deslizando na Tua serpente encantada; traz junto o dragão das profundezas das águas; salpica sobre nós gotas de orvalho e de ondas salgadas; leva-nos para o reino dos sonhos e das visões. Ensina-nos como fluirmos com equilíbrio e confiança nas marés das emoções, alegrias e dores, nos mantendo seguras no redemoinho dos desafios, guiadas pela intuição e Tua proteção segura, estando sempre no leme de nossas vidas.

※ Centro: Hécate, Guardiã dos segredos da alma, Guia nos mistérios dos mundos invisíveis, Senhora Tríplice que muda a face de acordo com a Lua, navega no misterioso mar do tempo, dança nas chamas sem se queimar e brilha com cintilante luz estelar na noite escura; vem, Senhora dos Caminhos e Protetora das mulheres, fica conosco e abençoa nosso círculo.

As mulheres acendem suas velas e, olhando para a chama, meditam em silêncio para identificar aquilo que querem descartar para se purificar (apegos, amarras, limitações, sombras, memórias dolorosas, medos). Anotam depois com a caneta preta – ouvindo uma música suave – tudo aquilo que querem banir e enrolam o papel com um fio de lã preta, mentalizando o "aprisionamento" da energia negativa; depois o queimam no caldeirão, com uma pastilha de cânfora. Quando todas terminam sua libertação, a dirigente conduz uma visualização com imagens de chamas violetas que completam a purificação, seguida de respirações profundas e som grupal. Com batidas compassadas de tambor, a dirigente anuncia a "abertura dos portais dos mundos" (celeste, telúrico, ctônico) e entoa o "Hino a Hécate" (que ela sabe de cor) com voz firme e muita reverência.

Hino a Hécate

Eu invoco, honro e reverencio os nomes e atributos de Hécate.

Hécate Trivia, Senhora das Encruzilhadas, que olha e vê o passado, o presente e o futuro, que conhece as direções e os caminhos, nós Te louvamos e pedimos a Tua bênção.

Hécate Soteira, Senhora da Salvação, alma do mundo e Mãe dos nossos espíritos, ilumine a nossa escuridão com a Tua tocha sagrada e conduz-nos na noite da nossa ignorância, clareando e revelando nossas sombras.

Hécate Kleidakos, Guardiã das Chaves dos Três Mundos, conduz-nos pelos portais da morte e do renascimento, pois tememos a transformação. Tu és a parteira que abre o ventre para a criança nascer e a protetora das mulheres.

Hécate Triformis, Senhora da Magia, que tens o poder sobre todos os reinos, que conheces todos os mistérios do céu, da Terra e do mundo subterrâneo, ensina-nos as palavras secretas dos encantamentos e abre a nossa visão.

Podem-se acrescentar outros títulos antigos de Hécate, como *Propylaia* ("Aquela que fica na frente do portão"), a guardiã das portas das casas; *Propolos* ("A que conduz"), a guia para a entrada no mundo subterrâneo em busca de transformação (material, espiritual) e renascimento; *Phosphoros* ("Aquela que traz a luz"), cujas tochas iluminam os mistérios e conduzem as almas para a transição; *Kourotrophos* ("Aquela que cuida de crianças"), como parteira e curadora; *Chtonia*, a sábia anciã que mora nas profundezas da Terra, mas aparece nas encruzilhadas coberta pelo manto escuro, que ensina a purificação e o banimento de tudo o que impede o crescimento, que recolhe e leva as almas para ao mundo subterrâneo.

O auge do ritual é atingido quando a dirigente ou uma mulher dedicada a Hécate "puxa" a energia da Deusa para dentro de si, cobrindo o rosto e assumindo a Sua postura e *persona* e falando em Seu nome. As demais participantes cobrem a cabeça, segurando seus símbolos de proteção, o espelho ou o oráculo e acompanham tudo com respeito, entrega e devoção.

ATENÇÃO: não é uma incorporação, mas uma total entrega, na qual se abdica do controle do ego e deixa-se a Deusa se manifestar. Nesse estado de "transcomunicação", a mulher que personifica a Deusa pode recitar o "Mandamento da Deusa Escura", a bênção de Hécate ou deixar sua intuição fluir para que ela fale em nome da Deusa.

Mandamento da Deusa Escura

Sabedoria e fortalecimento são os dons da Escura Senhora da Transformação. Nós a conhecemos como Kali, Hécate, Cerridwen, Lilith, Perséfone, Morgana, Ereshkigal, Arianrhod, Durga, Inanna, Oyá, Tiamat e por muitos outros nomes.

Ouve-me, criança, e conhece-me assim como Eu Sou. Acompanho-te desde que nasceste e ficarei ao teu lado até voltares para mim, no fim do crepúsculo. Sou a amante sedutora e apaixonada que inspira os sonhos dos poetas. Sou aquela que te chama no fim da tua jornada. Meus filhos encontram o merecido repouso no meu abraço, após terminarem suas missões. Sou o ventre que dá a vida a todas as coisas, mas Sou também o túmulo sombrio e silencioso. Tudo retorna a Mim para morrer e renascer no Todo. Sou a Feiticeira indômita, a Tecelã dos Mistérios dos Tempos. Eu corto os fios para trazer os filhos de volta a Mim. Eu degolo os cruéis e bebo o sangue dos impiedosos. Engole teu medo e vem a Mim, para descobrir a verdadeira beleza, força e coragem. Sou a Fúria que descarna a injustiça, Sou a forja incandescente que transforma teus demônios interiores em ferramentas de poder. Abre-te ao Meu abraço e supera as tuas resistências.

Sou a espada brilhante que te protege do mal, Sou o cadinho em que todos teus aspectos se fundem no arco-íris da união. Sou a profundeza aveludada do céu noturno, as névoas rodopiantes da meia-noite que guardam todos os mistérios. Sou a crisálida que reflete aquilo que te atemoriza e da qual tu irás emergir, vibrante e renovada. Procura-me nas encruzilhadas e serás transformada, pois uma vez que olhares Minha face não mais poderás retornar. Eu sou o fogo cujo beijo desfaz as correntes. Eu sou o caldeirão em que todos os opostos crescem para se conhecerem mutuamente. Sou a Teia que liga todas as coisas, Sou a curadora de todas as feridas, a Guerreira que corrige tudo o que está errado ao longo dos tempos. Transformo os fracos em fortes, os prepotentes em humildes, levanto os oprimidos e dou poder aos desesperados. Eu Sou a Justiça temperada com Compaixão. Mas, acima de tudo, criança, Sou parte de ti e existo dentro de ti. Procura-me dentro e fora e te tornarás mais forte. Conhece-me. Ousa caminhar na escuridão para que despertes para o Equilíbrio, a Iluminação e a Integração. Leva Meu Amor contigo para toda parte e encontra o Poder para ser aquela que tu queres ser.

Bênção de Hécate

Sou a Anciã, a eterna sabedoria da Natureza.

Eu guardo as chaves dos mistérios, ensino os sacrifícios necessários para realizar mudanças e transformações. Sou o silêncio branco da noite escura, a aridez do inverno e a colheita do outono, o repouso do dever cumprido. Represento a morte, mas também o renascimento, pois ensino a transmutação que requer o sacrifício da mudança e que traz a alegria do desabrochar e do novo plantio.

Vem a Mim, caminha nos raios prateados da Lua, para nas encruzilhadas e ouve o uivo dos lobos; atravessa sem medo a escuridão das florestas, segue a Minha tocha que brilha no fim do caminho, ouve a Minha voz chamando o seu nome. Dar-te-ei a Minha chave para abrir os portais, te mostrarei no Meu espelho negro os fantasmas que te atemorizam e que poderá afastar com Meu chicote, cortando as amarras que te sufocam com a lâmina da Minha foice de luz. Vem a

Mim no silêncio prateado da Lua, na dança da luz e da sombra. Encontra-me no decorrer e no fim da jornada, pois, mesmo que não Me reconheça, estarei sempre guiando teus passos e opções.

Em seguida, realiza-se uma meditação dirigida para que cada mulher tenha as revelações necessárias para elaborar sua lista de projetos, escolhas, decisões, mudanças e objetivos, anotando-a no papel com a caneta prateada. Esse papel será guardado no altar individual e queimado após a realização das metas.

Meditação

Para não me alongar em demasia, vou resumir as etapas dessa meditação, deixando que a imaginação e a intuição da mulher que vai conduzir a meditação complete e amplie as imagens.

- Preparação: coluna reta, respiração ampla, ritmada e profunda.
- Projete-se mentalmente para a planície onde se encontra a floresta de álamos negros (ou ciprestes), que esconde a entrada para o reino subterrâneo de Hécate, guardada pelo Cérbero, o grande cão negro com três cabeças. Para que permita a sua passagem, é preciso oferecer-lhe algo, como uma lembrança dolorosa (perda, traição, doença), uma sombra, um hábito prejudicial ou um medo.
- Atravesse o portal seguindo a luz de uma tocha que cintila na sua frente e siga uma aleia de pedras brancas até a "Fonte da Memória" da deusa Mnemosyine.
- Pare e beba da água fresca. Olhe no espelho de água, aguarde uma visão ou intuição, mensagem ou lembrança de outros tempos e existências. Continue caminhando até ver a entrada de uma caverna; peça permissão ao Guardião do lugar e entre sem medo, seguindo uma trilha tortuosa, iluminada pelo brilho das paredes de obsidiana. O caminho começa a descer cada vez mais profundamente, e você começa a se lembrar de situações ou acontecimentos do seu passado, os dolorosos e tristes, que deixa cair enquanto caminha, passando por cima deles, e os felizes e benéficos, que guarda na mente e no coração, agradecendo.

- ❈ Você chega a um salão com paredes de cristais que refletem a luz trêmula de três tochas. Aos poucos percebe o vulto de uma Anciã envolta em seu manto preto e sente o seu olhar sério, mas bondoso, perscrutando a sua mente e a sua alma.
- ❈ Ajoelhe-se e conte à Deusa o que lhe aflige ou o que gostaria de saber para melhor escolher, mudar, agir. A Deusa toca a sua testa, e você se vê saindo da gruta e flutuando no céu estrelado, contemplando uma encruzilhada de três caminhos: um de pérolas brancas, outro de corais vermelhos e o terceiro de obsidiana preta. Cada estrada tem um significado e representa um caminho, um período, uma situação ou uma orientação para você escolher e seguir.
- ❈ A Deusa lhe avisa que, para receber Sua ajuda, você deverá aceitar a resposta que vai receber e se empenhar na decorrente e necessária transformação. Você concorda e vê que uma das estradas se tornou mais nítida, enquanto as outras vão desaparecendo.
- ❈ Siga pela estrada assinalada e permita que o conhecimento que vai encontrar aflore na sua mente e no seu coração. Agradeça com reverência.
- ❈ Aos poucos as imagens somem, e você se vê voltando no rodopiar do vento para o "aqui/agora".
- ❈ Suspire profundamente, estique o corpo e abra os olhos devagar. Em silêncio, olhe seu espelho negro ou consulte o oráculo, à espera de uma orientação prática para manifestar a visão recebida.
- ❈ Segure seu símbolo de proteção e trace sobre ele um pentagrama envolto por um círculo, abençoando-o em nome e com o poder de Hécate. Sempre que sair de casa, abençoe-se também, riscando o pentagrama sobre si, seu meio de transporte e seu caminho, sentindo a proteção de Hécate.
- ❈ Transfira para o alho da sua oferenda (ou um ovo, de preferência galado) os resíduos energéticos, mentais ou emocionais remanescentes e que ainda quer descartar; leve-o depois consigo quando sair do ritual, deixando-o em uma encruzilhada de três caminhos com o restante de sua oferenda.

❋ Imante a maçã com os desejos, os projetos, as aspirações que quer realizar. Deixe-a no seu altar durante sete dias, levando-a depois para um local na Natureza.

Fechamento ritualístico

As mulheres agradecem a Hécate a consciência das sombras, a certeza da Sua proteção em todos os lugares, situações e momentos. Agradecem também aos guardiões das direções e desfazem o círculo de proteção energética, "recolhendo" a energia criada em um dos símbolos do poder do altar caminhando no sentido anti-horário e recolhendo a corda. Finalizam com uma canção e dança grega. Somente agora o silêncio poderá ser trocado pelas palavras, mas sem algazarra, para preservar a atmosfera de magia e introspecção.

Para o lanche, a opção tradicional é uma salada grega de cevadinha em grãos cozidos, temperada com azeite, limão e tomilho, e pedaços de maçã, damasco, amêndoas e passas pretas, acompanhada de suco de uva. Uma opção brasileira é a sopa de feijão preto. Separa-se um pouco daquilo que for compartilhado e leva-se com a oferenda do altar para a "ceia de Hécate", colocando tudo perto de uma árvore com três galhos e despejando vinho tinto ao redor.

Direção Sudoeste

Na Roda do Ano europeia, essa direção corresponde ao *Sabbat* celta Mabon e ao *Hostblot* escandinavo, que marcam o equinócio de outono no hemisfério Norte, definido pela entrada do Sol no signo de Libra (21-22 de setembro). Como o tema predominante é o equilíbrio entre luz e escuridão, vida e morte, indivíduo e comunidade, escolhi para uma celebração feminina no hemisfério Sul uma adaptação dos Mistérios Eleusinos. A denominação correspondente é Festival de Superação, associado à compreensão dos ciclos e às fases da vida, à transcendência das limitações, da opressão e do medo da morte, celebrando o retorno à Mãe Divina.

> *Feliz é o mortal que presenciou os Mistérios de Elêusis. Abençoados são seus olhos que os viram, pois na morte a jornada de sua alma será diferente daqueles que não foram neles iniciados.*
>
> – "Hino a Deméter", Homero, século VII a.C.

Os Mistérios Eleusinos constituem o segredo mais bem guardado do mundo antigo. Originários de Creta, onde eram conhecidos como o festival de outono dedicado à deusa Deméter e reservado apenas às mulheres, foram expandidos na Grécia e abertos a todos os adultos que falassem grego e não tivessem cometido nenhum crime. Iniciados na metade do século II a.C., perduraram por quase dois milênios, sem que nada fosse revelado a respeito dos rituais e das iniciações. O pouco que se sabe foi divulgado por comentários literários, referências históricas ou difamações cristãs. Por serem celebrados inicialmente na Lua cheia mais próxima ao equinócio de setembro (a Lua da colheita), a ênfase dos rituais femininos era "o mistério do grão", e sua transformação, embasada no mito de Deméter e Perséfone. Buscava-se a mudança de consciência dos participantes para superar o medo da morte e reconhecer a imortalidade da alma e sua origem divina.

Elêusis (atual Elefsina, pequena cidade perto de Atenas, onde ainda existem ruínas do antigo e esplêndido santuário) não foi o único lugar onde eram celebrados festivais anuais honrando uma deusa dos grãos e a renovação da vida. Rituais similares eram realizados em outras ilhas do Mediterrâneo, no Egito e na Ásia Menor – estes dedicados às deusas Ísis e Cibele –, incluindo práticas secretas de purificação e iniciação, além de procissões.

Muito semelhantes aos Mistérios de Elêusis eram os rituais de *Thesmophoria,* dedicados a Deméter Thesmophoros, a Guardiã da lei, celebrados durante três dias no mês de outubro por mulheres em toda a Grécia. Faziam-se oferendas de leitões (para transferir sua fertilidade e abundância às sementes que iam ser plantadas), jejuns, purificações, "descidas" ritualísticas para o mundo subterrâneo e uso de práticas mágicas para "resgatar" a vida da prisão da morte. Do mesmo modo, nos Mistérios Eleusinos também se faziam sacrifícios de leitões, purificações no mar, procissões (de Atenas até Elêusis) e rituais de iniciação e renascimento. Supõe-se que ambas as celebrações tinham a mesma origem histórica e os mesmos fundamentos espirituais e iniciáticos. Porém, as comemorações dos Mistérios de Elêusis eram mais rebuscadas e duravam nove dias, sendo que em cada dia os candidatos à iniciação deviam percorrer certas etapas, superar desafios e testes. Mais detalhes diários se encontram no *Anuário da Grande Mãe*, entre os dias 15 e 23 de setembro.

O foco central dos rituais de Elêusis era o mito das deusas Deméter e Perséfone, mãe e filha, que descrevia o drama da morte e do renascimento, do fim e do início, da mudança e da transformação, visíveis no ato de colheita e plantio. Para ampliar a percepção, expandir a consciência e superar o atávico medo da morte, os ritos da iniciação ofereciam meios místicos e encenações para a compreensão do mistério do "eterno retorno". No auge do ritual era mostrada aos *Mystes* (iniciados) uma espiga de trigo com apenas estas palavras: *no silêncio, alcança-se a semente da sabedoria*. Apenas no silêncio da razão e na abertura do coração podia ser encontrado o conhecimento simples e profundo da verdade. A experiência ultrapassa a teoria; quanto mais silenciar os questionamentos mentais, mais fácil torna-se ser, compreender e saber.

Os "Mistérios Eleusonos" mostravam através do mito e das vivências iniciáticas que a procura de Deméter por sua filha representava a nossa busca da compreensão do ciclo da vida e da morte, a necessária aceitação da transitoriedade material e da eternidade espiritual e a transcendência dessa oposição.

Resumo do mito

Extremamente complexo, o mito de Deméter e Perséfone tem sido estudado e interpretado de várias maneiras e usado como argumento filosófico e metafísico, bem como valiosa ferramenta terapêutica.

Na versão clássica (relatada por Homero no *Hino a Deméter)*, é descrita com detalhes a intensa e amorosa relação entre as duas deusas e a simbiose mãe-filha. Um dia, a jovem e ingênua Perséfone se afasta da mãe para colher flores (narcisos ou papoulas); de repente, a terra se abre e dela emerge Hades, o sinistro deus do submundo e da morte, que arrebata a donzela e a leva na sua carruagem, puxada por corcéis pretos. Ao descobrir o desaparecimento da filha e sem saber a causa, Deméter sai em uma busca desesperada e entra em profundo luto. Pelo fato de Deméter ser a deusa da fertilidade, a terra começa a secar rapidamente, na mesma medida da sua crescente tristeza e do seu afastamento dos cuidados da vegetação. Sabendo – por intermédio de Hécate – do rapto, aprovado por Zeus (pai de Perséfone) e cometido pelo tio (Hades era irmão de Zeus), Deméter abandona a morada dos deuses no Olimpo e se refugia no meio dos mortais na cidade de Elêusis. Após vários incidentes – por se apresentar como mortal –, Ela revela sua condição divina e ensina aos moradores rituais secretos, que deram origem aos Mistérios

Eleusinos. Apesar dos apelos de Deméter, Zeus não consente a volta de Perséfone, mas, ouvindo o grito de desespero dos seres humanos – privados dos frutos da terra devido à ausência de Deméter –, ele cede às súplicas e concorda. Todavia, por ter sido forçada por Hades a comer da fruta da morte – a romã –, Perséfone não pode voltar definitivamente à terra, devendo permanecer um terço do ano no mundo subterrâneo, onde se tornou Rainha dos Mortos. Quando Ela voltou aos braços da mãe, a alegria de Deméter devolveu a fertilidade da terra, que desabrocha após a aridez do inverno e dá as boas-vindas à primavera, que simboliza a volta de Perséfone.

Esse mito – resumido – retrata o drama humano do medo da morte, que irrompe repentinamente do submundo e ceifa a vida não apenas de velhos e doentes, mas igualmente de jovens. A dor das perdas humanas aparece no luto, no sofrimento e na raiva da Mãe Divina; acompanham-se ao longo do mito o desespero inicial, a revolta, a posterior aceitação e a conformação. Pela iniciação nos Seus mistérios, adquire-se o poder de confrontar as forças das sombras e transmutá-las. O mito e os Mistérios de Elêusis preenchiam a universal busca humana: o alívio do terror da morte e a esperança em outra forma de vida, após o inevitável desfecho. Os rituais eram considerados tão poderosos que beneficiavam o mundo inteiro, e não apenas a Grécia, e tão sagrados que ninguém revelou seus segredos durante os milênios da sua realização.

Vista pela perspectiva histórica, a alegoria do mito reflete acontecimentos reais da usurpação e assimilação da religião matrifocal da antiga Europa pelas ordens patriarcais dos invasores vindos do Norte e Leste, adoradores de deuses celestes e guerreiros. Os deuses olímpicos faziam parte do panteão "importado", enquanto o culto de Deméter tinha raízes pré-patriarcais de épocas antigas e sociedades matriarcais. A assimilação da "Velha Religião" pela Nova aparece nos raptos, nas mortes ou nos desmembramentos de Deusas por Deuses ou heróis (como foi descrito na Introdução), colocando em evidência a desvalorização do Sagrado Feminino e o predomínio do masculino arquetípico, desequilíbrio que prevalece até hoje.

Pelo prisma patriarcal, o mito evidencia o poder masculino que se apropriou de alguns atributos da Deusa e rompeu – para sempre – os laços matriarcais. Deméter é descrita como a mãe possessiva e exclusivista que nega a liberdade à filha e "impede" seu casamento. Hades é visto de maneira positiva como o libertador e iniciador da Donzela (Kore) na sexualidade, tornando-a sua consorte, Rainha dos Mortos e Mãe de seu filho – Brimos. Termina assim a regência divina da dualidade feminina (mãe/filha) e prepara-se a transição para a Nova Religião, com a instauração da trindade, mãe/pai/filho, até a exclusão definitiva da Mãe pelo cristianismo e sua substituição pelo enigmático Espírito Santo (representado pela pomba, antigo símbolo da deusa Afrodite).

A importante contribuição dos Mistérios de Elêusis reflete-se na ênfase dada à figura, aos atributos e às vivências de Deméter, na transformação de sua filha de *Kore* (donzela) em *Perséfone* (Rainha dos Mortos, Deusa Escura) e sua volta à terra como *Brimo*, mãe de Brimos. Ao comer a romã – fruto da morte –, Perséfone engravida, reintegrando a morte no eterno ciclo da vida e permitindo aos seres humanos acreditar e esperar o renascimento, protegidos e guiados pela tocha de Hécate, a deusa Anciã que completa a tradicional trindade divina feminina. É interessante observar a interpretação feminista de Brimos, filho de Perséfone, como um arquétipo masculino diferente, Filho da Mãe Divina e *Aquele que serve à vida*. Sua tríplice manifestação aparecia na figura de Iakchos (coparticipante dos Mistérios), Triptolemos (guerreiro responsável pela divulgação dos Mistérios) e Plutous (o doador das riquezas da terra).

O auge das celebrações de Elêusis era a revelação da continuidade da vida após a morte, simbolizada na espiga de trigo reverenciada em absoluto silêncio. Assim como Kore (a semente), que mergulhou na terra e voltou trazendo o dom da vida (seu filho), os mortos chamados *Demeteroi* (o povo de Deméter), ao serem enterrados, se misturavam à terra (o corpo da Deusa) e "brotavam" novamente. Na Natureza e na vida, a mudança é constante, sendo a transformação a essência do ciclo do "eterno retorno".

A interpretação feminista focaliza e enfatiza o poder transformador e renovador do arquétipo sagrado feminino e a profunda ligação mãe-filha. O masculino aparece como elemento invasor, que rompe de forma violenta esse laço.

A Deusa é a figura importante no mito e na celebração: como Mãe, resgata sua Filha dos braços da morte; como Filha, transforma o invasor tornando-o pai e parceiro, reunindo vida e morte e consagrando o "mistério do grão". Kore é a semente nova; Deméter é a espiga madura; Perséfone simboliza as sementes colhidas que garantem futuros plantios. A romã, além da morte, simboliza fertilidade, óvulos e a cor do sangue menstrual. Hades é o emissário da Mãe Ctônica (Gaia) que emerge das suas entranhas e responsável pelo despertar sexual de Kore, um ato natural e aceito por ela como uma iniciação. Hécate – a deusa anciã da triplicidade – traz a luz da tocha, a proteção do seu manto e o "mistério da chave", que permite a travessia de Perséfone entre os mundos e sua volta à terra, e a passagem das almas para o reino da regeneração e seu retorno como recém-nascidos.

Ritual

Da multiplicidade de significados do mito, escolhi como tema para o ritual "o retorno para a Mãe", entrando, assim, em sintonia com o campo morfogenético das milenares celebrações. Ao reencenar essa história arquetípica, resgatamos nossa experiência feminina, pois todas as mulheres, de uma maneira ou de outra, tiveram, tem ou podem vir a ter vivências semelhantes às de Kore, Deméter, Perséfone, em alguma fase da vida.

Todas nós fomos aprisionadas por milênios no mundo subterrâneo patriarcal, exiladas e afastadas da nossa Mãe e do verdadeiro lar espiritual. Se não exigirmos a transformação do nosso passado mítico e a superação das memórias dolorosas, vamos perpetuar os mesmos condicionamentos limitantes, medos e sofrimentos milenares, sem mudarmos os paradigmas da submissão e da opressão.

Por meio do ritual, o mito pode ser "revertido"; mesmo que não se possa mudar o passado, ao ser trazido para o presente e "reescrito", ele servirá como símbolo de libertação futura. Na encenação, as mulheres participam e afirmam seu retorno para a Mãe, resgatando a fonte de seu poder. A finalidade do ritual é oferecer símbolos para o fortalecimento feminino, transmutando modelos ultrapassados de fraqueza e submissão, desabrochando com vigor no equinócio da primavera brasileira.

Preparação

O círculo físico será criado com sementes e flores. As participantes vestem roupas coloridas sob um xale escuro e trazem uma guirlanda de flores; uma vela verde dentro de um copo; um colar de quartzo verde (ou outra pedra semipreciosa verde); seu perfume; três fitas estreitas de cetim nas cores preta, vermelha e branca; três espigas de trigo e alguma oferenda para a Mãe Terra. O altar – coberto com uma toalha verde, decorado com flores e sementes – tem no centro uma imagem das deusas, uma vela verde, um sino, um pau de chuva e uma cesta com frutas.

Após a purificação – feita com uma vassourinha de ervas aromáticas e com o som do pau de chuva –, as participantes se sentam em círculo e ouvem ou cantam uma canção dedicada à Deusa (adaptações das canções em inglês *We all come from the Goddess, She's been waiting, The Earth is our Mother*, entre outras).

A harmonização é feita com respirações profundas, mantras ou um som grupal, como *Máa*. Assim que o ambiente estiver harmônico, as mulheres se dão as mãos, e a dirigente plasma o círculo energético com uma visualização dirigida, tocando o sino ao redor do espaço e afirmando:

"Estamos no círculo do ciclo da vida, no abraço amoroso da Grande Mãe, no Seu ventre sagrado, que nos dá a vida e nos recebe no fim de nossa jornada. Pelo poder da Deusa o círculo tríplice foi formado".

Invocam-se as direções (pela dirigente ou voluntária), com palavras adequadas a estas imagens:

- Leste: alvorecer de novas possibilidades, o nascer do Sol, a brisa perfumada da primavera que afasta os medos e cura as dores do passado (todas respiram profundamente três vezes após o toque do sino).
- Sul: o calor do Sol, o aumento do poder feminino, o brilho da luz divina que ilumina a todas (a dirigente acende a vela do altar).
- Oeste: o frescor das águas, o poder do oceano primordial que lava e purifica feridas e dores do passado (a dirigente sacode o pau de chuva e borrifa água ao redor).
- Norte: a segurança e a proteção da terra, a sintonia com pedras, cristais, ervas, animais, a bênção da Mãe Terra (todas tocam o chão com as mãos).

A dirigente dá as boas-vindas e as explicações sobre o ritual. É importante descrever alguns antigos cultos e tradições matrifocais, sua usurpação pelos invasores patriarcais, o exílio da Mãe, a perseguição e opressão das mulheres, seu afastamento forçado do culto da Deusa e o atual despertar feminino. Depois faz analogia com o mito de Deméter e Perséfone e afirma tocando o sino:

> *Estamos aqui hoje na data sagrada das antigas celebrações de Elêusis para honrar, reverenciar e retornar à nossa Mãe.*

Improvisa-se um canto grupal com palavras como:

> *Voltando, voltando, voltando para nossa origem, para a terra antiga e sagrada, lembrando as mulheres poderosas que fomos e seremos novamente, retornando para a nossa Divina Mãe.*

Segue uma encenação (preparada e ensaiada anteriormente por voluntárias). No ambiente iluminado com uma luz tênue e música suave ao fundo, as personagens (Perséfone, Deméter, a narradora) contam o mito e realçam certas frases, que serão repetidas por todas as participantes. Sem me alongar, vou citar os tópicos essenciais, e cada círculo poderá criar sua própria história, seguindo o tema mítico, com outros detalhes, mas preservando o toque teatral e místico e a reverência pelo sagrado.

Perséfone: conta o seu rapto, o afastamento da Mãe, a sua inocência sendo iludida pelas promessas de Hades, a posterior submissão perante as ameaças, o medo, a solidão, o convívio forçado (aprovado pelo pai), a impossibilidade de reagir ou fugir, a resignação e a aceitação da opressão.

Narradora: repete e acentua certas ideias, trazendo-as para a realidade feminina (passada e presente) com suas dolorosas ou trágicas experiências de subjugação, violência, submissão, opressão e revolta. Ela incentiva as mulheres a resgatarem as memórias subconscientes e conscientes ligadas às histórias de suas vidas e aos sofrimentos infligidos pelo patriarcado e pelos homens (familiares, cônjuges, estranhos). Elas se lembram e memorizam, mas sem se deixar envolver pelo passado.

OBSERVAÇÃO: este momento de conscientização é necessário, pois abre o caminho para as necessárias mudanças de valores e atitudes, em um contexto sagrado e abençoado pela Mãe Divina.

Narradora: continua o mito, descrevendo a dor de Deméter, a busca incessante pela Filha, o afastamento dos outros deuses, o recolhimento e a espera pela volta de Perséfone, para a que a fertilidade, a abundância e a alegria sejam devolvidas à terra e aos homens.

Perséfone: conta a sua vivência – a longa clausura, o lento passar do tempo que distorce a real percepção da passagem das estações, até que a felicidade primeva foi sendo aos poucos esquecida. Em seu lugar instauraram-se a resignação e a acomodação, pois, ao comer o fruto do opressor, sua sorte foi selada, e a única realidade passou a ser a prisão e a convicção de que esse era o preço a ser pago pela sobrevivência.

Narradora: pede às mulheres que avaliem, recordem e compartilhem (caso queiram) a sua maneira de acatar, consentir, aprovar, colaborar, apoiar, participar ou tornar-se parte do sistema patriarcal de opressão.

> OBSERVAÇÃO: esta parte do ritual é extremamente importante, pois os termos "patriarcado, homens" deixam de ser conceitos abstratos e assumem traços individualizados, assim como as experiências, que deixam de ser imaginárias ou suposições teóricas e tornam-se reais. O momento é adequado para a partilha, e as mulheres que quiserem falar vão contar com o apoio solidário das demais. O incentivo para compartilhar é necessário para que as mulheres superem o medo secular de falar e apontar falhas, erros, violências, opressões e imposições masculinas. A personalização de experiências, sentimentos e sofrimentos descreve a "normalização" da violência, a resignação e até mesmo a convivência com a opressão, que leva à dependência. As mulheres fazem parte do sistema que as oprime; elas aceitam consumir seus "frutos envenenados" e se acostumam a isso. Se a cumplicidade – consciente ou não – com o patriarcado não for revelada e assumida, as correntes da submissão e dependência não poderão ser quebradas. Muitas vezes, o medo da punição ou de serem acusadas de provocação (revertendo os papéis de "carrasco" e "vítima") tem impedido as mulheres de revelar ou compartilhar seu sofrimento familiar, conjugal, profissional ou social. Para não compactuar com a opressão – e, portanto, resgatar o poder que lhes pertence –, as mulheres contemporâneas têm como dever reconhecer a sua participação

nos "jogos de poder" e não mais aceitar papéis de vítima, codependente ou mártir.

Perséfone: mesmo quando pensei que tinha esquecido todo o passado, eu sentia saudades da minha mãe; hoje sei que chegou o tempo certo para voltar a Ela e emergir do sombrio reino do esquecimento para a luz da vida.

Narradora: por isso estamos aqui hoje, reunidas novamente em um círculo de mulheres, para lembrar e voltar, pois temos coragem para honrar e reverenciar novamente nossa Mãe. Ela pergunta às participantes: vocês estão prontas para retornar à nossa Mãe; estão prontas para abrir o coração e mergulhar no seu abraço; estão prontas para reconhecer a divina luz brilhando no rosto de cada uma das irmãs?

Neste ponto do ritual atingiu-se o clímax necessário para a transformação: as mulheres saem da vibração de dor e da tristeza do passado (remoto ou recente) para o resgate do poder sagrado, retirado delas há milênios e agora reconhecido e novamente assumido.

Uma por uma, as mulheres se levantam, dizem seu nome e o da sua mãe e afirmam com firmeza e convicção: Eu (nome), filha de (nome da mãe), honro, amo e reverencio a Mãe Divina (ou a Grande Mãe).

Dirigente: Mãe, não precisa mais esperar; nós, Tuas filhas, lembramos quem fomos e agora voltamos para Te reverenciar, fortalecendo a nossa sagrada ligação, comendo dos Teus frutos abençoados, bebendo da Tua fonte antiga. Ouvimos o Teu chamado, nos assumimos como filhas da Grande Mãe e nunca mais vamos esquecer e de Ti nos afastar!

As participantes acendem suas velas, tiram os xales escuros, colocam a guirlanda de flores na cabeça, abençoam com seu perfume o colar de pedras e o consagram como símbolo da sua ligação com a Mãe Telúrica e Divina. Em seguida, seguram as fitas que serão trançadas, mentalizando os atributos de cada cor: preta (seguram no coração) – desapego da dor e do desespero; vermelha (seguram no ventre) – afirmação do poder feminino; branca (colocam na testa) – resgate dos sonhos da juventude. Quando terminam, enrolam a trança ao redor das espigas de trigo e visualizam o cordão energético entre si e a Mãe sendo fortalecido, ativado e pulsando, para assim simbolizar seu renascimento espiritual. Depois o levam para casa e o guardam no seu altar.

SUGESTÃO: Uma linda canção adequada a esse clímax ritualístico é uma adaptação da música *Listen, Listen, Listen*, de Paramahansa Yogananda, *Cosmic Chants* (*Self Realization Fellowship*, 1974, Los Angeles), com estas palavras:

> *Ouça, ouça, ouça a canção do meu coração*
> *Estaremos sempre Contigo,*
> *Vamos sempre nos lembrar de Ti*
> *Jamais Te esqueceremos nem Te renegaremos.*

Para a confraternização (após os agradecimentos às forças espirituais invocadas e à abertura do círculo tríplice), as participantes compartilham de um antigo prato tradicional grego: salada de cevadinha em grão misturada com frutas frescas e secas picadas, temperadas com azeite e limão. Brinda-se com suco de uvas tinto, oferecendo primeiro à Mãe Terra e depois às deusas Deméter e Perséfone.

Direção Oeste. O Quarto Portal de Poder

Na Roda do Ano europeia, esta direção marca a transição entre o término e o começo de um ciclo e era celebrada, pelos celtas, como o *Sabbat* Samhain e, pelos nórdicos, como *Disablot, Idisblessing* ou *Allerseelen*. Comemorado na noite de 31 de Outubro, é um Festival de Recordação, dedicado aos ancestrais, e o último dos três festivais de colheita da Roda do Ano celta e oposto a Beltane.

As antigas civilizações e culturas do hemisfério Norte dedicavam datas especiais para homenagear seus ancestrais, reconhecendo e honrando o poder das divindades que regiam a morte e o além. A morte era considerada polo complementar da vida, alternando-se eternamente como luz/escuridão, dia/noite, verão/inverno, no movimento dos ciclos, das estações e das sucessões das gerações. Assim como os frutos nascem, amadurecem e caem das árvores, enriquecendo o solo e fornecendo novas sementes, os seres vivos seguem os mortos em uma corrente contínua e natural. Essa compreensão permitia a aceitação da morte, a recordação dos antepassados, os cuidados e a proteção dos descendentes. A própria Natureza oferecia o cenário e o clima adequado no final do outono, quando a terra tinha sido esvaziada de seus frutos, as árvores estavam sem folhas e a carne dos animais abatidos era salgada ou defumada para preparar conservas que garantiam a sobrevivência durante o inverno. A deusa Brigid – que reinava desde o *Sabbat* Imbolc – passava o cetro branco da luz e do calor (primavera e verão) para a deusa Cailleach, a Anciã do inverno, que o transformava no Seu bastão negro e gelado, anunciando os meses de frio, escuridão e desolação.

Os vínculos familiares eram sagrados, e, nas datas especiais, os mortos eram "convidados" para se reunirem aos entes queridos. Na Ásia, diversos festivais como o *dia das almas errantes, dos fantasmas famintos ou da mesa dos ancestrais* ofereciam comida e bebida aos antepassados e aos parentes falecidos. No antigo Egito, celebrava-se *Ísia,* que reencenava a morte, o desaparecimento e a ressurreição do deus Osíris e honrava todos os mortos. Os vivos compartilhavam alimentos com os mortos, como acontecia antigamente na Alemanha, onde se comia *Seelenbrot,* o "pão das almas"; na Itália, os *ossi di morte,* doces confeitados com imitações de ossos e esqueletos; ou o *pan de muertos,* preparado até hoje no México e consumido em piqueniques nos túmulos dos familiares.

Costumes tribais da antiga Europa permaneceram durante séculos nos festivais de recordação dos ancestrais. Seus símbolos principais – as máscaras para afugentar os maus espíritos, as fogueiras nas colinas e as lanternas para iluminar os caminhos dos ancestrais falecidos (colocadas desde o cemitério até suas casas) e as comidas para ofertar e compartilhar entre os mortos e vivos – foram preservados pelas tradições eslavas, nórdicas e principalmente celtas. Sendo um povo pastoril, os celtas dividiam o ano em duas metades: do verão, quando os animais eram levados para o pasto; e do inverno, quando eram trazidos de volta. O *Sabbat* Samhain era considerado o primeiro dia de inverno, o início do Novo Ano celta e o festival de recordação dos ancestrais.

Samhain era, portanto, um importante marco de transição na Roda do Ano europeia, definindo a passagem do verão para o inverno, da vida para a morte (da própria Natureza e do abate dos animais), do fim para o início e a abertura dos portais entre os mundos, permitindo a comunicação entre vivos e mortos. Como os "véus" e os limites se tornam mais tênues nesse período, os mortos podiam ultrapassar as fronteiras, "visitar" seus familiares vivos e festejar o reencontro. Para fortalecer as almas nessa passagem, eram feitos sacrifícios de animais, ofertando-lhes sua essência vital. Acendiam-se fogueiras nas colinas (morada dos *Sidhe,* os espíritos elementais), abriam-se as câmaras mortuárias e colocavam-se nos caminhos lanternas talhadas em nabos e abóboras para espantar os espíritos malévolos, portadores de azares e miasmas de doenças. Realizavam-se rituais para propiciar o recolhimento das almas que vagavam entre os mundos, para que a "caça selvagem" – conduzida por divindades do mundo subterrâneo – as levasse para o seu local de repouso e renovação.

O *Sabbat* Samhain – assim como o seu equivalente egípcio, *Ísia* – era um festival de fogo, cujos elementos indispensáveis eram as fogueiras e as lanternas. Na tradição feminista, que celebra as múltiplas faces da Deusa na Roda do Ano – desde a juvenil e alegre Donzela à Mãe Fértil do verão e à Senhora da Colheita do outono –, Samhain reverencia a Anciã, guardiã da transição para o inverno e a morte. Devido às antigas crenças de que no Samhain "os véus se abriam" e podia-se "espiar pela fresta aberta entre os mundos", nessa data eram utilizados diversos meios oraculares. Na cultura celta, os espíritos não eram invocados, para não interferir ou perturbar seus estágios de purificação, repouso e preparação para o renascimento. Eram criadas apenas as condições psíquicas e ambientais que favoreciam a livre comunicação e as mensagens espontâneas. Para proteção mágica nos rituais, eram usados costumes e máscaras que "disfarçavam" a identidade dos celebrantes.

Os missionários cristãos tentaram durante alguns séculos converter os celtas e suprimir a importância e os costumes pagãos de Samhain. A única solução encontrada no século VII foi "cristianizar" a data, transformando-a nos três dias sagrados para os cristãos: véspera e dia de Todos os Santos e Dia de Finados. Com a chegada maciça de imigrantes irlandeses aos Estados Unidos (após a crise das batatas em 1846 e a consequente fome), as antigas crenças e hábitos celtas foram adaptados à realidade cristã, e Samhain foi transformado na celebração profana de *Halloween,* incorporando também alguns elementos folclóricos dos imigrantes latinos e dos nativos norte-americanos.

A amalgamação das tradições cristã, asteca e mexicana deu origem ao *Dia de los muertos,* a festa que permite identificação pessoal com a morte e sua aceitação com leveza e diversão. As pessoas vestem máscaras de caveiras; os brinquedos, os doces, os objetos místicos e de decoração recebem formas de esqueletos, caixões ou temas funerários; amigos e namorados trocam cartões de *calaveras* (caveiras) com desenhos e poemas, aprofundando-se a certeza de que "a morte faz parte da vida, todos nós sendo *calaveras* em potencial".

Os povos nativos sabiam e acreditavam na transitoriedade da nossa existência terrena, como aparece nesta canção dos nativos kiowa: *Eu vivo, mas não posso viver para sempre, apenas a Mãe Terra e o Pai Sol vivem eternamente...*

Ritual para as Ancestrais

A tônica ritualística será dividida entre recordação, gratidão e comunhão com a linhagem feminina ancestral, seguindo com um ritual de "morte", de tudo aquilo que precisa ser removido (por ter cumprido sua finalidade) para abrir espaço e fortalecer um novo ciclo (que não pode surgir sem "limpar o terreno").

Na tradição feminista, reverencia-se a Anciã, detentora do poder sobre vida e morte e da sabedoria dos mistérios da transmutação. Ela representa a colheita das experiências e é a guardiã das tradições; no seu caldeirão mágico movimenta a energia da transformação, da renovação e da cura alquímica, do corpo e da alma. Os arquétipos que representam a Anciã são múltiplos, e cada círculo pode escolher aquele que é mais sintonizado com o seu propósito: Asase Yaa, Baba Yaga, Cailleach, Ceres, Cerridwen, Ereshkigal, Freyja, Kali, Hécate, Hel, Holda, Ísis, Mawu, Morrigan, A Mulher Aranha, Nephtys, Nicnevin, Oyá, Perséfone, Ran, Rhiannon, Sedna, Sheelah Na Gig, Skadhi, Smert, Ran, Tellus Mater, Tiamat, Tuonetar.

Primeira parte: reverência às ancestrais
Preparação

Os símbolos principais são a foice – ou punhal – e o caldeirão, colocados sobre o altar central. Ao redor distribuem-se velas nas cores das quatro raças humanas, um cálice com água de chuva ou fonte, cristais e pedras escuras, um prato com pão e um pouco de sal, uma taça com vinho tinto, um sino, uma cesta com frutas para oferenda. No caldeirão serão queimadas ervas secas (arruda, guiné, alecrim, eucalipto, casca de alho, artemísia e sálvia).

ATENÇÃO: a não ser que o círculo pretenda imprimir um toque mexicano ao ambiente, convém evitar as decorações e os motivos sombrios, como caveiras, ossos, caixões. Se as participantes concordarem, podem ser usadas teias de aranha, véus pretos, flores roxas e lanternas de abóbora, luz difusa e música suave.

A purificação do espaço e das participantes é feita com incenso de cânfora ou mirra, cuja fumaça deve ser abanada com uma pena preta ou uma "vassoura" de ervas (arruda, guiné, eucalipto). As mulheres – vestidas com roupas pretas e um xale – entram em silêncio e com reverência, trazendo uma maçã (que colocam em uma cesta perto do altar), uma vela preta e outra cor de laranja, um objeto ou foto de uma ou mais ancestrais e um meio divinatório (Tarô, runas, oráculos, I Ching, espelho negro, bola de cristal).

A dirigente dará as explicações sobre a finalidade do ritual e contará os significados e costumes antigos dessa data, bem como descreverá o arquétipo e os atributos da Deusa Anciã. O enfoque será o resgate atual – pelos círculos femininos – das tradições e celebrações ancestrais, honrando, assim, a memória das mulheres que nos antecederam e que foram mortas pelas perseguições e fogueiras da Inquisição. Ao reconhecer a inevitabilidade da morte e dos fins de ciclos, vive-se mais plenamente o presente. A mensagem é *"tudo o que morre renascerá"*; aqueles que partiram e os que ainda não nasceram estão juntos; o passado e o futuro são entrelaçados pelo presente. A vida e a morte são fases do ciclo do "eterno retorno", sendo a morte uma pausa para a preparação que antecede um novo ciclo, e a vida uma oportunidade para aprender e evoluir.

A harmonização é feita com respirações profundas e som grupal. A dirigente ou quatro voluntárias criam um círculo físico de proteção, caminhando ao redor do espaço e salpicando água com sal enquanto seguram uma vela, depois um incenso (abanando a fumaça com uma pena ou asa de coruja) e, por fim, um cristal ou pedra escura.

O ritual é iniciado, e acendem-se as velas ao redor do caldeirão; a dirigente declara: que estas velas iluminem os mundos internos, assim como estão brilhando no mundo externo. Este é o Fogo de Samhain. Todos aqueles que querem chegar perto dele são bem-vindos.

A dirigente abençoa o círculo, percorrendo-o no sentido horário, invocando os atributos divinos associados aos elementos com estas palavras: *pela água que é Seu sangue, pelo fogo que é Seu espírito, pelo ar que é Seu sopro e pela terra que é Seu corpo, a Deusa abençoa este círculo.*

Em seguida, a dirigente faz a consagração celta tradicional do círculo, e suas palavras são repetidas por todas, que as acompanham com gestos.

Com as mãos sobre o coração, ela diz: estamos no centro do mundo.

Ajoelha-se e apoia as palmas no chão: a terra está firme embaixo de nós.

Levantando-se, leva os braços para trás, palmas das mãos para cima, trazendo-os depois para a frente, até se encontrarem: o mar eterno está ao nosso redor.

Eleva os braços acima da cabeça, formando um triângulo com os polegares e os dedos indicadores: o céu está acima de nós.

Abaixa os braços, coloca as mãos sobre o coração: estamos no meio dos três mundos (celeste, telúrico, ctônico), no chão seguro e sagrado, cercadas pelo mar eterno e protegidas pelo céu. Podemos agora relembrar e honrar as ancestrais e retificar erros do nosso passado.

Em seguida, a dirigente segura a foice ou o punhal e invoca as *Senhoras e Regentes do Mundo dos Mortos* e lhes pede permissão para chamar os espíritos das ancestrais, familiares ou amigas que estão do outro lado. Ela convida as participantes a chamar pelo nome aquelas mulheres que fizeram a "grande travessia" e que elas gostariam que participassem dessa celebração. Uma por uma as mulheres descrevem sua filiação (*eu [nome], filha de [nome] e [nome], bisneta de [nome]*) e mencionam o nome das convidadas. (Elas também podem acrescentar nomes de escritoras, artistas, militantes feministas ou mestras que estão no além). As mulheres acendem suas velas cor de laranja e a dirigente afirma:

"Que estas velas iluminem os três mundos. Que todas as ancestrais que passaram para a 'Ilha Abençoada e a Terra da Eterna Juventude' recebam a luz da regeneração. Que todos os espíritos que estão entre os mundos recebam a luz da cura e da transmutação. E que todos os espíritos que estão à espera do renascimento possam ser iluminados e orientados com a luz da renovação. Que seja assim! (ou *So mote it be*, na versão celta)".

OBSERVAÇÃO: na tradição celta, Avalach ou Avalon era a "Ilha das Maçãs", local de repouso e renovação das almas, e Tir Na N'Og, a "Terra da eterna juventude e do verão" (*Summerland*).

A dirigente toca o sino e convida todos os presentes (dos planos sutil e material) a compartilhar o pão e o sal da vida e o vinho da comunhão. O prato com pão e sal é passado ao redor do círculo, e cada mulher pega um pouco, oferece primeiro às suas ancestrais e depois come e toma um gole de vinho agradecendo a tudo aquilo que foi partilhado, aprendido ou recebido através das mulheres da sua linhagem (familiar, mental ou espiritual).

Se o tempo permitir, pode-se fazer uma meditação dirigida em que se "vai" ao encontro das ancestrais e pede-se a elas uma mensagem ou orientação. Nesse trajeto, usam-se imagens sugestivas, como as do roteiro a seguir:

Projete-se mentalmente em uma planície cercada por pedras antigas e coberta por uma densa bruma. Siga uma trilha estreita no meio das pedras até chegar a uma pequena enseada, onde você vê se aproximando um barco com velas pretas, conduzido por uma mulher envolta num manto escuro com capuz. Ela lhe acena com a cabeça, e você entra no barco com suas companheiras. Após atravessar uma água escura o barco para na beira de uma ilha coberta de árvores antigas. Você desce e caminha devagar até achar a entrada de uma gruta, de onde se ouve uma canção que lhe desperta lembranças e emoções. Você entra na gruta iluminada por tochas e vê um círculo de mulheres sentadas ao redor de um caldeirão, em que são queimadas ervas aromáticas. Junte-se às mulheres e deixe que as memórias antigas aflorem na sua mente, que os sons e melodias atuem como um bálsamo que cura a saudade ou as feridas do seu coração. Ouça o que uma ou mais mulheres estão lhe dizendo e agradeça, permanecendo em silêncio e oração. Após alguns momentos, inicie seu caminho de volta percorrendo o mesmo trajeto no sentido inverso e volte para o aqui e agora.

Segure a foto ou o objeto de suas ancestrais trazido para o ritual e ouça estas palavras, ditas pela dirigente:

> *Tudo passa, tudo se transforma, a semente torna-se fruto, e o fruto, semente. Nascendo morremos, morrendo renascemos. Conhecendo e aceitando o ciclo do eterno retorno, nos libertamos dos medos. O círculo gira, e do caldeirão da Deusa Escura despertaremos da morte para uma nova vida. Pois, se a vida é somente uma viagem para a morte, a morte é apenas uma passagem de volta para a vida.*

As maçãs já cortadas na horizontal são distribuídas para as participantes, que comem uma metade – após olharem o pentagrama formado pelas sementes – e guardam a outra, para ofertar às ancestrais no final. O ritual pode terminar nesse ponto ou prosseguir com o "ritual da morte".

Segunda parte: "descartar o velho e abrir espaço para o novo ciclo".

É escolhida a mulher mais idosa do círculo para personificar a Deusa Anciã (ou um arquétipo específico). Ela se senta perto do caldeirão e acende as ervas secas ali colocadas, com pastilhas de cânfora. Outra mulher será a guardiã do fogo da transmutação e cuidará para que ele fique aceso durante todo o ritual. A mulher que representa a Deusa cobre a cabeça com o véu e ora para que a Anciã possa se manifestar através da sua disponibilidade intuitiva e compassiva; ela não vai mais agir ou falar como a amiga ou companheira de sempre, mas de maneira mais sutil e profunda, como um "canal" da Deusa Escura.

A dirigente incentiva as mulheres a se aproximarem da Anciã e a lhe entregarem seu "lixo" emocional, mental, comportamental (dores, medos, culpas, decepções, mágoas, ressentimentos, compulsões, bloqueios, vergonhas, autossabotagem, cristalização). A Anciã toca o sino três vezes e diz:

> *Chegou o momento do sacrifício e do desapego de tudo o que morreu e que cumpriu sua finalidade. Despeçam-se das máscaras, das falsas crenças e das limitações. Entreguem tudo o que não querem nem necessitam mais, para que seja queimado por mim no caldeirão sagrado da transmutação alquímica.*

Uma a uma, as mulheres se ajoelham na frente da Anciã, tocando o chão três vezes e salpicando ervas no caldeirão. Acendem suas velas pretas nas chamas e voltam para seus lugares, onde meditam fitando a vela e transferindo para ela sua vontade, seu desejo e sua intenção de desapego e transmutação. Quando todas tiverem passado na frente da Anciã, ela se levanta e orienta as mulheres a apagarem suas velas soprando com força e quebrando-as, em seguida, com um grito de libertação. Com palavras sábias e muita compaixão, a Anciã conduz uma visualização de perdão, para que perdoem a si mesmas e todas as pessoas que provocaram o seu sofrimento ou contribuíram para ele. Em seguida, as mulheres pegam o espelho negro, a bola de cristal ou oráculo e procuram perceber ou receber algum sinal, mensagem ou orientação, para ancorar e fortalecer a sua transformação.

Depois, as mulheres fazem uma dança ritualística ao redor do caldeirão no sentido anti-horário, batendo os pés com força no chão e mentalizando a desintegração energética da dor individual, coletiva e global. Enquanto isso, são enunciados em voz alta os assuntos que devem ser "reciclados" no "composto" da Mãe Terra, como violência, cobiça, exploração de mulheres e crianças, corrupção, desigualdade, poluição do planeta, ganância, fanatismo, terrorismo e outros. Ao atingir o clímax mágico e energético, as mulheres batem palmas ou tambores, sacodem mãos e pés e iniciam uma dança lenta, dessa vez no sentido horário, afirmando e visualizando aquilo que querem plasmar e manifestar, para preencher o vácuo energético criado pela prática do expurgo.

As participantes citam o nome das crianças que nasceram ao longo do ano em suas famílias. Pedem a bênção da Deusa e das ancestrais para a continuação da linhagem ancestral, visualizando o entrelaçamento do passado e do futuro pela magia do presente. Inspiradas na comemoração nórdica do *Blot*, podem fazer os brindes tradicionais (com vinho tinto ou suco de uva), oferecendo e agradecendo primeiro à Deusa e depois às ancestrais, por fim brindando às realizações próprias do novo ciclo que se inicia, após a transmutação realizada durante esse ritual. Agradecem às forças espirituais invocadas e às ancestrais e desfazem o círculo energético no sentido inverso da criação. Finalizam com uma oração – ou canção – de gratidão para a Deusa (uma linda canção adequada para este momento é *Gracias a la vida*, de Violeta Parra).

As metades das maçãs, as flores e a cesta de frutas do altar são deixadas em algum lugar da natureza como oferenda para as ancestrais. As frutas tradicionais de Samhain são a romã ("a fruta da vida que leva à morte"), a maçã ("a fruta da morte que precede a vida") e a avelã ("a fruta da sabedoria oculta").

Para a confraternização, aconselho um prato típico dos Bálcãs (chamado em romeno de *coliva* e servido nas vigílias tradicionais e no Dia de Finados), preparado com trigo em grão e cozido com açúcar, especiarias e frutas (secas e frescas) picadas.

Direção Noroeste

Na Roda do Ano europeia, esta direção corresponde ao solstício de inverno, marcado pela entrada do Sol no signo de Capricórnio (21-22 de dezembro) e celebrado pelo *Sabbat* celta Yule e o *Blot* nórdico Jul. Essa data representa a transição entre o ponto mais longínquo do Sol no seu percurso para o Sul e o prenúncio de um novo ciclo, iniciado com o seu retorno e o aumento da luz e do calor. No auge da escuridão, na noite mais longa do ano, comemorava-se a certeza de que as vicissitudes do inverno iriam acabar e fortaleciam-se as esperanças no renascimento do Sol, que devolveria a vida à terra congelada e desolada. Acredita-se que essa comemoração remonte há 12 mil anos e era considerada importantíssima para vários povos, como os greco-romanos, os eslavos, os nórdicos, os bálticos, os saxões e os celtas, que preservaram suas tradições no folclore e nos costumes ao longo dos milênios, dando origem à festa cristã do Natal. Na roda feminina é considerado um Festival de Renascimento.

Independentemente do lugar e da cultura, em todos os antigos rituais europeus enfatizava-se o retorno da luz e do calor e procurava-se "fortalecer" o jovem Sol com fogueiras, danças, canções, tambores, sinos, magias e oferendas. Em várias culturas, celebrava-se o nascimento de deuses solares como Attis, Adônis, Baal, Baldur, Bel, Dionísio, Frey, Hélios, Hórus, Lugh, Mithra, Osíris, Quetzalcoatl, Rá, Surya, Tammuz.

Nas tradições matrifocais, o Sol era considerado o brilho da Grande Mãe, conhecida por vários nomes, como Attar e Al-Lat na Arábia; Arinna na Mesopotâmia; Amaterrasu no Japão; Iarilo, Lucina, Freyja, Gerda, Paivatar, Sunna, Sundy Mumy, Virgem Solar nos países nórdicos; Bast, Hathor, Satet no Egito; Etain, Grain, Olwen nos países celtas; "Mulher Sol" na Austrália. Outros povos viam a Deusa como a "Mãe do Sol", pois era Ela que o gerava, protegia e conduzia sua jornada diurna pelo céu, recebendo-o no seu ventre – telúrico ou aquático – para que renovasse suas forças e retornasse à sua missão no dia seguinte. No mito egípcio e nórdico, descreve-se o caminho noturno do Sol pelo corpo da Mãe Divina, no qual ele entrava ao anoitecer e de onde renascia ao amanhecer, morrendo e sendo novamente gerado no solstício de inverno. Os celtas acreditavam que, a partir do solstício de verão, o Sol começava seu declínio e envelhecia até morrer no solstício de inverno, mas renascia no dia seguinte e recuperava seu brilho e vigor aos poucos, ao longo da "metade clara" do ano. No solstício, o Sol aparentemente fica parado durante três dias (em latim *solsticium* significa "o Sol parou"); ele nasce e se põe nos mesmos horários e pontos no horizonte. No solstício de inverno, essa parada era vista como "a dificuldade e demora que precede todo nascimento e início de um novo ciclo", que pode ser superada por meio de orações, magias e rituais.

Hweol (em escandinavo) e *wheel* (em inglês) significam roda, e o *Blot* Jul ou Yule era chamado também de *Hweolor-tid*, "o tempo de girar". No Yule, os celtas encenavam combates ritualísticos entre o Velho Sol, representado pelo Rei do Azevinho, e o Jovem Sol, o Rei do Carvalho, cada um regendo uma metade do ano e alternando suas vitórias e derrotas. O *Sabbat* Litha e o *Blot* Midsommar celebravam a vitória do Rei do Azevinho, que assumia a regência até o *Sabbat* Yule, quando o Rei do Carvalho o vencia. Ambas as comemorações eram significativas, no entanto Yule tinha importância maior, por propiciar a volta da luz solar para a terra árida e congelada, renovando as esperanças de um ciclo novo e melhor, no eterno girar da roda.

Com o advento do cristianismo, essas antigas festividades foram combatidas e depois proibidas; porém, não foi possível erradicar suas lembranças da mente e do coração das pessoas. A solução encontrada pela igreja cristã foi adaptar o antigo significado romano do solstício – que era *Dia do nascimento do Sol Invicto* (dedicado aos deuses Mithra e Hélios) – para o suposto nascimento de Jesus, sobrepondo-se, assim, às festas pagãs. Mesmo desprovidos dos verdadeiros significados e simbolismos, os vestígios das antigas tradições permaneceram ocultados nas adaptações cristãs e estão sendo resgatados nos rituais e nas cerimônias dos atuais movimentos neopagãos.

Simbolismos antigos e atuais

As fogueiras eram elementos universais e sempre presentes nos antigos rituais que incentivavam o renascimento do Sol e o triunfo da luz sobre a escuridão. Queimava-se ritualisticamente um tronco de carvalho, chamado *Yule log* pelos celtas ou *ceppo* pelos romanos, decorado com galhos de árvores sagradas. As árvores usadas pelos celtas eram o pinheiro (símbolo do Ano Novo), a hera e a bétula (consagradas à Deusa), o azevinho (dedicado aos deuses) e o teixo (regido pelas divindades da morte); os romanos usavam galhos de louro, oliveira e alecrim. As cinzas eram guardadas e distribuídas como talismã de proteção e fertilidade, sendo espalhadas sobre os campos e as lavouras antes do plantio. Atualmente, no lugar de fogueiras são usadas as velas, para decorar e iluminar ambientes ou compor um substituto do *Yule log*; essas velas são fincadas em pequenos troncos com três orifícios. O tronco tradicional era enfeitado com galhos de hera, azevinho (cujas frutinhas vermelhas representam o sangue menstrual da Deusa), visco (suas sementes brancas simbolizam o sêmen de Deus) e as velas com as cores tradicionais da Deusa (branca, vermelha, preta).

Evidências arqueológicas comprovam a existência de rodas e guirlandas com fins ritualísticos há 4.000 anos. Os povos europeus representavam a Roda do Ano com rodas de carroças decoradas com folhagens e iluminadas com velas. Com o passar do tempo, as rodas foram substituídas por guirlandas de galhos e folhagens, enfeitadas com globos coloridos, sinos e fitas, penduradas nas portas de entrada para atrair boas vibrações ou colocadas no centro da casa para assegurar a fartura. Na Tradição da Deusa, a Roda do Ano é representada pela roda de fiar das deusas tecelãs, como Athena, Berchta, Holda, Frigga, as Nornes, Moiras e Parcas, Sunna, Suonetar, Tsé Che Nako (Mulher Pensamento), Vovó Aranha.

A Árvore de Natal é a continuação do costume celta do *Yule tree*, um pinheiro decorado com símbolos de projetos, desejos e aspirações a serem realizados no Novo Ano e das bênçãos divinas como anjos (em lugar da Deusa), Papai Noel (substituindo o Velho Sol), menino Jesus (como a criança solar), sois, luas, estrelas, flocos de neve, sinos, ferraduras, cajado, trenós, gnomos, miniaturas de casas, carruagens, frutas, animais, entre outros.

O costume dos presentes é originário das celebrações romanas: *Saturnalia* (oferendas e pedidos ao velho Senhor do Tempo) e *Juvenalia* (dedicada à deusa da juventude Juventas e às crianças). Para os celtas a troca de presentes era uma maneira prazerosa de fortalecer e manter amizades, em que se honravam tanto o doador quanto o receptor. Os presentes eram sempre feitos à mão e tinham algum significado especial relacionado com a índole, a profissão ou a idade de quem os recebia.

Os sinos eram usados nos trenós pelos lapões. Na criação da figura do Papai Noel, foram aproveitados elementos das suas tradições xamânicas, como o xamã que descia das chaminés e trazia os "presentes" da cura, e o seu trenó puxado por oito renas (as oito celebrações da Roda do Ano) desde o polo Norte. Inicialmente ele usava um coroa de azevinho, trazia presentes feitos pelos gnomos, suas roupas tinham as cores tradicionais da Deusa (branco, vermelho e preto), e as estilizações dos flocos de neve reproduziam a forma hexagonal da runa *Hagalaz*. Considerada a "Runa-Mãe", da qual todas as outras 23 runas do antigo alfabeto *Futhark* podiam ser criadas, Hagalaz representava o modelo básico primordial do universo nórdico, sendo o arquétipo feminino criador e a matriz dos mistérios numéricos. A Árvore de Natal era a representação simplificada da universal Árvore do Mundo ou do Eixo Cósmico, sustentação dos vários mundos – das divindades, dos seres sobrenaturais e dos seres humanos – procurados pelos xamãs e videntes nos seus "deslocamentos" astrais, em busca de mensagens e cura.

Na tradição nórdica, os festejos do *Blot Yul* duravam doze noites. Iniciavam-se na Noite da Mãe (*Modersnatt*) – 20 de dezembro – e terminavam na véspera do Ano Novo; o intervalo entre essas duas datas era denominado *Os doze dias brancos*. A "Noite da Mãe" era dedicada às deusas Nerthus, Holda e Frigga e às ancestrais Disir, a quem se pediam bênçãos para as famílias e comunidades. Velas de cera eram acesas em cada noite, e as mulheres faziam previsões usando as runas. Na noite do solstício, era realizado o *Blot* propriamente dito, com trocas de presentes, ceia tradicional e brindes. Antigamente eram feitas vigílias para reverenciar o nascimento do Sol, entremeando canções, danças, brindes, histórias e votos para a saúde e prosperidade de todos; faziam-se promessas e juramentos e assumiam-se compromissos para serem realizados durante o novo ciclo.

A aparente parada do Sol no solstício era comemorada com o cessar das atividades e a retirada das rodas dos veículos, que eram decoradas com galhos de pinheiros e velas. As lendas contavam que durante "os doze dias brancos" as deusas Holda, Berchta ou Perchta – as Senhoras Brancas – conduziam suas carruagens pelo vento e a neve, envoltas em neblina, abençoando e ativando a fertilidade da terra, presenteando os trabalhadores e punindo os preguiçosos e desonestos. Nos países eslavos e saxões, mesmo após a cristianização, persistiam as procissões de pessoas usando máscaras brancas e pretas (representando espíritos bons e maus), com o propósito de atrair a sorte, afastar os azares e despertar a terra. Acreditava-se que os portais entre os mundos sutis e a morada da humanidade eram abertos, permitindo a livre passagem de divindades, elfos, gnomos e seres sobrenaturais, a quem eram feitas oferendas em troca de proteção e abundância. A última noite dos "doze dias brancos" era dedicada à deusa Anciã; reminiscências do seu culto se encontram na festa cristã da Epifania, antiga comemoração da deusa romana Befana, *La Vecchia* ("a Velha"), que trazia presentes para as crianças e expulsava os espíritos maléficos. A décima segunda noite assinalava o fim dos festejos de Yule e a volta às atividades.

Uma das lendas nórdicas associadas ao solstício de inverno descreve o aprisionamento do Sol – ou de uma donzela com longos cabelos dourados – por uma bruxa malvada em uma torre e sua libertação pelo deus Thor, regente dos raios. A Donzela representa a energia da fertilidade e do calor, capturada pela Anciã, regente do inverno, sendo ambas as manifestações aspectos da Deusa. Os raios de Thor eram simbolizados pelas fogueiras. A celebração da deusa solar sobreviveu, no cristianismo, no culto da Santa Luzia, coroada de luz, deslizando sobre a neve e trazendo calor e comida para os pobres. Ela era festejada com procissões de moças vestidas de branco e usando coroas de velas na cabeça, costume ainda existente na Suécia.

Ritual adaptado para a comemoração de Yule

Preparação

Para uma comemoração do solstício de verão pelos círculos de mulheres do hemisfério Sul, podem ser usados símbolos e motivos originários das antigas tradições nórdicas, para aproveitar a egrégora das festas natalinas e do fim de ano, mas acrescentando-se novos conceitos.

O tema principal é o renascimento da *criança solar* do escuro ventre da Mãe Terra, honrando o poder gerador e renovador da Deusa. Para atrair as

Suas bênçãos para moradias e familiares, as integrantes do círculo podem preparar com antecedência um pequeno altar com uma guirlanda de folhagens verdes, pinhas, maçãs, fitas (vermelhas, verdes e douradas), guizos e pequenos globos coloridos. Na noite de 20 de dezembro, acendem no centro da guirlanda uma vela de sete dias decorada com fitas e oram para a Mãe Divina e as Senhoras Brancas e pedem que, na sua "passagem", tragam bênção e harmonia, saúde e prosperidade para elas próprias, sua casa e família. Colocam ao lado da vela uma vasilha com uma oferenda de grãos (cereais, feijão, milho, amendoim, sementes de girassol), frutas secas, castanhas, nozes, avelãs e maçãs, com uma taça com hidromel, sidra ou vinho tinto. Essa oferenda é deixada depois sob um pinheiro ou cipreste na véspera do Ano Novo, com o pedido de bênçãos divinas e o agradecimento antecipado.

Durante os doze dias que antecedem a noite do solstício, aconselha-se uma prática individual de meditação. Cada mulher vai preparar uma lista com tudo aquilo que quer descartar (dificuldades, problemas, fracassos, lembranças dolorosas, doenças e perdas do ano que está acabando), mudar (comportamentos, relacionamentos, trabalho, objetivos e planos) e transmutar (medos, sombras, sentimentos negativos, bloqueios, fraquezas, apegos, dependências, ideias e crenças limitantes). Depois de escrito, o papel deve ser guardado numa caixinha, com uma pedra escura (obsidiana, hematita, cristal esfumaçado) e plantas secas (folhas de arruda, guiné, eucalipto). A vela do centro da guirlanda será acesa apenas durante a meditação; se a intenção for deixar que queime até acabar, ela deverá ser substituída por outra semelhante. Para completar o esvaziamento energético, deve-se limpar bem a casa e os armários, separando e doando o excesso de roupas, comida, livros e objetos que não se usam mais. Como augúrios de sorte e prosperidade para o Novo Ano, pagam-se contas, abastece-se a casa com tudo o que não pode faltar e colocam-se símbolos de proteção e boa sorte nos lugares adequados.

Em vez de uma Árvore de Natal tradicional, além da guirlanda descrita, pode-se preparar também um totem, pintando-se com tinta dourada um galho seco com três ramificações e decorando-o com fitas, globos coloridos, miniaturas ou símbolos de projetos e desejos que se quer realizar no ano seguinte, além daqueles que representam proteção, boa sorte e bênção divina. Após a Epifania, o totem deve ser guardado e usado novamente nos outros anos.

Altar: se o ritual for realizado ao ar livre, o centro ritualístico do círculo será uma fogueira; em ambiente fechado, usa-se um caldeirão de ferro ou tacho de cobre para a queima de galhos e ervas aromáticas secas. Ao redor colocam-se várias velas, além de lamparinas ou tochas nas direções cardeais. Caso se opte por usar uma representação da Árvore do Mundo da tradição nórdica, pode-se decorar um pinheiro ou usar o galho dourado com três ramificações (descrito anteriormente) com dez globos dourados (os planetas), doze estrelas (os signos zodiacais), o Sol, a Lua e no topo a representação da Deusa (na sua falta, substituir por um anjo). Um elemento tradicional é a cornucópia repleta de frutas, sementes e espigas de trigo, que simbolizam a prosperidade vindoura.

É comum em alguns círculos a realização do ritual de *Give-away*, a cerimônia nativa norte-americana que celebra as mudanças ocorridas na vida das pessoas com símbolos de transformação trazidos por cada participante para serem trocados entre si, com as histórias a eles associadas. Os objetos podem ser novos, mas com significado específico, ou de uso pessoal, associados a um acontecimento positivo, uma fase de vida, aspiração ou conquista de quem o usou. O ato de contar a história libera a energia contida no objeto e permite ao doador a oportunidade de trocá-la por outra; cria-se uma ressonância entre a vivência passada (do doador) e a vida presente (do receptor), pela sincronicidade de experiências e aspirações. Sentadas em círculo e seguindo a ordem de idade (a mais velha escolhe primeiro), as mulheres pegam um objeto (embrulhado para presente) e ouvem sua história, contada por quem o trouxe. Continua-se a roda até acabarem-se os presentes.

Purificação: usa-se uma mistura de cascas secas de laranja, canela e noz-moscada em pó, folhas secas de sálvia, pinheiro ou cipreste, alecrim e louro, queimada em um turíbulo ou recipiente de cerâmica sobre carvão em brasas.

Material: as mulheres vestem roupas coloridas (vermelhas, verdes, douradas) e um xale escuro. Trazem a lista (daquilo que querem descartar, mudar, transmutar), uma vela amarela, tambor ou chocalho, um punhado de frutas secas (para compartilhar), um sino, um prisma de cristal de quartzo, um símbolo ou a descrição dos objetivos para o próximo ano e o presente para a cerimônia de *Give-away*. Os presentes serão guardados em uma caixa única ou enrolados em uma manta ou um xale.

Harmonização: após sentarem-se em círculo as mulheres entoam o som *Máa* ou mantras para se harmonizar e centrar, e permanecem em introspecção.

Realização

A dirigente fala sobre o significado tradicional da data, citando tradições antigas e costumes e a necessidade atual de resgatar o seu simbolismo sagrado, perdido ao longo dos tempos e substituído por consumismo e festas profanas.

Cria-se o círculo de poder com invocações para as direções e os poderes relacionados, seguindo as correspondências da tradição celta.

Escurece-se o ambiente, e a dirigente conduz uma meditação para que sejam revistos todos os momentos "escuros" do ano que está acabando, visualizando as ilusões e os sonhos desfeitos, os fracassos e as decepções, as dores e as dificuldades. Essas energias negativas são atraídas para as mãos e passadas depois para a lista trazida. Se o ritual for feito ao livre, as listas podem ser fincadas em espetos de bambu para serem queimadas mais facilmente na fogueira.

Acende-se a fogueira ou o fogo no caldeirão, com pastilhas de cânfora, resinas (mirra, benjoim, breu), ervas aromáticas secas e galhos secos de pinheiro, cipreste e eucalipto. Uma por uma, as mulheres se aproximam e entregam seu papel às chamas, visualizando e sentindo a queima das negatividades. Para afastar em definitivo os espíritos maléficos dos fracassos, azares e doenças, cria-se um "exorcismo sonoro" tocando tambores, chocalhos, sinos, gritando, batendo palmas, assobiando, sapateando. Pode ser entoado um estribilho como este: com a força da minha vontade ponho as sombras e os males a voar, nunca mais no Novo Ano eles vão poder voltar, repetindo-o até que se perceba a desintegração total.

Acendem-se as velas, do ambiente e as individuais. A dirigente saúda os três mundos (celeste, telúrico, ctônico) e o fogo (que ilumina e aquece as sementes contidas no ventre da Mãe Terra). Depois pede as bênçãos para a

Grande Mãe ou a uma das suas manifestações do panteão nórdico ou celta (Berchta, Danu, Erda, Frigga, Grainne, Holda, Modron, as Matronas ou Matres, Nerthus, Sunna), às ancestrais e aos espíritos e às forças da natureza.

As mulheres seguram o símbolo das suas aspirações e desejos e meditam a respeito daquilo que querem realizar, mudar, curar, proteger, nutrir, manifestar ou alcançar. Procuram intuir uma palavra de poder, pronunciam essa palavra em voz alta, e todas a repetem, pois o que vale para uma mulher é valido para as outras, sendo todas irmãs e filhas da Grande Mãe. Tocam-se sinos por algum tempo para ativar o fogo interior, despertar as sementes adormecidas no ventre das possibilidades e abençoá-las com a luz do Sol interior, enquanto cada mulher mentaliza as qualidades do seu signo astrológico e as bênçãos divinas, para expressá-las com confiança, segurança e sucesso. Em seguida, seguram o prisma de cristal – que trouxeram – acima da chama da vela, visualizando no seu espectro luminoso o leque de possibilidades que estão à sua disposição para sair da "escuridão" e brilhar no seu campo de atuação (pessoal, profissional e criativo). Tocam com o prisma sua testa (aumentando a luz da mente), o coração (ativando a chama da confiança) e o ventre (fortalecendo o fogo interno) e imprimem nele – com sua vontade e desejo firmes – a intenção de iniciar o Novo Ano renascendo fortalecidas do ventre cósmico e telúrico da Grande Mãe. Para materializar de forma mágica as bênçãos da Mãe Divina em um símbolo solar, pode-se lançar mão de um antigo costume romano adotado pelos celtas, que é a preparação do *pomander*.

O nome é originário do latim *pommum de ambra*, adotado pelo francês como *pomme d'ambre*, "maçã de âmbar", referência mística às míticas maçãs de ouro do Jardim das Hespérides, recebidas pela deusa Hera como presente da sua mãe Gaia, cobiçadas e caçadas por deuses e heróis. Na tradição romana, o talismã era dedicado à deusa Pomona e inicialmente preparado com maçãs e laranjas decoradas com especiarias. Aos poucos as frutas foram substituídas por medalhões de ouro, prata ou marfim cravejados com pedras preciosas e com um compartimento secreto preenchido com pó de ouro e especiarias. As pessoas com menos recursos presenteavam potes de damascos e tâmaras cobertos com mel e cofrinhos de moedas para atrair a bênção da Deusa Fortuna.

Atualmente, nos rituais neopagãos, usam-se tangerinas ou laranjas que são perfuradas com uma agulha grossa formando desenhos simbólicos; nos orifícios deixados pela agulha são espetados cravos, salpicados com canela, cardamomo e noz-moscada em pó. As frutas devem ser deixadas para secar em um local ventilado e depois penduradas na cozinha, como amuletos de prosperidade, sorte e saúde. Como em todos os encantamentos, é importante aliar a preparação material à firme mentalização das energias benéficas desejadas e "captadas" pelos cravos e ancoradas na energia solar das frutas cítricas. O prisma de cristal será pendurado pelas mulheres em uma janela em que bata sol, para que ele irradie as vibrações e energias nele imantadas.

Se o círculo optar pela cerimônia de *Give-away*, abre-se a caixa ou uma manta no chão, no centro do círculo, e reservam-se bastante tempo e paciência para a troca dos presentes e das histórias.

Se for seguido o costume nórdico dos brindes, a bebida tradicional é o hidromel, que pode ser substituído por sidra ou vinho branco. Os brindes fazem parte da cerimônia, por isso eles são feitos de maneira solene e respeitosa, seguindo a ordem da idade das participantes (a mais idosa os inicia) e antecedendo a confraternização "profana". O primeiro brinde é oferecido às forças espirituais invocadas e presentes durante o ritual, para as quais se despeja um pouco da bebida no fogo e no chão. O segundo brinde é dedicado aos ancestrais, e o terceiro, ao sucesso e à realização dos projetos e objetivos individuais no decorrer do ano seguinte.

Antes do fechamento ritualístico, forma-se uma roda de bênçãos, para irradiar vibrações de paz, luz, harmonia, cura, irmandade, proteção, sustentação e compaixão para todos os seres. O grupo entoa um canto espontâneo ou preparado com antecedência usando palavras e imagens que evidenciem e reforcem os conceitos citados anteriormente. Faz agradecimentos às forças espirituais invocadas e abre o círculo de proteção, finalizando com uma dança circular sagrada e dando oito voltas no sentido horário ao redor do fogo, reconhecendo e honrando o "giro da roda".

A confraternização é feita com as frutas trazidas e algum prato típico celta associado a essa data. A oferenda do altar e parte das frutas trazidas pelas participantes são deixadas ao pé de uma árvore frondosa, agradecendo à Mãe Terra, ao Sol e às energias da Natureza.

Diagrama da Roda do Ano na Tradição Europeia
(celta e nórdica)

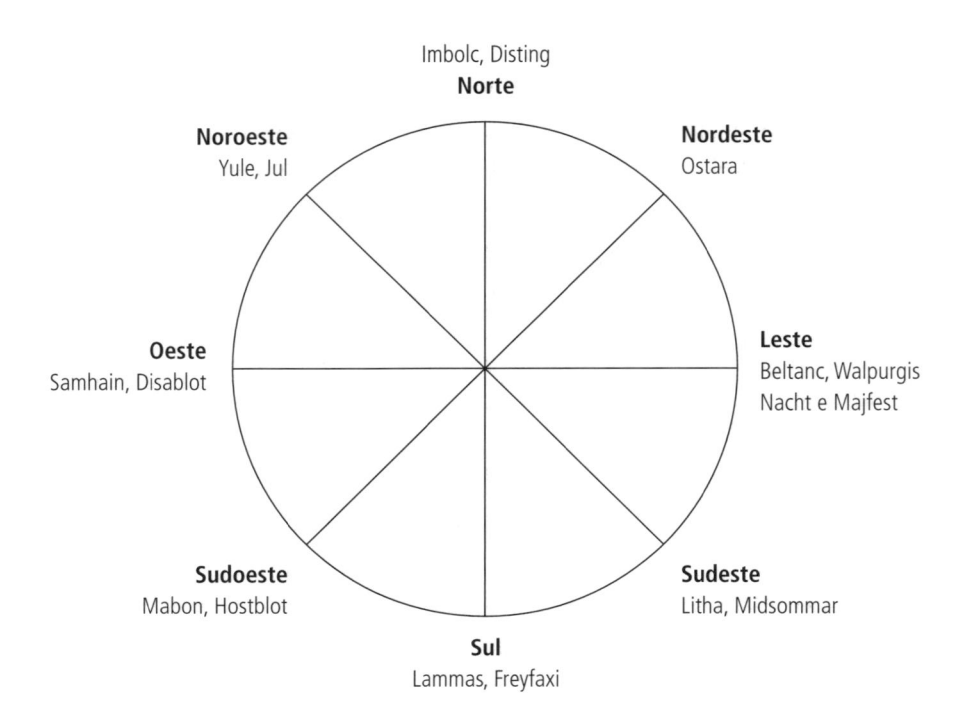

```
                    Imbolc, Disting
                        Norte
      Noroeste                          Nordeste
      Yule, Jul                         Ostara



   Oeste                                      Leste
   Samhain, Disablot                          Beltanc, Walpurgis
                                              Nacht e Majfest



      Sudoeste                         Sudeste
      Mabon, Hostblot                  Litha, Midsommar
                         Sul
                   Lammas, Freyfaxi
```

III.IV. RODA DE PRATA

Celebração anual dos plenilúnios

> *Ouçam as palavras da Grande Mãe, que, em tempos idos, era chamada de Ártemis, Astarte, Diana, Melusina, Afrodite, Arianrhod, Brigid, Cerridwen, Ísis e por muitos outros nomes. Quando precisarem de alguma coisa, uma vez no mês, melhor quando a Lua estiver cheia, deverão reunir-se em algum lugar resguardado e venerar o Meu Espírito, que é a essência de toda a sabedoria.*
>
> – "O Mandamento da Deusa", compilado por Doreen Valiente

Na mitologia celta, *Roda de Prata* é o nome da Deusa Arianrhod, regente da Lua, das marés, da tessitura das encarnações, representação da roda sagrada

– do céu, da vida e da trajetória feminina. Filha de deuses celestes, Arianrhod se rebelou contra as restrições e exigências do sistema patriarcal divino e se refugiou no seu castelo *Caer Arianrhod*, situado em uma "terra encantada e longínqua" e considerado o equivalente da constelação Corona Borealis (as estrelas que circundam a Estrela Polar). Devido ao seu complexo simbolismo, ela é considerada Protetora das mulheres e Padroeira dos rituais lunares, na sua manifestação como "A Senhora da Roda de Prata".

O intenso e mágico poder criado por um círculo de mulheres que se reúne na Lua cheia pode ser usado para rituais de ativação e expressão da percepção sutil, conexão com arquétipos divinos e atributos lunares, cura da essência feminina e expansão da consciência espiritual. A Lua cheia detém o auge do poder criativo e procriador lunar, o seu brilho permite que apareça tudo o que está latente, oculto e inconsciente. Ela pertence ao panteão das deusas mães e estabelece a ligação entre os mundos (interno/externo, divino/humano, espiritual/material), promove e aumenta a capacidade de relacionamento, frutificação, procriação (por meio da união das polaridades – o casamento do Sol com a Lua) e doação (para renovar a terra após as colheitas, as deusas mães oferecem os sacrifícios dos grãos, que são seus filhos). A síntese da integração das três dimensões do tempo (passado, presente, futuro) é contida na plenitude e no mistério da Lua cheia. O plenilúnio (auge da Lua cheia) fortalece o potencial gerador e nutridor necessário para o desenvolvimento e a manifestação do material contido nas sementes (do corpo, da mente, do espírito e da matéria). Sua energia é extática e abundante, celebrando tudo o que foi plantado nas fases anteriores e que requer amor e segurança para desabrochar e crescer.

As opções ritualísticas para plenilúnios são amplas e diversificadas, incluindo afirmações, vivências e práticas mágicas para ativar, direcionar e manifestar desejos, aspirações, sonhos e possibilidades. Mais do que nas outras fases lunares, na Lua cheia as mulheres devem lembrar e respeitar o antigo lema: *cuidado com o que pedir, pois poderá conseguir,* sabendo que toda a manipulação mágica tem um preço e está sujeita à "lei do retorno".

OBSERVAÇÃO: recomenda-se que no começo dos encontros de um círculo a celebração da Lua cheia seja restrita às suas integrantes. Apenas após o seu fortalecimento e aprimoramento ritualístico o grupo pode convidar outras mulheres e até mesmo transformar esse ritual em uma vivência feminina comunitária mensal.

No subcapítulo II.II B da segunda parte deste livro ("Ciclos, práticas e arquétipos lunares") foram descritos, em linhas gerais, os fundamentos dos rituais na Lua cheia e mencionadas as deusas regentes dessa fase. A seguir vou enumerar e resumir os critérios mais usados para a escolha dos procedimentos ritualísticos, inspirados em várias tradições. Eles podem ser adotados, adaptados ou modificados pelos círculos de mulheres, em função da afinidade, experiência ou disponibilidade.

1. Tradição Wicca diânica (feminista).
2. Calendários Antigos: das árvores celtas e dos povos nativos.
3. Tradição xamânica – lunações da Roda de Cura.
4. Correspondências astrológicas (lunares e solilunares).
5. Tradição da Deusa (pancultural).

Tradição Wicca diânica

Não se pode simplificar a definição da Wicca diânica (chamada assim em homenagem à deusa Diana e a seu séquito de ninfas) ou feminista como simples exclusão do arquétipo do Deus Cornífero e dos atributos masculinos. Cabe mais defini-la como *uma ampliação dos símbolos tradicionais femininos, que inclui também aqueles atribuídos ao polo masculino* (Diane Stein). Exclui-se, assim, a dicotomia dos opostos e a hierarquia, e enriquece-se a gama das possibilidades ritualísticas e dos atributos da Grande Mãe, que abarca Sol e Lua, luz e escuridão, espírito e matéria, vida e morte. Devo mencionar como expoente e iniciadora desse movimento a escritora e sacerdotisa cerimonial Zsuzsanna Budapest, seguida de muitas outras fundadoras de *covens* feministas ou diânicos, militantes, ativistas e escritoras.

Na linha de trabalho dos grupos que seguem essa tradição, a ênfase está nas pesquisas, nas vivências e nas explorações de mitos matrifocais e no centramento dos rituais, nas necessidades e nos objetivos femininos. Busca-se ampliar o poder criativo e mágico de cada mulher, honram-se as experiências pessoais e a necessidade de cura por meio de meditações, danças, cantos, encantamentos e práticas mágicas, que permitem a transmutação de antigas feridas e dores, e o enaltecimento da beleza e da força intrínseca a cada mulher.

Por eu não pertencer – nem praticar – a tradição Wicca, não vou detalhar princípios, regras ou divergências em relação à tradição original, iniciada e divulgada por uma das pioneiras desse movimento, a sacerdotisa, ativista e escritora norte-americana Starhawk e suas seguidoras. Recomendo às interessadas consultar os inúmeros livros existentes no mercado que aprofundam a teoria e as práticas. Descreverei apenas o esboço de um roteiro-padrão de *Esbat* (ritual da Lua cheia), inspirado nos livros de Barbara Ardinger, Diane Stein, De-Anna Alba, Yasmine Galenorm e Zsuzsanna Budapest. Mesmo sem pertencer à tradição Wicca, um círculo de mulheres pode fazer uso desse modelo, reduzindo, adaptando e modificando etapas, porém preservando a sequência e os fundamentos originais.

- Purificação do espaço e das participantes (com vassoura, água e sal, vela acesa e incenso), seguida da harmonização (respiração, sons, uma canção, silêncio ou visualização para favorecer o alinhamento).
- Criação do círculo mágico – invocações faladas ou cantadas por uma ou mais mulheres para os guardiões das direções e seres elementais, traçado do círculo com um objeto mágico (punhal ritualístico, bastão, sino) e finalização com a invocação da Deusa no centro (ou de deusas associadas às direções cardeais).
- Declaração da intenção e finalidade do ritual e esclarecimento das etapas e dos procedimentos quando o ritual for publico.
- Leitura ou declamação do Mandamento da Deusa (de Doreen Valiente).
- Prática do ato tradicional de Puxar a Lua (*Drawing down the Moon*). Nos grupos de Wicca diânica essa prática é feita pela sacerdotisa. Em um círculo sagrado, é realizada pela dirigente do ritual ou por uma voluntária, previamente escolhida e devidamente preparada. Dada a importância dessa etapa do ritual, ela será descrita detalhadamente. O local ideal é ao ar livre, mas esse ritual pode ser feito também em ambiente fechado. No dia anterior, convém que a mulher designada a se tornar o "cálice lunar" faça uma alimentação leve (sem carnes, bebidas, estimulantes), tome um banho de purificação e harmonização energética

(com sal marinho e infusão de ervas lunares como artemísia, jasmim, angélica, madressilva, magnólia, dama-da-noite, rosa branca, erva da Lua, sálvia), medite e ore para ampliar sua conexão com uma deusa lunar.

- O altar para este ritual deve ter no centro um espelho redondo, uma vasilha com água com uma ou mais velas brancas flutuantes, além dos elementos mágicos e a imagem de uma deusa lunar. Após alguns momentos de interiorização, a mulher se conecta com a Lua, olhando para ela ou para sua luz, refletida no espelho, na água ou brilhando "no olho da sua mente". Na posição de "estrela" (pernas e braços afastados, cabeça erguida), ela arqueia os braços em forma de cálice, sentindo todo o seu ser sendo preenchido pela energia lunar. Com a mente focada na firme intenção de se tornar "o cálice da luz lunar", ela visualiza a entrada da energia prateada da Lua pelo chakra coronal, descendo ao longo da coluna e depois sendo irradiada ao redor, para o círculo de mulheres, e concentrando-se no centro sobre o altar.

- Fundir-se com a energia da Deusa é um ato sagrado de total entrega, amor, reverência e confiança, sendo uma experiência única, ampla, profunda e muito comovente. Jamais se deve usar essa comunhão com propósitos egoístas ou materiais, canalização de mensagens ou avisos, a não ser como uma bênção para as demais mulheres ou um objetivo de cura global e da Terra. Ao perceber que seu chakra cardíaco foi ativado nesse momento sagrado, a "mulher-cálice" direciona a energia do amor para as suas irmãs (presentes e ausentes) e em benefício da Mãe Natureza. Ela pode imantar uma jarra com água, que será repartida entre todas as participantes no final ou despejada sobre a terra, com a mentalização da cura do todo. Quando sentir que a conexão foi desfeita, ela vai respirar profundamente por algumas vezes e tocará o chão, para distribuir o excesso de energia para os seres elementais e a Terra.

- Depois do ritual propriamente dito, podem-se realizar meditações dirigidas para determinados objetivos, cânticos, invocações, encantamentos, divinações e bênçãos.

- O passo seguinte visa criar e depois libertar o "cone do poder" na direção de um objetivo previamente escolhido (individual, coletivo ou global). Esse passo representa o clímax do ritual e costuma ser feito em todos os *Esbats* tradicionais. A sua finalidade é concentrar e direcionar a energia criada e ativada durante as etapas precedentes, visando à cura, ao fortalecimento ou à transmutação. O "cone de poder" é criado por meio de som (murmúrio ou canto grupal que aumenta de intensidade), batidas de palmas ou de tambor, uma dança espiral em ritmo crescente ou uma visualização dirigida (formando uma bolha de luz que "estoura" como um balão). O importante é a percepção do momento certo em que se atingiu o auge da concentração energética, quando se liberta o cone com um sinal ou grito da dirigente. A libertação é feita com gritos, palmas, batidas de tambor ou uivos para a Lua.
- Deve-se fazer imediatamente o aterramento, no qual as mulheres se ajoelham (ou se sentam) em silêncio e colocam as palmas das mãos e a testa no chão. Esse passo é essencial para entregar à terra o excesso de energia movimentada, que poderá ocasionar mal-estar, irritação, emotividade ou insônia posteriormente se não for dispersado.
- Agradecem-se às forças invocadas, desfaz-se o círculo mágico no sentido inverso ao da sua criação e finaliza-se o ritual com uma oração, dança ou a tradicional saudação celta (*Merry meet and merry part and merry meet again*).
- Confraternização clássica com bolo e vinho (*cake and wine*), ou suco, ou uma ceia comunitária. Eventualmente pode-se dedicar um tempo para partilhar as experiências individuais, depois da necessária arrumação do altar e do espaço.
- Alguns grupos acrescentam outras práticas específicas: artísticas (canto, dança, desenho), artesanais (trabalhos com lã, fios, argila), cura (imposição de mãos, práticas bioenergéticas, exercícios físicos ou de respiração, como no yoga). A escolha dependerá do perfil do grupo e das habilidades das mulheres que dele fazem parte.

Calendários antigos

Muitos grupos neopagãos ou das vertentes da Wicca usam como coordenadas e definições das finalidades dos *Esbats* a nomenclatura atribuída às lunações nos antigos calendários de origem celta, nórdica ou nativa norte-americana. Mesmo que exista a discrepância das estações e das atividades agrícolas e humanas entre os hemisférios Norte (que deu origem aos nomes) e Sul, vou enumerar as correspondências entre lunações, atributos e qualidades energéticas, para serem usadas pelos círculos femininos brasileiros que fizerem essa opção.

a) O mais conhecido calendário é o das árvores celtas, chamado *Ogham*, e caracterizado por traços lineares, encontrados em monólitos de pedras nas Ilhas Britânicas, datados de 4500 a.C., codificados pelos druidas em torno de 400 a.C. e destinado à magia dos sons. Foi preservado e utilizado pelo povo celta com finalidades simbólicas, míticas e mágicas.

A cada mês lunar (lunação) correspondem determinada árvore (vista como um "pensamento da Deusa") e uma consoante (as vogais sendo reservadas aos *Sabbats*), além de outros atributos e associações. As árvores eram vistas como a representação da diversidade, pois seus galhos iam para o mundo superior, as raízes penetravam no mundo subterrâneo e os troncos variados simbolizavam o mundo mediano, dos seres humanos. Cada árvore representa um símbolo cósmico dos espíritos arquetípicos, associados com divindades celtas e representando os arquétipos humanos ideais. O ano celta era formado por 13 lunações (de 28 dias cada), começando após o *Sabbat* Samhain, considerado o começo do ano novo. Além das 13 lunações e dos 8 *Sabbats*, a Roda do Ano celta tinha um dia especial, sem nome específico. Considerado muito sagrado era o "dia extra" ou o "dia do mistério da pedra não talhada", celebrado um dia após o *Sabbat* Yule.

As datas exatas das Luas novas e cheias variam de um ano para outro; no entanto, cada ano tem 13 luas cheias ou 13 luas novas, mantendo e repetindo, assim, o padrão das 13 lunações. Devido a esse fator variável, alguns grupos celebram a Lua Cheia; outros, a Lua Nova, em função da fase que se repete 13 vezes durante um ano. A décima terceira lua (seja nova ou cheia) no calendário original era celebrada no "dia extra", o dia seguinte ao *Sabbat* *Yule*, o solstício de inverno, sendo que esse solstício corresponde à ultima vogal e ao teixo, árvore que representa a morte.

Para facilitar a escolha das datas, os grupos que querem adotar a simbologia do calendário *Ogham* para as suas celebrações podem ignorar a antiga divisão e usar apenas os atributos das lunações. Começa-se a contagem com a Lua cheia de janeiro, completando os atributos das árvores *Ogham* com os dos signos astrológicos, a partir de Capricórnio (proposta de Helena Paterson no livro *Celtic Astrology*). Para combinar o simbolismo das árvores celtas com os atributos dos signos zodiacais é necessário conhecer bem ambos os assuntos. Mesmo assim, acho difícil lidar com diferenças conceituais e atributos divergentes. A meu ver, é mais coerente com a tradição seguir a divisão antiga das lunações, associada ao simbolismo do alfabeto *Ogham*.

Para os grupos mais puristas, a divisão pode ser feita de acordo com a tradição, começando com a primeira lua cheia após Samhain. Divide-se o ano em ciclos de 28 dias, cada um correspondendo a uma lunação e uma árvore, e reserva-se a décima terceira árvore para o "dia extra" (um dia após Yule) ou para a Lua azul.

A título de curiosidade, cito a correspondência entre as árvores *oghâmicas* e as divisões do ano solar (segundo Nigel Pennick, em *The Pagan Book of Days*).

Luis: 21 de janeiro a 17 de fevereiro; *Nion:* 18 de fevereiro a 17 de março; *Fearn:* 18 de março a 14 de abril; *Saille:* 15 de abril a 12 de maio: *Huath*: 13 de maio a 9 de junho; *Duir*: 10 de junho a 7 de julho; *Tinne:* 8 de julho a 4 de agosto; *Coll*: 5 de agosto a 1º de setembro; *Muin*: 2 a 29 de setembro; *Gort:* 20 de setembro a 27 de outubro; *Ngetal*: 28 de outubro a 24 de novembro; *Ruis*: 25 de novembro a 23 de dezembro; o dia extra, *o segredo da pedra não trabalhada (ou talhada)* – 23 de dezembro; *Beth:* 24 de dezembro a 20 de janeiro.

A seguir apresento um resumo dos nomes e atributos das árvores *Ogham*, sem citar as datas das lunações. Sugiro que cada grupo escolha sua divisão. Os animais associados correspondem aos antigos totens celtas e aos signos astrológicos (seja a partir de Escorpião na primeira citação, seja começando com Capricórnio na segunda). As variações dos totens e dos atributos devem-se às diferenças entre os sistemas mais comuns dos calendários *Ogham*, porém todos se originaram na mesma fonte antiga.

Beth – bétula: purificação, novo começo, fertilidade, gestação, escolhas e mudanças, limpeza do passado para iniciar um novo ciclo. Cores: branco, verde. Animais: serpente, faisão, cervo branco.

Luis – sorveira: proteção psíquica e mágica (suas frutas vermelhas exibem o símbolo do pentagrama), assumir o controle das ações pessoais e a responsabilidade delas decorrentes, definir limites, discernimento, cura, expressar seu poder. Cores: cinza, vermelho. Animais: cavalo, pato, dragão verde.

Nion – freixo: libertar-se de amarras e bloqueios, fazer mudanças, expandir a consciência, unir os três mundos, integrar passado/presente/futuro, resistência, aceitar o sacrifício necessário para alcançar a compreensão. Cor: verde-azulado. Animais: golfinho, narceja, cavalo-marinho.

Fearn – amieiro: proteção e orientação espiritual (é considerada uma árvore encantada), eficiência e realização, decisões com ajuda oracular, reforçar alianças, resgatar as antigas tradições e costumes. Cor: carmesim. Animais: dragão aquático, corvo, gaivota.

Saille – salgueiro: conexão com a água, ciclos lunares, arquétipos femininos, buscar equilíbrio, purificações, desenvolver a intuição, inspiração, harmonizar relacionamentos e polaridades (emoção/razão, amor/sabedoria). Cores: claras. Animais: pomba, falcão, serpente do mar.

Huath – espinheiro: purificação e pureza; fortalecimento para superar restrições e obstáculos; adquirir autodomínio; não se deixar envolver por tentações, ilusões ou invasões energéticas; manter a integridade; buscar a proteção e a magia das fadas. Cores: púrpura, azul-escuro. Animais: unicórnio, gralha, cervo.

Duir – carvalho: segurança, proteção e fortalecimento para entrar em contato com os planos sutis; viagens para os mundos superior e inferior; avaliar o passado para programar o futuro; resgatar memórias. Cores: marrom, preto. Animais: touro, cambaxirra, cavalo branco.

Tinne – azevinho: energia, proteção e poder de decisão para enfrentar problemas e conflitos; fortalecer o espírito da guerreira; resistência; criar defesas mágicas; vencer medos e sombras; vivências xamânicas. Cores: cinza, vermelho Animais: cisne, unicórnio, estorninho.

Coll – aveleira (às vezes é associada com a macieira-silvestre): energias criativas, busca de conhecimentos, compreensão dos valores essenciais e da verdade intrínseca, desenvolver a intuição, alcançar sabedoria e expansão da consciência. Cores: marrom, laranja. Animais: salmão, grou, caranguejo.

Muin – videira, amoreira: tempo de celebração e de práticas divinatórias, colher resultados dos esforços e do crescimento, amadurecimento, avaliar os sacrifícios e as recompensas, mostrar gratidão pela colheita. Cores: do arco-íris. Animais: felinos, chapim (canário-da-terra), serpente.

Gort – hera: a busca do verdadeiro eu, a espiral evolutiva da consciência, centramento, amor incondicional, firmeza no caminho espiritual, compreensão da missão pessoal e da conexão com o Todo, evolução. Cores: azul-celeste, verde. Animais: lobo, aranha, cisne, borboleta.

Ngetal – junco: internalizar o silêncio, meditações, direcionar intenções e ações para a realização (material ou espiritual), completar etapas, integrar os mundos, definir objetivos, buscar o equilíbrio interior. Cores: branco, verde. Animais: coruja, ganso, cão branco.

Ruis – salgueiro: fins e inícios, complementação e finalização de tarefas, avaliar a colheita, alinhar-se com a origem, honrar o legado ancestral, reconhecimento e proteção, renovação e reconhecimento. Cores: preto, vermelho-sangue. Animais: corvo, cegonha, gralha, cavalo preto.

Sugestão para um ritual *oghâmico* de uma lunação (adaptado do livro *Year of Moons, Season of Trees,* de Pattalee Glass-Koentop).

O ponto central do ritual é a "construção" de uma árvore simbólica, representando uma homenagem à sabedoria celta do *Ogham*. Trata-se de um ritual coletivo em que as tarefas são distribuídas previamente ao grupo para poder fluir harmoniosamente.

- Preparação do espaço – visualizar uma esfera de luz branca ao redor, englobando, retirando e limpando quaisquer resíduos energéticos negativos.
- Criação do círculo – no nível material (corda, giz, pedras, galhos, circular com os elementos, usar o *athame*) e nos planos sutis (visualização e invocação).
- Invocação das forças espirituais: guardiões, seres da Natureza, espíritos das árvores, a Deusa – como a Grande Mãe ou um arquétipo específico.
- "Puxar a Lua" (precedida ou não da declamação do Mandamento da Deusa).
- A sugestão da autora é "criar a árvore", que simboliza a Roda do Ano, com folhas de cartolina recortadas e presas com clipes. Começa-se com o tronco e depois se acrescentam os galhos principais, que representam os *Sabbats*, e depois os secundários, relativos ao restante das lunações. Para cada um associam-se frases sobre os atributos e arquétipos ligados ao objetivo preestabelecido do ritual. Pode-se usar também uma pequena árvore ou arbusto dentro de um vaso com terra e que será decorada com objetos simbólicos, traçados *Ogham* sobre papel ou madeira, folhagens, flores ou miniaturas dos totens e da lunação. Amarram-se fitas coloridas para cada galho, que ficam nas mãos de algumas das participantes para invocar os atributos das respectivas lunações por meio de frases curtas, sintetizando as qualidades das árvores. Uma opção mais simples e prática é "plasmar" a árvore no plano astral por meio de visualização.
- O ritual propriamente dito prossegue com canções, afirmações e práticas mágicas, de acordo com o objetivo da cerimônia, escolhidas por consenso pelo círculo.
- Agradecimentos, fechamento ritualístico.
- Abençoam-se e compartilham-se o bolo e o vinho (ou suco).

OBSERVAÇÃO: a partir do esquema anterior podem-se fazer acréscimos de acordo com a criatividade, a necessidade e os objetivos do grupo, preservando, porém, a ideia original.

b) Um dos calendários menos conhecidos – usado apenas pelos estudiosos da tradição nórdica – representa a divisão do ano solar em 24 quinzenas rúnicas (*Runic half-months*). Cada período corresponde a uma das runas do alfabeto *Futhark*, e a ele é atribuída a múltipla gama de símbolos e poderes mágicos das runas. Por ser muito específico e exigir conhecimento teórico e prático da cosmologia nórdica, limito-me a indicar alguns livros, como *Practical Magic in the Northern Tradition*, de Nigel Pennick, e *Os Mistérios Nórdicos* (*vide* bibliografia).

c) Os antigos povos europeus e as tribos norte-americanas tinham diferentes nomes para os meses, em função da localização geográfica e da época histórica. Algumas dessas denominações estão relacionadas ao clima, ao hábitat e aos costumes do hemisfério Norte, e são de pouca utilidade no Brasil. Outras, entretanto, podem ser adotadas para rituais xamânicos ou ecofeministas, aproveitando-se as palavras-chave e as ideias a elas associadas.

Sem diferenciar a origem ou a localização, vou enumerar alguns dos nomes antigos atribuídos às lunações (excluindo os associados ao clima), começando com a primeira Lua cheia do ano solar e seguindo a ordem dos meses. Pode-se adotar a divisão da antiga tradição, iniciando-se com a primeira lunação após o *Sabbat* Yule. Se houver uma décima terceira lunação (na Lua nova ou cheia), ela será sempre nomeada *Lua azul*, independentemente do mês ou do signo em que acontecer.

- Janeiro: Lua do lobo ou do alce, mês da quietude. Regido pelas deusas Fortuna, Juno (Antevorta e Postvorta), Héstia, deusas do destino (Moiras, Nornes, Parcas).
- Fevereiro: Lua selvagem, da tempestade, mês da purificação, do despertar. Regido pelas deusas Juno Februa, Brigid, Iemanjá, Sjofn.
- Março: Lua dos ventos, das sementes, da seiva, do corvo ou da lebre, mês da renovação e do recomeço. Regido pelas deusas Juno Lucina, Ísis, Hertha, Ostara, Vesta.

- Abril: Lua do plantio, das árvores brotando, mês do crescimento e da abertura, dos desafios e das armadilhas. Regido pelas deusas Afrodite, Blodeuwedd, Cibele, Eostre, Flora, Pele.
- Maio: Lua alegre, lua brilhante, mês da união e da realização. Regido pelas deusas Maia, Maeve, Bona Dea, Asherah, as Três Marias, as Matronas e as Deusas Mães.
- Junho: Lua de mel (original), dos amantes, dos cavalos, mês de consolidação de ganhos e abertura das portas. Regido pelas deusas Juno Moneta, Carna, Cardea, Frigga, Hera, Hathor.
- Julho: Lua do feno, do trovão, do hidromel, mês das bênçãos. Regido pelas deusas solares e da água salgada, além de Athena, Atargatis, Cerridwen, Pax.
- Agosto: Lua da colheita, do milho e da cevada, mês dos grãos e do pão, da frutificação e da celebração. Regido pelas deusas Deméter, Ceres, Diana, Hécate, as Mães do Milho e da Terra.
- Setembro: Lua da madeira, da tosa, do vinho e das canções, mês de avaliações e preparação. Regido pelas deusas Deméter, as Horas, Perséfone, Pomona, Themis.
- Outubro: Lua do sangue, da caça, das folhas que caem, dos mortos, mês da busca do conhecimento e da transformação. Regido pelas deusas Cerridwen, Durga, Freyja, Ísis, Kali, Lakshmi.
- Novembro: Lua escura, da névoa, do sacrifício, mês do fim e do começo, do desapego e da transmutação, das mudanças e das transições. Regido pelas deusas Cailleach, Gaia, Hel, Hécate, Holda, Tiamat.
- Dezembro: Lua do carvalho, mês sagrado de finalização, purificação e nascimento da criança solar. Regido por Arianrhod, as Deusas Mães, Berchta, Bona Dea, Holda, Lucina, Maria, Modron, Oyá, Oxum.

Alguns grupos neopagãos do hemisfério Sul que não sentem afinidade com a nomenclatura tradicional tem criado seu próprio calendário com base nas características do lugar onde vivem e nas variações climáticas. Essa iniciativa pode ser seguida pelos círculos de mulheres ao criarem agendas lunares individualizadas, inspiradas no seu próprio estilo e objetivo de trabalho, acrescidas de palavras-chave associadas à flora, à fauna e às condições climáticas da área ao seu redor ou à regência de deusas específicas.

Tradição Xamânica

No subcapítulo "Roda Xamânica de Cura", mencionou-se a importância das lunações (determinadas pelo momento do nascimento) para o autoconhecimento, o crescimento e a cura individual, e seu uso na conexão com os planos sutis por meio dos totens associados. Cada lunação tem totens específicos – dos reinos mineral, vegetal e animal – que descrevem suas qualidades e atributos. Além de favorecer o autoconhecimento – ampliando as características dos signos zodiacais em que a pessoa nasceu –, as descrições resumidas das doze lunações do calendário nativo fornecem dados úteis para a celebração dos plenilúnios para os círculos que adotam o perfil xamânico nos seus rituais. Nesse caso elas podem ser usadas no seu aspecto benéfico (para atração e direcionamento dos atributos por elas representados) ou desafiador (transmutação e superação das dificuldades).

Independentemente de um ritual, o conhecimento e a aplicação dos atributos específicos a cada mês trazem benefícios para a roda da vida individual, oferecendo uma gama maior de opções e maneiras para aproveitar os influxos lunares. O ensinamento xamânico tradicional requer quatro estágios de dedicação para o pleno aproveitamento das qualidades do potencial lunar. O primeiro representa o sacrifício necessário para superar crises ou dificuldades pessoais (purificação com jejuns, introspecção, meditação e "busca da visão"). O segundo é a prática assídua da oração, com fé e dedicação. Somente assim passa-se para o terceiro estágio, da transformação que leva à cura. O último passo é o mais importante, porém menos praticado: o agradecimento, expresso por gestos de solidariedade, ajuda ao próximo, atividades que beneficiam a Mãe Terra e todos os seus filhos e as oferendas (materiais ou sutis).

As lunações são descritas na ordem dos meses solares (começando com a lunação de janeiro, no signo de Capricórnio) e das direções cardeais a partir do Norte. A palavra-chave define o arquétipo feminino correspondente.

Direção Norte: pureza e renovação. Guardião: búfalo branco

- Lua da renovação da terra (Capricórnio, 22/12-19/1). A poderosa.
  Correspondências: espírito guardião: Waboose; direção: Norte; clã: da tartaruga; elemento: terra; animais aliados: ganso selvagem, pica-pau, búfalo branco, tartaruga; cor: branca; pedras: cristal de quartzo, alabastro; árvore: bétula; planta: capim-doce (*sweet grass*).

Atributos: recepção e transmissão da energia universal; respeito e resgate das antigas tradições, cerimônias e rituais; senso de honra e ética; perseverança; prudência; busca da sabedoria; compreensão dos aspectos espirituais.

Desafios: bloqueios energéticos, rigidez, praticar flexibilidade e fluidez, mau uso do poder, perfeccionismo, excesso de severidade e autoridade, rancor, vingança.

- Lua do repouso e da purificação (Aquário, 20/1-18/2). A humanitária.

    Correspondências: espírito guardião: Waboose; direção: Norte; elemento: ar; clã: da borboleta; animais aliados: lontra, salmão, búfalo branco; cor: prateada; pedra: azurita; metal: prata; árvore: choupo-tremedor; planta: capim-doce.

    Atributos: paradoxais, porém complementares: (intuição/intelectualidade, intensidade/contenção), receptividade, adaptação, comunicabilidade, flexibilidade, habilidades criativas, necessidade de movimento e ação, jovialidade, capacidade visionária e realizadora, solidariedade, humanitarismo.

    Desafios: querer brilhar e se sobressair, arrogância, cinismo, tensão nervosa, bloqueios energéticos, desligamento, falta de conexão com a Natureza, medo de assumir seu poder e as responsabilidades dele decorrentes, repressão das emoções.

- Lua dos grandes ventos (Peixes, 19/2-20/3). A mística.

    Correspondências: espírito guardião: Waboose; direção: Norte; elemento: água, clã: do sapo; animais aliados: suçuarana, urso-pardo, búfalo branco; cor: azul-esverdeado; pedra: turquesa; árvore: teixo; planta: tanchagem.

    Atributos: sintonia com o plano espiritual, fé, aspirações elevadas, necessidade de isolamento e silêncio, contemplação, intuição, calma aparente, paciência, criatividade, dons curativos, saber esperar para alcançar os objetivos.

    Desafios: fuga da realidade, indecisão, insegurança, facilidade para se magoar, emoções reprimidas ou descontroladas, vulnerabilidade, contato com energias sombrias, medos, fanatismo, utopias.

Direção Leste: iluminação e sabedoria. Guardião: águia

- Lua das árvores em botão (Áries, 2/3-19/4) A pioneira.

    Correspondências: espírito guardião: Wabun; direção: Leste; elemento: fogo; clã: do pássaro-trovão; animais aliados: falcão, águia dourada, corvo; cores: amarelo, dourado; pedra: opala de fogo; árvore: carvalho; plantas: dente-de-leão, tabaco.

    Atributos: energia intensa (física, mental, emocional), necessidade de expansão, busca de novos horizontes (projetos, interesses, atividades), espírito desbravador, coragem, otimismo, entusiasmo, espontaneidade, determinação, independência, força de vontade, liderança, clareza de visão.

    Desafios: impaciência, pressa, agressividade, dificuldade de concentração e perseverança, desequilíbrio emocional e energético, perda de energia levando à exaustão, tensão nervosa, agitação, rebeldia, pensar antes de agir e falar.

- Lua da volta dos sapos: (Touro, 20/4-20/5). A construtora.

    Correspondências: espírito guardião: Wabun; direção: Leste; elemento: terra; clã: da tartaruga; animais aliados: castor, serpente, águia dourada; cor: azul; pedra: crisocola; árvore: pinheiro; planta: jacinto azul.

    Atributos: equilíbrio entre as energias do céu e da terra, estabilidade, senso de harmonia e ordem, perseverança, paciência, criatividade, tenacidade para realizar os objetivos pelos próprios esforços, conexão com a realidade, adaptabilidade.

    Desafios: cristalização, apegos materiais, compulsões, dificuldade de expressar emoções, padrões negativos repetidos, bloqueios energéticos, rigidez mental.

- Lua do plantio do milho (Gêmeos, 20/5-20/6). A curadora.

    Correspondências: espírito guardião: Wabun; direção: Leste; elemento: ar; clã: da borboleta; animais aliados: cervo, alce, águia dourada; cores: branco, verde; pedra: ágata musgosa; árvore: faia; planta: mil-folhas.

Atributos: dons curativos e artísticos, facilidade na comunicação, agilidade e versatilidade, mobilidade mental, rapidez, jovialidade, criatividade, imaginação.

Desafios: instabilidade, inquietação, dificuldade para se concentrar ou decidir, excesso de entusiasmo, desorganização, rispidez, superficialidade, inconstância.

Direção Sul: crescimento rápido e confiança. Guardião: coiote

- Lua da luz forte (Câncer, 21/6-21/7). A nutridora.

    Correspondências: espírito guardião: Shawnodese; direção: Sul; elemento: água; clã: do sapo; animais aliados: pica-pau, ganso selvagem, coiote; cores: rosa, verde; pedras: cornalina, serpentina; arbusto: roseira-silvestre; plantas: sálvia, confrei.

    Atributos: percepção aguçada; intuição; necessidade de harmonia no lar e nos relacionamentos; compaixão, abertura para ouvir a voz do coração; espírito conservador, maternal e nutriz; facilidade para dar e receber afeto; apego à família.

    Desafios: sensibilidade excessiva, falta de senso prático e de direção, devaneios, insegurança, indecisão, emoções exacerbadas.

- Lua dos frutos maduros (Leão, 22/7-21/8). A estrela.

    Correspondências: espírito guardião: Shawnodese; direção: Sul; elemento: fogo; clã: do pássaro-trovão; animais aliados: esturjão, lontra, coiote; cor: vermelha; pedras: granada, hematita; árvore: olmo; plantas: alecrim, sálvia.

    Atributos: magnetismo, carisma, energia vital e sexual, coragem, resistência, lealdade, altivez, liderança, autoconfiança, dons artísticos e didáticos, senso dramático, poder pessoal, vigor, empatia.

    Desafios: impulsividade, arrogância, espírito dominador ou manipulador, dificuldade em abrir o coração, egoísmo, praticar a humildade e a doação.

- Lua da colheita (Virgem, 22/8-21/9). A organizadora.

    Correspondências: espírito guardião: Shawnodese; direção: Sul; elemento: terra; clã: da tartaruga; animais aliados: urso-pardo, puma, coiote; cor: púrpura; pedra: ametista; árvore: espinheiro; plantas: sálvia, violeta.

Atributos: perseverança, senso analítico e prático, necessidade para trabalhar e servir, discernimento, decisão acertada, justiça, lealdade, sintonia com o plano espiritual, calma, cautela.

Desafios: senso crítico e perfeccionista; rigidez conceitual; reação exagerada às provocações ou pressões; preocupação excessiva com ordem; limpeza e detalhes.

Direção Oeste: força e introspecção. Guardião: urso-pardo

- Lua do voo dos patos (Libra, 22/9-22/10). A negociadora.

    Correspondências: espírito guardião: Mudjekeewis; direção: Oeste; elemento: ar; clã: da borboleta; animais aliados: corvo, falcão vermelho, urso-pardo; cor: castanho; pedra: jaspe-sanguíneo; árvore: oliveira; planta: verbasco.

    Atributos: busca do equilíbrio (céu/terra, masculino/feminino, eu/outro, matéria/espírito), necessidade de harmonia, amorosidade, poder de atração, dons artísticos, sensibilidade, comunicabilidade, sociabilidade, habilidades psíquicas.

    Desafios: manipulação alheia, valorização das aparências, indecisão, instabilidade nos projetos e relacionamentos, equilíbrio emocional instável.

- Lua do tempo frio (Escorpião, 23/10-21/11). A visionária.

    Correspondências: espírito guardião: Mudjekeewis; direção: Oeste; elemento: água; clã: do sapo; animais aliados: serpente, castor, urso-pardo; cor: laranja; pedra: malaquita; árvore: cedro; planta: cardo-santo.

    Atributos: habilidades psíquicas (transcomunicação, projeção astral e cura espiritual), adaptabilidade, atração pelos mistérios, magnetismo, sexualidade intensa, capacidade de focalizar e direcionar a energia (para criar ou destruir), viagens entre os mundos, percepção aguçada, dinamismo, facilidade para se adaptar e mudar.

    Desafios: agressividade, possessividade, raiva, vingança, frieza emocional, atitudes destrutivas, instintos aflorados, manipulação, dissimulação.

※ Lua da neve (Sagitário, 22/11-20/12). A mestra.

Correspondências: espírito guardião: Mudjekeewis; direção: Oeste; elemento: fogo; clã: do pássaro-trovão; animais aliados: alce, cervo, urso-pardo; cor: preta; pedra: obsidiana; árvore: abeto negro; planta: urtiga.

Atributos: natureza dual (expansiva ou introspectiva), altivez; resistência (pelo equilíbrio, silêncio e mergulho interior); intuição; necessidade de justiça e lealdade; espírito jovial, combativo e entusiasta; preocupação com o bem-estar alheio; dons didáticos; busca de novos horizontes e de elevação espiritual.

Desafios: rigidez, sarcasmo, arrogância, orgulho, bloqueios energéticos (físicos, emocionais), impaciência, autoritarismo ("dona da verdade"), falta de tato.

※ Lua azul.

Em função da data e do signo astrológico em que ela acontecer, suas correspondências e características poderão variar, assumindo diversas localizações na Roda Xamânica.

As suas principais qualidades são a energia e o impulso para mudanças; favorece a transição e as novas oportunidades, a avaliação e a compreensão do caminho percorrido e o estabelecimento de novos projetos e oportunidades.

O desafio é saber escolher entre as múltiplas possibilidades que estão ao alcance, decisão que exige discernimento, equilíbrio, clareza de percepção e sabedoria.

Correspondências astrológicas

A) Lunares

A essência do poder usado nas cerimônias lunares provém dos planos cósmicos, é condensada e retransmitida pelo Sol para o nosso Sistema Solar, absorvida pelos planetas, que a fundem com suas próprias vibrações e emitem depois essa combinação de energias. A Lua é o ponto focal do poder cósmico irradiado para a Terra; ela absorve, condensa e canaliza todas as energias planetárias, tornando-as acessíveis para as práticas mágicas. O campo eletromagnético da Terra recebe e armazena as energias projetadas pela Lua, que são retransmitidas ao longo de um ciclo lunar de 28 dias.

Devido à influência lunar sobre o crescimento vegetal, as funções biológicas, as marés, as energias psíquicas, e também sobre reverberações e vibrações sutis, a Lua é considerada mediadora da energia universal, canalizada para uso em rituais e práticas mágicas. O Sol atua como condensador, ampliando e direcionando as energias presentes no campo eletromagnético da Terra.

Uma antiga lenda italiana descreve como o Sol reúne ao longo da sua jornada diária as almas dos recém-falecidos e as leva consigo para a Deusa Escura, quando mergulha na terra ao anoitecer. Dali as almas seguem para a Lua – que aumenta sua luz à medida que chegam mais almas – e aguardam a oportunidade de "descerem" pelos raios lunares e reencarnarem.

Rituais para plenilúnios

Na Lua cheia, a energia atraída e direcionada alcança os planos sutis e influencia os níveis psíquicos, mais receptivos e ativos nesse período. A influência da Lua varia em função das qualidades do signo zodiacal que ela ocupa e que podem ser utilizadas para direcionar, reforçar ou ampliar um ritual.

Os elementos materiais que auxiliam no acúmulo da energia lunar para propósitos mágicos são a prata (em forma de joias, sino, taça), a água (em garrafas envoltas com papel celofane na cor do signo ou da finalidade do ritual), o espelho, as ervas lunares (aquelas colhidas durante a Lua cheia têm maior poder), os talismãs, as pedras (pedra da lua, opala, abalone, madrepérola), as conchas e os corais.

Independentemente do signo zodiacal em que ocorre a Lua cheia, no primeiro dia do seu auge (o plenilúnio), pode-se captar sua energia da maneira tradicional usando-se o ritual anteriormente descrito como "Puxar a Lua"; nesse ritual, direcionam-se as qualidades do signo por ela iluminado para algum objetivo ou os elementos acima citados. Complementa-se o ritual por meio de uma visualização para ativar os chakras, na qual se imagina a luz da Lua descendo ao longo da coluna.

Para facilitar a escolha de um objetivo compatível com a essência de determinado plenilúnio, apresento a seguir um resumo das possibilidades ritualísticas, de acordo com a posição da Lua nos signos zodiacais (lembrando que na Lua cheia o Sol se encontra no signo oposto). Essas referências podem ser usadas no seu aspecto favorável (para atrair, refletir) ou desafiador (para transmutar), inspirando práticas, vivências e meditações.

- Lua em Áries: iniciativa, independência.
    Favorece: novos projetos, objetivos, iniciativas e relacionamentos; aumenta e fortalece a energia vital e sexual; reforça a expressão individual.
    Reflexão: sobre a expressão da raiva, impaciência, belicosidade, egocentrismo, rebeldia, precipitação.
    Objetivo: direcionar o poder pessoal para melhorar a própria vida, definir metas e compromissos, agir, realizar e se afirmar.

- Lua em Touro: manifestação, segurança.
    Favorece: assuntos artísticos, aquisição de recursos, melhora da saúde; proporciona segurança, perseverança, paciência e prosperidade.
    Reflexão: sobre os apegos, a ênfase na satisfação sensorial e material em detrimento da busca espiritual.
    Objetivo: definir um plano de ação a longo prazo, superar os bloqueios que impedem a prosperidade, transmutar a rigidez, autoindulgência, cobiça, obstinação.

- Lua em Gêmeos: comunicação, movimento.
    Favorece: falar, escrever, aprender, ensinar, viagens (físicas e mentais), criatividade (em todos os níveis), adaptação, movimento, mudanças.
    Reflexão: avaliar a dispersão, inconstância, superficialidade, duplicidade, frivolidade.
    Objetivo: harmonizar intelecto e emoção, matéria e espírito; concentrar-se em um propósito de cada vez, ampliar e diversificar os recursos criativos.

- Lua em Câncer: sentimentos, recordação.
    Favorece: a conexão com a Lua, passado, antigas tradições, lar, família, assuntos ligados à saúde, alimentação, introspecção, intuição, imaginação.

Reflexão: sobre a expressão das emoções, a existência de conflitos familiares, padrões limitantes e bloqueios oriundos do passado, insegurança, preocupação excessiva, a ligação com a mãe (dependência ou afastamento).

Objetivo: cura da criança interior, equilíbrio emocional, liberar o potencial criador, libertar-se de condicionamentos e crenças limitantes impostas pela educação.

- Lua em Leão: dramatização, autoafirmação.

    Favorece: a criatividade, autoexpressão, energia vital, força de vontade, ambição, otimismo, poder pessoal, dons didáticos e dramáticos.

    Reflexão: sobre orgulho, vaidade, arrogância, egoísmo, autoritarismo, megalomania.

    Objetivo: canalizar o potencial criativo, envolvimento em atividades comunitárias e filantrópicas, ativar a energia vital, libertar-se de dependências, submissão e opressão, perdoar e projetar vibrações de amor para o todo.

- Lua em Virgem: organização, dever.

    Favorece: a conexão com a Natureza, recuperação da saúde, ordem, análise lógica, responsabilidade, detalhes, organização, assuntos práticos, artesanato, ética, ecologia.

    Reflexão: sobre a ênfase nos detalhes, perfeccionismo, crítica, excesso de preocupação com a saúde e o trabalho, insegurança, racionalização, bloqueios.

    Objetivos: integrar corpo/mente/espírito, transmutar a vulnerabilidade emocional e física, servir à comunidade e à Mãe Terra, evitar a acomodação e o comodismo.

- Lua em Libra: conciliação, equilíbrio.

    Favorece: empenho e dedicação nos relacionamentos, sensibilidade artística, busca da beleza, harmonia, diplomacia, justiça, atividades sociais.

Reflexão: sobre a excessiva preocupação com a aparência, assuntos fúteis, indecisão, medos em se afirmar e decidir levando à acomodação e à submissão.

Objetivo: buscar a integração e harmonização dos opostos (em si, ao seu redor), mediar atividades que visam à paz, à justiça, à cooperação, reforçar sua sensualidade e suavidade, avaliar o relacionamento, impor limites, afirmar seus valores, superar dependências, submissões e traumas do passado.

- Lua em Escorpião: controle, transformação.

    Favorece: assuntos ocultos, carisma, magnetismo, experiências de transmutação e renascimento, atuação das energias negativas e destrutivas (próprias ou alheias), expressão da sexualidade e dos apegos.

    Reflexão: sobre a vulnerabilidade psíquica, os condicionamentos limitantes, compulsivos ou obsessivos, a intolerância, a posse exagerada, raivas, mágoas, vingança.

    Objetivo: reforçar as defesas pessoais, enfrentar as sombras, buscar autorrenovação e cura pela transmutação que leve ao crescimento pessoal, libertar-se das amarras, mágoas, culpas e ressentimentos.

- Lua em Sagitário: descobertas, otimismo.

    Favorece: a busca e a divulgação do conhecimento sagrado, novos horizontes, assuntos ligados à justiça, à filosofia, à ética, lealdade, otimismo, fé, devoção, verdade.

    Reflexão: sobre os exageros e excessos, autoindulgência, intolerância, apego às estruturas e aos dogmas, monopólio da verdade.

    Objetivo: integrar a dualidade instintiva e divina, ampliar a percepção e a compreensão, expandir a consciência e aprofundar as práticas espirituais.

- Lua em Capricórnio: construção, praticidade.

    Favorece: responsabilidade, organização, paciência, tenacidade, disciplina, senso prático e lógico, ambição social e profissional.

Reflexão: sobre teimosia, rancor, mesquinhez, rigidez, cristalização, apego e mau uso do poder, ênfase nos valores materiais.

Objetivo: compreender as armadilhas existentes no caminho e que impedem a evolução espiritual, usar a disciplina, a devoção e a reverência para a evolução espiritual, servir à humanidade e à Natureza.

- Lua em Aquário: humanitarismo, inovação.

    Favorece: metas comunitárias, causas sociais, inspiração, idealismo, inovação, criatividade, capacidade intelectual, científica, artística, solidariedade, colaboração.

    Reflexão: examinar atitudes radicais ou anarquistas, excesso de racionalismo e individualismo, dificuldade para colaborar.

    Objetivo: interação grupal, objetivos e atividades solidárias e altruístas, expressar as emoções, direcionar a criatividade e o espírito inovador para o bem comum, participar de objetivos humanitários e planetários.

- Lua em Peixe: sensibilidade, idealismo.

    Favorece: compaixão, intuição, conexão com as dimensões sutis, compartilhar sonhos, poemas e canções, sensibilidade psíquica, assuntos místicos.

    Reflexão: avaliar a passividade, os devaneios, as utopias e as ilusões, o excesso de imaginação e a fuga da realidade, a vulnerabilidade psíquica.

    Objetivos: direcionar a vontade e a imaginação para cura individual e o progresso espiritual, libertar-se de amarras e dependências, demonstrar a compaixão e a colaboração com toda a criação, proteger-se psiquicamente.

b) Solilunares

Uma abordagem mais completa combina as características dos dois signos, que indicam o eixo de complementação astrológica que ocorre durante a Lua cheia com a localização oposta da Lua e do Sol (os luminares). Como o propósito da Lua cheia é equilibrar as polaridades dos signos e dos luminares, considero esse conceito mais adequado para ser adotado e seguido, pois ele proporciona o entrosamento entre os dois tipos de atributos, possibilidades, energias e desafios, em um verdadeiro "casamento sagrado". A energia da Mãe Divina está presente e atuante em ambos os arquétipos (solar e lunar), que, ao serem invocados e conectados, auxiliam os círculos sagrados femininos a se alinharem com a energia universal e expandirem sua compreensão e consciência espiritual.

O alinhamento ritualístico com o eixo solilunar propicia uma conexão ampliada com as energias planetárias, cósmicas e divinas. Assim como a Lua exterior adquire seu brilho ao refletir a luz solar, nossos "luminares interiores" conjugam suas energias para iluminar a nossa busca espiritual e favorecer o crescimento pessoal. O contato é estabelecido no dia exato da Lua cheia (plenilúnio), por meio de vivências e meditações que permitem o fluxo e a captação das energias combinadas, favorecendo *insights* e orientações sutis. A partir do dia seguinte, o acúmulo energético é libertado aos poucos, até o próximo auge lunar.

Para evitar repetições, recomendo o meu livro *O Anuário da Grande Mãe*, que apresenta as diretrizes básicas para as celebrações dos plenilúnios, levando em consideração as características solilunares (de ambos os signos envolvidos), incluindo elementos ritualísticos e orientações práticas. Mesmo resumidas, as descrições são úteis para a elaboração dos roteiros, necessitando apenas da complementação com as vivências e meditações correspondentes, a participação criativa e a colaboração e a parceria amorosa das integrantes do círculo.

Tradição da Deusa

> *Existe uma mulher que tece o céu noturno; veja como Ela tece, veja como seus dedos voam; Ela está ao nosso lado do início ao fim, é nossa mãe, amada e amiga; Ela é a tecelã, e nós somos a tessitura; Ela é a agulha, e nós somos os fios.*
>
> – *Changing Woman*, canção composta por Adelle Getty

A tradição contemporânea da Deusa tem tanto conotação politeísta (devida à multiplicidade de nomes, atributos e imagens de deusas) quanto monoteísta (como afirmação da unidade, a Deusa contendo em Si mesma os inúmeros aspectos da vida). Nessa visão, que abarca ao mesmo tempo o Todo e as partes, a reverência é centrada no arquétipo todo-abrangente da Grande Mãe, que tem inúmeras facetas, apresentações e manifestações.

O princípio do Sagrado Feminino – personificado pela Deusa ou a pela Grande Mãe – inclui um tesouro de mitos, nomes, imagens, atributos, qualidades, aprendizados, desafios e possibilidades a Ela associados e representados por diversos arquétipos, cultuados ao longo dos tempos nas sociedades pré-patriarcais. Esse conceito pode ser visto na belíssima imagem de Ártemis de Éfeso como *A Mãe dos mil seios*, nos títulos de Ísis – *Panthea* (a Deusa do Todo) ou *Myrionymus* (dos dez mil nomes) –, nos nomes da deusa romana Magna Mater ou da hindu Maha Devi (a Grande Mãe ou, respectivamente, Grande Deusa).

Experiência pessoal

Quando iniciei as celebrações públicas dos plenilúnios em Brasília, em 1994, usava na elaboração dos rituais conhecimentos astrológicos e práticas mágicas aprendidas nos caminhos espirituais que percorrera. Faltava-me, no entanto, uma relação precisa entre as coordenadas astrológicas, as datas e os arquétipos divinos. Durante alguns anos segui a sequência das lunações regidas pelas Matriarcas, preconizada por Jamie Sams no livro *The Thirteen Original Clan Mothers*, acrescentando o mito de uma deusa associada ao objetivo do ritual. Todavia, essas escolhas eram fruto da minha afinidade ou intuição e, além de não terem embasamento preciso, eram dificultadas pela diversidade de opções empíricas.

Empenhada na divulgação da Tradição da Deusa e em tornar a Sua presença mais "real e visível" na vida cotidiana das mulheres, fui reunindo uma coletânea de informações sobre as Suas antigas celebrações, Seus dias sagrados, Seus inúmeros nomes e atributos. O primeiro resultado desse trabalho de pesquisa encontra-se na agenda *Diário da Grande Mãe*, editada em 1996 e 1997 por Josina Roncisvalle. Decidi posteriormente ampliar esse material, e surgiu, assim, o *Anuário da Grande Mãe*, baseado em extensa bibliografia e em vivências ritualísticas grupais. Seu enfoque é nas datas e características das antigas celebrações das Deusas, oriundas de várias tradições e culturas do mundo. Devido ao amplo material informativo e ilustrativo e à exiguidade do espaço, os procedimentos ritualísticos são resumidos, porém a descrição do arquétipo divino e as orientações assinaladas são meios eficientes para fortalecer a estrutura de um ritual.

Seguindo a cronologia do *Anuário*, os círculos de mulheres podem se conectar e reverenciar em qualquer dia do ano um dos aspectos da Grande Mãe cultuado em alguma época, cultura ou lugar, esquecido ou renegado ao longo dos tempos, mas que está sendo novamente relembrado, ativado e festejado.

Os rituais podem variar em estilo ou apresentação, sendo mais formais ou espontâneos, com maior ênfase na descrição do mito e nos aspectos gestuais e sonoros (com danças, canções, mantras, uso de instrumentos, encenações), introspectivos (meditações, visualizações, viagens xamânicas) ou centrados nas práticas mágicas (transmutação das energias negativas, autotransformação, cura, ampliação da percepção sutil e do poder interior). Convém sempre incluir no ritual um aspecto que vise a benefícios para a comunidade e à preservação do meio ambiente e da paz planetária (como irradiações e afirmações positivas, abençoar iniciativas grupais e realizar meditações de cura).

Os rituais lunares não são estáticos; eles podem ser renovados e recriados; mesmo sendo dedicados a uma mesma Deusa, seus enfoques e recursos variam e adquirem novas nuances e apresentações. Para que um ritual toque o coração e eleve o espírito, vários desafios precisam ser superados na sua realização: a necessária profundidade das vivências, a fluência harmoniosa das etapas ritualísticas, a concordância entre exposição teórica e as práticas, a firme e competente condução do ritual, a entrega e a interação amorosa das participantes, um espaço seguro e tranquilo.

Na primeira parte, descrevi detalhadamente a realização de um ritual, com as etapas necessárias. Para evitar repetições, vou me limitar a resumir o roteiro básico de um plenilúnio, cuja eficiência foi comprovada ao longo dos anos.

- Purificação do espaço (com os elementos antes escolhidos).
- Arrumação do altar e do material que será utilizado.
- Purificação das participantes, na qual os elementos materiais são escolhidos de acordo com a natureza dos signos astrológicos em que estão colocados o Sol e a Lua, o objetivo do ritual ou a natureza do arquétipo que será cultuado.

- Harmonização grupal com canções, mantras, sons (vocais ou instrumentais), danças circulares ou em espiral, batidas de tambor, alinhamento energético (com exercícios respiratórios ou bioenergéticos), movimentos livres, visualização dirigida, introspecção e silêncio.
- Boas-vindas e sucinta exposição sobre a finalidade do ritual e o uso do material trazido (previamente divulgado e escolhido em função do objetivo do trabalho), feitas pela dirigente do ritual.
- Se alguma das integrantes do círculo ou a dirigente tiver conhecimentos astrológicos, ela dará explicações sobre as configurações planetárias e os presságios da noite (além das características do eixo solilunar, podem ser mencionados alguns ângulos, planetas e asteroides em destaque, e os símbolos Sabianos correspondentes) que estejam relacionados com o tipo de ritual, propósito ou arquétipo divino reverenciado.
- A dirigente do ritual conta o mito da Deusa que será cultuada, fazendo referência à origem do seu culto e à Sua atual importância para o fortalecimento de determinados aspectos, qualidades e possibilidades na vida e na realização das mulheres, bem como sua repercussão global e planetária.
- Criação do círculo mágico ou da egrégora espiritual com o uso de elementos físicos e invocações das direções (na tradição celta, xamânica ou livre relacionada ao arquétipo). Isso pode ser feito de maneira tradicional e formal ou espontânea e intuitiva, com termos gerais ou específicos associados às qualidades e aos atributos da Deusa.

Como exemplo, cito uma linda invocação publicada no livro *Practicing the Presence of the Goddess,* de Barbara Ardinger:

> *Pelos poderes do fogo purificador e das marés ondulantes,*
> *Pelos poderes do vento refrescante e da terra que floresce*
> *Que nossa intenção [...] seja realizada.*
> *Pelos poderes do Sol nascente e da Lua mutante,*
> *Pelos poderes das estrelas que dançam*
> *Que a nossa intenção [...] seja realizada.*

Pelos poderes da luz que brilha e da escuridão que acolhe
Que nossa intenção [...] seja realizada.
Pelos poderes da Deusa que em nós vive
Que a Sua vontade seja sempre respeitada.

Inúmeras variações sobre esse tema ou com imagens criadas pelas integrantes do círculo podem ser usadas para plasmar nos planos mental e astral a egrégora favorável à realização segura do ritual. No caso dos rituais de transmutação energética ou de cura, as invocações serão mais específicas e poderão incluir uso ou citação de elementos mágicos, orações, gestos ou sons.

- Oração, invocação do arquétipo da Deusa regente do ritual ou recitação do Mandamento da Deusa.
- Ritual propriamente dito, incluindo uma prática mágica ou um encantamento, usando materiais como velas, fitas, fios, cordas, grãos, espigas, maçãs, romãs, ervas, essências, cristais, frases escritas ou faladas, desenhos, modelagem em argila, bênçãos de talismãs ou joias, confecção de amuletos ou símbolos específicos. Após uma meditação dirigida ou ao som das batidas de tambor – visando à conexão com a Deusa (para Dela receber um sinal, uma mensagem ou uma orientação) –, podem-se usar oráculos, espelho negro ou vasilha de barro com o fundo pintado de preto contendo água (para a prática da vidência), ou simplesmente fazer uma introspecção silenciosa no ritmo da respiração, para ouvir a voz da própria intuição.
- Afirmações e palavras de poder (para fortalecer a egrégora) ou criar e lançar o cone de poder na direção do objetivo (individual, grupal, coletivo). Usam-se sons, gestos, palavras ou visualizações para movimentar a energia, cujo excedente será entregue à terra.
- Bênçãos: dos objetivos, dos talismãs, das próprias participantes, da Terra e da oferenda, que depois será levada e entregue na Natureza.
- Fechamento ritualístico: após o centramento (tocando o chão), seguido por uma canção ou dança circular, abre-se o círculo mágico ou se desfaz a egrégora, agradecendo às forças invocadas e à Deusa. O ritual é encerrado com a saudação tradicional: "que o círculo se abra, mas não se rompa; feliz encontro, feliz despedida para felizes nos

encontrarmos novamente". O beijo de despedida será feito no sentido anti-horário, cada mulher dizendo à vizinha da esquerda: "abençoada sejas" e a dirigente finalizando com "que a Deusa abençoe a todas nós".

- A confraternização é feita com um lanche ou ceia coletiva.

A chave do sucesso de qualquer ritual – principalmente se for público – reside no planejamento cuidadoso, no cumprimento seguro das etapas e da distribuição de tarefas, na prévia preparação pessoal (material, espiritual) e grupal, na parceria e no apoio amoroso das integrantes do círculo. Para a assistência, torna-se evidente quando algo no ritual está sendo feito de improviso ou quando existem lacunas no roteiro e na sua realização. Esses lapsos (de energia, conexão ou sequência) dão margem à inquietação, à dispersão, ao cansaço ou ao sono naquelas que assistem e, mesmo desconhecendo a razão, sentem seus efeitos. Apesar do louvável e necessário empenho para compartilhar e viver valores lunares, fazemos parte de um mundo solar e racional e não podemos ignorar algo que todos os caminhos espirituais ensinam: *sem disciplina, responsabilidade e preparação, nenhuma prática é realizada com eficiência e sucesso*. A intuição, a flexibilidade e a criatividade são auxílios preciosos e necessários durante o planejamento e podem ser recursos extremos no caso de acontecimentos imprevistos, quando algo precisa ser mudado, reduzido ou cortado do ritual. Porém, a decisão de deixar "fios soltos" para que as participantes fluam somente com a intuição é um convite para que a trama se desfaça e a energia criada se dilua.

A essência do caminho da Deusa é irmandade e amor compartilhado, solidariedade e apoio mútuo, leveza e beleza, alegria e serenidade, profundidade da entrega e da reverência, descoberta e uso da sabedoria ancestral e inata. Mas esse reconhecimento não exclui o uso das qualidades do hemisfério esquerdo, da nossa atuação lógica, prática e racional. A integração das polaridades *yin* e *yang* deve ser iniciada em nós mesmas, antes de podermos manifestá-la no mundo exterior. Mesmo nos rituais lunares, os atributos e as qualidades do Sol e da Lua (o *animus* e a *anima*) – que fazem parte da nossa vida – devem ser harmonizados e integrados. No plenilúnio acontece a conjugação de suas energias opostas, porém complementares, e que devem ser direcionadas para a mesma finalidade.

Algumas palavras sobre oferendas

Tenho percebido e ouvido comentários e dúvidas sobre o uso das oferendas para reverenciar a Deusa como Madrinha ou regente de uma cerimônia ou ritual. Algumas mulheres preferem oferendas sutis, como o propósito de uma reforma interior, desapegos, compromissos para participar de trabalhos comunitários ou doações materiais para pessoas ou instituições de caridade. Todavia, a maior parte das mulheres que fazem parte de grupos ou participam de rituais na Tradição da Deusa prefere fazer oferendas – individuais ou em conjunto – com velas, flores, frutos, grãos, sementes, ervas, mel, leite, vinho, perfumes, fios e fitas coloridas, além da mais sagrada de todas, que é o oferecimento de seu sangue menstrual. Uma maneira tradicional de fazer a oferenda coletiva é usar uma vasilha de barro na qual cada mulher coloca a sua contribuição, representada por um punhado de grãos, um pouco de mel e leite (ou vinho) ou uma pequena porção do lanche que será compartilhado. A dirigente, ou uma voluntária, leva depois a oferenda comunitária, entregando-a respeitosamente à terra, à água ou ao fogo. Os grãos (que representam o sagrado ciclo do nascimento, do amadurecimento, da morte e da renovação) podem ser substituídos por pão, dádiva da Mãe Terra e símbolo da sustentação da vida. O mel – produto da sociedade matriarcal de abelhas – representa a doçura, a preservação e a restauração da vida. O leite lembra o seio nutriz da mãe – terrena e cósmica –, o vinho tinto substitui o sangue menstrual, e a vasilha de barro reforça a conexão com a Mãe Terra. A oração que compõe a oferenda dá ênfase à gratidão pelas dádivas e dons recebidos da Grande Mãe e a intenção de honrá-los com esse gesto simples e ancestral.

Os povos antigos tinham o costume de agradecer à Mãe Natureza e à Mãe Terra os recursos, a saúde, a proteção e os dons, compartilhando os frutos colhidos e celebrando com rituais, danças e canções. Nessas culturas antigas havia festas específicas de colheita e gratidão por tudo o que a terra e a Natureza lhes propiciavam. Faziam-se também pedidos às divindades para a fartura dos novos plantios, a fertilidade dos rebanhos e das mulheres, a proteção contra doenças, pragas, calamidades naturais, invasões inimigas.

Os povos celtas ofereciam fitas com pedidos de cura e colocavam pedaços das roupas dos doentes nas árvores próximas às fontes da deusa Brigid (costume preservado até hoje nas oferendas de votos, rosários, objetos e preces para Santa Brigid). Nas celebrações celtas da Roda do Ano – os *Sabbats* –, as cerimônias terminavam com orações e oferendas de gratidão. No Peru se fazem até hoje oferendas para Pacha Mama embrulhando em papel de seda frutos da terra, doces e lãs coloridas, e entregando o "presente" à terra ou ao fogo. Os povos nativos norte-americanos oferecem nas suas cerimônias tabaco, sálvia e fubá para os guardiões das direções e os poderes do céu e da terra. Os antigos povos nórdicos, nos seus rituais de *Blot* e *Sumbel,* faziam oferendas aos deuses para agradecer à sua benevolência, reconhecer, afirmar e fortalecer sua dedicação e compartilhar com seus protetores aquilo que eles comiam e bebiam. Nas libações oferecia-se hidromel para as divindades, despejando-se um pouco no chão e em uma vasilha especial para oferendas; depois de abençoada pelo oficiante, a bebida era passada pelo círculo, para que todos os participantes compartilhassem dela e fizessem seus brindes individuais. Nos cultos afro-brasileiros, fazer oferendas aos orixás é um ato sagrado que faz parte dos ritos de iniciação e de renovação dos votos iniciáticos. No nível profano, permanece o hábito de despejar bebida no chão "para o santo", reminiscência do antigo costume pagão de oferecer sua gratidão à terra e às divindades, antes de as pessoas tocarem as comidas ou bebidas.

A transmutação com a ajuda dos elementos e a consequente liberação de condicionamentos negativos, padrões limitantes, crenças ultrapassadas, medos, apegos e bloqueios não exclui a gratidão demonstrada para a Mãe Divina nas Suas múltiplas manifestações, com orações e oferendas materiais. O substrato material é um suporte e apoio para a intenção mental e o desejo do coração. Porém, uma oferenda rebuscada de nada vale se não for acompanhada pela firme intenção, o compromisso da melhora interior e a profunda gratidão.

No entanto, é bom lembrar que, no Caminho da Deusa, nenhuma prática é obrigatória; cada mulher segue aquilo que sua mente, seu coração e sua alma lhe sugerem ou pedem. As opções e intuições individuais são respeitadas e honradas pelas dirigentes do círculo, sem censurar ou reprimir a criatividade, a escolha ou a sintonia pessoal, desde que embasadas no discernimento, no respeito e na reverência aos valores, aos costumes e às tradições sagradas locais.

III.V. A MANDALA DAS TREZE MATRIARCAS

Durante uma viagem aos Estados Unidos, em 1994, entrei em contato com Jamie Sams, autora do livro *The Thirteen Original Clan Mothers*. Encantada com a sabedoria ancestral revelada no seu livro, eu a convidei para vir ao Brasil e divulgar seu trabalho. Dificuldades materiais impediram a realização desse projeto, mas Jamie incentivou-me a colocar em prática a tradição nativa das "Mães de Clãs" nos rituais públicos dos plenilúnios que eu realizava em Brasília. Segui seu conselho e fiz o primeiro ritual honrando "a Matriarca da oitava lunação", na Lua cheia de agosto de 1994. Continuei a reverência mensal às Matriarcas até 1999, quando adotei nos plenilúnios a cronologia descrita no *Anuário da Grande Mãe*. Todavia, não me afastei desses arquétipos nativos nem deixei de mencionar seus ensinamentos nos grupos de estudo ou honrá-los nas vivências grupais, nas jornadas xamânicas e nos rituais da Lua negra.

Com base nessa experiência pessoal e grupal, ofereço um material resumido dos relatos do livro acima mencionado, acrescidos de sugestões ritualísticas fundamentadas nos rituais originais da Chácara Remanso e seguidos pela Teia de Thea. Também recomendo a confecção de escudos totêmicos específicos para cada Mãe de Clã, seguindo a iniciativa de um dos grupos de estudo do Círculo da Chácara Remanso, que, em 2004, dividiu essa tarefa entre as participantes, cabendo à aniversariante do mês a confecção do escudo da respectiva lunação.

Agradeço a todas elas e especialmente a Maria Helena, Maria do Socorro, Andréa, Nane e Maria, que continuam zelando pela preservação e continuação da reverência às Matriarcas, dedicando seu amor, sua abnegação, sua criatividade e seu empenho para honrar a sabedoria ancestral nos encontros grupais e rituais da Lua cheia e negra.

A lenda das Treze Matriarcas (ou Mães de Clãs Originais)

> *O vento da noite chegou clamando, batendo na minha porta, se esgueirando pelas frestas da antiga tenda e trazendo os espíritos renascidos dos ossos das Mães de Clãs. Eu ouvi as batidas no tambor e as canções sopradas pelo vento. Tinha chegado o momento; cobri-me com meu xale e dancei na noite para celebrar, pois o búfalo tinha retornado.*
>
> – Jamie Sams

Ao longo dos tempos, nos conselhos de mulheres e nas "tendas lunares" das tribos nativas norte-americanas – como kiowa, cherokee, iroquis, sêneca –, as anciãs contavam e ensinavam as tradições herdadas e preservadas pelas suas ancestrais. Entre as várias lendas, histórias e relatos, sobressaem-se as lendas das Treze Mães de Clãs Originais, que descreviam os princípios essenciais das energias femininas manifestadas pelos aspectos da Vovó Lua e da Mãe Terra. A antiga tradição oral da Irmandade Original foi transmitida a Jamie Sams, integrante do "Clã dos lobos", por duas anciãs da tribo kiowa, em 1970, para que ela aprendesse, praticasse e divulgasse esse legado feminino ancestral. O propósito dos ensinamentos existentes nas diversas tradições era reavivar as habilidades de cura, os dons e talentos femininos inatos, mas adormecidos, esquecidos ou proibidos. Assim, podia ser restabelecido o equilíbrio perdido na vida de homens e mulheres, em uma época em que prevaleciam o "caminho do guerreiro" e as atitudes, os valores e as regras patriarcais e masculinas.

O legado da Mãe Terra e dos mistérios femininos tinha sido abandonado ao longo das gerações, e as tradições orais, preservadas apenas nos encontros e ritos exclusivos das mulheres. Para que estas pudessem se curar antes de querer – ou poder – assumir seu papel de curadoras e zeladoras da Terra e dos seus semelhantes, era necessário resgatar esse legado e substituir a competição e a rivalidade, a agressão e a manipulação pela pacificação, harmonização e parceria, em benefício de todos e do Todo. Conhecendo, honrando e vivenciando as tradições e os valores ancestrais, as feridas da alma feminina não mais iriam se manifestar em atitudes hostis, separatistas e manipuladoras, imitando os modelos masculinos de domínio, prepotência e conquista. Somente assim seria possível equilibrar as forças e as polaridades em um empenho solidário para construir uma futura sociedade de parceria.

A lenda das Mães de Clãs descreve a abundância primordial, quando na Terra havia paz e igualdade entre sexos, raças e reinos da criação. Porém, aos poucos, a ganância humana pelo ouro (antes um nobre metal usado para objetos cerimoniais) levou à competição, à violência contra a Terra e às mulheres e às guerras fratricidas, provocando cataclismos naturais, mudanças climáticas e o desvio do planeta da sua órbita. Como consequência, o chamado "primeiro mundo" foi destruído pelo fogo, para que houvesse uma purificação planetária.

No intuito de restabelecer o equilíbrio primordial perdido e favorecer o início de um novo ciclo, a Mãe Cósmica, manifestada na energia da Vovó Lua e da Mãe Terra, deu à humanidade um legado de amor, compaixão, perdão e cura, resguardado no coração das mulheres como "sementes de paz interior". As energias femininas de cura foram condensadas na forma das Treze Mães de Clãs Originais, que iniciaram sua jornada missionária sobre a terra visando ao retorno do sonho original de paz, harmonia, parceria, respeito, igualdade e amor incondicional.

O treze é o número da transformação e das lunações ao longo de um giro da Mãe Terra ao redor do Vovô Sol. Com o passar do tempo, a força dos rituais das Luas cheias reforçou os aspectos do poder feminino, abrindo portais para o fortalecimento, a cura e a expansão da consciência. Quando as Treze Matriarcas foram plasmadas no nível físico, elas criaram uma Irmandade para unir todas as mulheres, baseada nos laços de sangue e ritos que marcavam o ciclo da fertilidade feminina e sua conexão com as fases lunares. Toda mulher tem o potencial de gerar sonhos, mesmo se não puder gestar filhos. O ventre é o ponto de equilíbrio e a sede do poder feminino que responde às marés e aos ciclos naturais.

O objetivo principal da Irmandade era ensinar às mulheres ritos de passagem e práticas eficientes para seu fortalecimento pessoal, alinhamento familiar e grupal, levando à cura dos desequilíbrios coletivos e planetários. As Mães dos Clãs Originais não pertenciam a uma raça ou crença específica; os seus princípios e conhecimentos representavam verdades universais que tinham sido esquecidas ou renegadas por outras culturas e honradas e preservadas apenas pela raça vermelha. O modelo original da Roda Sagrada de Cura da Irmandade foi transmitido pelas tradições orais às "tendas lunares" e aos círculos femininos de cura das tribos nativas norte-americanas.

A Roda Sagrada de Cura era fundamentada nas treze lunações do ano solar e tinha doze raios e os correspondentes pontos de poder na sua circunferência, sendo o décimo terceiro ponto o centro. O seu princípio resumia-se no lema *vida, unidade, igualdade, na eternidade*. A vida está associada à direção Leste, onde o nascer do Sol anuncia um novo começo e a energia vital abundante. Na direção Sul, a unidade é representada pela fé, confiança, inocência e humildade, associadas à infância e à amizade. O Oeste define a igualdade e a realização dos sonhos, se todas as formas de vida forem honradas como iguais. A eternidade é simbolizada pela sabedoria do Norte e a continuidade de todos os ciclos e leis naturais. Cada uma das Treze Mães de Clãs Originais detém uma parte das verdades primordiais do legado feminino, tecidas a partir dos mistérios da Vovó Lua e refletidas pela energia da Mãe Terra na forma física de mulher. Os arquétipos personificados pelas Matriarcas regem as treze lunações de um ciclo solar, a décima terceira correspondendo à Lua azul (a segunda Lua cheia em um mesmo mês) ou violeta (a segunda Lua negra de um mesmo mês), eventos lunares especiais.

Seguindo a ordem cronológica das lunações, na primeira aprende-se e aplica-se a verdade em relação a todos os seres, mundos e mistérios. A segunda lunação ensina a honrar a verdade e usá-la para o autodesenvolvimento, enquanto na terceira se aceita a verdade, assumindo-se a responsabilidade dela decorrente e praticando-se justiça e equilíbrio. A quarta lunação oferece a capacidade de reconhecer a verdade em todos os reinos por meio de sonhos, intuições e presságios; a quinta aprimora o talento de ouvir as verdades vindas dos planos físicos e espirituais. Na sexta lunação, torna-se possível expressar a verdade com humildade, discernimento e fé, para que, na sétima lunação, possa ser manifestado o amor pela verdade individual de todos os seres. A oitava lunação desenvolve o dom de servir à verdade, contribuindo para a cura de todos; a nona lunação ensina a viver a verdade, para que sejam asseguradas a continuidade e a sobrevivência dos descendentes. O talento para trabalhar com a verdade é dado pela décima lunação, que manifesta no plano físico todos os recursos criativos. Para praticar a verdade, a décima primeira lunação mostra a importância do exemplo resumido na sábia frase: *walk your talk* [pratique aquilo que fala]. A gratidão pela verdade é ensinada pela décima segunda lunação, por meio de orações e oferendas para retribuir o "dar e receber" das lições, dádivas e experiências da vida. A última lunação – a décima terceira – completa o ciclo de transformação, tornado-se a verdade e revelando o poder da regeneração pelo fechamento de um ciclo e a passagem para um novo estágio de aprendizado e crescimento.

A missão de cada Matriarca era honrar a herança da espiritualidade feminina, fortalecer a Irmandade, desenvolver todos os aspectos de seus dons e habilidades, para descobrir e expressar o próprio poder de cura. Essa realização ia ser compartilhada com todas as mulheres do mundo por meio dos "escudos de cura das avós", que expressavam o mistério de cada clã pelas suas formas, cores e conceitos. Assim como as ancestrais trilharam seus próprios caminhos de descobertas e realizações, as suas descendentes deviam buscar as respostas dentro de si mesmas, aprendendo as lições necessárias para o seu crescimento e tendo como apoio os ensinamentos antigos. Os "escudos originais das avós" desapareceram do plano físico há muito tempo, mas sua sabedoria e seu poder permanecem nos campos sutis como fios condutores para aquelas mulheres que se dispõem a ouvir e a seguir os preciosos dons das ancestrais e materializá-los em novos e atuais "escudos", simbolizando sua cura.

A Irmandade original se propôs a ensinar às mulheres a igualdade de todos os seres e os seus aspectos específicos. Porém, antes de alcançar a integração, devem ser transmutadas as sombras (da competição, da separatividade, da hierarquia, do egoísmo, da inveja, da cobiça, da manipulação, da dominação) e curadas as feridas antigas por elas provocadas. As lições das Mães de Clãs podem auxiliar as mulheres contemporâneas a desempenhar seus papéis com dignidade, amorosidade e equilíbrio, mesmo no mundo atual, onde predominam valores e atitudes masculinas. Uma mulher consegue liderar pelo seu exemplo sem precisar adotar o estilo dominador masculino; ela pode apoiar, ensinar e incentivar outras mulheres, sem temer perder sua posição, seu merecimento ou seu prestígio, nem deles fazer uso. Como "Mães do Poder Criativo", as mulheres atingem sua plena realização quando descobrem e nutrem a verdade dos seus sonhos, visões e aspirações, compartilhando-os com os demais. A parceria e a força da "irmandade dos laços de sangue" é a mais importante lição de sabedoria feminina, que contribui para a cura individual e global. Como "filhas da Mãe Terra", as mulheres podem se tornar uma extensão viva do Seu amor, compaixão e perdão. Curando e amando a si mesmas, perdoando a todos, elas saberão como contribuir para a cura dos outros seres e do próprio planeta.

Ao se materializarem na Terra (após a destruição e a purificação do "primeiro mundo"), as Matriarcas construíram uma Casa do Conselho na forma de uma tartaruga, animal sagrado da Mãe Terra e nome original do nosso planeta ("Ilha da Tartaruga"). O centro do casco da tartaruga é dividido em treze partes e simboliza as lunações e as Matriarcas, sendo a lembrança viva do calendário lunar original, dado à humanidade pela Mãe Terra. Cada Mãe trazia no coração a visão e o conhecimento sagrado, enquanto no ventre guardava os talentos e as sementes dos seus sonhos. Reunidas na Casa do

Conselho, elas criaram a Irmandade e confeccionaram seus treze escudos de poder e também treze crânios de cristal, nos quais estão impressos a sabedoria, o amor e os talentos do legado feminino ancestral. Antes da fragmentação da "Ilha da Tartaruga" em continentes e a formação e a destruição dos quatro mundos que precederam o nosso, atual, os crânios de cristal foram depositados em diversos locais de poder, onde as mulheres se reuniram ao longo de milênios para buscar e irradiar energias de cura. A maioria desses lugares situava-se nas Américas, e os crânios atuam até hoje como guardiões da verdadeira história da Terra e da antiga sabedoria, que poderá ser resgatada por sábios e visionários e compartilhada com todos no quinto mundo. Antes, porém, é imprescindível alcançar a paz e a união humana e global, representada pelo "casamento sagrado" do mundo espiritual e do material, da Mãe Terra e do Pai Céu e dos princípios masculino e feminino. Quando os seres humanos tiverem completado a sua evolução e o aprendizado necessário, vão poder se conectar com os ensinamentos contidos nos crânios e manifestar os dons das Matriarcas para realizarem seus sonhos.

Aquelas mulheres que buscam essa conexão precisam aprender a prática nativa chamada *Tiyoweh* [acalmar a mente, permanecer em silêncio e abrir o coração], para que possam perceber a pura presença de uma Matriarca e receber suas mensagens sutis. Como as Mães de Clãs nunca foram vistas no plano físico e não existem descrições sobre a sua aparência, usam-se seus escudos como pontos focais de concentração e conexão. Essa vivência é diferente de uma comunicação com um espírito ancestral; assemelha-se mais a uma viagem interior, que ativa a chama sagrada individual e promove a transformação. O contato e o aprendizado variam de uma pessoa para outra, de acordo com a necessidade, o estágio de desenvolvimento e o merecimento individual, que independem da linhagem genética ou racial, de idade ou experiência.

Para assimilar a sabedoria das Matriarcas é preciso abrir o coração, sem tentar compreendê-la pela razão. As mulheres podem buscar a conexão durante sua fase menstrual, na Lua cheia, negra ou nova, dependendo da sintonia pessoal. Elas visualizam o recebimento da energia amorosa de uma Mãe antiga como "a fertilização das sementes dos seus sonhos e aspirações", abrindo o coração e a mente para atrair criatividade, força e visão. Dispensam-se palavras e ritos complexos, usando-se apenas sons e ritmos de tambor, canções e danças, poesia e arte para atrair as bênçãos, agradecer e expressar os próprios dons. A recompensa vem com o encontro da *Orenda* (a essência espiritual) individual e uma compreensão crescente dos mistérios e dos ritmos do mundo natural e espiritual.

O ato de apreciar e valorizar a própria beleza e riqueza interior possibilita às mulheres captar, ampliar e direcionar os ensinamentos das Mães de Clãs, usando seus escudos para centramento, fortalecimento e proteção pessoal. Quando for alcançada a transmutação do sofrimento e da dor feminina – individual e coletiva –, a missão conjunta formada pelas intenções, pelas energias e pelos atributos das Treze Mães de Clãs Originais se tornará uma realidade planetária.

Como estabelecer a conexão com as Mães de Clãs

As Treze Mães de Clãs Originais – ou Matriarcas – representam aspectos dos ciclos da Vovó Lua e da Mãe Terra que podem nos guiar e sustentar enquanto caminhamos pela "Trilha da Beleza" [*Beauty Way*], uma senda de plena realização humana, um caminho de harmonia, paz e parceria. Se os nossos pensamentos são firmes e corretos, se as nossas ações, palavras e atitudes são harmoniosas, isso significa que sabemos viver de forma sagrada, buscando e compartilhando bênçãos e evoluindo com sabedoria e beleza. Essa compreensão torna mais fácil lidarmos com o intricado processo da nossa vida, sem nos deixar emaranhar em julgamentos, lamúrias, mágoas e revoltas. O nosso aprendizado implica honrarmos nossos sonhos e aspirações, bem como os de outras pessoas. Tornando-nos responsáveis apenas pelas nossas palavras e ações, podemos poupar energias para fins apropriados, que visem ao nosso bem-estar e ao daqueles que estão ao nosso redor. Podemos reconhecer as nossas emoções e o nossos pensamentos negativos e buscar sua transmutação e cura, sem julgar a origem nem perpetuar a sua existência, apenas identificando a influência atual sobre nós e escolhendo a maneira certa para transformá-los. O passo seguinte requer as mudanças necessárias e específicas para completar a cura. Vamos encontrar equilíbrio na nossa vida se reconhecermos os erros passados, assumindo a responsabilidade para evitá-los no futuro, mudando nossos pontos de vista e nossas atitudes no presente e desenvolvendo os dons que contribuam para o nosso crescimento. Sem encarar os nossos erros como sendo falhas ou derrotas, podemos aprender com os desafios e conflitos inerentes à vida. Aceitando as discórdias, as carências e os desequilíbrios como sendo lições, desafios e testes necessários ao nosso crescimento, encontraremos o impulso e a força para buscar energia e paz.

Os ensinamentos das Mães de Clãs nos auxiliam nessa busca, fornecendo-nos as linhas mestras para o nosso desenvolvimento e a redescoberta dos dons e das habilidades inatas. Ao mesmo tempo nos permitem avaliar, reconhecer e curar as feridas ancestrais da natureza feminina, aprendendo e praticando as lições da Roda Sagrada das lunações.

Na prática, essas lições podem ser vivenciadas de forma ritualística, tanto nos encontros grupais na Lua cheia – para atrair e direcionar atributos e possibilidades de determinada Matriarca e lunação – quanto na Lua negra, buscando a transmutação dos comportamentos negativos e a remoção dos bloqueios (energéticos, mentais, emocionais ou materiais) que impedem a nossa plena realização como mulheres e Seres espirituais.

Para "penetrarmos" na Casa do Conselho e entrarmos em conexão com determinada Matriarca (regente da lunação em que será realizado o ritual), precisamos aprender e praticar o silêncio interior que nos permite o contato com a nossa *Orenda* (essência espiritual ou Eu divino). O isolamento dos estímulos sensoriais do mundo exterior é favorecido por uma técnica respiratória simples e a criação de um tempo-espaço sagrado e reservado a esse propósito. Após o centramento e a harmonização com um som ou mantra, retém-se a respiração (com o pulmão cheio) e conta-se até dez; depois expira-se e inspira-se normalmente, retendo o ar novamente e repetindo esse processo por alguns minutos. Quando percebemos que nos distanciamos do mundo externo e estamos prontas para abrir as portas para a dimensão interior do nosso verdadeiro Eu, avaliamos o estado do nosso campo áurico. Cada pessoa tem um campo energético ao seu redor que abrange corpo, espírito, pensamentos, emoções, sonhos, aspirações, bagagem de experiências e realizações. Partindo do umbigo, existem milhares de fios sutis que conduzem as vibrações, os padrões e as influências externas, que se combinam entre si através de pensamentos, sensações, emoções e percepções internas, para formar o acervo individual dos conceitos, valores e parâmetros morais, éticos, espirituais e comportamentais. Apesar de serem registros específicos de cada ser humano, existe a tendência de adotar opiniões, ideias preconcebidas, medos, valores e bloqueios alheios, sobrecarregando a mente e dificultando a descoberta da verdade pessoal. Esse acúmulo energético é desnecessário e nocivo e deve ser identificado e descartado para facilitar a criação do silêncio e do espaço sagrado individual. Após essa "limpeza e arrumação" interior, pode ser feita a meditação para entrar em contato com a Matriarca regente de uma lunação específica, ou associada a uma necessidade – individual ou grupal – momentânea. A meditação pode ser livre ou dirigida, ao som de batidas de tambor ou em silêncio e seguindo um roteiro-padrão como o citado a seguir.

Transporte-se mentalmente para uma planície longínqua, com chão pedregoso e uma paisagem de arbustos e diferentes espécies de cactos e plantas aromáticas. Perceba o silêncio ao seu redor, pontuado por sons de pássaros, e aprecie o desenho das nuvens matizadas pelos tons dourados e rosados do pôr do sol. Siga uma trilha sinuosa até encontrar uma cabana de adobe, cuja forma alongada lembra um casco de tartaruga. Chegando perto, você vê um círculo de mulheres idosas cobertas com xales coloridos, cantando e batendo tambores. Uma das mulheres acena, convidando-a para se aproximar, e você entra respeitosamente na estranha construção por uma abertura no teto e desce devagar uma escada rústica de madeira. Chegando ao interior da *kiva* (câmara sagrada de iniciação dos povos nativos), você leva alguns momentos para se acostumar com a penumbra e descobre nas paredes treze escudos, de couro e tecidos rústicos, cada um com formato e decoração diferentes, feito com símbolos, penas, conchas, fitas e contas coloridas. Embaixo de cada escudo, cintila um crânio de cristal, em que rodopiam de forma fugaz e veloz formas, imagens e cores, acompanhadas de sons melodiosos que lhe despertam reverência e saudade.

O chão de terra batida é coberto por folhas de sálvia e cedro, com esteiras de palha sobre as quais se encontram alguns tambores, chocalhos e cabaças. Nas extremidades da *kiva,* ardem dois fogos cerimoniais, cuja fumaça sai por frestas no teto, que representam os mundos material e espiritual, cujas energias e mensagens passam pelos canais sutis representados pelas aberturas. Você coloca em cada fogo punhados de sálvia e ora, enviando pedidos e palavras de gratidão através da fumaça, que os leva até o Grande Mistério, representado pela união do Pai Céu com a Mãe Terra.

No centro, há um antigo caldeirão de ferro com uma camada de terra, sobre a qual você coloca uma vela, simbolizando sua *Orenda*, a chama sagrada pessoal. Acenda a vela e ore pedindo à Irmandade das Mães de Clãs que oriente e proteja o caminho de volta para o seu verdadeiro Eu, ajudando-a a obter as curas física, mental e emocional e descobrindo e desenvolvendo seus dons e habilidades em benefício de todos e do Todo.

Abra seu coração e peça à Matriarca que veio procurar que manifeste Sua presença e essência para ajudar, fortalecer, curar você. Perceba Sua energia poderosa e amorosa, ouça a orientação sábia ecoando na sua mente e sinta o toque gentil das mãos Dela no seu peito, fortalecendo a expressão e expansão da sua própria chama amorosa. Deixe-se envolver pela luz e o calor da Sua bênção, dissolvendo dores, mágoas e culpas, curando antigas feridas e devolvendo-lhe a força, a fé e a coragem inatas para assumir seu lugar como elo da antiga Irmandade feminina, lembrando, praticando e compartilhando a tradição e a sabedoria ancestral. Agradeça à Matriarca pela dádiva desse encontro e assuma o compromisso de colocar em prática Seus ensinamentos, contribuindo para a cura de outras mulheres e da própria Terra.

Despeça-se e volte pelo mesmo caminho, levando consigo a certeza de que não está só, pois a porta para a Casa do Conselho está sempre aberta para as mulheres que desejam conhecer, aprender e praticar os ensinamentos dos treze raios de transformação da Roda de Cura da Irmandade e a sabedoria ancestral das Mães de Clãs.

Para alcançar e realizar o objetivo supremo da Irmandade – *vida, unidade e igualdade, na eternidade* –, precisamos compreender e utilizar as lições dos treze raios, fortalecendo a conexão com os arquétipos e a sabedoria das Matriarcas regentes das lunações, que proporcionam a nossa integração e cura.

A tradição nativa se baseia nestes sete princípios:

- Não existem regras fixas que determinem a maneira individual de mudar e crescer.
- Todos os julgamentos e regras autoimpostas são ilusões limitantes.
- O Grande Mistério não pode ser decifrado, portanto é melhor não tentar.
- Tudo o que os seres humanos procuram encontra-se no próprio ser.
- Risos e celebrações dissipam medos, culpas e ilusões.
- Os mundos sutis e invisíveis existem dentro dos planos tangíveis e deles não podem ser separados.
- Você É no momento em que decide SER.

Orientações para as celebrações das Mães de Clãs

O calendário nativo original era lunar, inspirado no ciclo menstrual e nas fases lunares, e iniciava-se como determinada lunação dedicada à Primeira Matriarca. Como seguimos atualmente o calendário solar, recomendo associar cada mês – a partir de janeiro – a uma das Mães de Clãs e escolher uma fase lunar uniforme (Lua cheia ou negra) para suas celebrações. A décima terceira Matriarca será comemorada na Lua azul (a segunda Lua cheia do mesmo mês) ou na Lua violeta (a segunda Lua negra do mesmo mês). É importante lembrar que a energia da Lua azul amplifica a força magnética e o poder espiritual de um ritual lunar, enquanto na Lua violeta a ênfase serão a introspecção e a avaliação de bloqueios e dificuldades para a sua necessária transmutação e descarte. Para mais detalhes sobre esses eventos lunares incomuns, recomendo consultar *O Anuário da Grande Mãe*.

Com o intuito de evitar repetições, apresento sugestões para rituais a serem realizados nas Luas negra ou cheia e que podem ser utilizados na celebração da Matriarca de qualquer lunação. As diretrizes gerais são as mesmas para todas as lunações, variando apenas os tópicos das "listas negras" ou "brancas", os objetos usados, os atributos reverenciados e os propósitos almejados.

Sugestões para celebrar a Matriarca na Lua negra

- Prepare previamente uma "lista negra" (bloqueios ou dificuldades associados com os atributos e a regência da Matriarca). Para ampliar a expressão de emoções e sensações, é possível recorrer a desenhos, modelagens com argila ou descrição detalhada de sentimentos, percepções, vivências negativas, desequilíbrios, para que possam ser transmutados.
- O ritual segue o modelo tradicional, com a purificação prévia do espaço e das participantes, o altar simples com elementos afins, a criação de um círculo de proteção e as invocações necessárias (para a Matriarca, os guardiões das direções e dos elementos, aliados, guias e protetores individuais).
- Após a harmonização (dirigida ou livre), para preservar a interiorização e o silêncio, cada mulher queima sua lista negra (num caldeirão próprio, com pastilhas de cânfora e ervas aromáticas secas),

mentalizando a renovação mental, emocional e material. Em seguida, realiza-se a purificação individual com um dos elementos associados à Matriarca (como vela, incenso, essência, ervas secas ou frescas, cristais ou pedras, sons, gestos, palmas, batidas de tambor, entre outros).

- Meditação (dirigida ou livre, ao som de batidas de tambor) para entrar em contato com a energia, os atributos e os totens específicos da Matriarca.
- Introspecção (com a cabeça coberta com um xale ou véu escuro) para receber uma visão, mensagem ou intuição que contribua para as mudanças necessárias no comportamento e na maneira de pensar, sentir e interagir, visando à cura, à renovação e à harmonia em todos os níveis do ser.
- Centramento (com respiração pausada, tocar o chão), "voltar" para o aqui e agora, agradecer às forças espirituais invocadas e desfazer o círculo mágico.
- Convém fazer uma pequena oferenda em sinal de gratidão e assumir um compromisso que beneficie os equilíbrios natural e humano, a purificação e a preservação do hábitat pessoal, coletivo ou global.
- É recomendável que esses rituais não sejam públicos, mas restritos às participantes do círculo, para que seja possível aprofundar melhor as vivências e a introspecção.

Sugestões para celebrar a Matriarca na Lua cheia

Se o ritual for realizado na Lua cheia, o seu objetivo será atrair, reforçar e direcionar os atributos da Matriarca em benefício das participantes e de algum propósito grupal, comunitário ou global, que será anotado na "lista branca" e reforçado com mentalizações diárias. A conexão com a Matriarca será complementada com outras vivências ou práticas mágicas associadas com arquétipos sagrados da espiritualidade feminina (deusas lunares, regentes: dos elementos, da estação, do mês ou do dia do ritual, comemoração das transições da Roda do Ano), e o ritual poderá ser público.

O roteiro deve ser mais elaborado (principalmente se ele for público), com a participação de várias mulheres integrantes do círculo e a apresentação de arquétipos e atributos da Matriarca reverenciada, danças circulares ou xamânicas, canções, orações, invocações, meditações e vivências relacionadas com os ensinamentos e as características específicas da respectiva lunação.

OBSERVAÇÃO: no livro *The Thirteen Original Clan Mothers*, os textos referentes às Mães de Clãs são muito extensos, incluindo histórias e lendas indígenas e citando inúmeros aliados dos reinos animal, vegetal e mineral. Esses dados podem ser usados para compor e detalhar o ritual, tornando-o mais fiel às suas origens.

A Matriarca da primeira lunação (mês de janeiro)
"Aquela que ensina a verdade e fala com todos os seres."

Para aprender sobre a verdade, precisamos nos abrir para a vastidão dos mundos contidos dentro de outros mundos, que constituem o "Grande Mistério" da Criação. Por intermédio dessa Matriarca, percebemos nosso "parentesco" com todos os seres da natureza: árvores, plantas, animais, pedras, nuvens, ventos, águas, devas, seres elementais, guardiões das direções e dos elementos e, acima de tudo e sempre, nossa filiação original – Mãe Terra, Pai Céu, Avó Lua e Avô Sol. "Parentesco" significa a relação correta e consciente com a força criadora, a essência espiritual (*Orenda*), os corpos sutis e físico, nossos familiares, amigos, conhecidos – mesmo os oponentes –, bem como os seres do mundo natural. Esses relacionamentos nos permitem trocar ideias e energias, compartilhando da unidade para evoluir com harmonia na busca da verdade de todos os seres.

Ao descobrir e compreender a verdade encontrada em cada forma de vida da família planetária, é possível perceber as semelhanças existentes entre nós. Dessa maneira, aceitando que *tudo em nosso mundo é vivo e vibra*, podemos entrar em contato com aquelas partes do nosso ser que estão adormecidas, esquecidas ou reprimidas, encontrando as maneiras certas para a sua revitalização, renovação e cura.

"Aquela que fala com todos os seres" é a Mãe Natureza, a guardiã do tempo, dos ciclos e das estações, que nos ensina como encontrar um ritmo próprio e respeitar os ritmos alheios. Ela orienta os guardiões dos elementos e o uso adequado do fogo, do ar, da água e da terra, para manter o equilíbrio climático natural e necessário para a sobrevivência global. Ao mesmo tempo, essa Mãe de Clã lembra e adverte os seres humanos sobre o perigo relacionado às interferências ou ao mau uso dos recursos e das forças naturais. Como "Guardiã dos mistérios da natureza", a sua missão é ensinar o respeito pelos ritmos e a importância de todas as formas de vida em todos os reinos e planos. O respeito, a preservação e a cautela no uso dos recursos da Mãe Terra são condições indispensáveis para a manifestação e manutenção do equilíbrio planetário.

A primeira lunação é associada à cor laranja, que representa a eterna chama do amor existente em toda a criação.

O objetivo da celebração na Lua negra é identificar e transmutar bloqueios ou dificuldades existentes em relação aos ritmos e ciclos naturais, ao convívio com seres de outros reinos, à aceitação da diversidade e ao respeito pelos limites alheios.

Na Lua cheia o propósito é ativar e ampliar a conexão com forças e ciclos naturais, aliados e seres espirituais, bem como o recebimento de orientações e mensagens dos planos sutis sobre as mudanças necessárias no nosso comportamento e na maneira de pensar, sentir e interagir.

A Matriarca da segunda lunação (mês de fevereiro)
"Aquela que honra a verdade e guarda os conhecimentos antigos"

"A guardiã da sabedoria" é a arquivista de todos os registros da Terra, protetora das tradições sagradas e responsável pela preservação da memória planetária. Ela nos lembra de que a história da Terra é preservada nas "bibliotecas do povo das pedras" – os cristais, principalmente de quartzo –, que fornecem os dados forjados e guardados na sua estrutura, disponíveis àqueles que se predispõem a aprender e ouvir sua linguagem. O seu ensinamento é honrar a verdade em todas as coisas e aceitar que cada ser tem experiências e vivências próprias, que, mesmo sendo diferentes das nossas, são verdadeiras e devem ser respeitadas. A verdade depende do ponto de vista e da escala de valores de cada ser. Na sua arrogância, os seres humanos são os únicos membros da Tribo da Terra que insistem em acreditar, defender e impor a sua religião, filosofia ou tradição como sendo o único e verdadeiro caminho para a compreensão e prática da sabedoria. Por mostrar que o conhecimento expandido dos valores da família planetária é a chave para o autodesenvolvimento, essa Matriarca é a "Mãe da amizade", que nos incentiva a sermos e termos amigos. Podemos honrar a verdade de qualquer raça, crença, cultura, tribo, tradição ou forma de vida, reconhecendo as semelhanças e os valores comuns. Para interagir harmoniosamente, devemos sempre honrar valores e pontos de vistas alheios, respeitando seus espaços e limites, sem tentar impor nossas crenças e conceitos. Se honrarmos nossas próprias verdades, iremos desenvolver nosso ser e permitir que os outros façam o mesmo. Cada nova aceitação das verdades alheias contribui para o nosso crescimento e sabedoria.

Podemos pedir o auxílio dessa Matriarca para fortalecer ou restabelecer amizades, honrar a verdade de todos e acessar a memória planetária e aumentar nossa capacidade de aprender e lembrar e buscar o desenvolvimento do nosso ser. Ao nos conectarmos a Ela, podemos recuperar dos registros das nossas memórias tudo o que vivemos e aprendemos, um auxílio precioso para nos amparar nos desafios presentes. Qualquer detalhe relembrado – sensação, emoção, palavra, imagem, ideia ou lição – contribui para a nossa orientação e nosso fortalecimento pessoal e espiritual. Mas não devemos ficar presas ao passado ou nos preocupar com o futuro; nossa tarefa é estarmos plenamente presentes no aqui e agora e nos empenhar para expandir nossa consciência por meio do autoconhecimento atual e o resgate da energia ancestral.

A segunda lunação é associada à cor cinza, que representa imparcialidade, amizade e a aceitação da presença e da verdade alheia, sem querer impor nossos próprios pontos de vista, valores e conceitos.

O objetivo da celebração na Lua negra é transmutar bloqueios ou obstáculos existentes em relação aos amigos (dificuldades para se relacionar, lembranças dolorosas, como abandono, traição, decepção), resistência para aceitar verdades alheias e a tendência para tentar "converter" ou ensinar os outros.

Na Lua cheia o propósito é ampliar a conexão com as tradições sagradas e a sabedoria ancestral, programar cristais para arquivar conhecimentos, fortalecer amizades, honrar a verdade – do Todo e de todos – e ativar e ampliar a nossa memória.

A Matriarca da terceira lunação (mês de março)
"Aquela que avalia a verdade e ensina as leis divinas."

Como "Guardiã da justiça e da igualdade", a Mãe da terceira lunação não julga nem pune as nossas ações, mas ensina os princípios das leis divinas e dos direitos humanos. Agimos de acordo com as nossas decisões; se ferimos alguém conscientemente, também tomamos uma decisão inconsciente de arcar com as consequências e lições decorrentes. "Aquela que pesa a verdade" nos mostra que devemos refletir e estimar com cautela as nossas escolhas, avaliando todos os aspectos de uma situação e ao decidir saber da nossa responsabilidade, tanto para aprender e ensinar quanto para agir, buscando nos redimir dos erros cometidos.

Essa Matriarca exige e aplica a justiça e a igualdade em relação a todas as formas de vida e criação, sem se deixar enganar por meias verdades ou mentiras nem coagir por ilusões de superioridade (hierárquica, material, social, racial ou cultural). Como "destruidora das ilusões", Ela mostra que as consequências da arrogância, da prepotência e do orgulho desequilibram o ego humano; é necessário seguir o "chamado do coração" para não se deixar influenciar ou confundir por expectativas ou pressões alheias. Pesar todos os ângulos de uma situação ou demanda é imprescindível para determinar e aceitar a verdade, mesmo se ela vier a desagradar ou desapontar. Assumir a responsabilidade pelas escolhas e decisões é um passo importante para a autodeterminação.

O ensinamento principal dessa lunação é aceitar a verdade, tanto a do nosso ser interior quanto a das experiências e vivências encontradas ao longo da vida. Quando nos enxergamos de forma imparcial, aceitando tanto os aspectos luminosos quanto os sombrios, a verdade da nossa força e fraqueza pode destruir as ilusões que ocultam e limitam o potencial inato. Em lugar de focalizar apenas erros e fragilidades, devemos afirmar e realçar nossas qualidades e atitudes corretas. A lei divina revela que a causa e os efeitos dela decorrentes regem os eventos do universo polarizado. Reforçando a negatividade com críticas e queixas, aumentamos a nossa sombra, pois no plano astral *semelhantes atraem semelhantes,* tanto no nível sutil quanto no mental, emocional e material. Se, pelo contrário, louvamos as ações corretas e nos empenhamos para desenvolver talentos, dons e habilidades, estamos contribuindo para a expansão da nossa essência espiritual *(Orenda).*

A terceira lunação é associada à cor marrom, que representa o solo fértil da Mãe Terra e a conexão da Terra com as leis divinas.

O objetivo da celebração na Lua negra é avaliar a nossa maneira pessoal de escolher e agir (e as consequências inerentes); o medo de falar a nossa verdade e nos deixar coagir ou influenciar por outras pessoas; a fuga da responsabilidade, culpando ou acusando os outros pelos nossos próprios erros; a dificuldade para reconhecer nossas falhas e mentiras.

Na Lua cheia, o propósito é aceitar e expressar a nossa própria verdade; reconhecer e integrar força e fraqueza, sombra e luz; revelar habilidades latentes ou esquecidas; empenharmo-nos para expandir e fortalecer o Eu superior e o poder interior; assumir um compromisso em favor da justiça e da igualdade (nos níveis coletivo ou global).

A Matriarca da quarta lunação (mês de abril)

"Aquela que vê a verdade em tudo e enxerga longe."

Como "Guardiã do portal dourado da iluminação", essa Matriarca guia os espíritos humanos durante seus sonhos e viagens astrais, permitindo-lhes o acesso a todas as dimensões de consciência e à lembrança das vivências ao acordar. Como vidente, profetisa, sonhadora e visionária, Ela ensina a importância e o valor das nossas percepções, sensações, sonhos e visões dos mundos visíveis e invisíveis, para podermos decifrar e compreender a simbologia das impressões psíquicas. Podemos contar com a sua ajuda para descobrir a verdade em cada visão e encontrar as sementes do nosso potencial oracular e visionário em relação aos presságios pessoais e planetários. A humanidade tem a habilidade inata de "ver" a verdade em todas as dimensões se procurar a luz da chama eterna do amor e abrir o coração para receber as visões.

Os eventos tangíveis se manifestam somente por meio das decisões e do livre-arbítrio de cada ser humano, sendo que todas as possibilidades e probabilidades existem no futuro. Para modificar o curso das experiências pessoais, os seres humanos têm a capacidade de usar as informações dos sonhos, das visões e das meditações, desde que percebam e aceitem a verdade dos sinais e presságios. "Aquela que vê longe" pode auxiliar a humanidade a enxergar a verdade, mas ela não dará respostas prontas nem soluções para os problemas. Ela nos aconselha a observar tudo o que existe ao redor e depois recordar cada detalhe para conseguir o máximo de informações. Contando com sua orientação podemos distinguir entre os aspectos tangíveis e intangíveis – vistos pelo dom da clarividência – e aprimorar a habilidade de ver simultaneamente os dois mundos. Porém, precisamos desenvolver a nossa visão e percepção interior para saber a diferença entre uma probabilidade, um desejo, a imaginação ou uma profecia verdadeira.

Em todas as circunstâncias, devemos respeitar o espaço sagrado alheio, sem nos imiscuir ou interferir com conselhos ou avaliações, a não ser quando isso seja solicitado. Outro conselho valioso dessa Matriarca é lembrar a beleza de cada momento, sem nos deixar aprisionar pelas projeções ou expectativas futuras, perdendo, assim, as oportunidades do presente. As lições que nos recusamos a aceitar vão aparecer de outra maneira, em outra época e situação. Nossa clareza pessoal depende da capacidade de observar, discernir e escolher, vendo a verdade em todas as situações da vida.

A quarta lunação é associada aos tons pastel, que representam a projeção da verdade em todos os matizes.

O objetivo da celebração na Lua negra é identificar e transmutar os bloqueios que nos impedem de lembrar, confiar e manifestar visões e sonhos, bem como avaliar os processos internos limitantes (insegurança, medos, inércia, distração, indecisões).

Na Lua cheia, o propósito é refletir e definir metas e os meios para sua realização, ativar o nosso potencial pessoal para confiar na percepção sutil, usar um oráculo para esclarecer dúvidas sobre uma questão ou situação.

A Matriarca da quinta lunação (mês de maio)
"Aquela que ouve a verdade e escuta as mensagens."

Para podermos ouvir as mensagens da Natureza, do mundo espiritual e do humano, do nosso coração, aliados, mentores e do "Grande Mistério", precisamos *entrar no silêncio*. Essa prática é chamada *Tiyoweh* na tradição sêneca e ensina a ouvir a "silenciosa voz interior", que representa a própria verdade e permite a plena realização do potencial pessoal e o desabrochar das habilidades inatas.

Somente prestando atenção a todas as verdades do nosso mundo podemos alcançar a harmonia existente na expressão dos valores e pontos de vista de todas as formas de vida. Precisamos silenciar para ouvir; se falarmos o tempo todo não escutaremos; ignorando ou interrompendo a expressão da verdade de outra pessoa impedimos o nosso próprio crescimento. Também, muitas vezes, nós nos recusamos a ouvir a verdade sobre nós mesmas com medo de sofrer, por termos sido feridas no passado por palavras ásperas ou frias. A habilidade de falar e ouvir a verdade, dita com compaixão e afeto, é um dom que deve ser desenvolvido, pois ajuda a curar antigas feridas da alma feminina.

"Aquela que ouve" escuta com o coração não somente as palavras faladas, mas os desejos, as aspirações e os medos que não foram expressos. Ela também percebe a linguagem não verbal dos animais, das plantas e das pedras, além das vozes dos ancestrais e dos seres espirituais, e ensina a necessidade de aquietar, silenciar, recolher, analisar impressões e só depois formular um conceito ou convicção. Podemos discernir a verdade alheia observando as inflexões e emoções contidas nas palavras. Muitas vezes, os seres humanos mentem para encobrir seus medos de julgamento, retaliação ou castigo; outras vezes, para serem aceitos, promover-se ou mostrar poder. Porém, essas mentiras são detectadas com facilidade, se aprendemos a arte de ouvir. Mostrar compaixão por aqueles que mentem é uma demonstração de amadurecimento espiritual, pois a pessoa que mente está ferida e não ouviu a voz do seu espírito. Conhecer a luz da chama eterna do amor possibilita viver na verdade total, ouvindo os sinais e as mensagens enviados pelos nossos aliados, ancestrais e mestres e a voz da nossa essência divina (*Orenda*), que nos impede de escolher os caminhos errados das mentiras, falsidades e desequilíbrios.

A quinta lunação é associada à cor preta, que representa a busca de respostas e o silêncio necessário para encontrá-las.

O objetivo da celebração na Lua negra é avaliar o nosso comportamento e definir os empecilhos (internos e externos) que nos impedem de entrar no santuário interior, para silenciar e ouvir a voz da intuição.

Na Lua cheia o propósito é ampliar a plenitude da expressão pessoal ouvindo a verdade contida nas mensagens espirituais, revelações em sonhos e visões e, principalmente, na voz silenciosa do coração e do eu divino.

A Matriarca da sexta lunação (mês de junho)
"Aquela que fala a verdade e conta histórias que curam."

"Falar a verdade" é o fundamento da tradição oral universal e que preserva a sabedoria ancestral viva ao longo dos tempos. "A contadora de histórias" nos ensina a falar com o coração para manter nossa jovialidade e o brilho da criança interior. Como "Mestra da verdade", Ela mostra como expor nossas convicções com sinceridade e clareza, de maneira sucinta e verdadeira. Essa Matriarca age como amorosa guia e protetora e nos orienta a encontrar o caminho na ilusória floresta das nossas próprias confusões. As lições durante aprendidas, que têm guiado os seres humanos na "estrada vermelha" da vida física, aplicam-se a todos nós, por serem baseadas em verdades eternas.

A Matriarca da sexta lunação nos ensina a usar o senso de humor para dispersar os medos e equilibrar o sagrado com a leveza das brincadeiras, para assim derrotar os "demônios" criados pelo excesso de preocupações e os exageros. Escutando histórias alheias e descobrindo como os outros aprenderam suas lições, desenvolvemos uma nova perspectiva de nossos próprios ritos de passagem na Terra. O ensinamento da "Contadora de histórias" é descrito como *Heyoka*, o impulso para crescer por meio do riso, a "medicina" do palhaço ou do trapaceiro, que leva os ouvintes a enxergar sua situação através dos olhos de um observador. Sem apontar os erros individuais, uma história pode criar o enredo com características de certa pessoa e suas lições de vida, entremeadas com brincadeiras sutis. As histórias revelam também as verdades dos ancestrais e as dores e os recursos que auxiliaram sua trajetória e que podem ser úteis para seus descendentes.

Por meio das suas palavras, a Matriarca nos orienta a falar nossa verdade e a expor nossos pontos de vista pessoais, mas apenas quando solicitarem a nossa opinião. Caso contrário, devemos ouvir sem oferecer conselhos ou emitir comentários. Transmitir uma verdade não fere ninguém, desde que ela seja expressa com amor, sem projetar nossos julgamentos, ideias preconcebidas ou críticas. Falar a verdade é uma arte; falar meias verdades ou mentiras é um sinal de que a pessoa foi ferida no passado e que, pela incapacidade de reconhecer a própria verdade, projeta ilusões das suas mágoas sobre alguém, que se torna a válvula de escape da sua dor.

A cor da sexta lunação é vermelha, a cor do sangue, que contém no DNA a sabedoria do legado ancestral. A medicina tradicional nativa considera o sangue o *rio da vida que flui no nosso corpo*, e nos dá acesso aos conhecimentos dos sábios anciões que nos antecederam. A ciência atual descobriu que o DNA guarda o código genético, mas não admite que seja possível acessar a mente coletiva e o espírito da raça humana por meio da padronização do DNA das células e do sangue humano.

O objetivo da celebração na Lua negra é avaliar e descartar padrões familiares negativos, curar as feridas da criança interior e reverter condicionamentos herdados ou adquiridos que predispõem às doenças e aos desajustes.

Na Lua cheia o propósito é resgatar memórias ancestrais e dons herdados, mas ocultos ou esquecidos; incentivar a expressão da leveza e da alegria; falar a verdade com compaixão, sem acusar nem julgar; escrever a história de sua vida realçando fatos e eventos positivos; assumir compromissos para mudar os padrões negativos e a repetição dos erros.

A Matriarca da sétima lunação (mês de julho)

"Aquela que ama a verdade em todas as manifestações da vida."

O ciclo dessa lunação é o "amor pela verdade", e o seu ensinamento são a compaixão e a sabedoria feminina do amor e da nutrição. Como "Guardiã do amor incondicional e da sabedoria sexual", a Matriarca nos mostra que toda ação da vida física é tão sagrada quanto o crescimento espiritual. Por isso ela nos ensina a amarmos nosso corpo, honrar os prazeres da natureza humana (respirar, comer, caminhar, nadar, trabalhar, brincar, amar, fazer amor, dançar, cantar, rir, meditar) e fazer tudo com alegria e leveza. Porém, devemos cuidar para não tentar nos evadir das dores inerentes à condição humana por comportamentos compulsivos, consumistas ou prazeres artificiais.

Conectada com o Avô Sol e a cor amarela, a Mãe da sétima lunação ama todos os filhos igualmente, sem julgar seus comportamentos e permitindo que eles passem pelas lições da vida arcando com as consequências dos seus erros ou de escolhas prejudiciais. Ela age com sabedoria e usa sua habilidade para apenas observar nossas falhas, sem retirar armadilhas ou pedras do nosso caminho. Mas está sempre pronta para curar nosso coração ferido e apagar as mágoas das decepções, lembrando-nos de que cada ação desencadeia uma reação igual à causa que lhe deu origem. Se cuidarmos bem do nosso corpo, teremos boa saúde; se nos perdoarmos, amarmos e respeitarmos nossas necessidades e limites, receberemos dos outros demonstrações da mesma frequência vibratória. Mas, se mentirmos para nós mesmos, outros vão nos iludir e enganar. Se alimentarmos pensamentos e ações positivas, a vida nos trará experiências e situações benéficas; se expandirmos o amor pelo Todo, poderemos conhecer e amar o nosso próprio Eu.

Aprendemos com essa Matriarca o verdadeiro significado do livre-arbítrio; independentemente do que nos irá acontecer, nós evoluiremos. Ela nos ama e ampara durante todos os ciclos de dor, cura e expansão, até podermos amar a nós mesmas o suficiente para romper os padrões da escravidão autoinduzida.

"Aquela que ama a todos" é a guardiã das crianças, permitindo que desenvolvam com liberdade e respeito a sua autoexpressão e encorajando-as a fazer o melhor. Ela ensina a nossa criança interior a aceitar e dar amor, encontrando os meios adequados para nos amarmos sem restrições e, acima de tudo, amar a verdade.

Seus atributos são de Mãe Nutriz, "Guardiã dos atos de prazer e da sabedoria sexual", mestra amiga que nos apoia no processo de crescimento, estimulando talentos e habilidades sem julgar ou criticar, visando apenas à expansão do nosso verdadeiro e completo ser. A nossa cura começa com o perdão "daquilo que aconteceu ou poderia ser evitado no passado". A compaixão para consigo mesma abre o caminho da cura, do amor total e da alegria de viver plenamente no aqui e agora, aceitando a nossa sombra com compaixão e encontrando a verdade em cada lição de vida, sem a prisão das restrições, dos julgamentos ou das ilusões.

O objetivo da celebração na Lua negra é refletir sobre a relação de amor – por si mesma e pelos outros –, modificar ou transmutar os padrões negativos oriundos de vivências dolorosas (emocionais, afetivas, materiais ou sexuais, como abandono, traição, abusos, violências, humilhações, acidentes, doenças, perdas) e de escolhas erradas. Recomenda-se avaliar as dificuldades em expressar e sentir prazer, as dependências, as fugas, os medos ou as compulsões, a desistência em manifestar ou reconhecer seu poder, a submissão, a acomodação, a baixa autoestima.

Na lua cheia o propósito é expandir a capacidade de amar, nos níveis pessoal e transpessoal; expressar alegria e prazer; enxergar e aceitar a verdade alheia; perdoar a si mesma e às pessoas que lhe ocasionaram sofrimento.

Matriarca da oitava lunação (mês de agosto)
"Aquela que serve à verdade e cura os filhos da Terra."

Como "Guardiã das artes de cura", essa Matriarca conhece os poderes dos espíritos das árvores e plantas – sabendo como usá-los para a cura –, bem como as épocas certas de plantio e colheita. Ela é também "Guardiã dos mistérios da vida e da morte", Mãe de todos os ritos de passagem e Mestra dos ciclos da vida sobre a Terra. Atua como fitoterapeuta, parteira, curandeira e curadora, cuja cor, o azul, representa intuição, verdade, harmonia, água e emoções. Como "Condutora das almas", Ela guia e protege os espíritos que encarnam na Terra e corta os laços sutis dos moribundos cantando a "canção da morte". Durante a peregrinação terrestre dos espíritos, na qualidade de "Mãe curadora", cuida dos seus corpos, aliviando dores e aflições, amparando crianças, velhos e doentes.

A Matriarca da oitava lunação é a personificação do princípio feminino que assiste os Filhos da Terra nos seus processos evolutivos e no aprendizado da verdade. Após assistir e auxiliar seu nascimento, Ela observa as doenças criadas ao longo da vida pela perda da conexão com a essência espiritual, sem interferir nas ações e escolhas. Porém, está pronta para ajudá-los a se conectar com a eterna chama do amor, quando eles decidem buscar a cura para seus corpos físicos e continuar a caminhada terrestre. Ela lhes mostra quando suas missões na Terra terminaram, os conduz e sustenta para se tornarem unos com a sua essência divina e assim renascerem no mundo espiritual.

Ela também é a "Guardiã dos ciclos da roda sagrada de cura e de todos os ritos de passagem" que ensina os passos certos do processo de gestação, nascimento, crescimento, declínio, morte e renascimento. Sua lição é observar o giro da Grande Roda da Vida e revelar quando devemos lutar para viver ou desistir, permitindo ao nosso espírito fazer a escolha e aceitar a morte como mais um passo do eterno ciclo que leva ao renascimento. Seu dom é ensinar aos seres humanos a perder o medo da morte e aceitar essa passagem como nova experiência ou aventura. A morte tanto pode representar o fim da vida física, de um relacionamento, emprego, trabalho ou fase de existência. Precisamos ver além da ilusão da finalidade e celebrar cada passo no caminho, cada giro da Roda, como uma nova etapa e um novo estágio que leva à complementação e à inteireza.

O objetivo da celebração da Lua negra é refletir e definir os aspectos de sua vida que necessitam ser curados, nutridos ou descartados (nos níveis físico, mental, emocional, material e comportamental). Identificar a fase da vida e as circunstâncias em que aconteceram perdas, feridas, doenças, abusos ou sofrimentos e usar os meios adequados para sua transmutação, cura e renovação.

Na Lua cheia, o propósito é fortalecer a complexa e diversificada expressão da plenitude interior, celebrar as mudanças e ampliar a conexão com a essência espiritual.

A Matriarca da nona lunação (mês de setembro)

"Aquela que ensina como viver a verdade."

Denominada *Mulher do Sol Poente,* essa Mãe de Clã é a "Guardiã dos sonhos e projetos futuros", que mostra como garantir a abundância e a segurança das próximas gerações. Posicionada na direção Oeste da Roda de Cura e associada à cor verde – da verdade –, a Matriarca da nona lunação ensina o uso adequado da nossa vontade para viver e preservar os recursos da Mãe Terra. Ela representa o princípio feminino e a energia da Mãe Terra, sendo seu domínio o poente e o céu noturno. Suas dádivas são nutrição, intuição, receptividade, conhecimento interior, preocupação com o bem-estar alheio, interdependência, estabelecimento e cumprimento de metas. Como "Guardiã das gerações futuras", *A Mulher do Sol Poente* se empenha em mostrar como usar apenas o indispensável sem jamais desperdiçar ou exagerar; dependemos da Mãe Terra para suprir nossas necessidades, por isso devemos honrá-la e agradecer às suas dádivas e recursos. Somos responsáveis pelas próximas sete gerações e cabe a nós guardar as sementes da colheita atual para a próxima. Essa Matriarca é quem preserva e guarda todas as espécies de sementes, plantas, pedras e criaturas, uma defensora e combatente contra a extinção de espécies, mestra eficiente no ensino da adaptabilidade às mudanças e às novas condições planetárias.

Para encontrar nossas verdades pessoais, devemos praticar a introspecção e descartar os medos que turvam a clara visão. A escuridão do céu noturno é o receptáculo sagrado das estrelas, o ventre do princípio feminino que abriga todas as sementes do futuro. As estrelas são os pontos de luz que simbolizam o fogo sagrado dos nossos sonhos. Quando encontrarmos a verdade pessoal na nossa escuridão interior, poderemos decidir que visões iremos manifestar na Terra. *A Mulher do Sol Poente* caminha conosco na Via Láctea – formada pelas "fogueiras dos ancestrais" – e nos auxilia a descobrir antigas verdades da sabedoria interior e da preservação que serviram como orientação para aqueles que viveram antes de nós.

Por seu intermédio podemos reconhecer o universo existente nas nossas essências espirituais, pois não somos apenas corpos físicos, mas seres complexos, cuja matéria existe no vasto e ilimitado espaço espiritual da nossa essência. Fazendo uso da vontade e vivendo a verdade interior, alcançaremos o conhecimento que nos permitirá respeitar as leis da Natureza, cuidar dos recursos da Mãe Terra e transformar os sonhos em realidades.

O objetivo da celebração na Lua negra é fazer um retrospecto das nossas realizações e fracassos, decidindo quais dos projetos devemos continuar, modificar ou descartar, transmutando medos, bloqueios, desistências e indecisões que impedem ou interrompem nossas aspirações e metas.

Na Lua cheia o propósito é identificar, nutrir e manifestar as "sementes dos sonhos", buscando a nossa conexão com a essência espiritual, recebendo a sustentação pelo conhecimento interior e a orientação divina.

A Matriarca da décima lunação (mês de outubro)
"Aquela que ensina como trabalhar com a verdade."

Representando o princípio da criatividade, "Guardiã da força criativa e vital", essa Mãe de Clã é chamada de *Aquela que tece a teia,* e sua cor é rosa. Ela mostra como usar as mãos para criar formas tangíveis de verdade e beleza, como transformar ideias e sonhos em realidades físicas por meio das artes e do artesanato, em nosso benefício e de todos os irmãos da Criação. Além de guardiã da força criativa, ela também rege a força vital e nos instrui a zelar por nossa saúde, descobrir e desenvolver talentos e expandir o potencial espiritual.

A Matriarca da décima lunação simboliza tanto o poder criador quanto o destruidor, pois revela quando nutrir nossas criações ou destruir ilusões e limitações. Como "Regente dos mistérios da sobrevivência", sua força nos sustenta quando nossa existência nos níveis físico, emocional, mental ou espiritual é ameaçada; ela nos fornece energia vital e motivação para irmos além da estagnação. Quando desejamos a materialização de sonhos e visões, *Aquela que tece a teia* nos mostra o uso adequado da energia vital contida nos quatro elementos – ar, fogo, água, terra – e sua mescla com a essência criativa, o dom recebido do "Grande Mistério". Essa centelha criativa é chamada de "eterna chama do amor", que reside na nossa essência espiritual. O desejo sincero para criar canaliza a expressão da essência espiritual (*Orenda*), permitindo-nos que sejamos nós mesmas. Podemos buscar o auxílio dessa Matriarca quando tememos o fracasso ou não confiamos na nossa capacidade de expressão, pois, como artista, musa inspiradora e criadora, Ela nos inspira a criar a beleza encontrada no desejo do coração. A energia dos sonhos pode ser tecida em criações belas e palpáveis, que revelam nossas visões, sonhos e aspirações.

Assim como a Avó Aranha – a Mãe Criadora que teceu a tessitura do universo –, *Aquela que tece* nos ensina como criar a teia das nossas experiências. Cada círculo criado por nós toca outros círculos, que pertencem às diversas formas de vida. Se não tecermos essas teias com a verdade, elas se transformarão em amarras e armadilhas. O ensinamento dessa lunação é trabalhar com e para a verdade, para construir um mundo que possa ser compartilhado por todos os seres. As teias tecidas com cobiça aprisionam e devoram aqueles que a teceram, pois seus fios apertados não permitem dar, receber, compartilhar. Uma teia frouxa demais é desprovida da força necessária para ser resistente e firme, enquanto a teia permeada pelos medos atrai as lições necessárias para superá-los. Apenas a teia tecida com amor pela arte e pelo desejo de compartilhar a abundância – qualidades contidas nos seus fios prateados – poderá dar sustentação firme até que o sonho seja realizado.

Aquela que tece a teia é a Mãe ancestral que nos ajuda a transformar os sonhos em realidade, usando nossa criatividade e sabendo como expressá-la com leveza e fluidez. "Dar à luz" os nossos sonhos requer o desejo para criar, a decisão de agir e o uso da energia vital para sua manifestação.

O objetivo da celebração na Lua negra é avaliar a tessitura atual da nossa vida, identificando amarras, nós ou distorções que impedem a manifestação das aspirações e sonhos, bem como analisar os bloqueios na criatividade e autoexpressão (para remoção e transmutação).

Na Lua cheia o propósito é direcionar a nossa energia criativa para um desejo ou meta, avivar a força vital para superarmos algum distúrbio físico, usar os recursos adequados (pessoais, mágicos, espirituais) para melhorar a nossa qualidade de vida e participar da Grande Teia da Criação.

A Matriarca da décima primeira lunação (mês de novembro)
"Aquela que caminha com verdade, altivez e firmeza."

O ensinamento dessa lunação é o da liderança pelo exemplo e da modificação de situações da vida, assumindo a própria responsabilidade e agindo sem esperar ou depender dos outros. A cor associada é o branco, do uso adequado da vontade e autoridade, e o lema é *walk you talk* [pratique aquilo que fala]. Denominada A mulher altiva, Ela nos ensina como termos orgulho das nossas realizações por meio do fortalecimento da autoestima, sem exibir ou exaltar o nosso ego nem nos impor aos outros de forma arrogante ou presunçosa. Quanto mais aprimorarmos nossos dons e os expressarmos com segurança e sinceridade, mais felizes poderemos ser. As ações pesam mais do que as palavras; ao nos tornarmos exemplos vivos da nossa filosofia de vida, poderemos manifestar a expressão concreta da verdade pessoal. Se vivemos e caminhamos firmes na nossa verdade, não devemos temer nem nos preocupar com os pensamentos e comentários alheios. A reputação é baseada na integridade pessoal, no conhecimento interior, e independe das opiniões de outras pessoas, originadas por insegurança, inveja, rivalidade. Precisamos fortalecer sempre a nossa conexão com o "Grande Mistério", honrando a essência espiritual e os nossos valores.

A Matriarca da décima primeira lunação é a "Guardiã da liderança e a protetora dos novos caminhos", que nos mostra o valor de liderar pelo exemplo, dando o melhor de nós e buscando sempre alternativas mais eficientes. Por estimular as ideias, opções e soluções diferentes, Ela também é a "Mãe da inovação", que não renega nem destrói as tradições do passado, mas lhes acrescenta novas verdades e enfoques, ampliando o potencial de crescimento e expressão.

Por ensinar o valor dos exercícios físicos e dos cuidados com o corpo para fortalecimento e melhora da saúde, essa Mãe de Clã é também a "Regente da perseverança e da vitalidade". Para caminhar com altivez, segurança e firmeza, devemos melhorar o equilíbrio interior, aumentar a flexibilidade do corpo e zelar pela saúde mental. Apenas uma mente sã irá contribuir para um corpo saudável; pensamentos negativos e meias verdades criam tumulto mental, que leva à perda do equilíbrio orgânico, abrindo brechas para o aparecimento de distúrbios e doenças. Precisamos atender às necessidades do corpo combinando atividade física, alimentação saudável, hábitos e rotinas benéficas que contribuam para o equilíbrio psicofísico e espiritual. Para ter a perseverança necessária na realização das metas, precisamos ter resistência física e saúde, usando todas as qualidades – físicas, emocionais e mentais – para enfrentar desafios e superar obstáculos.

A mensagem da Matriarca pode ser resumida nesta frase: mantenha os olhos fixos no objetivo, os pés firmes no caminho escolhido pela verdade do coração e aja por você mesma, sem esperar que outros façam algo por você. Liderar pelo exemplo significa assumir a responsabilidade pessoal pelos próprios pensamentos, ações e atitudes, vencendo os medos, ultrapassando limitações, agindo com lealdade e honestidade e equilibrando a vida entre trabalho e repouso, introspecção e ação, atividade física e mental, dever e lazer.

O objetivo da celebração na Lua negra é avaliar nossa maneira de agir e falar, identificar indecisões e desistências, diferenciar verdades pessoais dos conceitos alheios, identificando medos, inseguranças, dependências, ilusões e projeções, para que sejam descartados e transmutados.

Na Lua cheia o propósito é definir e fortalecer os verdadeiros objetivos, assumir compromissos para cuidar do nosso equilíbrio físico e mental, ativar a autoestima, reforçar a tenacidade e a perseverança para realizar metas, intuir novos caminhos, possibilidades e opções de vida.

A Matriarca da décima segunda lunação (mês de dezembro)
"Aquela que louva a verdade e ensina a gratidão."

Essa Mãe de Clã nos ensina a ser gratos por tudo o que experimentamos na vida, abrindo espaço para a abundância futura. Por mais difíceis que sejam os desafios, eles contribuem para o desenvolvimento da nossa força interior; cada lição é um auxílio para a cura, por isso devemos sempre agradecer.

O décimo segundo ciclo da verdade representa a gratidão e a cura que ela proporciona. A Matriarca é a "Guardiã do ritual e da cerimônia", cuja cor é púrpura; com sua ajuda redescobriremos a importância de celebrar e agradecer as dádivas recebidas, com o coração aberto e a alegria em participar do "círculo das bênçãos". Porém, um ritual feito de maneira automática e sem tocar o coração não expressa gratidão nem proporciona cura. Orações decoradas e repetidas mecanicamente são pobres em significado e valor; elas podem ser simples, mas repletas de emoção e gratidão.

"Aquela que louva" nos ensina a compartilhar a abundância para manter a energia circulando e enriquecendo a vida, pois dar e receber têm o mesmo valor energético e importância espiritual. Devemos ser gratos por podermos dar, assim como temos que agradecer por tudo o que recebemos, criando um círculo de partilha, doação e recebimento. Não podemos ignorar que as dádivas do Universo – como o calor do Sol, a água limpa, o ar puro, os recursos da Mãe Terra, nosso abrigo, livre-arbítrio, saúde, família, trabalho, proteção espiritual e o apoio dos amigos – também são bênçãos divinas e não direitos adquiridos. Se a humanidade perdesse alguns desses privilégios, perceberia a importância e o valor da gratidão. A felicidade não consiste na aquisição de bens materiais ou no pretenso conhecimento, como ensina a "cartilha" materialista da nossa atualidade.

Como a magia é apenas uma mudança na consciência, atitudes e emoções corretas criam mais milagres na vida das pessoas do que todos os feitiços já feitos ao longo do tempo. Celebrar a vida e mostrar gratidão por tudo o que se vivencia são atitudes que propiciam bem-estar, abundância, alegria, novas possibilidades e experiências enriquecedoras. Os pensamentos podem se manifestar em atos e resultados tangíveis; medos, vibrações, ideias, emoções e ações negativas atraem situações difíceis e dolorosas. Devemos descobrir o preço da negatividade; ao aprender como mudar os atuais padrões prejudiciais – em todos os níveis –, poderemos modificar nossas futuras existências, vivências e realizações.

Demonstrar gratidão pelas verdades encontradas ao longo da vida nos permite encontrar as atitudes corretas e os caminhos adequados, proporcionando a cura e a renovação. Pela sua atuação e ensinamento, *Aquela que louva* foi considerada "Guardiã da magia" e nos mostra como mudanças na percepção, nas atitudes e na consciência criam magias e milagres.

Aquela que louva e agradece encoraja todos os Filhos da Terra a celebrar sua verdadeira natureza e agradecer por sua vida, abrindo o coração para alcançar a cura. Observar e honrar a verdade em cada experiência da evolução espiritual representam um passo importante na pacificação individual. Agradecer as vitórias e reconhecer e valorizar as conquistas alheias asseguram a continuação da busca humana por paz e unificação.

O objetivo da celebração na Lua negra é refletir sobre as dificuldades para agradecer, compartilhar e dar, bem como identificar os bloqueios (preconceitos, crendices, medos) para realizar ou participar de rituais, cerimônias e trabalhos mágicos.

Na Lua cheia o objetivo é lembrar e agradecer a todas as pessoas que estiveram presentes na nossa vida e contribuíram de algum modo para o nosso aprendizado e crescimento. Perdoar as pessoas que nos provocaram dores, decepções, traições, perdas e pedir-lhes também perdão por mágoas, falhas ou agressões da nossa parte.

A Matriarca da décima terceira lunação

"Aquela que se torna a visão e ensina a mudança."

A Mãe da décima terceira lunação é a "Guardiã de todos os ciclos de transformação, Senhora da Mudança", que nos ensina a aceitar as lições e os desafios da nossa jornada terrestre para evoluirmos espiritualmente. Como protetora do processo de encarnação, Ela orienta os Filhos da Terra a ancorar suas essências espirituais nos invólucros físicos e se tornar receptáculos vivos do amor do "Grande Mistério". Se personificarem as visões pessoais e usarem seus talentos em benefício do Todo, os membros da tribo humana vão poder construir o "Quinto Mundo de Paz e da Iluminação".

"A Mãe da Mudança" apoia o caminho escolhido por cada ser, sem deixar que limitações e ilusões destruam a visão pessoal. O processo de mudança transforma o ser humano – em todos os níveis –, expandindo a percepção finita do Eu até uma extensão infinita, criativa e universal do amor do "Grande Mistério". Quando essa transformação acontece, os seres humanos compreendem plenamente suas *Orendas* (essências espirituais) e percebem que elas são amplas e eternas. A *Orenda* abrange o corpo, a mente, o coração e o espírito, mas enquanto esses componentes não alcançarem o equilíbrio e a integração em sua totalidade não será possível compreender a existência permanente da chama do amor do "Grande Mistério" em cada faceta do potencial humano. *Aquela que se torna a visão* nos revela que somos o Todo e o nada, e que todos os mundos existem dentro e fora de nós. Em cada mudança, cada vez que nos "tornamos nossa visão", descobrimos novos pontos de vista, valores e visões. Passamos de um nível de compreensão para outro, evoluindo na eterna Roda Sagrada da vida, a espiral evolutiva contínua e eterna.

Como "Guardiã dos mitos pessoais", a Matriarca nos auxilia nos ritos de passagem rumo à complementação do nosso aprendizado. Cada decisão que tomamos, cada objetivo que escolhemos vai determinar o conteúdo dos nossos mitos pessoais. Os caminhos espirituais são escolhidos pelo desejo e pela afinidade de cada espírito e revelam a individualidade de cada ser, por isso sendo únicos. Qualquer ser vivo tem seu lugar na criação e possui livre-arbítrio; portanto, o Todo é formado pela união e combinação dos caminhos pessoais de todos os seres vivos. *Aquela que se torna a visão* guarda os registros de cada escolha feita pelos seres e anota como essas escolhas alteram ou auxiliam o caminho do indivíduo para a sua totalidade. A última transformação é a decisão de simplesmente SER.

Ao longo da vida temos a tendência de rotular em que ou em quem desejamos nos transformar. Aos poucos, descobrimos que não precisamos de rótulos; podemos simplesmente nos tornar a nossa visão, sendo apenas *quem* e *o que* somos em dado momento e lugar. A decisão de ser tudo e nada elimina os rótulos que limitam nossa plenitude. Somos todas extensões do "Grande Mistério" e exemplos tangíveis da manifestação da visão que criamos para expressar nosso ser. Os sonhos se modificam com cada decisão tomada e cada lição aprendida, sendo a evolução dos sonhos uma constante na nossa vida. À medida que fazemos escolhas que alteram a manifestação dos sonhos, expressamos nossa individualidade. Quando cada indivíduo cumprir sua jornada terrestre manifestando todo o seu potencial e realizando seus sonhos, o arco-íris rodopiante dos sonhos de paz e iluminação irá se manifestar na Terra como uma realidade multicolorida.

A cor associada a essa lunação é cristalina e luminosa, como os raios lunares e o brilho dos crânios de cristal.

O objetivo da celebração na Lua violeta (a segunda Lua negra no mesmo mês) é identificar, transmutar ou descartar bloqueios, obstáculos, medos, ilusões ou amarras que impedem a expressão da nossa verdade e a manifestação dos sonhos, das aspirações e das visões.

Na Lua azul (a segunda Lua cheia em um mesmo mês) o propósito é reconhecer e aceitar as lições e os desafios da vida como etapas necessárias para a evolução espiritual; fortalecer a conexão com o plano divino com meditações, orações e rituais; direcionar a vontade e o desejo para a materialização dos sonhos e das visões.

As dádivas das Mães de Clãs

Para continuar tecendo e fortalecendo a teia da Irmandade feminina original, devemos lembrar e respeitar duas leis da tradição nativa norte-americana: proteger as mulheres e jamais fazer algo que prejudique as crianças. A adaptação moderna dessa sabedoria antiga é zelar pela segurança e integridade das mulheres em qualquer lugar, situação e tempo. Tendo essa condição assegurada, os cuidados com as crianças podem ser assumidos pelas mulheres como Filhas da Terra e mães da força criativa. Contando com a força e o auxílio de mulheres sadias e seguras, a saúde espiritual e o bem-estar das próximas sete gerações serão assegurados.

A Irmandade é fortalecida à medida que cada mulher vê as outras mulheres como partes iguais e integrantes do Todo. A base do equilíbrio e do fluir harmonioso do Círculo da Irmandade é o lema *vida, unidade e igualdade na eternidade*. Espera-se que cada mulher faça sua parte, desenvolvendo seus dons, talentos e habilidades, e seguindo assim a sua verdade pessoal. Ao mesmo tempo, ela precisará enfrentar e transmutar medos, limitações e desafios, para alcançar a cura e manifestar sua visão. A Irmandade apoia e fortalece todas as mulheres que se dispõem a superar dificuldades individuais para crescer e evoluir.

Os laços de apoio, parceria e união entre mulheres são energias poderosas que permitem a criação de espaços seguros para partilhar a verdade e os sonhos e oferecer orientação e sustentação. O apoio de mulheres que trilham a mesma senda espiritual é muito importante, pois ele é baseado na verdade, na confiança, no respeito e na aceitação, sem projeções, julgamentos ou críticas. Se olharmos além das ilusões, das limitações e das indecisões da educação, da cultura e da sociedade atual, poderemos descobrir uma verdade ancestral: cada uma das Treze Matriarcas representa uma parte de nós mesmas. Talvez algumas das qualidades não sejam evidentes ou manifestadas, mas elas estarão à nossa disposição se decidirmos ativá-las, desenvolvê-las e direcioná-las para o nosso benefício e o do Todo.

Para equilibrar as polaridades – feminina e masculina – da nossa natureza, precisamos agir de maneira diferente dos atuais estereótipos comportamentais, repelindo e combatendo a discriminação, a competição, a rivalidade e a animosidade que feriram mulheres, homens e crianças ao longo dos tempos. Demonstrar amor transpessoal, compaixão, perdão e solidariedade são atitudes que irão impedir a perpetuação da separatividade, da belicosidade e da divisão em gêneros, raças, classes, crenças, títulos e propriedades.

Para termos acesso aos dons das Treze Mães de Clãs devemos viver respeitando a Mãe Terra e todos os seres de criação, aceitando as lições e os mestres que a vida nos oferece, em cada lugar e momento. Precisamos agir sem prejudicar ninguém – nem a nós, nem aos outros –, estabelecer e respeitar limites, evitar competir, impor ou agredir, e procurando compartilhar e interagir. Dessa maneira permitiremos que as pessoas façam suas próprias escolhas – de soluções, caminhos, ações –, aceitando-as sem julgá-las nem discriminá-las. Para resolver problemas, convém usar a ancestral sabedoria feminina: mergulhar no nosso interior, descobrir a causa e curar os efeitos, nutrindo e fortalecendo o Eu interior, sem acusar os outros pelas causas ou transferir responsabilidades.

Se curarmos as nossas feridas milenares, perdoando a nós e aos outros, nos nutrindo e fortalecendo para podermos auxiliar, doar e amar, estaremos aptas para construir um novo mundo, de paz e iluminação, em lugar do atual, de separação, violência e competição.

PALAVRAS FINAIS

As mulheres estão se lembrando da estrutura celular da comunidade original e procuram caminhos para voltar ao círculo ancestral. O elo que falta nessa busca é a irmandade: poder confiar o suficiente umas nas outras para interagir harmoniosamente e permanecer unidas enquanto aprendem em conjunto como refazer a tessitura rompida do mundo.

– Masawa, *We'moon Calendar*, 1997

Apesar das muitas conquistas e realizações dos movimentos femininos que levaram à libertação, à afirmação e à expressão nos planos social, político, artístico, intelectual, sexual, comportamental e espiritual, ainda persistem até hoje inúmeros conceitos e valores oriundos das sociedades e estruturas patriarcais. Constituídos a partir de falsos mitos e crenças ultrapassadas sobre a rivalidade, a competição e a vulnerabilidade feminina, esses conceitos ainda vigentes exercerão poder sobre nós enquanto não forem identificados e substituídos por mitos e princípios novos, reais e atuais.

As descobertas, revelações, comprovações e descrições de culturas pré-históricas centradas sobre valores geocêntricos, matrifocais e cultos das Deusas – que existiam milênios antes da sua substituição por sistemas e teorias patriarcais – em muito contribuíram para reverter a história forjada pelos homens durante séculos. Todavia, comprovações mitológicas, antropológicas, arqueológicas e filosóficas não são suficientes para transmutar as sementes de discórdia e desunião lançadas no meio das mulheres, por elas aceitas, diversificadas, reforçadas e perpetuadas, fatos evidentes e lamentáveis que levaram ao atual enfraquecimento e à separação dos ancestrais laços de irmandade e solidariedade feminina.

Para reverter o quadro milenar da supremacia patriarcal, da submissão, da vulnerabilidade, da competição e da desunião femininas, precisamos nos dar as mãos como irmãs, abrindo verdadeiramente nosso coração e nossa mente e nos conectando à fonte divina, a Grande Mãe. Os círculos sagrados femininos constituem núcleos ativos e poderosos que podem contribuir para mudar e ampliar a consciência, retificar conceitos e comportamentos, de outras mulheres e também dos homens.

As mulheres conscientes da sua responsabilidade de construir um mundo melhor para as próximas gerações devem reassumir seu poder espiritual e reafirmar os elos existentes entre si, com a Mãe Terra e com todos os seres da criação. O ressurgimento das antigas tradições e práticas espirituais femininas tem direcionado a nutriz energia feminina para o equilíbrio e a cura das nefastas consequências do excessivo e agressivo uso da energia masculina. Para a transformação, a cura e a pacificação planetárias é indispensável o equilíbrio das polaridades: feminino/masculino, homem/mulher, céu/Terra, dia/noite, intuição/razão, matéria/espírito, Pai/Mãe, Deus/Deusa.

O planeta necessita, para seu alinhamento e sua harmonização, da energia feminina nutridora, apaziguadora e conciliadora, manifestada nos círculos de mulheres e deles irradiada nos níveis familiar, coletivo e global. Como mandalas sutis que expandem os campos mórficos a elas agregados, os círculos sagrados despertam arquétipos femininos esquecidos, reprimidos ou adormecidos e que vão alinhar mentes, corações, espíritos e ações para a descoberta e o uso de soluções inovadoras que visem à transmutação e à cura das feridas patriarcais ocultas nas psiques e almas (femininas e masculinas).

Os círculos oferecem um espaço seguro e protegido para que as mulheres abram seu coração e sua mente e enxerguem novas possibilidades para se curar, se fortalecer e expandir seu potencial inato. A mulher atual, ao se confrontar com condicionamentos limitantes e tentar se libertar deles, terá que rever e reverter sua programação negativa como *Filha do Pai*, descartando os vestígios do "patriarcado interior", que muitas mulheres preservam e perpetuam nas posturas, atitudes, valores e ações. Os círculos oferecem apoio para a retificação dos comportamentos – agressivos ou submissos, dominadores ou passivos – que favorecem a manutenção do *status quo* patriarcal e hierárquico (em todos os níveis, situações e áreas da vida).

Criar uma teia local e global de círculos é uma arte da sabedoria feminina que requer paciência, determinação, firmeza, perseverança, tenacidade, confiança e parceria permanente para manter o propósito e resistir às pressões e aos desvios de rumo. Por serem as mulheres as detentoras da energia criativa e da sabedoria intuitiva, elas vão conseguir criar uma nova mentalidade de paz e união somente se mantiverem firmes seus propósitos (mesmo sob pressão ambiental ou familiar e energias contrárias) e se dedicarem confiantes à realização das suas visões. As mulheres têm como dom inato a facilidade de criar trabalhos em grupo, para compartilhar, criar, ensinar, celebrar, ajudar e apoiar. Se assumirem sua missão como guias e mestras na sociedade, com o propósito de contribuir para a cura psíquica – individual e planetária –, vão precisar incentivar e reforçar o espírito de parceria e solidariedade feminina. Resgatando e ampliando sua sabedoria ancestral inata, elas podem reunir argumentos racionais com intuição e criatividade e transformar seus sonhos e suas visões em realidades que beneficiem a todos os seres vivos.

O fenômeno expansivo da sacralidade feminina representa uma ameaça aos valores estabelecidos e perpetuados pela cultura e sociedade dominante. Críticas, distorções, acusações e difamações são armas habituais usadas para enfraquecer um acontecimento incipiente e que foge às normas e aos estereótipos considerados "normais". Mulheres que se reúnem e não compartilham suas atividades, seus propósitos e suas descobertas com os familiares ou amigos passam a ser rotuladas como feministas, anarquistas, lésbicas, bruxas ou fanáticas, pessoas perigosas e nocivas para a família, a religião e a cultura vigente. Nessas situações, para evitar desistências ou o medo de assumir e expressar a própria verdade, é importante lembrar as arcaicas táticas masculinas de *dividir para conquistar* e buscar o poder inato e a sabedoria interior, cuja voz ecoa no pulsar do coração de cada mulher.

O medo afasta e dispersa, mas o amor une; como filhas da Mãe Terra e representantes da Sacralidade Feminina no planeta, nós trazemos no coração as sementes do amor. Cultivar esse amor – por si, pelos outros, pela Terra e por todos os seres – nos manterá fortes e firmes, unidas pelos laços de sangue e pela decisão de contribuir e agir para a cura, a transformação e a renovação de todos e do Todo. Essa decisão será materializada na criação e multiplicação de círculos de mulheres que, unindo-se em rodopios dançantes e formando um vasto e amplo círculo, brilharão com a luz sagrada da energia feminina, celebrando a vida, o amor e a parceria. No centro desse imenso círculo estará a Terra, que, envolvida pela energia de cura, renovação e celebração, alcançará o equilíbrio pela união de todos os seres, em todos os níveis, situações e dimensões.

Que seja essa a visão, o desejo, a vontade e a realização dos círculos sagrados femininos!

GLOSSÁRIO

Alinhamento: prática que consiste em colocar a mente e o espírito em sintonia com energias específicas (da Lua, do Sol, das estrelas), com uma divindade ou um arquétipo.

Alma: corpo energético que serve como veículo ao espírito individualizado, para que este possa se expressar, aprender e evoluir.

Ambrosia (*amrita* ou *soma* em sânscrito): bebida sagrada que, ao ser ingerida por deuses e seres humanos, confere rejuvenescimento, imortalidade, inspiração, poder. Termo equivalente ao sangue menstrual da Deusa, da Lua e da mulher.

Amuleto: objeto natural (pedra, cristal, concha, pena, sementes) destinado a proteger o portador e a atrair sorte ou cura. (Não confundir com talismã.)

Anima: na psicologia junguiana, o princípio feminino da psique do ser humano; sopro, alento, alma, emoção.

Animus: na psicologia junguiana, o princípio masculino da psique humana; pensamento, razão, mente.

Ankh: cruz ansada egípcia, símbolo da vida e da união do masculino (a cruz fálica) e do feminino (o oval representa a *Yoni*).

Arquétipo: figuras, ideias, imagens e símbolos que representam valores universais, presentes em várias culturas. Padrões de comportamento existentes no inconsciente coletivo e individual, nos sonhos, nos mitos, nas lendas e nas fábulas.

Aspecto: princípio ou característica da Força Criadora Divina de determinada divindade ou arquétipo.

Asteroides: cinturão de corpos celestes localizados entre os planetas Marte e Júpiter, descobertos a partir de 1900 e cujos arquétipos associados aos deuses atuam como agentes de transformação e expansão da consciência.

***Athame*:** punhal tradicional especial usado para fins ritualísticos e mágicos na tradição celta e na Wicca.

Aura: invólucro sutil dos seres vivos (homens, animais, plantas) com dimensões, cores e características específicas, perceptível para os videntes e, às vezes, detectada pelas fotos *Kirlian*.

Banir: ato mágico para retirar, dispersar e transmutar forças negativas ou energias prejudiciais de um ambiente.

Bioenergética: teoria criada por Alexandre Lowen e John Pierrakos a partir das ideias de Wilhelm Reich e cujos exercícios e métodos terapêuticos visam à solução de problemas emocionais pela integração do corpo e da mente.

***Blot*:** cerimônia nórdica para invocar e agradecer às divindades, abençoar pessoas e objetos, semelhante ao *Sabbat* celta.

"Busca da visão" (*Vision Quest*): prática nativa norte-americana que consiste em uma peregrinação a um local de poder, para ali permanecer em silêncio, oração e jejum, com o objetivo de obter orientação espiritual e clareza interior, exercitando a confiança, a paciência e a persistência enquanto se espera uma visão e cura.

Campo mórfico (ou morfogenético): teoria do cientista inglês Rupert Sheldrake que afirma a existência de estruturas energéticas que se estendem no tempo e no espaço, e moldam e influenciam a forma e o comportamento de todos os sistemas do mundo material.

Celtas: povos indo-germânicos que se espalharam em ondas sucessivas pelo centro e sul da Europa até o Mar Negro, os Bálcãs, a Áustria, a Alemanha, a Grã-Bretanha e a Irlanda, cujas línguas incluem o gaélico, o galês, o britânico, o gaulês, o cúmbrico, o córnico, a gálata, o celtíbero e o manx.

Centramento: ato de encontrar o equilíbrio interior com respiração rítmica, harmonização psicofísica e visualização.

Cérbero: cão mítico com três cabeças e cauda de serpente que guarda a entrada para o mundo subterrâneo.

Chakra: vórtice energético localizado no corpo etéreo (em vários pontos ou plexos nervosos) e que recebe, absorve, projeta ou distribui energias sutis da – ou para a – dimensão física.

Cone do poder: energia mágica criada por meio de um ritual ou prática mágica e direcionada com gestos, palavras e sons para um objetivo específico.

Consagração: ritual que envolve purificação, dedicação e direcionamento da energia espiritual para um objetivo específico.

Cosmologia: teorias filosóficas a respeito da origem, da natureza e dos princípios que ordenam o universo em todos os seus aspectos e mundos.

Ctônico: referente ao mundo subterrâneo, às profundezas da Terra e às qualidades das divindades que moram e regem esse nível intratelúrico.

Cúpula: abóbada que simboliza uma cobertura energética de proteção.

Dharma: princípio da ordem universal das tradições hindu e budista que ensina a viver em conformidade com os preceitos morais e religiosos e seguindo as leis; o propósito dos eventos alinhados com a ordem divina e o karma.

Decocção: extração dos princípios ativos de uma planta por meio de fervura prolongada.

Devas: "seres brilhantes", divindades da religião hinduísta e budista.

Divindades (Deus, Deusa): personificações da inteligência invisível existente nas forças criadoras, formadoras, sustentadoras e destruidoras da Natureza, cultuadas por diversas tradições e religiões.

Ecofeminismo (ou feminismo ecológico): movimento filosófico nascido da união do feminismo com valores e conceitos ecológicos e que consiste no poder feminino manifestado na prática diária e se opondo à hierarquia, à violência, à destruição e à exploração da Natureza e da mulher.

Elementos: princípios básicos de estruturação do mundo encontrados em várias culturas e associados a fenômenos naturais e a esferas da vida.

Empoderamento: fortalecimento interior; ato de adquirir e expressar o poder pessoal, sem exercê-lo sobre outras pessoas.

Egrégora: força vibratória e energética de um grupo de pessoas, ritual, cerimônia ou de determinado lugar.

Eslavos: povos indo-europeus da Europa Central e Oriental que falam uma língua eslava (polonês, tcheco, eslovaco, esloveno, búlgaro, servo-croata, russo e ucraniano).

Esotérico: ensinamento, doutrina, prática ou procedimento oculto de natureza metafísica, simbólica e iniciática.

Espírito: a essência inteligente incriada que anima as formas de vida, invisível, porém perceptível e atuante.

Espíritos elementais: seres feitos de energia que personificam as qualidades dos quatro elementos da natureza.

Evocação: ato cerimonial para evocar um guardião ou protetor espiritual, um espírito ancestral ou uma divindade, para que se faça presente durante a cerimônia ou ritual.

Exercícios Kegel: método de fortalecimento do assoalho pélvico e do períneo, com contração e descontração dos músculos vaginais.

Exotérico: ensinamentos divulgados publicamente e acessíveis a todos.

Falo/fálico: símbolo do atributo do órgão e da força criadora masculina, equivalente ao *Yoni* feminino, representado de forma naturalista ou estilizado.

Forma-pensamento: padrão mental que, por sua repetição e duração, adquire forma própria, sendo plasmada com a energia astral.

Give-away: cerimônia da tradição nativa norte-americana que celebra mudanças na vida pessoal por meio de símbolos de transformação trocados entre os participantes, com histórias a eles ligadas.

"Grande Mistério": fonte original da vida; maneira como os indígenas sêneca denominam o princípio divino, criador do Todo.

Hexagrama: símbolo mágico existente em várias tradições formado pela sobreposição de dois triângulos com o mesmo centro – o de ponta para cima representando o espírito, o de ponta para baixo, a matéria –, sua junção simbolizando o macrocosmo.

Iniciação: ingresso em uma nova fase da vida, acompanhado de práticas específicas, rituais e ritos de passagem que reproduzem a morte simbólica, a transformação e o renascimento.

Infusão: extração dos princípios solúveis de uma planta por meio de maceração, sem fervura.

Invocação: uso de gestos, palavras e orações para pedir e receber a energia de determinado arquétipo, dentro da própria estrutura psicoespiritual, em um ato sagrado de "fusão".

Kachinas: espíritos da Natureza que governam a chuva, a seca, o frio, o calor, a colheita, os animais, reverenciados pelos indígenas norte-americanos das tribos hopi e pueblo.

Karma (do sânscrito): a lei cósmica de "ação e reação" que determina as experiências e os aprendizados individuais para a evolução espiritual e a retificação de erros e dívidas passadas.

Kirlian: fotografias feitas em câmara escura com exposição do filme à luz ultravioleta proveniente de interação iônica e eletrônica.

Kundalini: energia de natureza feminina que permanece adormecida e enrolada como uma serpente no chakra básico (pélvico) e pode ser "despertada" e conduzida através dos outros chakras até o coronal, por meio de práticas e meditações específicas que visam à ampliação da consciência e à iluminação.

Lábris: símbolo antigo da Deusa (mitologias cretense e grega) que representa o renascimento e tem forma de uma machadinha de duas lâminas ou de borboleta.

Lua negra: momento, no fim da fase minguante e antes do começo da nova, em que a Lua está posicionada de tal forma que não reflete a luz solar para a Terra.

Ma (Máa): som sagrado que representa a Grande Mãe primordial que significa tanto "Mãe" quanto inteligência espiritual, vazio primal, ventre divino.

Mandala: diagrama simétrico formado por símbolos e imagens concêntricas, usado para meditação, centramento e autoconhecimento.

Matrifocal (ou matricêntrico): organização social pré-patriarcal caracterizada pela valorização e pela importância do papel materno (divino e humano) e da linhagem maternal.

Matrilinear: valores e atributos associados à descendência e à linhagem maternal.

Megalítico: monumentos pré-históricos feitos com grandes blocos de pedra, como são os círculos de menires, os dolmens e as câmaras subterrâneas.

Menir: monólito de pedra do período Neolítico colocado em posição vertical e imbuído de poderes mágicos e significados místicos.

Milionésimo Círculo: movimento evolucionário global (e livro do mesmo nome) resultante da iniciativa de Jean Shinoda Bolen. Seu objetivo é incentivar a formação de círculos com diversos propósitos, visando a mudanças pessoais e globais.

Mundo ou plano astral: dimensão invisível que existe além da realidade física comum ou "ordinária" que pode ser alcançada de maneira consciente por meio de práticas específicas.

Neopagãos: praticantes atuais das Antigas Tradições pré-cristãs e das religiões politeístas de diversas culturas.

Normose: conjunto de normas, conceitos, valores, estereótipos, padrões comportamentais ou hábitos mentais, aceitos e aprovados pela maioria dos membros de uma sociedade, que podem provocar sofrimento e acomodações.

Obelisco: pilar alto de pedra, com ápice piramidal, que simboliza a ligação entre o céu e a Terra, a humanidade e as divindades.

Ogham: antigo sistema alfabético, mágico e oracular da Irlanda, talhado sobre pedras e madeiras, em forma de traços e pontos, e usado até o século VII.

Om (Aum): sílaba mística existente em várias tradições e caminhos espirituais, de origem hindu, que representa o espírito criador, o poder do *Logos* (razão suprema), usada em invocações, bênçãos, afirmações e meditações.

Orixás: personificação das forças naturais e dos ancestrais, cultuados pelos iorubas, reverenciados nos ritos afro-brasileiros (como candomblé e umbanda) e na Santeria cubana e norte-americana.

Ouroboros: a serpente que morde a própria cauda, símbolo alquímico do infinito e do eterno retorno (a descida do espírito para a matéria e seu regresso).

Pagão: praticante de uma religião ou tradição politeísta ou mágica pré-cristã; do latim *paganus* (camponês, rural), esse termo foi usado de forma pejorativa pela igreja cristã.

Pantáculo: talismã elaborado e complexo contendo – ou não – um pentáculo associado a outros símbolos e criado para um objetivo específico.

Panteão: conjunto de divindades de uma religião politeísta.

"Pássaro-trovão" (***Thunderbird***): pássaro mítico da tradição nativa norte-americana associado ao fogo e representado como "o grande falcão que se esconde atrás das nuvens".

Pentáculo: símbolo mágico de proteção composto por uma estrela de cinco pontas – o pentagrama – dentro de um círculo. Representa o microcosmo e o ser humano.

Pentagrama: estrela de cinco pontas, antigo símbolo mágico de proteção, saúde e conhecimento, que representa o entrelaçamento dos elementos.

Plenilúnio: o primeiro dia da Lua cheia, celebrado com rituais.

Portal: passagem de um plano, mundo ou nível para outro (do domínio profano para o sagrado; do material para o espiritual).

Prana/chi/mana/axé: energia vital existente na Natureza que pode ser absorvida e aumentada por meio dos exercícios respiratórios do yoga Pranayamas, que também são usados para relaxamento, meditação e centramento.

Pré-helênico: anterior aos helenos, habitantes da antiga Grécia.

Pré-histórico: período anterior ao aparecimento da escrita e do uso dos metais, estudado e reconstituído por meio da Arqueologia e da Antropologia.

Presságio: indício de um acontecimento futuro obtido por meio de previsões astrológicas, oráculos, mensagens espirituais, visões, sonhos, estado de transe.

Projeção ou viagem astral: deslocamento do corpo etéreo para longe do corpo físico, que ocorre durante o sonho, o transe ou por um ato voluntário e permite que a pessoa aja a distância ou perceba seres e eventos dos planos sutis.

Psicopompo: "condutor dos espíritos", atributo de várias divindades e função exercida por sacerdotes e xamãs em algumas missões.

Registro akáshico: memória universal, campo cósmico que interliga tudo e o Todo e registra, guarda e transmite informações daquilo que aconteceu, está acontecendo e vai acontecer.

Reiki: sistema de cura descoberto no Japão no início do século XX que direciona a energia universal pelo poder espiritual e a aplica por meio da imposição das mãos, da mentalização e do uso de uma série de símbolos.

Resiliência: resistência psíquica e capacidade de recuperação após choques, doenças, traumas ou pressões.

Ritual: método para converter pensamentos e intenções em ações simbólicas apoiadas por um substrato material; destina-se a determinar à mente subconsciente que aja de acordo com as instruções da mente consciente.

Roda do Ano: mandala formada por oito celebrações pagãs dos povos agrícolas europeus que marcava os solstícios, os equinócios e determinadas festas específicas do calendário agrário.

Roda solar: mandala ou símbolo mágico representando a jornada do Sol ao longo de um ano.

Runa: símbolo mágico da tradição nórdica cujo significado é mistério, segredo.

Sabbat: celebração celta de datas específicas da Roda do Ano.

Sauna sagrada (*sweat lodge*): cerimônia de purificação dos nativos norte-americanos da tradição lakota que busca a transformação e a cura por meio de um processo de entrega, desapego e sofrimento, em uma "morte" simbólica e renascimento.

Símbolo: meio de troca energética entre diferentes níveis ou planos da realidade; vínculo entre o subjetivo e o objetivo, o sutil e o material; representação de um contexto abstrato místico por uma imagem concreta, material.

Símbolos Sabianos: descrições simbólicas dos graus zodiacais obtidas por meio da clarividência, em 1925, pelo vidente galês Charubel, e aperfeiçoadas pelo astrólogo norte-americano Dane Rudhyar.

Sombra: oposta à luz, é associada à escuridão, à morte, a deficiências, a fantasmas e à irrealidade. Segundo Jung, é a totalidade de camadas subconscientes da personalidade que vão se tornando conscientes no processo de individualização.

Suástica: símbolo em forma de cruz que surgiu na Idade do Bronze sob várias formas na Europa, na Ásia, nas Américas e na Austrália, e é usado como emblema da energia solar dinâmica. Em sânscrito, significa sorte, prosperidade, saúde.

Subconsciente: a parte da mente que funciona com frequência menor do que aquela consciente, que registra e guarda conhecimentos simbólicos, memórias, traumas e sonhos.

Tai chi (*Tai chi chuan*): sistema chinês de exercícios físicos para autodefesa, centramento e meditação ativa.

Talismã: objeto preparado e consagrado magisticamente, com inscrições e símbolos específicos, para proteção ou a realização de um determinado objetivo.

Tealogia: estudo das antigas tradições, cultos e atributos das deusas.

Teologia: estudo referente ao conhecimento e à "ciência dos deuses".

Totem: animal, planta ou objeto natural usado como emblema de um clã, família ou tribo nas culturas nativas e a quem são atribuídos poderes mágicos que devem ser respeitados e honrados.

***Tiyoweh*:** prática nativa norte-americana para silenciar a mente, abrir o coração, ativar a intuição e receber mensagens sutis.

***Transcendente/transcendental*:** qualidades, atributos, experiências de caráter elevado, superior, sublime.

***Triskelion*:** símbolo tríplice celta que representa a tríade divina e é usado para proporcionar proteção e sorte.

Umbanda esotérica: doutrina iniciática e cabalística que contém conceitos religiosos extraídos de quatro raízes esotéricas (ameríndia, africana, ariana, heleno-semita) e cuja representação simplificada e acessível forma as várias vertentes da umbanda popular.

Unicórnio: animal místico de cor branca e um único chifre, interpretado como símbolo fálico e ao mesmo tempo da pureza virginal, sublimação das forças sexuais e símbolo das virtudes espirituais.

Via Láctea: considerada elo entre nosso mundo e os mundos transcendentais, caminho percorrido pelas almas e sua morada entre as encarnações.

Wicca: religião neopagã moderna, com raízes espirituais na antiga reverência às forças da Natureza que cultua o Deus (Chifrudo, Consorte, Filho) e a Deusa (da Natureza, Grande Mãe e arquétipos diversos) como expressão polarizada e complementar da divindade.

Xamã: pessoa com dons e habilidades paranormais capaz de explorar a realidade "não comum" e perceber processos energéticos, dimensões e seres sutis.

Xamanismo: busca tradicional e transcultural de conhecimento e poder pessoal, cujas técnicas desenvolvidas ao longo dos séculos são anteriores a todas as religiões e filosofias conhecidas.

Yin-Yang: emblema clássico chinês da união das forças masculinas (yang) e feminina (yin), alternância cíclica de todos os tipos de dualidade, a complementação das polaridades, a unidade primordial.

Yoni (*Vesica piscis ou mandorla*): representação simbólica do órgão sexual feminino como um oval ou uma amêndoa; atributo da força criadora da vida.

Zodíaco: caminho aparentemente percorrido pelo Sol em uma faixa ao longo da eclíptica no decorrer de um ano, dividido em doze signos associados às constelações e representados por diferentes animais e imagens de várias culturas.

BIBLIOGRAFIA

ALBA, De Anna. *The Cauldron of Change. Myths, Mysteries and Magick of the Goddess.* Illinois, Delphi Press Inc. 1993.

ARDINGER, Barbara. *Practicing the Presence of the Goddess.* Nova York, New World Library, 2000.

ARTHUR, Mc. Margie. *Wisdom of the Elements. The Sacred Wheel of Earth, Air, Fire and Water.* Freedom, The Crossing Press, 1998.

ARYNN, Azrael & AMBER, K. *Candlemas. Brigit's Festival of Light and Life.* St. Paul, MN., Llewellyn, 2001.

ATIENZA, Juan. *Os Santos Pagãos.* São Paulo, Ícone Editora, 1996.

BALDWIN, Christina. *Calling the Circle. The First and Future Culture.* Nova York, Bantam Books, 1998.

BLY, Robert. *Iron John. A Book about Men.* Massachusetts, Addison-Wesley Publishers Comp. Inc.1990.

BOLEN, Jean Shinoda. *As Deusas e a Mulher.* São Paulo, Edições Paulinas, 1990.

_____. *O Milionésimo Círculo.* São Paulo, Editora Taygeta, 2003.

_____. *Urgent Message from the Mother. Gather the Women. Save the World.* Boston, Conary Press, 2005.

BROWN, E. Joseph. *Madre Tierra, Padre Cielo.* Barcelona, Los Pequenos Libros dela Sabiduria, 1998.

BUDAPEST, Zsuzsanna. *The Holy Book of Women's Mysteries.* Oakland, Wingbow Press, 1989.

CAHILL, Sedonia & HALPERN, Joshua. *The Ceremonial Circle*. Nova York, Harper Collins Publishers, 1992.

CARNES, Robin Deen & CRAIG, Sally. *Sacred Circles. A Guide to Creating Your Own Women's Spirituality Group*. Nova York, Harper Collins Publishers, 1998.

CHRIST, Carol. *Rebirth of the Goddess. Finding Meaning in Feminist Spirituality*. Nova York, Addison-Wesley, 1997.

CRICKARD, Mc. Janet. *Brighde. Her Folklore and Mithology*. Inglaterra, Field Fare Arts, 1987.

CUNNINGHAM, Donna. *A Influência da Lua no seu Mapa Natal*. São Paulo, Pensamento, 1997.

_____. *A Lua na sua Vida. O Poder Mágico e as Influências sobre as Mulheres*. Rio de Janeiro, Nova Era, 1999.

DAVIS, Elisabeth & LEONARD, Carol. *The Women's Wheel of Life*. Nova York, Arkana Penguin Group, 1996.

DOWNING, Christine. *The Goddess. Mythological Images of the Feminine*. Nova York, The Crossroad Publ. Comp., 1992.

DUERK, Judith. *Circle of Stones. A Woman's Journey to Herself*. San Diego, Luramedia, 1989.

EISLER, Riane. *O Cálice e a Espada*. Rio de Janeiro, Imago, 1989.

ELIAS, Jason e KETCHAM, Katherine. *Na Casa da Lua*. Rio de Janeiro, Objetiva, 1998.

ENGEL, Beverly. *Women Circling the Earth. A Guide to Fostering Community, Healing & Empowerment*. Florida, Health Communications Inc., 2000.

FAIRCHILD, Jill & SCHAARE, Regina. *The Goddess Workbook*. Portland, The Great Goddess Press, 1993.

FAUR, Mirella. *O Legado da Deusa. Ritos de Passagem para Mulheres*. Rio de Janeiro, Rosa dos Tempos, 2003.

_____. *O Anuário da Grande Mãe. Guia Prático de Rituais para Celebrar a Deusa*. São Paulo, Gaia, 1999.

_____. *Mistérios Nórdicos. Deuses. Runas. Magias. Rituais*. São Paulo, Pensamento, 2007.

FEINSTEIN, David & KRIPPNER, Stanley. *Mitologia Pessoal. A Psicologia Evolutiva do Self.* São Paulo, Cultrix, 1988.

GARFIELD, Charles & SPRING, Cindy & CAHILL, Sedonia. *Wisdom Circles.* Nova York, Hyperion, 1998.

GEORGE, Demetra. *Mysteries of the Dark Moon.* Nova York, Harper Collins Publisher, 1992.

GLASS KOENTOP, Patallee. *Year of Moons, Season of Trees. Mysteries & Rites of Celtic Tree Magic.* Minnesota, Llewellyn Publications, 1991.

GRAY, Miranda. *Red Moon. Understanding and Using the Gift of the Menstrual Cycle.* Grã-Bretanha, Element Books, 1994.

HARDING, M. Esther. *Mistérios da Mulher.* São Paulo, Edições Paulinas, 1985.

HARNER, Michael. *O Caminho do Xamã.* São Paulo, Pensamento, 1995.

HARWEY, Andrew & BARING, Anne. *The Divine Feminine.* Berkeley, CA. Conary Press, 1996.

HENES, Donna. *Celestially Auspicious Occasions. Seasons, Cycles & Celebrations.* Nova York, Perigee Books, 1996.

HOWELL, Francesca Giancimino. *Making Magic with Gaia.* Boston, MA. Red Wheel/Weiser, 2002.

IGLEHART, Hallie Austen. *Woman Spirit. A Guide to Women's Wisdom.* Nova York, Harper Collins Publisher, 1983.

JOHNSON, Buffie. *Lady of the Beasts. The Goddess and Her Sacred Animals.* Rochester, Vermont, Inner Traditions International, 1994.

KAUFER, Nelly & OSMER-NEWHOUSE, Carol. *A Woman's Guide to Spiritual Renewal.* Nova York, Harper Collins Publ., 1994.

KAUTH, Bill. *A Circle of Men.* Nova York., St. Martin's Press, 1992.

LARRINGTON, Carolyne. *The Woman's Companion to Mythology.* Londres, Harper Collins Publishers, 1992.

LEE, Scout Cloud. *The Circle is Sacred. A Medicine Book for Women.* Tulsa, Council Oak Books, 1994.

LEEMING, David & PAGE, Jake. *Myths of the Female Divine Goddess.* Nova York, Oxford University Press, 1994.

MARLOW, Mary Elisabeth. *Handbook for the Emerging Woman*. Pennsylvania, Schiffer Publisher Ltd., 1988.

MATTHEWS, Caitlin. *Elementos da Deusa*. Rio de Janeiro, Ediouro, 1994.

MEADOWS, Kenneth. *The Medicine Way*. Grã-Bretanha, Element Books Limited, 1989.

MORGAN, Ffiona. *Goddess Spirituality Book. Rituals, Holydays, Moon Magic*. Graton, Daughters of the Moon Publishing, 1995.

MOUNTAINWATER, Shekinah. *Ariadne's Thread. A Workbook of Goddess Magic*. California, The Crossing Press, 1991.

MURRAY, Liz & COLIN. *The Celtic Tree Oracle*. Nova York, St. Martin's Press, 1988.

PATERSON, Helena. *The Handbook of Celtic Astrology*. Minnesota, Llewellyn Publ., 1994.

PENNICK, Nigel. *Practical Magic in the Northern Tradition*. Grã-Bretanha, The Aquarian Press, 1989.

_____. *The Pagan Book of Days*. Vermont, Destiny Books, 1992.

QUEEN, Afua. *Sacred Woman. A Guide to Healing the Feminine Body, Mind and Spirit*. Nova York, Ballantine Books, 2000.

REILLY, Lynn Patricia. *A God Who Looks Like Me. Discovering a Woman – Affirming Spirituality*. Nova York, Ballantine Books, 1995.

REIS, Patricia. *Through the Goddess. A Woman's Way of Healing*. Nova York, The Continuum Publisher Comp. 1995.

ROBERT, Hunter Wendy. *Celebrating Her*. Ohio, The Pilgrim Press, 1998.

ROBLES, Martha. *Mulheres, Mitos e Deusas. O Feminino através dos Tempos*. São Paulo, Aleph, 2006.

SAMS, Jamie. *The Thirteen Original Clan Mothers*. San Francisco, Harper Collins Publishers, 1994.

STARHAWK. *The Spiral Dance*. San Francisco, Harper Collins Publishers, 1999.

_____. *The Pagan Book of Living and Dying*. San Francisco, Harper Collins Publishers, 1997.

STEIN, Diane, *Casting the Circle. A Woman's Book of Ritual.* California, The Crossing Press, 1990.

_____. *The Women's Spirituality Book.* St. Paul, Llewellyn Publications, 1995.

_____. *Dreaming the Past, Dreaming the Future. A History of the Earth.* Califórnia. The Crossing Press, 1991.

STEINBRECHER, Edwin. *A Meditação dos Guias Interiores.* São Paulo, Siciliano, 1990.

SUN, Bear; CRYSALIS, Mulligan; PETER Nufer & WABUN, Wind. *Walk in Balance.* New York, Fireside Books, 1989.

SUN, Bear & WABUN, Wind & MULLIGAN, Crysalis. *Dancing with the Wheel.* Nova York, Simon & Shuster, 1991.

SUN, Bear & WABUN, Wind. *Dreaming with the Wheel.* Nova York, Fireside Books, 1994.

TEISH, Luisah. *Jambalaya.* San Francisco, Harper Collins Publishers, 1985.

WALKER, Barbara. W*omen's Rituals.* Nova York, Harper Collins, 1990.

_____. *The Woman's Dictionary of Symbols and Sacred Objects.* San Francisco, Harper Collins Publishers, 1988.

WEIL, Pierre & LELOUP, Jean Yves & CREMA, Roberto. *Normose. A Patologia da Normalidade,* São Paulo, Vênus Editora, 2003.

WIND, Linda Heron. *New Moon Rising.* Chicago, Delphi Press. Inc., 1995.

WOOLGER, Jennifer & Roger. *A Deusa Interior.* São Paulo, Cultrix, 1994.

ZWEIG, Connie & ABRAMS, Jeremiah. *Ao Encontro da Sombra.* São Paulo, Cultrix, 1991.

ÍNDICE REMISSIVO

Afrodite: arquétipo, ritual 41, 44, 121, 123, 241, 291, 294, 296, 308, 311, 315, 302, 322, 323, 338, 408, 409, 410, 411, 412

Alinhamento 8, 63, 77, 113, 161, 191, 225, 236, 238, 240, 266, 293, 327, 331, 334, 343, 350, 355, 359, 360, 374, 404, 467, 488, 498, 505

Altar lunar/ menstrual 116, 230, 243, 245, 247, 253

Amaterassu 297, 353, 414, 415

Ancestrais 229, 233, 236, 239, 242, 244, 248, 262, 266, 270, 273, 275, 291, 292, 308, 314, 329, 365, 369, 378, 392, 445-457, 462, 497-503, 514-519, 530

Ancia 260, 322, 439, 440, 448, 452, 458, 497

Animais de poder 44, 120, 135, 240, 241, 242, 245, 425

Anjos 49, 142, 193, 215, 272, 310, 356, 456

Antiga lei da Tradição da Deusa 213

Arianrhod 269, 296, 546, 464, 465, 476

Arquétipo 236, 241, 243, 252, 256, 260, 263, 269, 271, 275, 279, 286, 289, 292, 297, 301, 305, 329, 373, 379, 394, 397, 404, 412, 415, 424, 427, 439, 448, 452, 457, 465, 470, 474, 488, 491 492, 496, 499, 505, 507, 530

Arquétipo feminino 46, 281, 424, 457, 472, 477, 530

Árvore da Vida 240, 308, 317, 407

Árvore do ventre 239, 240

As Matriarcas das lunações 79

As Treze Matriarcas 270, 277, 495, 496, 498, 527

Ashtoreth 41, 418

Aspectos da deusa: divisão quádrupla, mandala nonupla, deusas nórdicas 290, 458

Aterramento 392, 469

Athame 120, 215, 351, 428, 474, 534

Athena 40, 44, 241, 295, 353, 456

Atributos dos elementos 353

Atributos das lunações 381, 471

Autoavaliação 162, 167, 255, 355, 356

Avalon 18, 49, 72-75, 451

Axé 90, 129-133, 374

"Bastão" da palavra 88

Bênçaos 36, 63, 68, 102, 154, 190, 199, 202-07, 210, 211, 229, 235, 240, 244, 271, 308, 320, 329, 342-48, 358, 384, 390, 400-06, 417, 419, 422, 456-63, 468, 476, 492, 501, 505, 523

Bênção individual 142, 211, 268

Bênção quíntupla 213

Beverly Engel 65, 67, 91, 97

Brigid 400-403, 446, 494

Brigid: mito, processão 199-206, 397

Brooke Medicine Eagle 68, 100, 252, 360, 362, 386

Brumas de Avalon 49, 72

Busca da visão 134, 352, 363, 477

Cabaça 89, 117, 121, 134, 135, 213, 245, 248, 351, 365, 420

Caldeirão 426, 428, 430, 432, 448, 449, 452, 460, 461, 504, 506

Calendário lunar 265, 500

Calendário Ogham 471

Cálice lunar 467

Cálice sagrado 232, 239, 240, 321

"Caminho do xamã" 360

Campos energéticos 160, 189, 284

Campo mórfico 534

"Casa do conselho" 500, 503, 505

Caça e conquista 56

Ceifadora 30, 35, 37, 43, 220, 263, 273, 274, 289, 293, 300, 315, 426

Centramento 70, 88, 97, 103, 124, 133, 137, 141, 144, 145, 148, 171, 182, 190, 303, 339, 353, 355, 359, 364, 373, 378, 385-92, 405, 409, 466, 473, 492, 502, 503, 507

Cerimônias 32, 57, 62, 66, 83, 110-14, 130, 139, 189, 195-96, 201, 212, 217, 224, 228, 261, 288, 295, 307, 314, 317, 323, 335, 347, 353, 355, 362, 374, 384-88, 395, 398, 401, 407, 413, 422, 455, 478, 482, 495, 525

Cestas 57, 121

"Chagas das deusas" 282, 285, 286

Chamado de Gaia 327

Chang-O 226, 248, 271

Christina Baldwin 60, 148, 166, 171

Ciclo da Lua branca 232-33

Ciclo da Lua vermelha 233

Ciclo da vida 223, 261, 274, 275, 293, 298, 437, 439, 441

Ciclo menstrual 71, 226-31, 242, 256, 506

Círculo de menires 304, 307

Círculo de proteção 133, 136, 137, 213, 277, 299, 336, 400, 401, 404, 422, 428, 435, 463, 506

Clãs dos elementos 376

Colheita 35-36, 80, 121, 135, 175, 220, 258, 270, 276, 294, 297, 309, 315,

321, 325, 380, 395, 417, 432, 436, 445-48, 476, 518, 519

Compromisso 162, 175, 183, 191-96, 212-17, 225, 268, 327, 332, 360, 398, 457, 484, 494, 505-16, 523

Cone de poder 141, 143, 417, 469, 492

Conexão com a Deusa 96, 107, 129, 183, 192, 242, 284, 299, 411

Conexão com as energias do céu e da terra 332

Conexão com um arquétipo 298

Confirmação 16, 86, 146, 149, 196, 214, 216, 240

Confraternização 110, 128, 141-44, 249, 374, 392, 393, 423, 445, 454, 463, 469, 493

Conflitos 15, 52, 72, 88, 94, 97-98, 147-48, 155-60, 163, 166, 169-71, 183, 197, 262, 270, 281, 286, 295, 300, 337, 344, 417, 473, 485

Consagrar o cotidiano 328

Consagrar os elos grupais 152

Consagração do ventre 235, 239

"Consciência de Gaia" 53, 325

Consciência do coração 84, 91, 126, 146, 158, 170, 176, 185, 286

Consciência ecológica 52, 53, 60

Consciência lunar 66, 219, 222, 223, 225, 233, 249, 269

Consciência do sagrado 147, 182, 183

Contato com o guia 302

Correspondências das direções 113, 134

Culpa 46, 134, 161, 163, 166, 171, 184, 213, 254, 287, 336, 411, 452, 486, 505, 512

Culto da Lua 219

Cúpula de proteção 126, 128, 134, 136, 141, 212

Dança circular 141, 143, 199, 249, 374, 392, 463, 492

Declaração da Nova Mulher 340, 341

Dedicação 16, 21, 47, 72, 80, 146, 147, 149, 196, 210-12, 214, 217, 218, 276, 277, 335, 373, 454, 485, 495

Dedicação grupal 149, 335

Delphos 40, 311, 314, 316

"Destronar a Deusa" 58

Deus Pai-Mãe 51

Deusa escura 258-63, 273, 274, 276, 277, 278, 425, 431, 439, 452, 483

Deusas lunares 221, 243, 268, 269, 271, 323, 324, 507

Deusas solares 119, 297, 321, 323, 414, 415, 476

Deuses solares 45, 454

Devas 281, 322, 356, 358

"Dia extra" 470, 471

Diálogo com o ventre 238

Diane Stein 129, 466, 467

Diário da Lua vermelha 230

Diário dos sonhos 250

Donzela 294, 308, 407, 425, 437-38, 447, 458

Donzelas do milho 418-20

Dores 32, 42, 59, 82, 86, 91, 130, 206, 210, 213, 222, 231, 233, 235, 244, 256, 272, 334, 338, 380, 412, 429, 441, 452, 461, 467, 505, 515-17, 525

"Doze dias brancos" 457, 458

Dragão 40, 42, 246, 307, 317, 319, 421, 422, 426, 429, 472

Dualismo/dualidade 42, 43, 199, 219, 221, 226, 439, 486, 487

Eclipses lunares 266, 271

Eco feminismo 53, 289, 355, 394, 535

Empoderamento 32, 62, 82, 97, 145, 150, 165, 417

Encontro com Gaia 331

Enuma Elish 39

Equinócios 49, 326, 394, 395

Esbat 467-69

Escudo físico 250

Escudo sutil 249-50

Escudos totêmicos 496

"Escuta ativa" 91, 126, 168, 172, 286, 328

Espaço sagrado 77, 84, 157, 184, 214, 216, 239, 382, 384, 504, 513

Espelho negro 275, 276, 277, 426, 428, 432, 434, 449, 453, 492

Espiral 74, 77, 89, 101, 125, 143, 177, 217, 277, 319, 347, 400, 420, 422, 423, 428, 469, 473, 491, 525

Espíritos guardiões 213, 372, 381, 385

Espiritualidade feminina 51-52, 62-66, 82, 94, 107, 109, 122, 131, 155, 181, 195, 227, 288, 414, 499, 507

Europa antiga 35

Eva 41, 42, 45, 291, 316-17, 323

Eventos lunares especiais 264, 499, 506

"Falar de coração" 91, 92, 168

Fase escura/negra 221, 222, 223, 278

Feiticeira 49, 72, 164, 198, 231, 232, 233, 275, 278, 308, 431

Fertilidade 34, 35, 39, 50, 201-02, 219, 226, 232, 241, 253, 268-71, 276, 293, 297, 314-15, 317, 321, 329, 337, 341, 354, 365, 395, 402-08, 413, 418, 436-40, 443, 456, 458, 472, 494, 498

Festivais de fogo 394, 396

Festivais solares 394, 395, 396

Festival 200, 312, 314, 315, 397, 402, 407, 414, 416, 418, 435, 436, 445, 446, 447, 454

Festival de afirmação (Sabbat Litha) 414

Festival do despertar (Sabbat Ostara) 241, 402

Festival da gratidão (Sabbat Lammas) 418

Festival da plenitude (Sabbat Beltane) 406

Festival da recordação (Sabbat Samhain) 144, 275, 427, 445, 446, 447, 470

Festival do renascimento (Sabbat Yule) 455, 470, 475

Festival de renovação (Sabbat Imbolc) 149, 198, 201, 397, 446

Festival da superação (Sabbat Mabon) 414, 435

Filhas de Gaia 150, 256, 327, 328

"Flecha de oração" 102, 364, 370

Fortalecimento do ventre 236

Fusão com Gaia 332

Gaia 16, 17, 38-40, 53, 145, 256, 271, 316, 322, 324-38, 340-44, 418, 440, 462

Give away 460, 461, 463, 536

Glastonbury 17, 72, 74, 75, 77, 80, 180, 193

Graal 118, 119, 226, 240, 321

Grande Mãe 29-30, 33, 41, 44, 49, 57, 68, 84, 87, 103, 114-18, 121, 123, 142, 146, 151, 190, 192, 211, 212, 214, 216, 233, 244, 258, 269, 270, 273, 278, 285-88, 292, 297, 300, 306, 314, 318-21, 323, 325, 329, 342, 344, 356, 358-60, 397, 403, 414, 419, 436, 441, 444, 454, 462, 464, 466, 474, 488, 494, 530

Gratidão 59, 68, 101, 112, 116, 126, 135, 144, 145, 177, 183-86, 192, 211, 240, 253, 282, 288, 321, 328-31, 344, 349, 360, 384, 388, 413, 417, 420, 448, 453, 473, 494, 495, 507, 523-24

Graus iniciáticos 71, 196, 212, 213

Gravidez 63, 262, 270, 286, 320, 342

Guardiã 35, 40, 54, 78, 81, 93, 97, 133, 173-74, 199, 226, 240, 248, 251, 275, 292-95, 297, 301, 304, 310, 317, 328, 346, 349, 352, 358, 508-12, 516-26

Guardião 250, 364-70, 378-80, 382, 383, 387, 433, 477, 478-82

Guia interior 301-02

Hara 246, 333, 417

Harmonização com os elementos 336

Hécate 20, 74, 263, 313, 316, 321, 354, 423-40, 448, 476

Hera 41, 271, 291, 294, 296, 311, 318, 323, 408, 462, 476

Hierarquia patriarcal 38

Hipótese Gaia 53

Idade de Ferro 37, 312

Imagem arquetípica 280

Imaginação ativa 163, 300, 301, 303

Inconsciente: individual e coletivo 283-84, 301-06, 367, 424, 426, 465, 511

Iniciação 16-20, 153, 191, 196, 198-02, 213, 217-19, 242, 261, 274, 276, 291, 307, 312, 362, 398, 401, 436, 437, 438, 440, 495, 504

   Jornada iniciática 195, 198, 398, 400, 401

      Dedicação 210;
      Primeiro grau 213;
      Segundo grau 214;
      Terceiro grau 216
      Palavras finais 217

Isis 121, 123, 220, 229, 241, 243, 245, 271, 279, 290, 293, 294, 296, 297, 310, 315, 318, 322, 354, 408, 413, 414, 418, 436, 448, 464, 475, 476, 489

James Lovelock 53
"Jarro vermelho" 233, 234, 245
Jean Shinoda Bolen 54, 79, 156, 160, 165, 166, 177, 286

Kildare 44, 199, 200, 201
Kiva 78, 302, 307, 394, 504
Kurgos 37

Laços de sangue 21, 247, 248, 253, 276, 406, 498, 500, 531
Lembrar os sonhos 251
Liberar emoções negativas 254
Lilith 42, 245, 275, 311, 323, 408, 431
Limpeza/desimpregnação fluídica/ energética 106, 107, 321, 406114-15, 339-40, 428
Linhagem/sistema matrilinear 36
Linhagem patrilinear 38
Lua azul 265, 471, 475, 482, 499, 506, 526
Lua balsâmica 258, 259, 260, 262, 275, 276
Lua cheia 17, 131, 180, 220, 224, 226, 231, 251, 257-62, 265-71, 276, 386, 396, 424, 426, 436, 465-71, 475, 483-88, 496, 499, 501, 506-26

Lua e suas fases 219
Lua fora de curso 264, 265
Lua minguante 220, 224, 259, 272, 273, 275, 277, 396, 428
Lua natal 224, 225, 240, 250, 252
Lua negra 39, 183, 224, 231, 232, 242, 247, 252, 258-63, 267-68, 272-74, 424-29, 496-95, 499, 503, 506-17, 525, 527
Lua nova 219, 220, 257-59, 263-68, 270, 272, 470, 475
Lua vermelha 222, 224, 229-33, 245-47, 252, 255-56
Lua violeta 266, 506, 526

Máa 123, 136, 151, 154, 243, 248, 254, 441, 461, 537
Maat 279, 304295, 321-22
Mães de Clãs Originais 496-99, 502
Mãe do Milho 418, 419-20
Mãe Terra 34, 41, 53, 100-02, 112, 116, 119-21, 128-29, 133-37, 142-44, 150, 183-86, 198, 215, 226, 233, 240, 248-55, 360-80, 383-90, 394, 394, 412, 418-23, 441-45, 453, 458, 477, 485, 494-502, 504, 508, 511, 519, 524, 528
Magia de Gaia 16, 324, 329, 342
Mandala das Treze Lunações 260
Mandamento da Deusa Escura 278, 431
Marduk 39
Maria 2, 45-46, 49, 51, 75, 123, 274, 318-20, 323, 407, 476

Maria Madalena 45, 49

Marija Gimbutas 35, 37, 48

Mariolatria 45

Matrifocais 30, 35-38, 44, 48, 57, 116, 117, 122, 189, 210, 220, 226, 283, 441, 454, 529

Meditação dos guias interiores 301

Meditações lunares 225

Medo 46, 52, 73, 74, 82, 86, 91, 176, 180, 191, 198, 215-19, 223, 234-36, 254, 269, 273-75, 287, 328, 337, 344, 357, 365, 375-80, 405, 408, 425, 430-37, 440-43, 452, 459, 473, 478, 486, 495, 503, 505, 511, 513-20, 524, 526

Melissas 95, 308, 323

Menarca/primeira menstruação 37, 65, 235, 242, 253, 261, 270, 276, 320, 396

Menires 57, 75-78, 194, 203, 304, 307, 371, 394, 413

Menopausa 30, 63, 150, 222, 237, 253, 262, 270, 276, 320, 396

Menstruação 102, 222, 224, 226-28, 230-35, 242, 252, 276

"Milionésimo Círculo" 79, 150, 156, 160, 166, 177

"Mistérios do Sangue" 32, 102, 130, 217, 226-28, 276, 412

Mistérios Eleusínios 435-38

Mitos 19, 32-35, 38-41, 44, 48-52, 57, 61, 64, 76, 78, 89, 118, 130, 135, 139, 152, 163, 227, 231, 260, 279-84, 287, 291, 305-09, 310, 314, 318, 323, 325, 403, 408, 419, 424, 466, 489, 526, 529

Mitos da criação 33, 323

Morte 30, 33-40, 44-46, 68, 118, 123, 130, 191, 199, 218-23, 226-29, 255-61, 263, 272-76, 281, 289, 291, 293. 298, 309-13, 319-22, 337, 342, 362-65, 378-80, 403, 413-15, 418, 430, 432-39, 445-52, 454, 466, 471, 494, 518

Movimentos feministas 47, 66

"Mulher Mutante"(*Changing Woman*) 296, 326

Mulheres sábias 82, 150, 152, 275, 308, 424

Noite de Hécate 423

Noite da Mãe 457

Noite de Walpurgis 406

Nome mágico 192, 214, 277

Normas de convívio grupal 148

Normose 106, 538

"Novo homem" 181

Numero três 220

"O retorno da Deusa" 51, 288

"Objeto da palavra/fala" 88, 96, 120, 125, 126, 132, 149, 165, 174, 366

Objetos mágicos 195, 203, 234, 371, 426

Oferendas 72, 75, 78, 101, 113, 116-21, 128, 130, 140, 144, 184, 185, 199, 202-06, 217, 233, 240, 256, 264, 268, 271, 287, 298, 330, 333, 373, 387, 402-06, 417-28, 434-40, 449, 453-59, 463, 477, 492-95, 499, 507

Ogham 323, 470-74, 538

Omphalos 75, 79, 322

Oração 451, 453, 469, 477, 534

Orenda 501, 503, 504, 508, 511, 514

Orixás 89, 193, 281, 322, 356, 358, 495, 539

Pacha Mama 294, 354, 418, 421-23, 495

Pandora 41, 294

Participação dos homens 396

Pentáculo 120, 135, 215, 320, 351

Pentagrama 117, 120, 135, 142, 197, 215, 277, 320, 336, 359, 427, 428, 434, 452, 472

Período neolítico 348

Persona 155, 164, 431

Pessankas 404

Plenilúnio 49, 77, 132, 139, 143, 180, 197, 269, 270, 335, 354, 381, 464, 465, 477, 483, 488, 489, 496

Pomander 462

Práticas lunares 225, 245

Primeira cultura 61

"Portais de poder" 394, 395, 397, 407

Procissão de Brigid 200, 203, 210

Projeções 72, 103, 161-67, 170, 221, 224, 247, 273, 513, 523, 527

Purificação do espaço 449, 467, 490

"Puxar a Lua" 270, 467, 474, 483

Quadrantes 257, 261, 291, 372, 394, 396

Questionário 87, 104, 105, 107, 126

Rainha/ Imperatriz/ Guerreira/ Matriarca 46, 258, 263, 269, 270, 274, 279, 290, 296, 308-09, 310-14, 323-24, 424, 426, 429, 437-39

Raiva 134, 161, 254-55, 287, 337, 364, 380, 408, 425, 438, 481, 484, 486

Redefinição da masculinidade 181

"Redescoberta da Deusa" 34

Regentes das fases lunares 258

Reformulação do círculo 172, 175, 176

Renascimento 29, 33, 48-51, 68, 77, 118, 191, 199, 207, 212, 218, 220, 226, 229, 240, 257, 261, 263, 271, 274, 289, 293, 298, 309-10, 346, 348, 353, 379, 383, 394, 402-03, 418, 424-26, 430, 432, 436, 447, 454, 458, 486, 518

"Retorno a Deusa" 48, 50, 51, 54, 283

Reverência às Ancestrais 139, 448

Riane Eisler 48, 72

Rito de passagem 112, 154, 261, 262, 263, 276, 342

Rituais lunares 253, 465, 490, 493

Rituais coletivos da Lua vermelha 247

Rituais para plenilunios 483

Ritual de perdão 177

Ritual *Oghâmico* 473

"Roda da apreciação" 166

"Roda da palavra" 127, 144, 168, 178, 235, 392

"Roda das deusas" 270 285-86

"Roda da Terra" 393,

"Roda do Ano" 22, 30, 44, 46, 56, 69, 132, 139, 143, 197, 319, 326, 335, 346, 355, 366, 392-97, 402, 406, 407, 413-17, 423

"Rodas xamânicas" 117, 134, 360, 371, 413

Roger Woolger 281, 282, 284

Roteiro 69, 81, 114, 127, 131, 139-45, 171, 190, 191, 195, 199, 291, 305, 451, 467, 488, 490, 493, 504, 507

Sabbat Beltane 406

Sabbat Imbolc 149, 198, 201, 397, 446

Sabbat Lammas 414

Sabbat Litha 455

Sabbat Mabon 414, 435

Sabbat Ostara 241, 402

Sabbat Samhain 144, 275, 427, 445, 446, 447, 470

Sabbat Yule 455, 470, 475

Sabbats 17, 77, 295, 394, 396, 470, 494

"Sacola menstrual" 245-47

Sacralidade do corpo 283, 412

Sagrado feminino 24, 29, 30, 46, 65, 72, 81, 150, 226, 244, 259, 263, 312, 326, 404, 423, 438, 439, 489

Sauna sagrada 198, 199, 368, 384, 540

Sedonia Cahill 131, 178, 186

Segunda cultura 61

Sexualidade 42, 47, 52, 211, 241, 261, 271, 276, 286, 294, 297, 298, 341, 353, 380, 412, 439, 481, 486

Shekinah 43, 48, 51

Simbologia da Deusa 35, 44, 49, 305

Símbolos da Deusa:
animais 312;
animais lunares 241;
insetos 308;
formas geometricas 319;
objetos sagrados 321;
símbolos naturais 322

Simplicidade voluntária 60, 150, 183, 327

Solstícios 49, 329, 394-395, 413

Sombras 114. 161-66, 198, 240, 260, 263, 270, 272-74, 300, 328, 401, 425, 430, 435, 438, 459, 461, 473, 486, 500

Sonhos 13, 49, 52, 59, 64, 89, 92, 112, 120, 135, 156, 163, 192, 214, 216, 224, 231, 242, 247, 250-53, 267, 269, 276, 280-84, 286-89, 301, 305-06, 308, 324, 330, 342, 354, 357, 368, 369, 372-74, 379, 384, 389, 392, 429, 444, 461, 465, 498-503, 512-21, 526

Starhawk 48, 72, 164, 206, 467

Sun Bear 362, 371, 381

Talking stick 88, 89, 366

Tambor 57, 59, 112, 120, 124-27, 133-38, 142, 143, 150, 193, 199, 202, 235, 239, 242, 247-49, 254, 256, 268, 299, 340, 358, 361-65, 368, 373, 384-92, 405, 420, 423, 428, 453-54, 460, 469, 491, 492, 501, 504, 506

Tealogia 51, 152, 219, 290

Templo (Santuário) interior 234, 300, 303, 305, 412, 514

"Tenda da Lua" 150, 194

Teia cósmica 30, 36, 53, 64, 101, 328, 330

"Teia de Thea" 13, 15, 19, 21, 78, 103, 195, 229, 253, 344, 397, 496

Templo lunar 78-79

Tempo dos sonhos 252

Terceira cultura 60-61

Tiamat 39-40, 123, 245, 271, 294, 354, 431, 448

Tipos de círculos 65, 171

Tiyoweh 501, 513

Totem 58, 149, 311, 314, 317, 323, 380, 459-60, 541

Tradição da Deusa 17, 20, 29, 31, 44, 64, 100, 124, 140, 184, 189, 197, 202, 212, 213, 284, 288, 319, 326, 338, 394, 397, 415, 456, 466, 488, 489, 494

Tradição xamânica 68, 79, 134, 360, 370, 384, 466, 477

Transe 138, 224, 241, 273, 310, 317

Transformação 22, 32, 56, 63, 66, 85, 109, 116, 118, 135, 153, 184, 190, 197, 221, 240, 252, 255, 260, 263, 278, 285, 297, 301, 329, 342, 360-66, 371, 376, 379, 384, 405, 413, 430-40, 444, 448, 453, 460, 476, 486, 490, 498-501, 505, 525, 530

Travesseiro aromático 250-51

Trazer homens para o círculo 179

Trilha da beleza 502

Tristeza menstrual 256

"Túnel dos braços" 151, 211

Umbanda esotérica 70, 71, 72, 542

Velhice 219, 220, 222, 223, 270, 274-75, 378, 414

Ventre feminino 33, 34, 39-43, 57, 65, 69, 100, 104, 116-19, 205, 219, 226, 229, 235-49, 252-55, 263, 278, 314, 316, 329, 334, 343, 367, 394, 407, 414, 418, 422, 441, 444, 454, 461, 498, 519

Wicca diânica 466, 467

Xale sagrado 342

Yoni 116, 220, 315, 319, 321-22

Z. Budapest 29, 48, 466-67

Impresso por :

gráfica e editora
Tel.:11 2769-9056